LEONOR
DE AQUITANIA

Pamela Kaufman

EDICIONES B
GRUPO ZETA

Barcelona•Bogotá•Buenos Aires•Caracas•Madrid•México D.F.•Montevideo•Quito•Santiago de Chile

Título original: *The Book of Eleanor*

Traducción: Mercè Diago y Abel Debritto

1.ª edición: octubre 2002
1.ª reimpresión: mayo 2003

© 2002 by Pamela Kaufman
© Ediciones B, S.A., 2002
   Bailén, 84 - 08009 Barcelona (España)
   www.edicionesb.com

Publicado por acuerdo con Crown Publishers,
una división de Random House, Inc.

Printed in Spain
ISBN: 84-666-0671-8
Depósito legal: BI. 1.278-2003

Impreso por GRAFO, S.A. - Bilbao

LEONOR DE AQUITANIA

Pamela Kaufman

Traducción de Mercè Diago y Abel Debritto

Para mis hijos: Bruce y Theodore

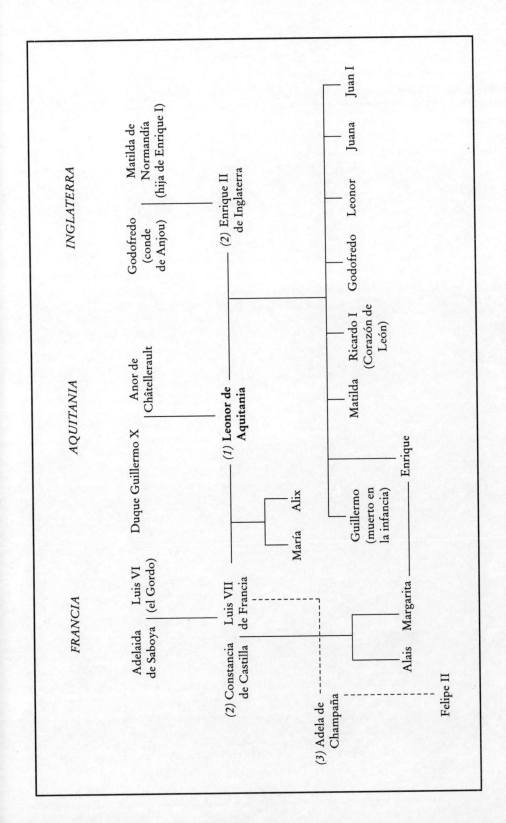

FRANCIA   AQUITANIA   INGLATERRA

Adelaida   Luis VI   Duque Guillermo X   Anor de   Godofredo   Matilda de
de Saboya   (el Gordo)   Châtellerault   (conde   Normandía
                                                                         de Anjou)   (hija de Enrique I)

Luis VII de Francia   (1) Leonor de Aquitania   (2) Enrique II de Inglaterra

(2) Constancia de Castilla

María   Alix   Guillermo   Matilda   Ricardo I   Godofredo   Leonor   Juana   Juan I
                       (muerto en   (Corazón de
                       la infancia)   León)

                       Enrique

(3) Adela de Champaña

Alais   Margarita

Felipe II

IN CARCEREM

1174

Partimos de Londres por el Camino Real de Winchester cabalgando de diez en fondo, la Guardia Real elegantemente vestida de escarlata, cascos y espadas relucientes bajo el sol invernal que se ponía, y de repente sentí un estallido de alegría. Por algo me llaman «Gracia», ¿no? Me agradó sobremanera volver a estar al aire libre; me encantaba el cascabeleo de los arneses y el repiqueteo de los cascos, incluso el brillante estandarte escarlata con los tres leones cabeceando delante de mí; pero sobre todo me alegraba el hecho de tener que ser trasladada. Debíamos de ir ganando, de lo contrario ¿por qué me hacían salir de la Torre Blanca sin las demás mujeres? ¿Por qué me enviaban al gran palacio de Winchester? Porque ¿a qué otro lugar conducía aquel camino?

Nos detuvimos a una hora de distancia de Winchester, en el vado del río.

—Tal vez estén preocupados por el hielo —le dije a mi criada.

Amaria dirigió sus ojos verdes hacia la madera.

—O por esos hombres.

Al principio las ramas parecían peladas, pero poco a poco fui divisando hombres que, cual champiñones, estaban en cuclillas; hombres con la coronilla y las piernas rasuradas, túnicas blancas con fajines verdes, los dedos de los pies hundidos en la corteza helada.

—¡Galeses! Santo Dios, ¿qué están haciendo aquí?

Espoleé el corcel para situarme en la parte delantera de la comitiva, donde Ranulfo de Glanvill estaba hablando con un adusto galés de mediana edad vestido con una capa escarlata sobre la túnica blanca.

—¿Por qué nos hemos detenido, mi señor? —inquirí.

Los ojos negros de Glanvill eludieron rápidamente mi mirada.

—Reina Leonor, permitidme que os presente a lord Ciarron ap

Dwyddyn. —Alzó el brazo con brusquedad y gritó—: ¡Dad marcha atrás!

Las hileras de diez en fondo se giraron a paso ligero y empezaron a trotar de vuelta a Londres con los arneses cascabeleantes y el estandarte. Al instante espoleé mi caballo para que se uniera a los demás, pero Glanvill y Ciarron rodearon mi montura y me obligaron a entrar en una zanja poco profunda que conducía al bosque, en compañía de Amaria. Estaba demasiado impresionada como para tener miedo, pero sin duda advertí el peligro.

—¡Deteneos de inmediato! —Sacudí las riendas—. ¡No dejaré el camino!

Ciarron me agarró la brida.

—¡Lord Glanvill! —exclamé.

Tenía la mirada perdida y entonces supe cuál era mi destino. ¿Quién no ha oído hablar de las ejecuciones de prisioneros políticos en el bosque? Cabalgamos adentrándonos por entre los árboles desnudos en compañía del fantasmagórico galés, hasta que la maraña se tornó tan espesa que nos vimos obligados a introducirnos en el río, a cabalgar con el agua helada hasta las caderas, y el carro flotando detrás de nosotros. Amaria me tomó la mano enguantada.

Acto seguido, el sonido de un hacha. De nuevo miré el perfil de Glanvill. Quizá fuera una persona malévola, pero no acababa de creerme que un caballero de su categoría fuera a perpetrar un acto tan sangriento, pues tratábase de un hecho más propio de un bruto anónimo. El sonido de los hachazos se oyó más cerca.

De repente irrumpimos en un pequeño claro donde unos leñadores talaban árboles; algunos cortaban las ramas de los troncos a fin de hacer empalizadas para un muro de casi cinco metros de altura, que se alzaba ante nosotros. Por encima de nosotros, en la plataforma de los guardas, se sentaban unos galeses que balanceaban sus mugrientos pies. Se abrió la puerta.

Entramos en un recinto amplio cubierto con un ligero manto de nieve. Las ovejas cubiertas de hielo dibujaban sombras alargadas en el patio. Los trabajadores se apoyaron en sus enseres para contemplar la escena con una curiosidad que los dejó boquiabiertos. A lo lejos, sobre las cimas de los árboles pardos, distinguí Clarendon Lodge. Había divisado aquel claro muchas veces desde una posición elevada, así que sabía exactamente dónde me encontraba: Old Sarum, una antigua torre sajona, una plaza, una torre del homenaje achaparrada construida con una muralla seca en proceso de desmoronamiento sobre una mota empinada rodeada de un ancho foso invadido por la maleza. Había permanecido deshabitada durante siglos, pero ahora las chozas y vallas hablaban por sí solas.

Estaba tan enojada que apenas podía articular palabra.

—Lord Glanvill, ¿se trata de una broma?

—Son órdenes del rey. Os ruego que desmontéis.

—No dejaré que el corazón me lata más de diez veces en esta ruina asolada por el viento. ¡Tenedlo por seguro!

Dejó de fulminarme con la mirada.

—¿Debo obligaros?

Encabrité el caballo y lo hice caer sobre los guardas más cercanos. Cien hombres se abalanzaron sobre mí. Desde el suelo helado, mordí todos los tobillos sucios que pude, hice esfuerzos para ponerme en pie, arañé las cabezas rasuradas, pisoteé pies galeses con mis botas doradas. Un patán me tapó la boca con la mano y le mordí el pulgar. La sangre brotó por todas partes. Me aferré al cuello de mi caballo.

—¡Socorro! —grité—. ¡Que alguien me ayude! ¡Os recompensaré!

Más de veinte hombres me arrastraron al puente del foso. Levanté el pie y le puse la zancadilla a un guarda, que cayó hacia atrás y atravesó la fina capa de hielo. Me quedé sin fuerzas e hice que me subieran por la mota, cruzamos la puerta de la torre y nos internamos en aquel lugar oscuro como boca de lobo, subimos por una escalera en tinieblas, donde me golpeé la cabeza con las vigas bajas. Luego de nuevo hacia arriba hasta llegar a una sala intermedia y, acto seguido, otra vez por las escaleras hacia el nivel más alto de esa aguilera llena de murciélagos.

Glanvill jadeaba de pie en el último escalón.

—Pongo al demonio por testigo de lo que estoy disfrutando.

—¡Ni siquiera el infiel goza matando mujeres!

Dejó los dientes al descubierto.

—Nadie os ha matado.

—¡No, ni tampoco he sido juzgada! ¡Cómo osáis, vos, un hombre de leyes, tratarme como a una vulgar criminal! ¿Acaso pensáis que ignoro la utilidad de Old Sarum? Primero los sajones y luego los normandos encarcelaron aquí a los rufianes para que tuvieran una muerte cruel, pero nadie ha torturado de esta manera a una mujer. ¡Y mucho menos a una reina!

—Tendréis un juicio.

—¿Me tomáis por imbécil? ¿Dentro de un año? Apresadme, escondedme y quizá colabore expirando «de forma natural» porque vuestro rey perdió los papeles después del escándalo de Becket. ¡Sí, y llorará sobre mi tumba al igual que hizo sobre la de Tomás! ¡Hipócrita!

—El rey quiere ser indulgente.

—¡Ja!

—Os ofrece una buena posición: podéis ser abadesa de Fontevrault, con todas las ventajas de vuestra condición. Un final digno para vuestra vida.

—¿A cambio de qué?

Se acercó a mí.

—Retractaos de las órdenes dadas a vuestros hijos.

—¿Para que así él pueda castigarlos?

—El rey está dispuesto a ser indulgente también con ellos. Ama a sus príncipes. —Se acercó todavía más. El aliento le olía a agrio—. Retractaos, reina Leonor.

—Me tienta... —Tanteé como si buscara el pañuelo y encontré el herrón.

Rápidamente le golpeé en los ojos. ¡Y una vez! ¡Y otra! Tropezó hacia atrás y rodó por las escaleras. ¡Bum! ¡Bum! ¡Bum! Corrí tras él y le golpeé la cara, las orejas, el cuello.

—¿Estáis muerto, lord Glanvill?

Emitió un gruñido.

—¿Todavía vivo? Qué lástima. —Le di una patada en las costillas.

Se agarró el estómago y luego las rodillas. Lo seguí mientras caía a trompicones hasta el fondo de la torre y luego salía por la puerta.

—¡Lord Glanvill!

Dejó de rodar.

—Convertiré en Papa a vuestro rey... ¡un final digno para su vida!

Regresé a la planta superior, donde Amaria se agazapaba junto a una letrina de piedra excavada en la pared.

—Quiere que muramos, Am.

—Lo sé. —Le castañeteaban los dientes.

—Quedaos aquí mientras examino la sala principal.

La torre estaba construida con piedras grandes e irregulares sin mortero, y se habría desmoronado tiempo atrás de no ser por una parra resistente y leñosa que serpenteaba por ella y le servía de sostén. Entre piedra y piedra había espacio suficiente para que pasara mi puño; el viento entraba silbando por las rendijas con una extraña armonía, y la nieve se amontonaba rápidamente en los rincones. En otra época el tejado y el revestimiento del suelo habían sido de madera; dado que el tejado hacía tiempo que había desaparecido, conjeturé que habían cambiado los suelos, aunque no resultaran ni mucho menos seguros. Uno de los espacios entre las piedras era mayor que los demás, posiblemente se tratara de una abertura para las flechas. Bajé la mirada hacia el foso que acabábamos de cruzar y vi un montículo sospechoso más allá, que podía ser una fosa común. Luego, cuando me volví, un cráneo rodó a mis pies.

Fui en busca de Amaria.

—Seguidme.

La guié escaleras abajo, donde bisecaban la planta intermedia, hasta el fondo oscuro. Allí nos acurrucamos sobre el suelo desnudo, bajo las escaleras, pues era el lugar más cálido de la torre. Me dispuse a palpar rápidamente la zona por si había más recuerdos truculentos del pasado, sobre todo para evitarle el susto a mi criada, y a continuación la envolví con mis pieles de marta. Nuestras túnicas empapadas se estaban helando rápidamente.

Oímos la fanfarria y los caballos de Glanvill.

—Estamos solas con esos salvajes —gimoteó Amaria—. ¿Qué vamos a hacer?

—Sobreviviremos. —La voz me temblaba de rabia—. Mis hijos nos rescatarán. —La estreché entre mis brazos.

Se abrió la puerta. Una ráfaga de aire helado sopló hacia el interior.

—¡Reina Leonor!

—¡Aquí!

Lord Ciarron llevaba un farol en una mano y un cazo humeante en la otra.

—Os he traído algo de comer.

Por lo menos el patán hablaba francés, si bien es cierto que tenía un lascivo acento galés.

No sin cierta rigidez, Amaria y yo recuperamos nuestra condición humana. Lord Ciarron dejó el farol en un escalón mientras desenvolvía el paquete. En vez de pan, tomamos unas tortas finas para mojar en unas gachas calientes y un vino que también habían calentado. Engullimos con avidez. No identifiqué los ingredientes de las gachas, pero sin duda contenían un pequeño cartílago de cordero. Daba igual: era comida caliente.

Ciarron nos observaba inexpresivo, con su rostro enjuto y lobuno, aunque incluso los perros callejeros responden al agradecimiento, ¿no?

—Está delicioso —mentí—. ¿Es un plato galés?

—*Lagana* —dijo, al tiempo que señalaba las tortas.

Amaria fue más directa.

—¿Pretendéis que nos congelemos esta noche, mi señor?

Ciarron cambió de postura.

—Tenéis pieles.

—Pero no hay techo ni paredes. —Amaria señaló la nieve que caía por el espacio abierto, los pequeños ventisqueros que se apilaban a lo largo de las paredes—. No somos osos, mi señor.

—No sobreviviremos hasta mañana —declaré con rotundidad.

—¡Ayudadnos! —suplicó Amaria—. He oído decir que el galés es el pueblo más hospitalario del mundo.

Sin mediar palabra, Ciarron tomó el farol para marcharse y de repente el haz de luz iluminó el rostro de Amaria. Mi criada nunca ha sido guapa, ni siquiera de joven, con su pelo rojizo y las pecas, pero rodeada por aquel brillo pálido sus delicados rasgos y sus ojos verdes adquirieron un atractivo conmovedor, lo suficiente como para hacer dudar al galés. Contuve al aliento, pero él se volvió y quedamos sumidas en la oscuridad.

—Ya sabéis, Am, que los galeses son los últimos en lo que a hospitalidad respecta, no los primeros.

—Parecía un poco más civilizado que los demás.

Nos envolvimos bien con la ropa para protegernos de la nieve.

—¡Escuchad! —Amaria estaba conmocionada.

Pasos, luego dos faroles.

Ciarron y otro galés portaban ocho pieles de borrego que olían a podrido y estaban plagadas de gusanos, pero fueron tan bien recibidas como si se tratara de lujosos plumones. Apuntalando dos pieles con unas piedras, formaron paredes contra los escalones y apilaron las demás en el interior.

El farol iluminó de nuevo el rostro de Amaria... ¿a propósito?

—Gracias, lord Ciarron —dije.

Cuando se hubieron marchado, nos introdujimos en nuestra tosca guarida, calentitas como los gusanos de la carcoma.

Nunca había pasado tanto frío. Un viento helado ululaba sin trabas por la llanura de Salisbury, atravesaba las pieles de borrego, agitándolas, y nos llegaba hasta la médula. La oscuridad era una presencia salvaje que intensificaba el frío. La mandíbula me dolía por el esfuerzo de controlar el castañeteo de los dientes; intenté calentarme las manos con el aliento; no me sentía los pies. ¡Eeeeoooo! ¡Eeeeoooo!

—¿Un lobo? —preguntó Am.

—El viento, querida.

—¡No quiero que me coman!

Yo tampoco quería.

—Acercaos. Debemos calentarnos mutuamente. —Recolocamos la marta cibelina para poder pasar las manos bajo la túnica de la otra.

Volvió a oírse el tono bajo y lastimero. Elegíaco. «El mañana nunca llega», una voz procedente de mi pasado. ¿Era aquélla mi última noche en la tierra? ¿Nos encontraría Ciarron fundidas a Amaria y a mí en un abrazo mortal? Cuando llegara el deshielo primaveral nos arrojaría a la fosa común, tal vez con víctimas de la peste negra. «Mantente despierta —me ordené—, no te rindas.»

Me desperté sobresaltada. Desorientada. ¿Dónde estaba? ¿Qué era aquel brillo extraño de la viga que tenía sobre mi cabeza? Con el corazón en un puño, me quité las pieles de encima. El brillo tenía una forma... ¡la forma de un hombre desnudo! Pelo largo y claro, ojos como lanzas azules, una aparición, sin duda, pero una aparición que me resultaba familiar. La sangre se me heló de otro modo.

—Abuelo, ¿sois vos?

Se burló con delicadeza.

—Gracia, ¿sois vos?

Me humedecí los labios fríos.

—No voy a ir con vos, abuelo. ¡No voy a morir!

—¡Por supuesto que sí! Todos morimos, ¿eh? —Dio una voltereta en el aire para alcanzar una viga más baja—. *Oc*, los mismos ojos zarcos, labios de fresa, mejillas redondas como melocotones, cabello dorado... el viento invernal no hace sino aumentar los méritos. Venid mientras seáis joven, los cinco es una edad exquisita.

—Tenía cinco años cuando moristeis; ahora tengo cincuenta y dos.

—¡Y seguís siendo encantadora! Os parecéis a mí. ¿Sabéis que me llamaban «Junior»? ¿Alguien os ha explicado alguna vez por qué?

¿De veras había sido tan vanidoso?

—Junior de «juvenil», ¿no?

Volvió a dar un salto y sentí un roce en la mejilla.

—¡Y «Gracia» por la pasión! ¿Acaso no formamos buena pareja?

—No, abuelo, no. ¡No voy a morir!

Él tendió su delicada mano.

—No tenéis elección, mi señora.

—No pudisteis llevarme antes, ¿recordáis?

—*In laudes Innocentium! Sallat chorus infantium!* —salmodió.

—Por favor, abuelo, estoy resuelta a vivir. ¡La supervivencia será

— 21 —

mi venganza por esta lenta ejecución! Decidme cómo. ¡Sois el hombre más sabio que he conocido!

—¿De veras? —El pelo se le levantó, formando como una nube—. Bueno, quizá lo sea, aunque la verdad es que no tenía demasiada competencia. —Se tapó los ojos y rió en silencio. Luego se puso serio—. La vida es amor, querida, mi canción y mi sabiduría. Vos sois quien mejor ha aprendido la lección.

—Pero el mundo ha prevalecido sobre nosotros, ¿eh? —Una oleada de desesperación se apoderó de lo más profundo de mi ser—. Si la vida es amor, abuelo, entonces verdaderamente estoy muerta.

—Todavía no conocéis el significado de la muerte, mi señora. Respiráis, sentís el paso del tiempo y, por tanto, todavía tenéis la esperanza del amor.

—¿Esperanza en este lugar ventoso? ¿Esperanza de amor?

—Estáis dormida en vuestro caballo, que todavía no duerme. *Carpe diem!* ¡Concertad una cita, querida!

—¿Queréis que seduzca a un cordero en su redil?

—¡Muchos son los hombres que llevan una piel de cordero por disfraz! —Guiñó el ojo—. Utilizad vuestra flor peluda... ¡ya conocéis los trucos!

—¡Abuelo! ¡Soy una vieja dama!

—¡Lo suficientemente joven para tramar ardides! Sin embargo, reconozco que vuestras oportunidades son limitadas. —El pelo en forma de nube empezó a caer y luego se levantó de nuevo—. Pero no vuestros recuerdos, ¿eh? Si insistís en vivir, ¡dejad que vuestras flores chillonas florezcan en vuestra vitela! ¿Recordáis cómo garabateaba mis versos hasta bien entrado en años? El amor reside en vuestro corazón, ¡transformadlo ahora en vuestro arte!

Con una risa fantasmagórica salió disparado hacia arriba y desapareció.

—*Levis insurgit*, Guillermo —susurré.

Me coloqué bajo las pieles de nuevo, más helada que antes debido a la conversación *mesclatz* mantenida con un fantasma. Cerré los ojos; ¡algo me cayó sobre la nariz! ¿Era el abuelo que seguía con sus travesuras? Recibí otro golpe, esta vez en la frente. Frío, húmedo. ¡Hielo! Me senté muy erguida. Por amor de Dios, la nieve se había transformado en bolitas duras. ¿Granizo? No, aquel hielo cortaba, ¡era aguanieve! Trozos enormes como cristales que tintineaban y golpeaban ruidosamente. Cubrí la cabeza de Amaria con la piel y me quedé destapada.

Sin duda el repiqueteo y el estrépito la despertarían. La cacofonía se intensificó hasta convertirse en un ruido agradable: ¡tic!, ¡tac!, ¡hic!, ¡hac!, ¡toc!, ¡tac!, ¡tic! Las bolitas caían por los escalones de piedra, como caballos danzando sobre adoquines, mientras en las vigas medio podridas el tic, tic, tic recordaba el ritmo de los badajos y los tambores. Y se oyó una voz lozana:

El tiempo llega, gira y se marcha
a través de años y días, sol y escarcha
[tic, tac, ti, ti, ton]
mientras enmudezco
de deseo, siempre renovado;
entumecidos mis sentidos.
¡Cuánto os quiero!
[tic, tac, tic, tic, tic]
Aun así, la estación transcurre rápida.
¡Nada detendrá la frenética carrera de mi corazón!

¡Aquitania! Hugo y Guido y Aimar y Aquiles cabalgando a medio galope por los caminos estivales, dispuestos para la guerra y el amor, Cercamón rasgueando su laúd, ¡Marcabrú!

—¿Habéis notado eso, Gracia?

—No es más que aguanieve. Intentad dormir.

—¡Dormid vos! Os voy a cubrir la cabeza con la piel.

—Me había adormecido, pero ahora ya estoy despierta.

Y extrañamente emocionada, también. Quizá yaciéramos en una tumba, el aguanieve podría ser nuestra última mortaja, pero el abuelo se había salido con la suya porque me sentía viva. Mi temperamento vital se reavivó ante los cálidos ritmos de Aquitania. Y el abuelo estaba en lo cierto... ¡me acordaba!

—Escuchad, Am. ¿Habéis traído vitela en el carro?

—Por supuesto. ¿Creéis que éste es momento de escribir una trova? —preguntó con voz preocupada.

—Eso lo tenéis que decidir vos, querida. Yo tengo mis planes. ¿Puedo disponer de unas pocas páginas?

—Por supuesto, si consigo llegar al carro. —La preocupación que transmitía su voz iba en aumento—. ¿Para escribir canciones trovadorescas?

Como si el talento corriera por las venas. ¡Como si aquel entorno fuera capaz de inspirar versos licenciosos!

—Oh, no, algo más mundano. Tengo que enviar cartas al extranjero.

—Sin duda. —El tono de su voz era lastimero.

Mi cerebro enfebreció todavía más; el corazón me latía al ritmo del tamborileo que me rodeaba. Mientras respire, mientras la memoria siga estando viva, permitidme relataros mi historia. *Oc*, que los vientos hostiguen, el aguanieve corte, pero no permitáis que me deslice enmudecida a la fosa común. Que mis palabras pervivan; que la historia relate que me adoraba hasta tal punto que quería verme muerta. Sin duda él también tomará un estilo para escribir, o contratará los servicios de algún prelado adulador que se haga eco de sus mentiras, pero en algún lugar de las grietas de esta tumba antigua reposará otra historia: la de la hipocresía, duplicidad y crueldad mortífera de un rey. Conseguirá mi muerte, sin duda, pero nunca evitará su sentimiento de culpa, *testa me ipso*. Reí en voz alta... y noté que Amaria daba un respingo.

—¿Qué os divierte, Gracia? —Me creyó enferma de temor.

—Intentaba recordar aquel versículo de Esdras, el que dice algo sobre la victoria.

—Esdras 1, 3:10: «La verdad vence a la victoria.»

—Ése es, gracias.

Tic, tac, ti, ti...

Y mi breve tratado también debe dejar constancia del corazón que late bajo mis vestiduras reales. ¿Qué importa un escándalo tras mi muerte? Los escribas reales menoscabarán mis logros mundanos, sin duda, pero nadie puede cuestionar mis sentimientos más íntimos. No en vano nací nieta del primer y más famoso trovador de todos los tiempos, el duque Guillermo IX, infame por su vida de escándalo. No es que mi pasión no se convirtiera en tema de los chismorreos populares, mas los rumores inventados jamás se acercaron a la verdad.

Divertido.

Sí, contaré mi historia por partida doble, tanto la pública como la privada, con un doble objetivo, como sugirió el abuelo. «Aquel que escribe sobre su vida de pasión vive dos vidas.» Ahora me he hecho sonreír a mí misma, pues la máxima verdadera reza: «Aquel que escribe sobre su vida de virtud vive dos vidas.»

Mi vida de virtud compondría un libro corto.

¿Empiezo por mi nacimiento en Aquitania? ¿Por el misterio de mis padres? ¿La guerra intestina entre mis tías y mi madre? ¿El amargo destino de mi padre? Tanto por contar, tanto por contar. Todo me resulta conmovedor, la tierra fértil de la que me alimenté, pero se trata de su historia, no de la mía. Mi infancia fue paradisíaca, tal como la recuerdo, ¿acaso los adultos me protegieron de su desgracia y resentimiento? Lo dudo. Más bien creo que todos me querían, independientemente de sus otras lealtades y los resentimientos de los unos contra los otros, porque el amor es lo que hace feliz a un niño, ¿no? Espero que mis hijos lo recuerden. No, mi historia empieza cuando contaba quince años, la noche que ocupé el centro del escenario en el teatro del mundo.

El viento del norte sopló de nuevo y entonces emitió un sonido agradable, como el viento del sur en *autun* que soplaba cuando me convertí en duquesa. Uuuu, uuuu, el susurro me transportó y me deslicé bajo la piel de la joven Leonor.

FRANCIA

1137

1

—¡Leonor, corred a la torre!

¿Quién? ¿Qué? Chacoloteo de los cascos en el puente del foso, gritos de hombres que aporrean la poterna.

—¡Rápido! —gritó tía Mahaut.

Avancé a tientas en la oscuridad entre cuerpos que roncaban.

—¡Mirad por dónde pisáis! —Petra, enfadada, me apartó la pierna.

Avancé rápidamente sobre los adoquines irregulares hacia la torre de los Ballesteros.

—¿Quiénes son? —Petra sollozaba tras de mí.

—Alguien intenta raptarme... ¡Oh! —Me di en el dedo del pie.

Por encima y por debajo de la escalera serpenteante, hasta la plataforma con el muro almenado, el viento de *autun* me azotaba las trenzas y la túnica. La luna, gibosa y velada por el polvo, estaba suspendida a media altura.

—¡Echad abajo la poterna!

—¡Aguardad a vuestras tías! —exclamó Amaria.

Mis tías y mi abuela se apiñaron en lo alto.

—¡Empujad, todos!

Estábamos en suspenso, hasta que poco a poco las púas afiladas crujieron hasta tocar la piedra. Corrí hacia el muro externo para mirar hacia abajo.

—¡Regresad! ¡Os caeréis! —advirtió tía Audiart.

Tía Mahaut me tiró de las trenzas.

—Por favor, Leonor, por favor. ¡Pedid ayuda a Dios!

—Oh, mi pobre corazón, soy demasiado vieja para tamaña emoción. No puedo respirar. —Mi abuela Dangereuse se apretó el pecho.

—¡Padre ha vuelto! ¡Veo a sir Lucain! —grité—. ¡Padre ha vuelto de Compostela!

Era más difícil levantar la poterna que derribarla.

—¡Padre! —Bajé corriendo las peligrosas escaleras—. ¡Padre, estoy aquí!

Gracias a dos antorchas sibilantes se veían varios caballeros en distintas posturas de desmoronamiento. Un paje ofrecía jarras de vino.

—¿Padre? ¿Dónde está padre?

Sir Lucain dejó la bebida en el suelo.

—Os saludo, doña Leonor.

—Sir Lucain, ¿cómo habéis regresado tan rápido de Compostela? No os esperaba hasta... ¿dónde está padre? ¡Y pensar que creíamos que erais caballeros y que veníais a raptarnos!

Bajó la cabeza. Costaba oír su voz, ronca debido al viento y el polvo.

—Doña Leonor, llamad al arzobispo Godofredo, si sois tan amable.

—Iré a buscarle. —Amaria se escabulló al palacio.

—¿Dónde está el duque Guillermo? —preguntó tía Mahaut—. ¿Por qué cabalgáis en plena noche?

—Sí, ¿por qué? —Se me heló la sangre—. ¿Ocurre algo?

Sir Lucain, con los ojos como dos agujeros negros bajo la luz naranja parpadeante, no respondió.

El arzobispo Godofredo hizo su aparición en el patio, enfundándose la sotana no sin dificultad.

—Buenas, sir Lucain. Nos habéis dado un buen susto.

Sir Lucain hincó una rodilla en el suelo.

—Su Excelencia, el duque de Aquitania falleció hace tres días. Sus últimas palabras fueron que protegierais a Leonor, su hija y heredera; dijo que teníais instrucciones.

Amaria me rodeó rápidamente con el brazo; mis tías atrajeron a Petra a su círculo.

—Dios misericordioso —murmuró el arzobispo—. ¿Muerto habéis dicho? Estoy completamente... ¿Cómo fue?

—Por culpa de un arroyo contaminado, en el interior de España.

—¡No! —Salí de mi trance y me puse a aporrear a sir Lucain—. ¡No! ¡No puede ser! ¡No es posible! ¡No me lo creo!

Entonces me callé. Por supuesto que lo creía, me había acostumbrado a la idea desde el otoño anterior en Parthenay, donde le había atacado un templario. El abad Bernardo de Claraval se había reunido con padre para tratar el nombramiento de un obispo y, antes de que padre pudiera incluso presentar su alegato, un delincuente común lo había atacado. Lo habían llevado inconsciente al santuario, donde se debatió entre la vida y la muerte durante tres días. Aunque cuidé de él durante el invierno, nunca acabó de recuperarse del golpe; la peregrinación había sido un esfuerzo fútil por recuperar la vida.

Mientras mis tías daban gritos ahogados y lloraban, alcé la mirada hacia las estrellas enormes y borrosas, blancas como las manchas de la cola de un pavo real, la luna roja latente y, entre Cástor y Pólux, contemplé una ancha franja plateada: era en esa vía celestial donde mi padre trotaba lentamente sobre su corcel blanco. Durante un momento conmovedor, me dirigió una sonrisa.

—El duque deseaba que su muerte se mantuviera en secreto hasta que doña Leonor fuera investida duquesa —explicó sir Lucain.

—Sí, por supuesto. De lo contrario... —convino el arzobispo, horrorizado.

—¡La raptarán y violarán para conseguir sus tierras y título! —exclamó Dangereuse.

—Aquí no corre peligro —la tranquilizó el arzobispo—. El duque Guillermo en persona se encargó de que los muros del palacio de Ombrière tuvieran casi dos metros de grosor.

—El rapto y la violación son los métodos del hombre ambicioso para hacerse con el poder —dije, haciéndome eco de las advertencias de mi padre—. Él quería que me casara a su regreso de Compostela. Lo hablamos antes de su partida.

—¿Había pensado en alguien? —inquirió el arzobispo Godofredo.

Por supuesto que sí, y yo también, aunque sólo se había formalizado el propósito.

—Sí, sólo que... —Se me formó un nudo en la garganta—. Entiendo que debo contraer matrimonio... con uno de los nuestros, con un barón de Aquitania. Alguien que...

—Pero antes la investidura —advirtió el arzobispo—, de inmediato, antes de que los barones sepan de la muerte. Tenemos que hacerla llegar a Poitiers como sea para la ceremonia.

—Necesitaréis una buena guardia. —Sir Lucain se pasó la mano por la cabeza—. El duque Guillermo dijo que pidiéramos a vuestro señor supremo, el rey de Francia, que la protegiera hasta que su esposo pudiera hacerlo. Por supuesto, debe aprobar al elegido.

—Mera formalidad —añadió el arzobispo con frialdad—. Como tutor suyo, considero que también tengo voz en este asunto.

Sus voces me resonaban en la cabeza como si estuvieran en un pozo hueco, resonaban y se repetían.

—De todos modos, esta noche cabalgaremos hacia París. —Sir Lucain rechazó nuestra hospitalidad—. Regresaré en cuanto tenga las nuevas del rey. Doña Leonor... —Me dedicó una reverencia.

La poterna volvió a abrirse, de nuevo chacolotearon los cascos sobre el estrecho puente y nos quedamos a solas.

En un período de pocas horas, observé que todos se mostraban sospechosamente deferentes. ¿A causa de mi pesar? Petra incluso me dejó ganar al parchís.

—¿Seguiré viviendo con vos? —preguntó con naturalidad.

—Por supuesto —respondí sonriendo ante su rostro compungido—. Seguís siendo mi hermana.

—Vuestro padre se mostró muy generoso con mi convento en Maillezais —intervino tía Agnes fríamente a mi espalda.

—Seguiré ayudando a Maillezais, tía, siempre y cuando dejéis de azotar a las novicias con cadenas.

Se sonrojó.

—Se flagelan cuando lo desean; yo no les planteo tales exigencias, ni mucho menos.

—Por supuesto, Maillezais es poco más que un molino de grano —observó tía Mahaut—, mientras que mi abadía de Fontevrault atrae a las grandes damas de Europa.

Lo que quería decir era que les ofrecía refugio cuando sus esposos las rechazaban. Tía Mahaut era la abadesa de aquella abadía tan bien provista de fondos.

—Supongo que seguiré viviendo en la torre de Maubergeonne, ¿no? —preguntó Dangereuse.

—¿Dónde si no ibais a vivir?

Sin duda no podía regresar con su verdadero esposo después de todos aquellos años. Había sido la concubina de mi abuelo.

Entonces lo comprendí de repente: yo era la única cuidadora de aquellas damas, todas ellas solteras, a diferencia de mis otras cinco tías; incluso mi amiga Amaria me preguntó esa misma mañana si podía ser mi doncella.

Ni siquiera la había entendido.

—¿Os referís a que deseáis formar parte de mi dote matrimonial?

El padre de Amaria era pobre y tenía seis hijas mayores. Gustosa le concedería una dote.

—¡No! —había exclamado tajante—. Quiero quedarme siempre con vos; así podré escribir versos.

—¿Qué tipo de versos? ¿Canciones trovadorescas? ¿Romances como *Tristán*?

Las dos nos habíamos emocionado cuando el verano anterior en Poitiers Béroul cantó su famosa historia sobre la tragedia de los amantes. Se había sonrojado todavía más.

—Eso me gustaría, claro está, pero primero he pensado en romances más cortos, esos que denominan trovas.

Le había acariciado la trenza.

—Yo seré vuestra mecenas. Sería un honor para mí aceptaros como doncella, Amaria.

Mi séquito femenino enmudeció, protegido bajo el ala de su nueva señora suprema. Juntas nos apiñamos para vencer al viento virulento, juntas vimos cómo menguaba la luna, las estrellas fueron cambiando ligeramente de posición en su campo polvoriento, y al quinto día sir Lucain regresó.

Esta vez llegó al mediodía, más muerto que vivo. El caballo iba dando traspiés por el foso medio vacío, donde se veía el esqueleto de una mula. De nuevo se desplomó en el patio y de nuevo le ofrecimos vino.

Alzó sus ojos inyectados de sangre.

—Vais a casaros.

—Pero primero la investidura —puntualizó el arzobispo Godofredo—. Hemos estado preparando la ceremonia.

Sir Lucain levantó la copa para que le sirvieran más vino.

—Boda inmediata. Luego la investidura.

El arzobispo arqueó las cejas.

—¿Mando llamar al barón Hugo de Lusignan? Es un administrador competente y el matrimonio podría enfriar su rebelión.

—¡Está gordo! —se mofó Petra.

—No —respondió sir Lucain—, vais a contraer matrimonio con el príncipe de Francia, doña Leonor. Luis, el príncipe de Francia.

Estaba demasiado atónita para responder.

—En estos momentos está de camino —prosiguió sir Lucain— acompañado de un gran ejército. Francia tomará Aquitania bajo su protección. Es lo que ha decidido el rey Luis el Gordo.

—¡No! —grité—. ¡Sólo me casaré con un barón de Aquitania! ¡Es lo que quería mi padre!

Y entonces me desmayé y me hice un corte profundo en la cabeza. Nadie me sujetó; nunca me había desvanecido antes y no era dada a la hipocondría. Además, tal vez no fuera un verdadero vahído pues seguí escuchando sus voces.

—Es una reacción tardía a la muerte de su padre.

—*Oc*, debe de tratarse de eso. Estaban tan unidos, se querían tanto... Después de que Anor y la joven Aigret murieran... ¡oh, cielos!

—¡Que traigan agua!

Sus voces se fueron atenuando y luego se perdieron por completo. El cielo gris y apagado se iluminó y empezó a dar vueltas. Unas mariposas blancas de alas redondas llenaban los cielos enfrascadas en una búsqueda nerviosa y, poco a poco, fueron desapareciendo para dejar al descubierto un valle de color verde intenso y aterciopelado. Se me cortó la respiración. Sabía dónde estaba: en la última *chevauchée* con padre, cuando visitamos el castillo de Taillebourg.

—¡Oh, mirad! —había exclamado yo—. En aquella escarpadura... ¿será un castillo?

—Taillebourg, la fortaleza más segura de toda Aquitania, propiedad de mi capitán, el barón Ricardo de Rancon. Nos espera.

En el valle resonaba el choque de los cuernos de los ciervos, el chacoloteo de los cascos en el agua verde oliva, y el aroma de la lavanda llenaba el aire. El barón Ricardo de Rancon se había adelantado a caballo para recibirnos, alto y enérgico en su túnica corta color marrón blasonada con el león tachonado de Taillebourg. Su cabello rebelde le caía sobre los ojos, que le relucían como diamantes negros.

—Saludos. —Me tomó de la mano y se me detuvo el corazón.

Lo seguimos en fila india por un camino tortuoso, oscuro de repente como boca de lobo, y luego de un dorado cegador gracias a la puesta de sol. Más tarde, elevados en la pequeña sala principal cuyas ventanas se abrían al cielo color guinda y a la curva azul del Atlántico a lo lejos, tomó el laúd. Yo ya no podía seguir mirando aquellos ojos llameantes; bajé la vista hacia sus dedos romos y encallecidos, luego a las botas, acordonadas hasta las rodillas.

¡Gracia me arroja puñales al corazón,
desde todas las cavidades la sangre brota...
Mientras respiro utilizo mi arte
y para reclamarla arrojo mi canción!

«¡Me dedica la canción!» El corazón me retumbaba en los oídos. Aquellos dedos encallecidos me volvieron a tomar de la mano; él había querido ofrecerme un regalo especial y, con el permiso de mi padre, me llevó todavía más arriba, a una pequeña caballeriza con sólo tres compartimientos.

—He criado esta potra sólo para vos —me susurró.

—¿Una andaluza?

—Cruzada con un caballo árabe. La he llamado *Isolda*, ¿recordáis?

¿Cómo iba a olvidar aquella noche mágica cuando escuchamos a Béroul interpretar su famoso romance?

—Qué hermosa —murmuré—. Aunque merece un nombre más auténtico.

—¿No creéis que el amor sea auténtico?

Era incapaz de mirarlo a los ojos.

—*Oc*, sólo en el romance, Isolda debe beber la poción mágica antes de saber que ama a Tristán, mientras que...

—El amor verdadero no precisa de pociones —convino él con vehemencia.

Y me besó, una y otra vez, me marcó con las tachuelas de león para siempre.

—No me miréis —gimió—. Vuestros ojos me atraviesan.

Luego la penumbra nos rodeó; no conservé nada salvo la imagen de nuestros labios ardientes y nuestros susurros de amor eterno, de eterna unión, de amantes predestinados.

Cuando cabalgó para acompañarnos en nuestra partida, me tomó de la mano con descaro. Cuando se hubo marchado, padre sonrió.

—¿Será Rancon, Gracia?

—¡Sí! —Le miré atemorizada—. ¡Espero que estéis de acuerdo! Desde que vino a instruirse con vos, desde que éramos niños...

Me acarició la mejilla.

—Me alegro, es mi mejor caballero. Es lo que siempre deseé.

Sentí que me caía agua en la cara. Una mano me acarició la frente.

—Gracia, querida, ¿os encontráis bien?

Tía Mahaut me secó la sangre de la herida.

Hice un esfuerzo por levantarme.

—Estoy bien, gracias, sólo que...

La voz de sir Lucain retomó su alegato.

—Olvidaos de Hugo de Lusignan o de cualquier otro. No se puede contradecir a un ejército de quinientos hombres. Llegarán aquí dentro de varios días.

El arzobispo Godofredo arguyó con firmeza que el príncipe francés provocaría un desastre político en Aquitania.

—Los franceses son papistas hasta la médula y, por consiguiente, están en contra del gobierno femenino, lo cual significa que doña Leonor podría verse privada de su soberanía.

Sir Lucain permaneció en silencio.

—Luis el Gordo impidió que la heredera legítima de Inglaterra ascendiera el trono —nos recordó el arzobispo.

—Matilda de Normandía —añadí convencida—. Los franceses, el duque de Champaña, todos los norteños estaban en su contra.

—Tal vez el príncipe sea más tolerante —murmuró finalmente sir Lucain.

—¡Tal vez no! En todo caso, el gobierno está en manos del abad Suger de Saint-Denis. No cabe duda de que el rey y el príncipe son sus títeres —advirtió el arzobispo Godofredo.

Me estremecí. Otro abad.

—Suger, como su nombre, ¡cubierto de azúcar! ¡Bajo la superficie es un turrón de puro veneno! No permitáis que os embelese, señora mía.

Siguió hablando en los términos más espantosos sobre cómo ese pequeño abad ambicioso había ascendido desde un estercolero hasta la posición más elevada de Francia, y cómo había codiciado Aquitania, el ducado más rico bajo dominio francés.

Los argumentos eran en vano; el ejército estaba de camino.

—¡Tal como nos ven, tal estima nos tienen! —La abuela Dangereuse sostenía una diáfana túnica verde junto a su rostro—. ¿Resaltaba el color de mis ojos?

Como si fuera la que iba al árbol de la horca.

—De ningún modo. Tenéis los ojos azules, abuela.

—Igual que vos, pero no tan intensos. Sin embargo, colocáosla junto a la cara y miraos en el espejo de Junior.

Tomé el espejo con dorso de plata de mi abuela, traído de las cruzadas.

—El reflejo se ve borroso.

—La plata está gastada, de acuerdo. Inclinadlo hasta que veáis el extremo superior derecho.

Un único ojo, que mi padre había descrito como tan profundo y azul como el Atlántico en agosto y que Petra había relacionado con la forma de un escarabajo. Sostuve el espejo más abajo: una mejilla redondeada y brillante, rosada como una manzana. Sin embargo, el verde otorgaba una apariencia cetrina a mi piel, aunque eso no me importaba. ¡Mal rayo parta a la «estima»! En cualquier caso, la abuela sabía aconsejarme mejor en cuanto a mi apariencia que un espejo gastado, puesto que todo el mundo decía que éramos idénticas. Eso esperaba yo. Había sido la mujer más bella del ducado, quizá del mundo, con una tez viva, los pómulos marcados, unos labios rojos fruncidos que siempre esbozaban una leve sonrisa que a unos parecía tentadora y a otros lasciva.

—Probad otra, abuela, y yo miraré. Tenemos la misma altura y color de tez.

Escogió una túnica de cendal color crema con un fajín de *orofois* en el escote de pico e incrustaciones de brocado rosa hasta la cintura.

—¡No es de extrañar que el abuelo os robara a vuestro esposo! ¡Yo habría hecho lo mismo! —exclamé.

Ella se echó a reír.

—Él también os robó, os consideraba una hija. ¡Cuánto os adoraba! —Sostuvo un collar de perlas de tres vueltas junto a la túnica—. Lástima que muriera antes de que tuvierais voz.

—¿Qué voz? Si yo no sé cantar.

—Cuando habláis, querida, oigo la sonora cuerda de una viola. La voz es de familia; todos vosotros sois descendientes de Orfeo. Sí, ésta está mejor y un broche en forma de águila en el hombro que represente Aquitania, y para sujetarla este drapeado de Roma. ¡Colocáoslo junto a los ojos!

Media mañana y yo estaba sentada con rigidez en el banco acolchado de nuestra sala principal, rodeada de mis cinco tías, mi hermana, mi nueva doncella Amaria, mi abuela Dangereuse, el arzobispo Godofredo de Burdeos y funcionarios varios de Poitiers. Me presioné las sienes para aliviar el martilleo que sentía en el interior.

—¡Con cuidado, querida! —Dangereuse me recolocó la mantilla de encaje—. Volved el rostro hacia aquí. —Me alisó las cejas con un poco de saliva—. Con una hermosa sonrisa, seríais la damisela más cautivadora del universo. ¿Lo probáis?

Desestimé sus palabras frunciendo el ceño. El arzobispo Godofredo inició un ataque de tos. Pronto todos los presentes en la gran sala tosieron a coro.

Ay, bien podían atragantarse, pensé, al ver Aquitania devorada por las ávidas fauces francesas, por no hablar de mi propio ser sangrante.

De súbito, las toses se apagaron, al igual que la respiración. A lo lejos sonó la fanfarria francesa, luego los cuernos de madera de Aquitania, el lento crujido de las puertas, el murmullo de voces extranjeras, el silbido de la comitiva, el suave ruido sordo de las botas de terciopelo.

Dangereuse se arrodilló ante mí rápidamente para extenderme los faldones. Bajé la mirada hacia una grieta del pavimento, donde un pequeño lagarto sacaba la lengua.

El grupo de franceses entró en la sala como una nube de axilas rancias, mal aliento y seda enmohecida. Una espada traqueteó en una vaina con olor a aceite y óxido. Luego una hilera de botas de terciopelo oscureció la grieta.

Todo el mundo hizo reverencias y musitó saludos aduladores; mis familiares y consejeros respondieron con el mismo tono, pero yo permanecí en silencio. El calzado que tenía a mi izquierda, que de hecho eran unas sandalias de cuerda, dio un paso adelante. Por la túnica gris de lino, deduje que debía de ser el infame abad Suger de Saint-Denis, senescal de Luis el Gordo y verdadero gobernante de Francia. Alcé la vista y durante un buen rato nos medimos con la mirada. Se quedó boquiabierto, sorprendido sin duda por mi reputada belleza, y luego frunció el ceño al ver mi expresión. No era tonto el abad; cerré los párpados como si fueran las tapas de un libro. Pero no lo hice antes de observar su rostro: un triángulo en forma de corazón, la frente ancha, la barbilla puntiaguda, ojos luminosos, mejillas rosadas y redondas y una sonrisa benévola. Aunque no era joven, no tenía arrugas y conservaba las cejas oscuras.

Empezó a hablarme por encima de la cabeza.

—Para mi querida Leonor... —Alcé de nuevo la vista; se dirigía al arzobispo Godofredo pues dudaba que yo pudiera comprender el latín vulgar que empleaba al hablar— que pronto será duquesa y princesa de la tierra más hermosa del mundo, y para todos sus distinguidos consejeros y familiares, saludos del rey Luis el Gordo de Francia, quien lamenta no poder estar aquí en persona. Os hace llegar sus condolencias por vuestra pérdida reciente, que fue también nuestra, puesto que el duque Guillermo de Aquitania siempre fue un muy apreciado vasallo de Francia.

El hombre situado en el extremo opuesto de la hilera carraspeó para mostrar su obvio desacuerdo. Pero ¿de quién se trataba?

Suger continuó a toda prisa:

—Hemos rezado por él todos los días durante los maitines y las vísperas mientras cruzábamos con la presteza debida estas tierras peligrosas para rescatar al lirio de Aquitania...

—Hipócrita estirado. Presumido de tres al cuarto. Mirad el corte de esa túnica, confeccionada por el mejor sastre, me aventuro a decir, y la joya de ese turbante color arena. ¿Un topacio verdadero?

—Haciendo frente al sol abrasador —prosiguió— y a los igualmente abrasadores barones aquitanos hemos viajado sólo de noche y nos hemos escondido cual fugitivos durante las horas diurnas, mas por fin hemos llegado, exhaustos quizá, pero más jubilosos si cabe por el evento trascendental que nos antecedía, la unión de vuestro ducado con la gloriosa dinastía de Francia, que remonta su linaje hasta el mismísimo Carlomagno.

Me enfurecí. ¿Acaso mi familia no descendía también de Carlomagno? Suger corrigió sus palabras de inmediato.

—Dos dinastías igual de grandiosas fundidas en una.

Se volvió hacia el hombre que estaba a su lado; la inclinación de su frente y mandíbula crearon un perfil afilado como un cincel.

—Os presento a Raúl, conde de Vermandois, primo del príncipe y senescal político de Francia.

Ataviado con un cendal tornasolado en tonos naranjas y dorados, Raúl de Vermandois irradiaba juventud, encanto y sofisticación; unos rizos oscuros le cubrían la frente, y un hoyuelo le adornaba en el mentón.

—Doña Leonor —dijo con un meloso francés norteño—, permitidme añadir mis condolencias personales por vuestra irreparable pérdida; sólo me cabe esperar que, en los días y semanas venideros, una felicidad nueva os ayude a olvidar los efectos corrosivos del dolor. Precisamente mi hija Leonor se casa este verano y a menudo le digo que el matrimonio es el bálsamo de la vida, pues una boda otorga una familia nueva en la que apoyarse. Os prometo, mi querida duquesa, que nosotros, los franceses, haremos todo lo posible para que os sintáis bien recibida y feliz en nuestro seno.

Me sorprendió ligeramente que tuviera una hija lo suficientemente mayor para casarse, y cierto exceso de énfasis hizo que me preguntara si su matrimonio era el bálsamo de su vida.

Junto al conde Raúl se encontraba mi futuro esposo, pero por fortuna Suger todavía no me lo presentó y pude fingir que no lo había visto.

En otro discurso farragoso, Suger encomió a los grandes duques franceses y continuó con una retahíla de motivos que ninguno, a excepción de Teobaldo de Champaña, había sido capaz de seguir.

Teobaldo de Champaña era el hombre que había carraspeado al oír mencionar el nombre de mi padre. Entonces se inclinó ligeramente y ondeó su capa repleta de piedras preciosas, a juego con el sombrero enjoyado que le cubría la cabeza como un guante. Llevaba una cruz grande con unos rubíes exóticos y centelleantes. Una figura impresionante si no hubiera tenido una expresión tan adusta y una mirada tan implacable.

—Tuve el honor de luchar contra vuestro padre —dijo con sequedad.

Me puse tensa; sin duda debía de querer decir «con» mi padre.

—En Normandía —prosiguió—, cuando siguió la política equivocada que le llevó a ayudar a Godofredo de Anjou en su vana búsqueda de poder para su hijo Enrique.

«Vana» porque la reivindicación se basaba en una mujer, Matilda de Normandía. Escuché el tono de su voz, no sus palabras, el frío temple del hombre.

—No obstante, tales cuestiones se produjeron antes de vuestra época. —Teobaldo concluyó con un intento fallido de sonrisa—. Estamos encantados de acoger a la hija de nuestro antiguo adversario, pues entendemos que ninguna mujer puede responsabilizarse de ello.

Esto implicaba que las mujeres no eran aptas para reinar, ni en Inglaterra ni en Aquitania. Pobre Teobaldo, tendría que cambiar radicalmente de opinión cuando yo asumiera el poder.

La voz de Suger me devolvió al personaje alicaído que se hallaba en el centro del grupo.

—Y éste, por supuesto, es Luis de Francia, que algún día será el rey Luis VII, con vos como reina.

Tuve que recurrir a toda mi educación y a un estricto protocolo para abstenerme de echar a correr. Santo cielo, qué desastre; peor de lo que habría sido capaz de imaginar.

Rápidamente intenté encontrar argumentos a su favor, ¡pues aquel idiota era mi futuro esposo! No era gordo, aunque sí estaba encorvado y tenía el pecho hundido como un viejo; no estaba calvo, si bien tenía el pelo frío y húmedo como las algas marinas; sus ojos parecían sinceros, pero estaban enrojecidos y empañados; la tez pálida, brillante y manchada, sin duda por el sol; llevaba una túnica de seda de color azul intenso, aunque con una mancha en la parte delantera grande como el estado de Dinamarca y el dobladillo deshilachado; la boca grande con dientes irregulares y amarillentos. Entonces, respirando con dificultad, empezó a farfullar entre dientes.

—Dado que mi padre está enfermo de flujo, tal vez a causa de las anguilas que ingiere en demasía aunque los médicos le hayan dicho que no lo haga porque, sabéis, tiene el estómago delicado desde que su madrastra intentó envenenarlo cuando era pequeño...

Dangereuse soltó un grito ahogado por la sorpresa.

—Así pues, debido al flujo no puede montar a caballo, sabéis, pero os envía esto.

Los franceses dejaron paso a un paje para que colocara un cofre lleno de piedras preciosas en bruto ante mí; observé que el lagarto se escabullía hacia un hibisco plantado en una maceta.

Se produjo una pausa larga e incómoda mientras yo esperaba para saber si Luis había terminado. Pues sí.

—Os damos las gracias a vos y a vuestro señor padre, el rey. Siempre serán uno de mis bienes más preciados —dije en un latín clásico que sonó claro como una campana.

Vi que Suger se sobresaltaba.

Hice un gesto en dirección al palacio.

—Supongo que tendréis ganas de ver vuestros aposentos, tras tan arduo viaje.

Suger negó con la cabeza.

—De ninguna manera. Aguardaremos un poco más, os lo aseguro; no podríamos descansar como es debido hasta que fijemos la fecha y las condiciones de las nupcias. Si sois tan amable...

Un paje francés extrajo un pergamino, que Suger entregó al arzobispo Godofredo.

—Éste es vuestro contrato matrimonial, el cual confiamos que os parezca aceptable.

Hice un gesto en dirección al obispo Pedro de Poitiers, quien, por su parte, aportó también un pergamino.

—Y éstas son nuestras condiciones, abad Suger —dije con dulzura.

Suger sonrió.

—No me cabe duda de que los dos documentos son idénticos. —Lanzó una mirada a Luis, quien se balanceaba debido a la fatiga—. Lo único que debemos fijar es la fecha. ¿Cuándo nos uniremos?

Como si fuéramos bueyes.

—Dentro de dos semanas. Cuando la última noche vislumbramos vuestras fogatas al otro lado del Garona, enviamos mensajeros a mis barones, todo está dispuesto. —Yo también miré a Luis.

—Quizá deberíamos hablar ahora del contrato —añadí. Desenrollé con parsimonia el documento francés, con lo que no le dejé otra opción que mirar el nuestro. Tocó la hora una vez, y luego otra, antes de que alzara la vista. Los fatigados visitantes franceses descansaban el peso en un pie y en otro, se apoyaban el uno en el otro, medio dormidos.

—Muy pocas diferencias —repitió Suger.

Yo discrepé.

—Si bien soy vasalla política del rey Luis el Gordo, mis posesiones y riqueza superan con creces las de Francia. Por consiguiente, no puedo aceptar al príncipe como duque de Aquitania. Yo soy la duquesa, él mi duque consorte, y yo controlaré mi ducado de forma absoluta.

—Pero cuando estéis en París...

—Mi tío Rafael de Châtellerault será mi senescal...

—No tenía conocimiento de que tuvierais un tío.

Mentiroso.

—Tengo dos tíos: Rafael es hijo de mi abuela y hermano de mi difunta madre; el hermano de mi padre es Raimundo, príncipe de Antioquía.

—¿Antioquía?

—En Tierra Santa —repuse con sequedad.

—Sin embargo, Luis debe gobernar vuestro ducado. —Suger se acercó—. Yo mismo he enseñado al príncipe...

—Igual que mi padre me enseñó a mí. Firmé mi primer documento legal a los ocho años de edad.

—Pero dirigir un ejército...

—Tengo a mi propio capitán, Ricardo de Rancon, barón de Taillebourg. Además, controlaré los tributos, los arrendamientos, los derechos sobre el agua, el transporte, la agricultura, así como el nombramiento de obispos, más un control absoluto sobre mis tesorerías, aquí en Burdeos y en Melle. ¿Está claro?

Se abanicó con el contrato.

—Magnífico. Oh, querida, no soy tan testarudo como lo fui en mis años mozos; debo darme por vencido ante vuestra juventud. Por lo menos me satisfaréis en cuanto a la parte religiosa, que es mi especialidad. Os casaréis en la catedral de Saint-André, supongo...

—No.

—Es una vieja mole horrorosa, lo reconozco, nada que ver con mi nueva capilla de Saint-Denis, pero...

—En ninguna iglesia, abad Suger. El matrimonio es una ceremonia civil.

Se quedó con su pequeña boca abierta.

—En ese caso —dijo reaccionando—, Aquitania va muy por detrás de Francia con respecto a este asunto, porque el matrimonio es un sacramento reconocido por Roma. Vuestro matrimonio será santificado, os lo aseguro, o me encargaré personalmente de que el rey os ceda a otra persona.

Una amenaza. Ese elfo poco de fiar estaría encantado de enviarme a alguna región norteña con un tosco zoquete ataviado con pieles de oso. Bueno, ¿qué más daba? La ceremonia se pasaría en un momento, mientras que el compromiso civil duraría para siempre. Finalmente accedí.

—Muy bien.

Lanzó una mirada a sus acompañantes.

—Me agrada vuestro espíritu, de verdad que sí, y sé que seréis una gran reina de Francia. Ahora, no obstante, nos gustaría poder retirarnos...

—Vuestros aposentos están preparados. —Llamé a un paje y luego me levanté.

Los franceses se quedaron boquiabiertos, tal como esperaba que hicieran. Vestía el cendal color crema, pero lo que les dejó sin respiración fue el fular romano. Tenía la misma caída que la seda y llevaba bordada la flor de lis de Francia, pero en el centro un águila enorme y fiera de Aquitania hecha de aljófar apresaba las flores de lis entre sus garras. Me volví lentamente sobre los escalones flotantes y me coloqué frente a Luis de Francia.

Me quedé inmóvil, consternada.

Sus ojos quedaron a la misma altura que los míos y aprecié que estaban bañados en agua, mientras que sus manchas se intensificaban hasta adoptar un peligroso tono morado. Su respiración superficial vibró, la cabeza se le inclinó hacia delante y le flaquearon las rodillas. El conde Raúl evitó a duras penas que se cayera mientras el abad Suger lo mantenía en pie desde atrás.

—¡Está cansado! —exclamó el abad.

—Nunca le había pasado algo parecido —se disculpó Raúl—, excepto bajo ciertos árboles, como la encina, donde suele tener sus visiones.

¿Visiones? ¿Bajo las encinas? ¿A qué se refería? Mi novio boqueaba y barboteaba como un pez al tiempo que le goteaban mucosidades de la nariz. Y yo tuve la visión de un súcubo. Rápidamente desvié la mirada.

Oh, padre, pensé, ¡ayudadme! A pesar de todas las lecciones que me disteis, no me enseñasteis a soportar lo que me espera. Algarabía y justas, contratos y ejércitos, reyes y duques, ¿qué importancia tendrá todo eso cuando estemos desnudos en la alcoba? ¿Quién me enseñará a soportar el acto carnal con este cebollino pringoso?

—¡No me casaré con él! —grité—. ¡Me mataré antes de permitir que me toque!

—El matrimonio es el bálsamo de la vida —dijo con voz cantarina tía Isabela, que olvidaba que la vieja bruja de su suegra le pegaba.

—Una se enamora después de la boda —convino tía Beatriz—. Y la bendición de los hijos..., ¡oh, querida!

—¡Mis hijos pueden compartir la alcoba de su padre, así podrán mojar la cama todos juntos!

—Dejadla en mis manos —ordenó Dangereuse—. Yo la convenceré.

Mis tías se marcharon arrastrando los pies.

—Vamos a ver, Gracia —dijo mi abuela con severidad—, ¿quién es él?

—Ya lo habéis visto, el príncipe de Francia. Apuesto a que engordará, ¡aparte de todo lo demás!

—No finjáis que no lo comprendéis. Vos amáis a alguien... Su nombre, por favor.

—Oh, abuela, sois la única que entiende el amor, la única de toda la familia. ¡No puedo renunciar a él! ¡No renunciaré!

—¿Renunciar a quién, querida?

Pero el tono de su voz me lanzó una advertencia.

—Da igual cómo se llame. Es un barón.

—¿Un barón, cuando tenéis a un futuro rey en la palma de la mano? ¿Hasta dónde habéis llegado?

Lentamente, derramando infinidad de lágrimas, confesé mi pobre romance truncado, si bien omití que se remontaba a la niñez. Siempre había amado a Rancon y siempre le amaría.

—Como el amor trovadoresco, del mismo modo que se sintió el abuelo cuando os raptó del castillo.

—Tened en cuenta que habláis de qué sentía Junior por mí, no de lo que yo sentía por él. —Frunció los labios, todavía seductores.

Durante unos instantes, me quedé totalmente anonadada.

—Lo amabais, ¿no? De lo contrario, ¿por qué habríais...?

—Por supuesto que lo amaba, pero en verdad os digo, querida, que no habría dejado a un conde si Guillermo no hubiera sido duque. Ninguna mujer puede permitirse el lujo de cometer tal descuido.

—¡Abuela!

Se encogió de hombros.

—Oh, ya sé que escribió poemas de amor trovadoresco, siempre adúltero, pero ya sabéis que componía desde el punto de vista de un hombre.

Acto seguido explicó que había aplicado la misma lección a su hija Anor, a la que había obligado a contraer matrimonio con el hijo del duque, mi padre, para que su propia posición no fuera puesta en entredicho por los hijos celosos del duque. Ya había escuchado la historia en boca de mi madre, por supuesto, pero nunca en este contexto.

—Y ahora vos sois mi seguro —concluyó—. La poderosa futura reina de Francia.

Me zafé de ella, arrepentida de haberle confiado mi secreto.

—No desesperéis, querida —me tranquilizó—. Aprenderéis a amar a Luis y a olvidar ese tonto romance infantil; la cama es una gran persuasora.

Me sentí desmoralizada al darme cuenta de que mi suerte ya estaba echada. Nadie vendría a rescatarme, ni siquiera mi propia familia me ayudaría. No obstante, sabía que no me equivocaba: el amor existía, y ese sentimiento no podía negarse. Los matrimonios concertados eran todos igual de desastrosos, bastaba con ver a mi padre y a mi madre. Sin embargo, si la infidelidad era la solución para los hombres, ¿por qué no sucedía lo mismo con las mujeres?

2

Varios días después de la llegada de los franceses, mis vasallos empezaron a cabalgar en dirección a Burdeos. A los habitantes del lugar les producía una felicidad rayana en el delirio la celebración, que sin duda los enriquecería.

En las calles reinaba un apetitoso olor mientras los cerdos, pollos y patos giraban en los espetones, los vendedores ambulantes de pasteles preparaban sus puestos y de las casas colgaban carteles recién pintados que ofrecían hospitalidad. Cientos de personas se agolparían en las calles en pos de alegría y beneficios.

Tres días antes de la boda, mi tío Rafael de Châtellerault cruzó el foso a caballo como alma que lleva el diablo.

—¡Leonor, los hermanos Lusignan han planeado vuestro rapto! —gritó.

Violarme para forzar una boda y apoderarse de Aquitania. Incluso Luis era preferible a eso.

—Tienen pensado atacar la comitiva nupcial cuando dejéis el banquete de bodas. Vuestro matrimonio nunca se consumará.

—Llamad a Suger —ordené a un paje.

El pequeño abad escuchó con atención.

—¿Cuánto se supone que durará el banquete?

—Toda la noche para los invitados. Pensé que nuestra comitiva podría partir poco después de las nueve.

—¿Cuánto tiempo ganaríamos si os marcharais directamente desde la iglesia?

—Cinco horas, quizá.

—¿Hay alguna fortaleza cerca donde pudierais alojaros? No debemos permanecer en campo abierto.

—Ricardo de Rancon nos ofrecerá su hospitalidad, estoy seguro

—se apresuró a decir mi tío—. El castillo de Taillebourg puede resistir el ataque de un gran ejército.

Suger me estaba observando.

—¿No dijisteis que era vuestro capitán?

Apenas podía articular palabra.

—Por supuesto, estáis en lo cierto. —Frunció el ceño—. Es que... la última vez que estuve en Taillebourg... fui con mi padre.

—Entonces os aconsejo que realicéis los preparativos pertinentes. Llamad a Raúl de Vermandois.

Cuando llegó Raúl, fue presentado a mi apuesto tío y todos nosotros nos sentamos para recibir las instrucciones del abad Suger: nadie salvo los presentes debía conocer nuestro plan, con excepción de mi hermana Petronila. El banquete nupcial se celebraría en Burdeos según lo previsto, pero el novio y la novia no asistirían. Raúl de Vermandois y Petronila nos sustituirían mientras Luis y yo nos dirigíamos a caballo directamente a Taillebourg, donde nos aguardaría otro banquete y donde yo pasaría mi noche de bodas.

Petra estaba muy emocionada por su participación en el plan.

—¿Queréis que diga algo a vuestros invitados, Gracia?

—Pedidles que recen por mí, eso es todo.

—Quizá Luis no sea tan malo.

—¿Tan malo como qué, querida? Las víboras son mejores que las cobras, creo yo; tardan menos en engullir a sus víctimas.

—Comparto vuestra opinión de que habla de forma extraña, pero tiene cierto atractivo.

—Tendréis que examinaros la vista.

—Gracia, desde que murió padre, ¿formo parte de vuestra dote matrimonial?

Le aparté las trenzas doradas, ligeramente más claras que las mías.

—Pues sí, supongo que sí. Y una dote muy apetitosa, puesto que os dejó unas fincas muy productivas en la Borgoña. —Además era una damisela sumamente hermosa, una rosa color crema, si uno evitaba sus espinas.

—¡Prometedme que no me obligaréis a casarme en contra de mi voluntad!

—¡Jamás! Sabéis que no, por el alma de nuestra madre. Ya me informaréis cuando estéis dispuesta.

—¿Y podré elegir al novio que desee?

—¿No es eso lo que acabo de decir?

—Os lo agradezco, Gracia. Ahora me siento mejor.

Mejor de lo que yo me sentía, sin duda, y le encontraría alguien mejor que Luis, menos pringoso sin duda.

Llegó el día de mi boda, cuando pasaría de ser doncella a esposa, lo cual sólo era menos importante que el día en que pasaría de esposa a madre. Apenas me reconocía en el espejo de cruzado de mi abuelo. La abuela Dangereuse me había enmarcado los ojos heridos con un ligero toque de heliotropo en los párpados, si bien aquellos ojos nunca seguirían el sol, y el rosa malva me ruborizaba ligeramente los pómulos y los labios. *Oc*, un jardín trasplantado que ocultaba la amargura interna.

Un carruaje dorado con las ruedas cubiertas de flores y los laterales forrados con satén blanco bordeado con perlas aguardaba en el patio de abajo. En la parte posterior, la misma águila fiera que adornaba mi tocado extendía las alas en actitud protectora. Los pajes me alzaron y en lo alto sostuve flores de lis talladas para mantener el equilibrio. Tenía ante mí cuatro caballos blancos engualdrapados con plumas de cisne, como si fueran a remontar el vuelo sobre la ciudad.

Cuando se abrieron las poternas, un enorme rugido de voces ahogó el tañido de las campanas y asustó a los caballos. Los guardas tuvieron que esforzarse por contener a los animales y yo escudriñé serenamente el perfil de los edificios bajos que tenía por encima, los cuales, debido a un curioso efecto óptico, parecían estar teñidos de rojo y palpitar al mismo ritmo que mi corazón. Por increíble que parezca, a medida que aumentaba el sonido y el carro avanzaba, el rojo se tornó verde marino; me levanté y caí sobre las olas, el mar me expulsó. Desde todas partes mi nombre resonaba en mis oídos, pero yo seguía con la vista al frente, como es propio de una dama que acude a su propia ejecución.

En la plaza de la iglesia la muchedumbre amenazó con convertirse en turba debido al entusiasmo. Por todas partes escuchaba: «¡Gracia, os queremos, Gracia! ¡Rezamos por vos!» Durante unos instantes de aturdimiento, pensé que estaba de nuevo en una *chevauchée* con mi padre y me sentí feliz. Sin duda su espíritu rondaba por aquella gasa azul que me cubría. Entonces mi guardia formó un corredor, trajeron una escalera y descendí sobre la alfombra roja de terciopelo que conducía a las puertas de la iglesia.

Me detuve bajo el tímpano antes de sumergirme en el aire gélido y en la oscuridad.

Los ojos se me fueron adaptando poco a poco. La multitud del interior del santuario era casi tan numerosa como la del exterior y advertí rostros conocidos, los hermanos Faidit, don Aimar de Limoges, los señores de Angulema, todos ellos casi emparentados conmigo, pues aquellos hombres habían pasado la infancia en nuestro palacio, bajo la tutela de mi padre y mis hermanos; mi propia y extensa familia, mis amigas de la infancia, ninguna de las cuales se había casado todavía, las buenas gentes de Poitiers, el barón Lézay de Talmont, los habitantes de Melle, de Parthenay. Parecía que se habían congregado allí todas las personas que había conocido a lo largo de la vida, con excepción de Hugo, Guido y Godofredo, los hermanos Lusignan.

Sin embargo, también estaban los quinientos franceses que habían emprendido el largo viaje, a la mayoría de los cuales no conocía. Habían despejado y acordonado con flores una amplia zona para el banquete nupcial, y allí estaban los franceses que sí conocía, el más destacado de los cuales, situado en el centro y de cara a mí, era el hombre que se convertiría en mi esposo.

Me costó reconocerlo. No podía decir que fuera apuesto, pero tampoco el adefesio que me habían presentado en la gran sala dos semanas atrás. Estaba de pie bien erguido y aparentaba los diecisiete años que tenía, no parecía un viejo. Le brillaba el pelo rubio, tenía el rostro limpio y vestía un traje azul y blanco sin arrugas e impoluto. Los ojos seguían siendo los mismos, transmitían una expresión incrédula de placer y pánico.

Tras el altar se encontraba el arzobispo Godofredo de Burdeos, ataviado con su sobrepelliz blanco y dorado. Reflejaba tranquilidad.

Arrastrando los pies enfundados en las babuchas enjoyadas, ocupé mi lugar al lado de Luis. Un pequeño tintineo metálico indicó que la ceremonia había empezado. Al arzobispo Godofredo le temblaba el párpado derecho, pues estaba tan preocupado como yo por este extraño ritual. Había sido sincera con Suger al decirle que en Aquitania no considerábamos que el matrimonio fuera un sacramento, en parte porque la misma Iglesia consideraba que la unión sexual de un hombre y una mujer era un acto inadecuado para recibir la bendición santa, y en parte también porque obviamente un matrimonio es una *dispensatio*, un acuerdo civil entre dos familias.

De hecho, no estaba convencida de que el pequeño abad hubiera sido igual de honesto al afirmar lo contrario; los sacerdotes franceses que acompañaban al séquito real no sabían ninguna misa nupcial, y el arzobispo Godofredo se había visto obligado a crear su propio ritual a partir de retazos de otras misas. No obstante, primero prescindiríamos de la parte civil, que por derecho debería haberse celebrado en la puerta de la iglesia. «Estoy creando un precedente —pensé—, mi boda será el modelo a seguir.» No podía decir lo mismo de mi condición de mujer casada; un escalofrío me recorría los brazos.

—Benditos seáis, hijos míos. —El arzobispo hizo la señal de la cruz frente a mi cara y luego ante la de Luis. Leyó el contrato revisado—: Por la gracia del Dios de los cielos, su hijo Jesús, su representante en la Tierra, el Santo Padre que reside en Roma. —Me estremecí, porque mi familia ya no reconocía al Papa de Roma—. Por el presente os absuelvo del pecado de incesto y, si bien sois primos en cuarto grado y la Iglesia prohíbe el matrimonio entre primos hasta de séptimo grado, no aplicaré la prohibición; la consanguinidad no se interpondrá entre vosotros mientras viváis.

Gracias a Dios que Luis no era pariente de sangre. Estoy orgullosa de mi familia, tanto de los miembros vivos como de mis antepasados.

—Por el presente reconocemos que Leonor, duquesa de Aquitania, es la única soberana de su ducado, que gobernará como crea conveniente, sin la intervención de influencias externas, comoquiera que se relacionen con ella en virtud de este matrimonio. Además, sus descendientes serán los únicos herederos o, en caso de que muriera sin progenie, sus derechos revertirán en el pariente de sangre más cercano sin cuestionarlo. Luis, príncipe de Francia, renuncia por el presente a todo derecho sobre Aquitania.

El arzobispo alzó la mirada y Luis murmuró que estaba de acuerdo.

—Además, todos los ingresos derivados de las actividades del ducado recaerán exclusivamente en las manos de dicha duquesa para que disponga de ellos como considere oportuno.

Luis volvió a mostrar su acuerdo. Todo sonaba correcto. ¿Por qué me agobiaba tal aprensión?

—Los vasallos de Aquitania deben rendir homenaje a la duquesa, no a Francia; sólo ella debe rendir homenaje al rey de Francia.

Así concluía la parte civil.

La campana volvió a tañer, y Luis y yo nos arrodillamos ante el altar para la misa. Una única voz masculina entonó un cántico mientras los asistentes se preparaban para la ceremonia religiosa.

—*Domine Jesu Christe*, la paz os dejo, la paz os doy, y os ruego que unáis estas dos almas en el sagrado matrimonio de acuerdo con vuestra voluntad... —El arzobispo besó el cáliz—. Enseñadles y mostradles mediante la sagrada pasión de nuestro Señor la paz otorgada por Dios y todo el linaje humano.

Si bien sabía que la «pasión» se refería a la muerte de Jesús, me molestó que se empleara en aquel contexto.

—Besad el corporal, uno detrás de otro, como señal de amor y concordia hasta el final incluso cuando la carne se una a la carne y el espíritu al espíritu, permaneced unidos en la virtud del amor.

Con otro estremecimiento, besé la hostia.

El arzobispo se dio un golpecito en el pecho.

—*Domine, non sum dignus et intre sub tectum meum.*

—Amén —respondimos Luis y yo, lo cual significaba que no éramos dignos de que el Señor entrara en nuestra casa. Extraña declaración, ¿acaso formaba parte del servicio que estaba improvisando el arzobispo?

El sacerdote mojó el dedo en el vino y lo roció alrededor ante nuestros ojos.

—Que la paz del amor os acompañe. Que la paz esté con vosotros en la gloria y el gozo del paraíso.

Lo cual era una plegaria para los muertos.

Así se prolongó la ceremonia durante una hora, con un significado cada vez más inconexo, y yo cada vez más distraída. Me dolían las rodillas de estar sobre la dura piedra, escuché el agradable arrullo de las palomas en las vigas del techo, me asombré de lo extrañamente radiante que estaba Petra aquel día, como si ella fuera la novia, e intenté no imaginar el banquete nupcial en el castillo de Rancon.

Un canto gregoriano me devolvió al presente. Luis se levantó, pero yo permanecí en la misma postura.

—Al igual que el hombre está sometido a Dios, la mujer está sometida al hombre. Una mujer sumisa es la raíz del hogar feliz. Para simbolizar su deseo de seguir la voluntad de Dios, que equivale a la voluntad de su esposo, la novia aquí presente se postrará ante su nuevo amo y señor.

Petra y Amaria me ayudaron a tenderme sobre la piedra fría. Una columna de hormigas que transportaba migas del cuerpo de Cristo me subió por el tocado de águila.

Entonaron más palabras en latín y Petra me tocó el hombro. Me levanté con la mayor prestancia posible.

—A fin de expresar la propiedad de la mujer por parte del esposo, él le colocará un anillo en el dedo tres veces.

Con la mirada baja, tendí la mano izquierda. Noté el sudor frío de Luis incluso a través del guante.

—Con este anillo os tomo como posesión y prometo gobernaros y castigaros como considere oportuno —dijo con los dientes apretados.

Me deslizó el anillo arriba y abajo del dedo índice.

—Con este anillo, os tomo como compañera conyugal, pues el Señor nos ha ordenado que crezcamos y nos multipliquemos.

El mismo anillo arriba y abajo del dedo corazón.

—Con este anillo, me desposo con vos y prometo ser un esposo bueno y fiel hasta que la muerte nos separe.

Esta vez el anillo se quedó en el dedo anular.

Acto seguido el oro. Luis se volvió para recibir un saquito de manos de Suger y a continuación me lo tendió a mí.

—De acuerdo con la ley sálica, os compro con trece dinares, el oro que contiene este saquito.

Se lo pasé al obispo Pedro para que lo repartiera entre los pobres. Otro movimiento de Suger, y Luis me colocó una llave en la palma de la mano.

—Aceptad esto como dote nupcial: un castillo en el condado de Berry.

Fuimos declarados marido y mujer.

En el exterior, el cielo se había ensombrecido. Al oír los gritos de júbilo de la multitud, al contemplar la ciudad desprovista entonces de todo color, me pregunté cuáles serían los cambios que podían producirse en dos horas escasas. Aquitania, al igual que mi juventud, parecía un puerto que se perdía en la distancia; me encontraba en un mar desconocido.

Cabalgamos con brío hacia el palacio de Ombrière, pero en el último momento los franceses, entre los cuales ahora me incluía, se desviaron de la comitiva principal y cruzaron el puente que se extendía sobre el río Garona. Cuando Petra y Raúl de Vermandois ocuparon nuestro lugar a la cabeza de los invitados, advertí la reacción de sorpresa de mis vasallos, pero ocurrió demasiado rápido como para dar tiempo a comentarios. En la orilla más alejada del río se nos unió un gran ejército de caballeros aquitanos, algunos de la fortaleza de Rancon, otros de Niort y Angulema.

Entonces Rancon avanzó de forma repentina; el barón de Taillebourg llevaba su lujosa túnica marrón con el león dorado rugiente. Una sola mirada a su rostro trágico me transmitió que no estaba sola.

A mi lado, el tallo de apio mustio se agarraba desesperadamente a las crines de su caballo y soltaba extraños borboteos como si fueran burbujas estallando en un foso.

Hice un esfuerzo por no desmayarme y me pregunté si me habrían cambiado los humores como consecuencia de tan odioso matrimonio. Cabalgamos a toda velocidad, cruzamos el estrecho puente romano que se extendía sobre el río Charente y descendimos por poco tiempo por el valle verdeante, donde nos enfrentamos a la imponente escarpa de Taillebourg. Rancon nos condujo por el estrecho saliente tallado en la roca hacia arriba, en dirección al cálido aullido del viento. El tocado se me levantó y con él el pelo, los faldones se me alzaron, los ojos y la boca se me llenaron de polvo y todo el mundo parecía haber perdido el color o la sustancia. Entonces llegamos a una pequeña extensión elevada que hacía las veces de patio.

Suger nos condujo a toda prisa a un patio interior rodeado por los cuatro costados por el castillo en sí, donde pudimos componernos las túnicas y el pelo. Me lavé la cara y las muñecas acaloradas; Amaria me sujetó el tocado, pues el águila estaba un tanto ladeada. La fanfarria francesa nos convocó al banquete, la última estación de la Cruz. En el interior de ese mismo patio habían dispuesto las mesas por niveles. Por vez primera ocupé mi lugar junto a Luis, y Amaria se situó a mi izquierda. Estábamos en el interior de un capullo caliente e inmóvil mientras los vientos de *autun* bramaban por encima y alrededor de nosotros. ¿Cómo íbamos a oír nada con semejante estruendo? Cuánto echaba de menos a Petronila, quien en ese mismo momento hacía de anfitriona de un banquete similar en Burdeos, con Raúl en el lugar de Luis. Las lágrimas de autocompasión se me agolparon en los ojos, como si verme privada de la compañía de mi hermana por unos cuantos días fuera la peor calamidad que pudiera sobrevenirme.

El abad Suger siguió entonando oraciones interminables, lo cual me dio tiempo más que suficiente para observar la preparación de las mesas. El objetivo del banquete era excitarnos a Luis y a mí para nuestra primera noche conyugal. A nuestra derecha se extendía un amplio bosque con árboles en miniatura y cuevas llenas de tallas de sátiros y damas desnudas. Se suponía que las damas huían de los sátiros. ¡Corred, damiselas, corred!

Cuando concluyó la cantinela de Suger, Luis alargó la mano para aceptar la toalla que le tendía el encargado del aguamanil.

El primer plato era cabeza de oso pegajosa. Aparté la mirada, asqueada.

En cambio, Luis devoró todos los pedazos. Antes de cada bocado, susurraba *sanctus, sanctus, sanctus*, y se hacía la señal de la cruz en los labios, lo cual debería haber impedido que comiera, pero no; parecía hambriento.

El segundo plato apestaba a vejiga de cerdo.

—No coméis nada, Gracia —observó Amaria—. ¿No os sentís bien?

Le lancé una mirada fulminante.

El tercer plato consistía en atún fétido. ¿Se trataba de alguna conspiración para repugnarnos?

Por fin quitaron la mesa —recuperé la respiración— y, con un gran alarde de objetos plateados, presentaron el vino en un carrito. Contenía una montaña en miniatura con cuevas de las que brotaban arroyos de vino, sólo que los pitorros estaban tallados de forma que guardaban un sospechoso parecido con el miembro masculino y dispensaban un clarete de color rojo sangre. Aquello era el comienzo de la excitación.

Entonces escuché un «strrrmm» que me resultó familiar. Delante de mí tenía a Rancon, ataviado ahora con el blanco y verde del trovador; sus facciones oscuras formaban una mueca como un gato montés presto para el ataque. Me agarré las manos con fuerza bajo la mesa para ocultar el temblor, pero no fui capaz de disimular las lágrimas ni el rubor que me iba subiendo por las mejillas. Me hizo una reverencia, tan cerca que podía haberle tocado el cabello revuelto. Me embelesaron sus pestañas largas y negras y el brillo de sus labios. Me miró durante unos instantes, dos almas heridas contemplándose.

Oh, espejo, una vez en ti mi reflejo vi,
el eco de mis suspiros como un bufón oí.
Pero cuando supe lo que debía hacer,
como Narciso, en mi estanque perecí.

Se volvió en un círculo mientras su profunda voz de bajo resonaba en toda la sala. Entonces rasgueó de nuevo su laúd ante nosotros y alzó la voz con un evocador e inquietante contratenor.

Así es como caigo en la desesperación,
en la desgracia.
¿Me equivoqué cuando el puente crucé?
¿Confundí mi lugar?

¡No, ni mucho menos! Y durante un instante glorioso, nuestras miradas se cruzaron. Luis se volvió hacia mí.

—¿Este hombre es vuestro amante?

El corazón me palpitaba con fuerza y la respiración se iba volviendo más superficial.

—¡N... no! Por supuesto que no. Esa canción... su canción no es más que una convención trovadoresca. —Me asustó la expresión fría y reprobadora de Luis, que luego se transformó en ira. ¿Qué había hecho para sacrificar mi felicidad para siempre?

De repente todos dieron un respingo al oír el estruendo ensordecedor de los badajos de madera desde todos los rincones, y entonces aparecieron los enanos. Estos hombrecitos desnudos hasta la cintura y pintados de azul, con la parte inferior cubierta de pieles de animales, se ganaban la vida yendo de boda en boda; estaban especializados en gestos obscenos y comentarios lascivos. Aunque normalmente me hacían reír a carcajadas, aquel día me parecieron repugnantes. ¿Se sentían así todas las novias? Se mezclaban con los invitados, se acariciaban sus partes, se inclinaban hacia delante y dejaban escapar pedos al oír el balido de un amargo cuerno. Todos se reían, incluso el abad Suger se secaba los ojos con regocijo.

—*Sanctus, sanctus, sanctus* —susurró Luis. Volvía a tener la cara manchada.

Los sátiros deformes corrieron en círculos hasta que despejaron un ruedo para el acto más importante. Entonces aparecieron: los actores principales que interpretaban el papel de Luis y Leonor. «Luis», vestido de blanco y azul, llevaba lentejuelas plateadas en el lugar de los ojos y unas cejas negras y sorprendentemente altas. La visión le quedaba todavía más oculta debido a una enorme salchicha rosa que se le elevaba desde la entrepierna y le llegaba hasta la nariz. La apuntaba al azar y gimoteaba:

¿Qué será esto?
¿Se trata de un garrote?
¿Cómo voy a besar
con tamaño tronco?

Se acarició el miembro.

Los invitados se carcajeaban.

«Leonor», con un águila muerta caída en la coronilla, agarró el miembro y golpeó al novio en la cabeza.

¡Sois una bestia boba!
¡Es nuestro festín!
Tenemos carne de cerdo.
¡Es hora de comer!

Acto seguido dio un mordisco enorme al miembro.

Los invitados volvieron a aullar.

—*Sanctus, sanctus, sanctus* —murmuró el verdadero Luis. «Amén», quería añadir yo.

—¡Me toca a mí!

—Tu turno... ¡Quiero decir que me toca a mí!

La pareja lasciva engulló la salchicha de forma voraz. De repente, el imitador de Luis se encontró con la entrepierna vacía. Se agarró la zona y aulló.

Oh, enfermo debo de estar.
¡Polla no tengo!
¿Cómo voy a follar?
¡Verga no tengo!

«Leonor» se desternillaba de risa.

¡Vuestra tonta glotonería
os ha hecho comer
de vuestro miembro!
¡Cómo voy a acostarme,
por muy casada que esté,
con tamaño bobo!

Sonó una trompeta y apareció un enano cabalgando sobre un «caballo» llevado a dos manos, con una salchicha alzada como si fuera una espada.

—¡El rey Arturo al rescate!

Una vez concluida la parodia presentaron la sutileza final: una tarta enorme que representaba un lecho nupcial, con los novios tumbados desnudos, aunque advertí que el pastelero no había añadido el miembro masculino, sólo los pechos marcaban la diferencia, y docenas de bebés que gateaban por el suelo.

Había llegado mi ocasión.

Los que tocaban los badajos, los trovadores, los enanos, los falsos

Luis y Leonor, todos desfilaron ante nuestro caballete portando ramos de flores entre los brazos. Tres prelados, el abad Suger, el arzobispo Godofredo y Esteban, el arzobispo de Chartres, se pusieron en fila junto a los actores y nos indicaron con un gesto que nos levantáramos. Los dos nos pusimos en pie para seguirlos.

Al igual que cuando había entrado en la iglesia hacía algunas horas, entonces, antes de subir por la estrecha escalera de piedra, volví la mirada hacia el patio repleto de gente como para dar un triste adiós a mi virginidad, puesto que el desfloramiento que me aguardaba marcaba mi destino más que cualquier letanía papista.

Después de subir por las escaleras zigzagueantes tras nuestros homólogos sudorosos, los enanos y los sacerdotes que iban a bendecirnos, entramos en una pequeña estancia con una cama sobre la que habían esparcido flores mustias. Me tumbé en uno de los lados y Luis en el otro, pero era inevitable que nuestros cuerpos se tocaran. Durante unos instantes dejaron de sonar los badajos, y los sacerdotes iniciaron sus pesadas abluciones.

Eso también llegó a su fin. Trajeron un cáliz que contenía agua bendita.

El arzobispo Godofredo nos roció el rostro.

—*Benedictio thalmi*, que no haya maldición contra la fertilidad.

Pasó el cáliz al arzobispo de Chartres; el agua me mojó los ojos.

—*Benedictio thalmi*, que la esposa quede limpia de todo adulterio anterior.

Durante unos instantes me embargó la desolación. Qué extraño que hablara de la esposa y no del esposo. ¿Acaso la pureza de Luis resultaba obvia y en cambio la mía no? Ninguno de los dos casos, concluí, puesto que ninguna mujer en sus cabales se acostaría con Luis.

—*Benedictio thalmi* —entonó el abad Suger para terminar—. En lo sucesivo, que la Iglesia gobierne todos vuestros actos, tanto públicos como privados.

Clavé la mirada en el rostro anodino de mi esposo. ¿Aquello se incluía en nuestro contrato?

Entonces todos se pusieron a murmurar en latín y a balancearse. El olor del incienso llenó la estancia, hicieron la señal de la cruz una y otra vez. Suger parecía dispuesto a permanecer allí hasta que consumáramos el matrimonio... ¿para asegurarse de que no me escapaba? ¿O acaso era un viejo *voyeur*?

Justo cuando estaba a punto de ordenar su retirada, se inclinaron para besarnos en las mejillas por turnos y se marcharon. La puerta se cerró, los badajos empezaron a sonar de nuevo en el exterior y la multitud gritó frases lascivas con tal fuerza que era imposible mantener una conversación. Cerré los ojos un momento y debí de quedarme dormida.

—¡Don Luis, princesa Leonor, abrid de inmediato!

Me incorporé de un respingo. ¿Tan rápido había transcurrido la noche? Luis roncaba ruidosamente.

—¡Luis! —Le sacudí el brazo—. Suger está gritando para que le dejemos entrar.

Abrí la puerta. Aunque el cielo todavía estaba teñido de un gris pálido, las antorchas formaban halos alrededor de Suger, Teobaldo, otros oficiales y, en la parte posterior, Amaria.

El pequeño abad me empujó para abrazar a Luis.

—Oh, mi querido príncipe, armaos de valor para unas terribles noticias. Acaba de llegar un mensajero: ¡vuestro padre ha muerto! —Se volvió hacia mí—. Quiero que los dos os reunáis conmigo abajo en cuanto podáis.

Antes de darnos tiempo de reaccionar, ya se había marchado. Amaria me lanzó rápidamente un puñado de ropa de montar a las manos y corrió escaleras abajo.

Luis estaba inmóvil como una lápida.

—¿Mi padre está muerto? —me preguntó, esperando que se lo confirmara.

—Sí, nuestros dos padres en un verano. Cuánto lo siento, mi señor.

—Sí.

Esperé que rompiera a llorar.

—¿Bajaréis al patio? —preguntó, aturdido.

—En cuanto me haya cambiado.

Agarró su capa azul y corrió tras Suger.

El patio estaba abarrotado de hombres que parloteaban; los caballos piafaban en un segundo plano y los criados iban sirviendo pan y copas de vino. Luis ya había montado para cuando yo llegué.

Suger me empujó hacia mi corcel.

—Apresuraos... debemos partir.

—¿A París? Pero yo...

—Iréis a Poitiers, por supuesto. Seréis investida por vuestros barones tal como planeamos.

Me costaba reconocerlo en aquella actitud tan marcial.

—He enviado un mensajero a Burdeos para que dé instrucciones a don Raúl de que se reúna con vos en Poitiers, donde permanecerá hasta que os mandemos llamar. —Hizo una pausa para respirar—. En cuanto Luis sea coronado.

—¿Por qué tantas prisas, abad Suger? ¿No deberíamos ir todos a Poitiers y luego...?

La boca se le torció en una mueca cínica.

—Tenéis mucho que aprender sobre la sucesión. Probablemente el hermano menor de Luis, Roberto de Dreux, esté reuniendo a su corte mientras nosotros hablamos. —Se volvió—. ¿Estáis listo, rey Luis?

Luis no se dio cuenta de que se dirigía a él, ni yo tampoco. Rey Luis implicaba reina Leonor.

Suger volvió a dirigirse a mí.

—Cabalgaremos juntos una parte del camino, luego dividiremos el ejército en dos partes. Raúl de Vermandois sustituirá al rey como vuestro duque consorte durante la investidura.

—¿Y quién me sustituirá a mí como reina?

Era una pregunta inocente, pero Suger se acercó más a mí.

—Después de que Luis sea coronado en París, ambos tendréis una coronación oficial en Bourges más adelante... pero debemos garantizar...

—Eso me dijisteis.

Bajamos por el precipicio a una velocidad de vértigo. Reconocí un aroma que me resultaba familiar, un olor a almizcle que me dejó abrumada. Rancon cabalgaba junto a mí en el borde exterior del estrecho camino de montaña. Nuestras rodillas se rozaron, y luego siguieron en contacto siguiendo el mismo ritmo.

—Gracias por vuestra hospitalidad, Rancon.

No respondió.

—Espero que me acompañéis a Poitiers para la investidura. Todos mis señores estarán allí y... —Mi voz fue adquiriendo un tono lastimero.

—Debo marchar a Aragón. —Su aroma se hizo más intenso—. Allí se encuentra mi futura esposa, doña Arabela de Aragón. Estoy seguro de que me disculparéis en un compromiso de tal importancia.

Si no hubiera estado en la parte interior del camino, seguro que me habría despeñado por el precipicio. Antes de que me diera tiempo a responder, él ya había desaparecido.

El ejército francés nos llevó la delantera a través de los valles y ríos, y en una curva del río Clain llegamos al lugar en el que nuestros caminos se separaban. Yo seguiría rumbo a Poitiers y los franceses marcharían en dirección a París. A Luis y a mí nos concedieron unos momentos juntos.

—Lo siento... Deseo... —tartamudeó.

Contuve mis escalofríos.

—Pronto estaremos juntos.

Tenía las pupilas pequeñas y el blanco de los ojos enorme, como los ojos de un animal salvaje al que acabaran de apresar. Acto seguido, los franceses se marcharon en una dirección, mi séquito en otra y yo me olvidé por completo de Luis.

Poitiers estaba envuelta en crespón negro y flores mustias en honor a mi padre. Aunque la población me recibió con calidez, todos nosotros desviamos la atención hacia el gran hombre que nos había abandonado. Trabajé todos los días hasta bien avanzada la noche con un doble propósito: honrar a mi padre muerto y formar mi propio gobierno, pero por encima de todo me abrumaba una honda pena. Aunque creía saber lo que era perder un padre después de aquella terrible escena en Parthenay, estaba equivocada. ¿Qué prepara a las personas para la irrevocabilidad de la muerte? El duque Guillermo X de Aquitania, un hombre alto y apuesto de voz melodiosa y profunda, como era habitual en nuestra familia, con una risa característica, una habilidad maravillosa en el manejo del caballo, una comprensión cabal del gobierno, quedaría pronto inmortalizado en la estatua de un cazador que yo había encargado y luego pasaría a los anales de la historia de Aquitania; pero que más adelante, cuando yo y los de mi generación nutriéramos la vasta compañía de los muertos, caería en el olvido.

En concomitancia con mis obligaciones y mi pesar, me regodeaba en la nostalgia. No sólo me convertiría en duquesa y pronto en reina, sino que estaba despidiéndome de la juventud. Deambulé por nuestro jardín hasta llegar al río Clain, pasando junto al manzano donde mi padre me encontró leyendo a Virgilio cuando tan sólo contaba seis años de edad, junto a la roca donde mi bella y joven madre se había apoyado, entre risas. Durante unos instantes fue como si ella volviera a vivir, con su hermosa cabellera oscura suelta, sus ojos color violeta como la flor del pensamiento lanzando destellos mientras hablaba de las artes del amor. ¡Como si ella supiera de ello! Las jovencitas procedentes de todos los territorios del ducado que vivían con nosotros para ser instruidas, mis amigas Faydide, Florine, Mamile, Toquerie y Amaria, se habían reído tontamente y dado codazos, ansiosas por saber lo que les depararía el futuro, pero yo me había quedado perpleja. Dormía en el mismo lecho que mi madre en los aposentos destinados a las mujeres y todavía recordaba la noche en que mi padre había hecho una visita. La tía Mahaut me había arrancado bruscamente de los brazos de mi madre para que me tendiera con ella en la estera del rincón. Las demás damas se habían apiñado también junto a la pared a escuchar y, al final, yo oí el ruido lento de las botas de padre en las escaleras. Mientras tía Mahaut me cubría la boca con la mano, yo escuché los resoplidos de él y los gemidos de ella desde la cama. Cuando él se hubo marchado y yo regresé al regazo de mi madre, me molestaron profundamente las manchas húmedas que acabaron mojándome las caderas, así como las lágrimas de mi madre en las mejillas. Creo que aquélla fue la última vez. Al cabo de nueve meses nació mi hermano Aigret; padre había cumplido su misión.

Ahora sabía el amargo secreto que había entre ellos. El abuelo se había desentendido de su mujer, Felipa, mi otra abuela, aunque le había dado cinco hijas, mis tías, y dos hijos, padre y tío Raimundo. La abuela Felipa se había convertido en una fanática religiosa fascinada por Roberto de Abbrisel, de la abadía de Fontevrault, al menos eso decía mi abuelo, pero sus hijos afirmaban que a él lo había seducido la hermosa condesa de Châtellerault. Fueran cuales fueran sus motivos, había raptado a Dangereuse de su jardín para dar un paseo alocado a lo largo del Clain, mientras su esposo la perseguía y mi madre iba en los brazos de Dangereuse. Ésta, al ver a los hijos enfadados alrededor de «Junior», insistió en que Anor se casara con el heredero del duque Guillermo, mi padre. Madre lo adoraba, creo yo, y él quizás estuviera enamorado de ella en secreto, aunque nunca lo demostró en público. Para él era la hija de una prostituta ambiciosa que había destruido la vida de su madre.

Difícil de creer, pero en medio de tales contracorrientes tormentosas, vine al mundo henchida de alegría, y mi amor por la vida nunca cedió. ¿Acaso era yo estúpida? ¿Insensible? ¿Era cierto que, como él afirmaba, me parecía a mi incorregible abuelo? Mi abuelo me había declarado hija suya y todavía recordaba sus canciones lujuriosas, sus pullas irónicas y subidas de tono. Le había acompañado en la carroza durante la festividad de Santa Radegunda el día antes de morir, y luego yací a su lado en la cama durante su último y largo crepúsculo.

Mi propio padre lo sustituyó entonces como duque y como compañero inseparable. Creo que para él era hija, esposa y quizás incluso su padre muerto. Cazábamos juntos, pescábamos juntos, pero sobre todo compartía conmigo sus libros. Entonces llegó aquel verano aciago en el que madre y Aigret partieron a nuestra casa de verano en Talmont-sur-Mer, mientras Petra y yo nos quedábamos en Poitiers, enfermas de varicela. Me paseé entonces por la gran sala, considerada la mayor de Europa, y sede de nuestro gobierno, me senté en el trono de padre y recordé con claridad meridiana el dedo con el gran carbúnculo del anillo dando golpecitos en la mesa mientras susurraba: «Doña Anor y Aigret han sucumbido a la malaria.» Se había cubierto el rostro con las manos. «Las he hecho incinerar en la costa para evitar el contagio.» Me di cuenta con sorpresa, incluso mientras yo sollozaba, que él lloraba por mi madre, así como por su único hijo varón, el futuro duque de Aquitania. Al cabo de un día volvía a estar sentada frente a él, los dos vestidos de blanco en señal de luto, y él me expuso el dilema al que se enfrentaba. Debía haber un sustituto para el futuro duque de Aquitania y existían distintas posibilidades: como hombre que todavía era joven podía volver a casarse o hacer venir a su hermano pequeño, Raimundo, de Inglaterra.

—Sin embargo —continuó diciendo tras una pausa—, ¿qué me decís de una duquesa en vez de un duque?

Hasta el día de hoy no he sido del todo consciente del valor que demostró al nombrarme heredera. En aquel momento tuve que oír los gritos de indignación de mis tías, que me querían pero que odiaban a mi madre y a mi abuela, la condena rotunda de Roma y la insurrección de hecho de los señores de toda Aquitania. Sigo sin comprender cómo consiguió aplacar tales objeciones, pero sí sé que me había instruido para el cargo. No sólo sería la primera mujer que gobernaría mi ducado sino también la mejor informada, la más sabia, la señora feudal más entregada de mi distinguida familia. Había aprendido latín y griego con el padre Anselmo, astronomía y filosofía con el rabino Isaac de Montpellier, y literatura, gobierno, estrategia e historia con mi propio padre. Los dos dormíamos poco y constantemente ponía a prueba mi capacidad de comprensión y mi memoria.

Lo más importante y más complejo era el entramado de facciones enfrentadas que convivían en la región de Aquitania. Si bien parecía que ejercíamos poco control sobre las demandas rivales, sutilmente convencíamos, engatusábamos y, si era necesario, insistíamos en que todas las disputas terminaran con el beso de la paz. Aunque ningún barón quedaba satisfecho, tampoco había ninguno declaradamente insatisfecho, y así todos vivíamos en libertad.

Padre también fomentaba que en nuestro reino se compusieran canciones, se celebraran festivales y en general se disfrutara de una celebración constante de la vida , y nuestros súbditos se enorgullecían de sus poetas y romanceros. Una cultura tan efervescente era el resultado de nuestra historia, puesto que la provincia romana de Aquitania nunca había sido completamente subyugada por los godos invasores, ni tiempo después por el Sacro Imperio Romano. Muchos nos consideraban demasiado licenciosos, por no decir heréticos, pero sabíamos que, en realidad, éramos el último vestigio de civilización en un mundo inculto y supersticioso.

Oc, padre, lo prometí y no os fallaré.

Tras las últimas honras fúnebres, acepté los votos de lealtad por parte de todos mis condes y barones, todos excepto Rancon, quien por lo menos tuvo el detalle de escribir. Al saber que tendría que pasar varias semanas en Francia hasta mi coronación, nombré oficiales para que iniciaran mi mandato: en primer lugar a mi tío Rafael de Châtellerault como senescal político, y al arzobispo Godofredo para los asuntos religiosos. A continuación envié senescales a todos los rincones de mi ducado y nombré capitán militar al barón de Taillebourg *in absentia*.

Con ese nombramiento me enfrenté a un nuevo dolor que combinaba el pasado con el presente. El tono conmovedor de aquella canción de Taillebourg, así como los recuerdos que se arremolinaban alrededor de todas las briznas de hierba, de todos los cuencos de la mesa en Poitiers, me desconsolaban. Cuando mis amigas vinieron para que mi madre las instruyera en las artes domésticas, una nidada similar de muchachos llegó para instruirse con mi padre, primero en las artes de caballería y cultura, y luego en las artes de la guerra. Me fijé por primera vez en Rancon cuando era un niño que saltaba sobre un odre de vino. Mi compañero de juegos había mostrado la misma alegría desbordante que yo. A partir de aquel día, mi memoria se convertía en una serie de imágenes de Rancon: Rancon sin los dientes delanteros, Rancon limpiando las caballerizas, Rancon inclinado sobre el laúd. Un día, cuando él tenía diez años y yo ocho, había llevado una jarra vacía a la bodega, y mientras volvía a palacio me encontré con un grupo de muchachos arrodillados alrededor de sus tejones amaestrados. Con unas varas largas de metal empujaban a los animales para que hicieran una carrera. «¡Lárgate! —me gritó Hugo—. ¡Niña estúpida! ¡Me has hecho perder!» Y alzó la vara contra mí. «¡El estúpido eres tú!», exclamó Rancon, y empezó a golpearlo con los puños. «¡Es fea! ¡Tiene los ojos del mismo color que las morsas!», vociferó Hugo. Rancon se enfrentó a él en el suelo. Luego, jadeando de rabia, me había tocado el rostro con su mano sucia. «No le prestéis atención, doña Leonor. ¡Es un bruto! Y vuestros ojos, vuestros ojos parecen gencianas. ¡Sois hermosa!»

Había sido una declaración para ambos.

Aquella misma noche, mientras los muchachos nos servían la comida en los caballetes, que era su manera de formarse en cortesía doméstica, Rancon vertió vino en la espalda de mi padre sin querer. Cuando los gritos y las bromas dejaron de oírse, nuestras miradas se cruzaron por encima de la mesa. Sí, él estaba tan nervioso como yo, y los dos igual de jubilosos.

Y allí, sentada bajo el tilo al que en el pasado me habían prohibido terminantemente que fuera, observé al Rancon maduro en el campo de batalla. Me estremecía de nuevo ante el recuerdo de su silueta metálica cargando veloz como una flecha contra el estafermo, su maza con púas girando en círculos letales. Luego la pesada lanza se elevó como si fuera una pluma, el sable después, y por último la larga reverencia. Era el guerrero más dotado que padre instruyó jamás, armado caballero a los catorce años e igualmente dotado para la estrategia; no es de extrañar por tanto que padre lo nombrara su capitán.

Los recuerdos se agolpaban en mi memoria, incluso en el santuario que era la gran sala, donde don Raúl de Vermandois se sentaba a mi lado, escuchando y haciendo sugerencias, y yo recordaba las vigas cubiertas de ramas y flores, las teas que despedían halos de luz hacia las paredes, y los hombres y mujeres jóvenes que fingían ser mayores con sus mejores galas, todos embelesados ante el trovador visitante, Béroul, quien había rasgueado el cuento de Tristán y su amada Isolda. Cuánto lloramos al oír la historia del amor condenado y la muerte, de qué manera los ojos enrojecidos se cruzaron con otros ojos enrojecidos pensando en lo que nos depararía el futuro, con cuánta fuerza nos unimos Rancon y yo en la dicha de la expectativa.

Por fin llegó el momento de que mis amigas, convertidas ahora en mis damas de compañía, cargaran nuestros carros para ir a París. Yo partiría como doncella y volvería como mujer, y recé, sin ningún tipo de esperanza, para que el evento me ayudara a olvidar a Rancon. No obstante lloré desconsoladamente mientras cruzábamos el Clain y mis amigas murmuraron sobre lo mucho que lloraba la muerte de mi padre.

Llegamos a las afueras de París al cabo de un mes.

Raúl se acercó a mí.

—Esperaremos aquí, señora mía, mientras envío a un mensajero que informe al rey de nuestra cercanía.

—Gracias. —Esbocé una sonrisa falsa a aquel apuesto cortesano, pues la sensación de que siempre fingía me hacía fingir a mí también. No obstante, en Poitiers, durante el mes anterior, se había mostrado discreto en sus menesteres y me había dejado en compañía de mi tío Rafael para que dispusiéramos de los asuntos de mi vasto ducado. Además fue cortés con mi familia; yo era la que parecía menos cautivada por su persona.

Mi hermana, mi abuela, Amaria y mis damas de compañía me acompañaron a un bosque para acicalarnos, y luego nos sentamos a la sombra a esperar. Al cabo de dos horas oímos la fanfarria francesa y acto seguido apareció una pequeña hilera de jinetes en la amplia vía romana que había a lo lejos.

Yo era duquesa y futura reina, y por allí aparecía el impedimento para mi buena fortuna.

Salvo que la pequeña silueta saltarina que se acercaba no era ni mucho menos Luis, sino el abad Suger, quien desmontó del caballo.

—Ah, mi querida Leonor, venerable duquesa de Aquitania y reina de nuestro nuevo rey de Francia, os saludo.

—¿Dónde está el rey? —preguntó Raúl—. Envié a un mensajero para informarle de nuestra cercanía hace dos horas.

—Qué coincidencia tan desafortunada. Tuvo que asistir a la misa por su difunto padre.

—Hay misas todos los días —replicó Raúl—, y su esposa sólo llega una vez.

—Creo que se trataba de una ocasión especial, algo sobre el registro de necrologías.

—Ya sé a qué os referís —dije—. Hemos celebrado muchas de esas misas para mi padre en Poitiers.

Suger me lanzó una mirada, pero no replicó. Bajó la cabeza, que despedía un aura de melancolía, espesa como una nube. Todas mis damas lo advirtieron e intentaron contrarrestarla, sobre todo mi abuela.

—¡Qué vista tan maravillosa! ¡Qué romana! ¡Y yo que creía que Francia era moderna!

Suger no dio muestras de haber oído el comentario.

Nos preparamos para entrar en París. Yo cabalgaba entre Suger y Raúl en cabeza de la fila, agradecida al senescal porque su monólogo fluido disimulaba el silencio de Suger. ¿Dónde estaba París, exactamente? ¿Más allá de aquella isla?

Yo observaba todo lo que nos rodeaba.

—¿Os referís a esos pocos chapiteles? —Futura reina de una lengua de arena.

—Todavía quedan algunas ruinas romanas en ambas orillas —dijo Raúl, en defensa de la ciudad.

Suger fue más directo.

—La zona es compacta, lo reconozco, la ciudad se replegó cuando los vikingos subieron por el Sena con sus largos navíos azules, pero los habitantes son sofisticados, os lo aseguro.

Lamenté mi falta de tacto.

—Y los vikingos ya no son una amenaza, por supuesto. Sin duda podrá expandirse.

Suger alzó su mandíbula puntiaguda.

—¿Aplacados, los vikingos? ¡Ni mucho menos! Los normandos son descendientes sanguinarios de los invasores.

—Pero civilizados —apunté, sonriendo.

Suger siguió mostrándose desalentador.

—El joven Enrique de Normandía es un caso extremo de maldad. Mientras viva, Francia no estará a salvo.

El mismo Enrique que Teobaldo había invocado al hablar de Matilda, la madre de Enrique. Bueno, todos los países tienen enemigos; en Aquitania nos gustaban los normandos.

Llegamos al Châtelet, que protegía el puente que conducía a la Île de la Cité. Desde lejos, el río Sena me había parecido ancho y vacío pero de cerca los botes de los pescadores de anguilas golpeaban y rozaban el fondo como si fuera el suelo. La parte superior del Petit Pont, que era el nombre del puente, estaba repleto de vendedores y jóvenes con togas de estudiantes que pululaban ante hileras de casas diminutas que hacían las veces de escuelas y tiendas. Los *pantièrs* anunciaban bocados sabrosos a voz en cuello mientras los profesores pregonaban conocimientos, todo lo cual formaba una cacofonía jubilosa.

—¡La universidad! —exclamó Raúl.

Me sorprendió que París no se derrumbara bajo el peso de la ingente población que albergaba. Las casas construidas encima de otras se unían en lo alto, mientras que los desechos formados por boñigas y excrementos humanos fluían lentamente por las calles. Todo el mundo gritaba, y cada grito resonaba contra las paredes manchadas de orina, como cerdos berreando en un foso. No obstante, los trajes exuberantes, las sonrisas burlonas, las miradas rápidas y las caderas bamboleantes me hicieron reír en voz alta. Por desgracia, no tardé en encontrarme con un tábano enorme en la boca. ¡Qué agitación, qué energía, qué entusiasmo, diríase incluso qué peligro! Miré directamente hacia las estancias, donde vi a varios estudiantes sorprendidos y, en uno de los casos, a dos amantes ocupados. Los ojos lascivos se volvían a mi paso... un ruso me apretó la rodilla al pasar.

Avanzamos por un mercado de verduras y flores y luego nos detuvimos ante una puerta. De nuevo sonó la fanfarria y entramos en un patio minúsculo con varias capas de boñigas de caballo. Para evitar la suciedad, el paje condujo mi caballo hacia un antiguo tocón de olivo, desde donde pude posar el pie en los escalones del palacio. Por todos los santos, ¿era aquél el domicilio real? Era una casucha de piedra, baja y sin ventanas, de estilo merovingio; parecía el lugar de retiro perfecto para gatos asilvestrados.

Sin soltar la mano de Amaria, pisé en la oscuridad más absoluta. Poco a poco, unas estrechas rendijas situadas en lo alto me permitieron adivinar una sala octogonal y unos crujidos casi inaudibles me indicaron que estaba ocupada. Me asaltó un hedor que me hizo retroceder; me pareció estar encima de una tumba.

—Aquí está vuestra nueva familia, mi querida duquesa —anunció Suger al tiempo que me tomaba la mano.

Me habitué a la oscuridad. La reina Adelaida, mi suegra, era una mujer derrotada y mustia que parecía haber cumplido cien años, y ¿por qué no? Se decía que Luis el Gordo había tenido cuarenta bastardos. La hermana de Luis, Constancia, era una princesa corpulenta y hosca muy parecida a su padre. Leonor de Vermandois, la esposa de Raúl, era imperiosa y condescendiente. Con su nariz aguileña y las cejas juntas parecía tener edad suficiente como para ser la madre de Raúl. Roberto de Dreux era el hermano que no había ascendido al trono.

Todos tenían las manos igual de frías y secas, y hablaban en susurros.

Entonces apareció Luis, como un espíritu necrófago alzándose de la tumba. Iba vestido de negro, olía a mustio y llevaba el pelo tonsurado. ¿Había profesado los votos?

—Querida esposa, desde el día en que nos conocimos y mi padre tenía el flujo, y tras nuestra boda en Burdeos, he esperado y anhelado que conocierais a mi padre, mi asesor espiritual, el conde Thierry de Galeran.

Un hombre sumamente corpulento y fantasmagórico dio un paso al frente e hizo una reverencia. Se trataba de un templario con la túnica blanca y la cruz roja brillante, el rostro carnoso, ojos duros de peltre y una verruga que le sobresalía de la parte inferior del párpado. Lo miré de hito en hito pues me pareció que lo conocía. Se trataba del templario con la verruga que había golpeado a mi padre en Parthenay a instancias del abad Bernardo, aunque en aquella penumbra no podía estar segura del todo, por lo que guardé silencio.

Me volví de nuevo hacia Luis.

—¿Habéis estado enfermo, mi señor? Os veo mucho más delgado de lo que recordaba.

—Ayuno.

—¿Por qué?

—Y eso hace que se canse —intervino Suger—. Necesita reposo, al igual que vos, imagino.

Ante tal manifiesta ofensiva, Luis se movió.

—Esposa, debo hablar con vos en privado.

—Tened clemencia, mi señor. Dejad que se refresque —ordenó Suger.

—Hablad con ella de inmediato —intervino Thierry con una voz de falsete.

Luis salió por la puerta rozándola y yo le seguí. Para mi sorpresa, Thierry vino también, y los tres nos apiñamos bajo una escalera a oscuras.

—Esposa, estoy de luto por mi padre, al igual que vos debéis de estarlo por el vuestro.

—Ha hecho el voto de castidad durante el período de luto —añadió Thierry.

—Al igual que sin duda hacéis vos por vuestro padre —conjeturó Luis.

A mí esta cuestión ni siquiera se me había ocurrido.

—¿Durante cuánto tiempo?

—Un año.

—Por cada padre —dijo Thierry con severidad.

—Dos años... —exclamé, mientras ellos se marchaban.

La sorpresa inicial dio paso a la indignación. ¿Pasar de doncella a mujer? ¡Pasar de doncella a vieja bruja marchita! ¿Y qué influencia ejercía Thierry de Galeran sobre mi esposo? Cuando me dispuse a seguirles, el abad Suger me tocó el brazo.

—¿Y pues?

—¿Quién es ese Thierry de Galeran? —inquirí.

—Un conde. Un cruzado. ¿Por qué preguntáis?

—¿Tiene alguna relación con el abad Bernardo de Claraval?

— 69 —

—Creo que a veces sí. Sí, es su acólito.

—¡Su carnicero, querréis decir! Lo he visto con mis propios ojos. Mi padre... —Se me hizo un nudo en la garganta.

—¿Carnicero? ¿Vuestro padre?

Se lo expliqué con todo lujo de detalles, incluida la lluvia que retumbaba en el pórtico, el charco en el que había caído mi padre de cabeza, la forma en que los monjes me habían golpeado cuando intenté socorrerle.

Suger pareció horrorizarse.

—¿Lo sabe el rey? ¿Qué dijo?

—No lo sé. No se lo he dicho. Sin embargo, me he dado cuenta de que Thierry de Galeran es el principal consejero de Luis. ¡Le ha ordenado que se abstenga de hacer uso del matrimonio durante dos años!

—¡Dos años! ¿Por qué?

—Para que podamos guardar luto por nuestros respectivos padres.

—Lo absolveré de sus deberes de luto.

Me quedé muda durante unos instantes.

—Podríais haberlo hecho antes de mi llegada. De todos modos, no me habéis comprendido.

—Todo lo contrario. Una novia joven tiene derecho a esperar que su esposo cumpla con su deber.

—¡Me importan un rábano los deberes de Luis! —exclamé—. *Dex aie*, ¡escuchadme! ¡No me uniré al asesino de mi padre!

—¡Luis nunca conoció a vuestro padre!

Me apoyé en el frío muro y respiré hondo.

—Muy bien, abad Suger, sed obstinado si queréis, pero escuchadme bien. Este matrimonio no se consumará. Entiendo vuestro interés en Aquitania, pero tendréis que conseguirlo de otro modo. Reunid un ejército, volved a traer a Teobaldo de Champaña, pero os advierto que esta vez estaremos preparados. Regresaré a Poitiers a primera hora de la mañana.

Me tomó la mano con su garra cálida.

—¡A Dios pongo por testigo que admiro vuestro temple! ¡Renunciaríais a una corona para conservar vuestra independencia!

—No tengo intereses personales en vuestro rey, ni en Francia. Obedecí a mi señor supremo, Luis el Gordo, cuando estaba vivo, pero ni Luis ni yo deseábamos este matrimonio. Estoy segura de que Luis se alegrará de concederme la libertad. Por lo que a mí respecta, toleraría a vuestro rey si no se hallara bajo el influjo del asesino de mi padre. ¿Cómo voy a pasar por alto tal hecho? ¿Cómo voy a traicionar a mi padre aceptando a su asesino? Por consiguiente, me marcho. No, no discutáis. ¡Lo digo muy en serio! ¡Podemos concertar una anulación más adelante, pero en Aquitania me necesitan de inmediato! ¡Quiero iniciar mi gobierno!

Suger me pasó el brazo por encima de los hombros.

—Escuchad, por supuesto que podéis marcharos y yo mismo escribiré al Papa para solicitar la anulación. No estaba al corriente de esta desafortunada relación con el conde Thierry, creedme, pero no podéis partir de noche. Además, ¿puedo suplicaros un día más? Hacedme el favor, no, el honor, de visitar mi abadía mañana a primera hora, donde podré hablar de mis teorías arquitectónicas ante un público digno. Mientras tanto... ¡debéis de estar cansada!

Me sostenía en pie gracias a su brazo, pues de lo contrario me habría desplomado de la sorpresa. Era perfectamente consciente de que lo que yo proponía no era un nimiedad y estaba dispuesta a discutir durante días si era necesario. Sin embargo, él había dicho que podía marcharme... ¡que podría recibir la anulación! Oh, ¡alabado sea Luis y su consejero criminal! Me habían dado la libertad de ser yo misma, la duquesa de Aquitania.

Y de estar con Rancon... ¿dónde estaba? Demasiado tarde recordé a Arabela de Aragón y me estremecí. Si yo podía anular mis nupcias con un rey, sin duda él podría hacer otro tanto con la insignificante Arabela.

—Hemos preparado los aposentos para vos y vuestro séquito.

Regresé al presente. Por supuesto que estaba cansada y mis damas exhaustas.

—Haré que os conduzcan a vuestros aposentos. Ahora no es preciso que regreséis con vuestra familia francesa.

Subimos por una escalera muy estrecha hasta una estancia demasiado pequeña como para permitirnos extender nuestros camastros, aunque eso poco me importó. El corazón me latía con fuerza: por la mañana vería a Suger, y al día siguiente emprendería el regreso a Aquitania.

3

Conducida por una docena de soldados franceses en dirección oeste, troté junto a las zanjas hediondas que inundaban las calles de París. Una lluvia continua me enfriaba la mente enfebrecida, que me había impedido conciliar el sueño, a pesar de lo cansada que estaba, puesto que debía solucionar mi situación con Rancon. ¿Qué sucedería si resultaba que Arabela no era insignificante? ¿Qué ocurriría si era una sensual belleza española? ¿Y si él la amaba? Entonces los cielos retumbaron y nos encontramos frente a un torrente. Siguiendo a los guardas ataviados de azul, obligué a mi corcel a ir a medio galope. Para cuando amainó la lluvia, llegamos a una franja estrecha de campo abierto flanqueada a ambos lados por bosques impenetrables.

Nos internamos en un camino por entre manzanos retorcidos, y de repente arribamos a un claro donde grupos de hombres trabajaban bajo la llovizna. Algunos cincelaban bloques de piedra mientras otros arrancaban ramas de los árboles talados. Tras ellos se elevaba un gigantesco andamio donde unos insensatos levantaban pesadas vigas con cadenas para colocarlas luego en precarias posiciones.

Cabalgamos por otro manzanal y nos acercamos a una construcción antigua y baja situada en el extremo más alejado, que necesitaba remodelarse más que la iglesia: el musgo y el liquen cubrían el revestimiento de piedra; los hierbajos, los nidos y los árboles jóvenes brotaban en el tejado de paja. Por lo menos las ventanas tenían cristal y había tres chimeneas en las paredes exteriores, que indicaban la existencia de hogares en vez de grasientos pozos para el fuego como en el palacio de París.

Golpeé la pesada puerta con la palma abierta. Volví a llamar y cuando se abrió, a punto estuve de asestarle un golpe en la nariz a un novicio.

—El abad Suger, por favor.

—¿Vuestro nombre?

—Leonor, reina de Francia.

Era el título que me correspondía durante aquel día. Retrocedió hacia el interior y me hizo un gesto para que le siguiera, luego me dejó en un vestíbulo oscuro de techos altos que olía a cera de abejas y moho. A lo lejos se oían los cánticos de los monjes.

—¡Llegáis temprano! Bienvenida, querida mía. —El abad Suger estaba radiante—. Cada vez que os veo es una revelación. ¡Una bella joven tan lozana!

No pude devolverle el cumplido. Con su túnica corta de lana, que le colgaba por encima de las piernas gruesas y peludas y de las botas, parecía un tosco campesino.

—¿Damos un paseo? —sugirió—. ¡Hace un día espléndido!

—Está lloviendo.

—Muy poco.

Yo lo tomé como un comentario acerca del tiempo francés.

Sonrió con euforia.

—He pedido un ágape excelente para nosotros, podemos comer bajo los árboles.

Abrió la puerta y la bota embarrada me resbaló en el suelo inclinado.

—¡Cuidado! Acabo de colocar esos tablones, no pensaba que se doblarían tan rápido. De todos modos, son una mejora, tanto aquí como en el coro. Mis pobres monjes estaban aquejados de reumatismo después de pasar tantas horas arrodillados sobre la piedra. No creo que el sufrimiento eleve el espíritu, ¿y vos?

Él ya estaba adentrándose por el huerto, mientras el novicio se esforzaba por seguir su paso.

—¡Abad Suger, esperad! —le llamé, pues también me costaba seguirle.

—Tenéis que ver lo que estoy haciendo con mi iglesia. —Retrocedió por donde yo venía.

Tropecé detrás de él.

Menudo viejo presumido y vanidoso; ojalá un mal rayo partiera su nueva abadía. Vadeé por entre el barro y los escombros de los edificios hasta llegar como pude a la zona interior. Allí, para mi sorpresa, había un edificio entero medio enterrado en el barro. Pensé que debía de tratarse de la cripta, o quizás el Saint-Denis original, construido por el rey Dagoberto en el siglo VII. Seguí a Suger por una escaleras medio desmoronadas que conducían al interior. En vez de aparecer en una cueva oscura, llegamos al interior de una estructura sin tejado; por encima de nosotros los hombres hacían su trabajo en los andamios lejanos. Por lo menos el ruido quedaba amortiguado.

Suger señaló hacia arriba con rostro beatífico.

—¡Dios es la luz, Leonor! ¡Dejad que ella bañe Su iglesia con santidad!

Me quedé estupefacta. Habría creído cualquier cosa de aquel político taimado menos que fuera un místico religioso, lo cual, en mi opinión, equivale a locura.

—Dios y todo lo demás. —Señalé los excrementos de paloma—. Sin techo, tendréis algo más que luz.

—Oh, voy a construir un tejado, ¡ya veis lo que nos rodea!

Señaló hacia los andamios.

Durante unos instantes me olvidé de Luis.

—¿Tan alto? Los tejados necesitan soporte, abad Suger.

—El nuestro se sostendrá con cristal.

—¿Un techo de cristal?

Forzó la sonrisa al ver mi escasa comprensión.

—No un techo de cristal, sino paredes de cristal.

—Muy original, abad. —Le seguí la corriente.

Se puso a recitar:

> *¡Luminosa es la casa del Padre,*
> *luminosa la mente que a Él contempla,*
> *brillantes los muros de mi sagrada cúpula,*
> *más gloriosa que los más costosos oros!*

—Los muros de cristal —continuó— estarán reforzados con pilares inclinados hacia el exterior, de forma que la base repose a varios centímetros de los muros, como los arcos bajo un puente. El peso se desplazará hacia fuera, ¿lo veis? Es un principio de la ingeniería.

—¿Se ha probado en alguna ocasión? —pregunté de pronto.

—¡Nunca! ¡Es una creación mía! —exclamó presuntuoso—. Claro está que he construido maquetas pequeñas y hay algo parecido, según he oído decir, en la catedral de Durham, ¡pero en realidad estoy inventando la arquitectura divina!

—¿Un tejado de piedra soportado por ventanas de cristal?

—No es un cristal cualquiera, Leonor. Estoy tiñendo pequeños segmentos con tonos brillantes, luego los junto en marcos emplomados con ilustraciones ingeniosas de la vida de san Dionisio. —Le temblaba la voz—. Cuando la luz del sol se tiña de color, Dios estará realmente entre nosotros. Lo recibiré con tesoros que competirán con los de Santa Sofía.

Salió bruscamente por el portal situado bajo el andamio, pasó junto a la abadía y entró en una ciénaga cubierta de hoyos ocultos y arbustos espinosos en dirección a un bosquecillo lejano, donde el novicio servía nuestra comida. Yo le seguía intentando esquivar los obstáculos. Para cuando llegué a los álamos altos y viejos, uno de los cuales ya adoptaba un tono ocre intenso, estaba bañada en sudor.

—Bueno, con esto nos bastará. —Despidió al novicio y se dejó caer sobre un tronco situado bajo un pequeño zumaque rojizo, que hacía las veces de refugio precario.

—Maravilloso panorama del valle del Chevreuse, ¿eh? Veamos qué nos ha preparado el mozo. Ah, jamón a la miel, pan, queso de cabra y paté de pato. Una comida sencilla pero sana. ¿Rezamos? —Eso hizo—. Tomad, querida, esta sidra de manzana es de este año.

Alcé la jarra.

—Por nuestra amistad, abad Suger. Reconozco que tuve una mala impresión de vos. Sois un prelado de lo más razonable.

Exhaló un suspiro.

—Sí, soy razonable. Ahora debo convencer a Luis de que también lo sea. Anoche hablé con él.

Me sentía benévola.

—Estoy convencida de que vuestro rey es un señor virtuoso, aunque quizá no apto para la corona.

—Tampoco lo era el heredero original de su padre. Luis el Gordo tenía un hermano mayor, Felipe, que era quien estaba llamado a ser rey. Cuando vuestro esposo era pequeño, lo enviaron a un monasterio, donde rápidamente sintió la vocación de servir a Dios y profesó los votos como monje.

—Una decisión adecuada, me parece. Yo...

—Tal vez, pero Felipe murió cuando su caballo se encabritó ante un cerdo desenfrenado. Entonces Luis el Gordo sacó a Luis del monasterio para que pudiera cumplir con su obligación real.

—Sin embargo tenía otro hijo que, obviamente, codicia el trono. ¿Por qué no el hermano de Luis, Roberto de Dreux?

—Luis era el siguiente por edad, y tiene talento, más del que parece.

—Supongo que un rey célibe puede ser eficaz.

—¡No es célibe! —exclamó Suger.

—Lo siento. Es que él dijo...

Suger exhaló otro suspiro.

—Se ha dejado influir por ese Thierry de Galeran.

Sacudí la cabeza.

—Un hombre peligroso, abad Suger. Tened cuidado.

De nuevo relaté la escena de Parthenay. Si bien había tenido meses para esperar la muerte de padre tras resultar herido, y semanas para aceptarla después de que se produjera, todavía me temblaba la voz. Era incapaz de describir al abad Bernardo con su turbante color teja, sosteniendo la cruz ante él, o el horror de Thierry abalanzándose con la espada en alto y luego el lento reguero de sangre que brotaba de la cabeza de mi padre, que tiñó el charco que había bajo su casco.

—Vivió varios meses —expliqué entre sollozos—, aunque nunca llegó a ser el mismo. Sueño con ese templario, abad Suger, con su verruga.

Suger me dio una palmadita en la mano.

—Intentad olvidar, querida. Vuestro padre está con Dios.

Mis lágrimas dieron paso a un punzante aunque ligero dolor de cabeza.

—Debéis despedir al templario, abad Suger. Por el bien de Francia y por el bien de Luis.

—Estoy de acuerdo.

—Si Luis tiene tanto talento como decís, ¿por qué se deja influir por un hombre tan vil?

—Yo todavía no he visto indicios de su ascendencia sobre él.

—¿Qué me decís del período de luto? El sacrificio de...

—Puede que se deba a la influencia de sus votos originales tanto como a la de Thierry. Como sabéis, los hombres de la Iglesia son célibes.

—No en Aquitania —repliqué—. Muchos de nuestros sacerdotes se casan. Padre Pedro tiene seis hijos.

Suger se apresuró a hacer la señal de la cruz.

—Que Dios lo perdone. Nuestro Papa ha proclamado...

—Vuestro Papa, no el mío.

—Una herejía.

El tema no resultaba relevante, así que le dirigí una sonrisa.

—Bueno, abad Suger, me ha gustado ver vuestra nueva abadía y os estoy especialmente agradecida por esta oportunidad de conversar, pero...

—La lujuria distrae a los hombres de las obligaciones que tienen para con Dios. —El pequeño abad volvió a llenarse la jarra—. Me atrevería a decir que Luis teme la pasión que vos le inspiráis. Ningún hombre puede servir a dos señores.

—¡Tonterías! ¡Los hombres visitan los aposentos de las mujeres para concebir hijos, nada más! —Me levanté y me alcé el dobladillo embarrado de la túnica—. Debo marcharme antes de que la lluvia arrecie.

Suger me miró socarronamente.

—¿Estáis segura? Me han dicho que la mayoría de los hombres codicia el acto carnal.

¿Cómo iba yo a saber lo que sentía la mayoría de los hombres? Siguió mirándome.

—Pensé que todos los aquitanos creían en el amor.

—¡No dentro del matrimonio!

—Por supuesto; había olvidado el famoso adulterio de vuestro abuelo.

No le aclaré que mi abuela Felipa le había obligado a ser adúltero por seguir el mandato divino de abstinencia sexual. Una curiosa inversión de las actitudes masculinas, si Suger estaba en lo cierto.

—Ah, bueno, sea como fuere, habéis hecho una observación excelente: sin duda los hombres deben tener herederos, máxime en el caso de un rey. —Partió un palo ayudándose de la rodilla—. Estoy de acuerdo en que Luis debe alejarse de Thierry, quien se aprovecha del fanatismo natural de Luis, un rasgo que resultaría admirable si todavía fuera monje pero que significa la muerte para un rey. Los Capetos son famosos por tener herederos varones. —Exhaló un suspiro—. Thierry participó en la cruzada, donde fue capturado por el enemigo. Los sarracenos lo castraron y lo convirtieron en el guardián de su harén.

—¿Es un eunuco? —Me quedé boquiabierta.

—Sí.

Me esforcé para contener la risa. En Aquitania, los eunucos son motivo de burla.

—¿Y estuvo en un harén?

—Los eunucos están a salvo entre mujeres desnudas. Thierry dice que gracias a su experiencia conoce de primera mano las malvadas artimañas del sexo débil. Es un hombre peligroso.

La imagen del pérfido Thierry entre mujeres desnudas lo tornaba ridículo. No pude contener mi regocijo.

—Yo no me reiría, querida. ¿Habéis conocido a alguno de nuestros soldados de Cristo?

—Creo que mi abuelo participó en la misma cruzada. Se perdió en el desierto y vagó por un uadi varios días; una historia divertida. Lo peor fue que perdió Tolosa a favor de mi abuela Felipa por estar fuera tanto tiempo.

Suger blandió el dedo.

—Vuestro abuelo no fue templario. Esos hombres utilizan a nuestro buen Salvador como excusa para realizar los actos salvajes más brutales. ¡Y son ambiciosos! ¡Sí, debemos liberar a Luis de su influencia!

¿Por qué había dicho «debemos»? Yo no tenía nada que ver con la liberación de Luis del influjo de Thierry ni de ninguna otra persona. Luis Capeto tendría que decidir su propio destino, con la ayuda de Suger, por supuesto. Alcé la vista al cielo, ¿qué hora era? Las nubes se habían extendido formando una especie de capa gris; la lluvia volvía a caer de forma continua.

—Gracias por vuestra hospitalidad, abad Suger, pero tengo que partir.

—El rey de Francia debe tener un hijo, mi querida Leonor —continuó Suger, como si no me hubiera oído—. Ya sé que pensáis que os elegí como reina por vuestras tierras, lo cual en parte es cierto, lo reconozco, pero vuestros encantos femeninos fueron un atractivo mayor. Necesitaba a la belleza más embriagadora posible para compensar la influencia del consejero espiritual de Luis.

—Vuestro plan ha fallado. —Me até el chal bajo la barbilla.

Alzó la vista con expresión inocente.

—¿Cómo ha fallado?

—Porque mañana por la mañana me marcho a Aquitania, tal como convenimos.

—¿Por qué os marcháis?

¿Tan corto de entendederas era?

—Abad Suger, ayer reconocisteis, y hoy de nuevo, que este matrimonio ha sido un error, por lo que tramitaremos la anulación lo antes posible. Mientras tanto, tengo trabajo que hacer en Aquitania. Debo iniciar mi gobierno.

—Aquitania prosperará bajo el control de Francia.

—¡Aquitania no está bajo el control de Francia! ¡Os rendimos homenaje, por supuesto, pero somos independientes!

—Permitidme unos minutos más, y sentaos. Hemos hablado de los votos que Luis ha hecho a la Iglesia, de su necesidad de un heredero y, aunque se trata de cuestiones políticas, quisiera informaros de forma más general.

Volvió a presentar el mismo aspecto de gnomo artero que conocí en Burdeos. Sin embargo, me situé un poco más lejos, donde me sentía más protegida, y aguardé.

—Tal como habéis dicho, Aquitania rinde homenaje a Francia y nuestra relación con vuestros duques siempre ha sido amistosa...

En ese momento dejé de escuchar. Ya le había dicho que mi padre me había instruido, pero todos los niños conocen el sistema de homenajes y señores feudales. Mi padre solía compararlo a una pirámide: el rey se situaba en la cúspide, y la masa social no cambiaba nunca con el sistema antiguo de lealtad al señor inmediatamente superior. La Iglesia católica, con el Papa en la cúspide, formaba una pirámide similar, y la mayoría de los problemas de los reyes se debía al poder del Papa, que era mayor que el de ellos. La misma Aquitania tenía varios condados que le rendían homenaje y nosotros rendimos homenaje a Francia, lo cual ha propiciado mi actual catástrofe.

—Mi padre ya me contó todo eso —dije con frialdad.

—No obstante, creo que vuestro padre se enfrentó con el conde Godofredo y con su hijo Enrique en Maine, ¿no es así?

—Sí, contra Francia —puntualicé—. Francia quería que el conde Godofredo jurara fidelidad directamente a Francia, no a Aquitania. Mi padre acudió en ayuda de su vasallo.

Aquello era historia antigua. De nuevo avancé un paso.

Me agarró de los faldones.

—Vuestro padre malinterpretó la cuestión. Desde que el duque Guillermo I de Normandía conquistó Inglaterra, los duques normandos han querido que los feudos de Francia en el litoral atlántico cambiaran su lealtad de Francia a Inglaterra. ¿Me seguís?

—Por supuesto: estáis diciendo que el objetivo de lo sucedido en Maine era cambiar de lealtades. Creo que sois vos quien lo malinterpretó, abad; mi padre dijo que Maine se negaba a rendir homenaje a Francia porque Aquitania era su señor supremo. Debo insistir en ello.

—Maine es insignificante, pero Aquitania no.

Sonreí de forma compasiva.

—Si queréis proteger a Aquitania de los normandos, no gastéis saliva. Acabo de reiterar nuestra lealtad a Francia, ¿verdad? Y no toleraré ninguna interferencia por parte de Inglaterra, si bien creo que tenemos más que temer de Francia. El monarca inglés actual, el rey Esteban, es de Blois, creo, puesto en el trono de forma ilegítima por los franceses. Matilda de Normandía es la reina legítima.

Suger dio unas palmadas.

—*¡Benedicite*, sois increíble! Tenía que haber ido directamente al grano.

—Pues hacedlo —exigí—. Debo partir.

—Bueno, la emperatriz Matilda es una mujer formidable. ¿Sabíais que reclutó a su propio ejército para una invasión?

—Sí.

—Y fracasó, claro está. Su hijo Enrique es otro asunto. Cuando sea rey de Inglaterra, se apoderará de los condados y ducados que pertenecen a Francia por justicia. Es un enemigo resuelto.

Me impacienté.

—Ya conozco vuestra obsesión con «el caso extremo de maldad», abad Suger. Si os preocupa que Aquitania pueda caer bajo su influencia, os acabo de asegurar que nos mantenemos leales a Francia.

Sonrió encantado.

—¡Entonces no os importará que Francia controle Aquitania!

—No la controlará. Mi tío Rafael está a cargo de Poitiers, el arzobispo Godofredo de Burdeos y mi capitán, Rancon, dirigirá nuestro ejército. Tengo oficiales en todas las ciudades importantes. Y ahora asumiré mis obligaciones. —Sonreí para atenuar la severidad del tono con el que había hablado.

—Pobre Leonor. Raúl de Vermandois ha sustituido a todos vuestros hombres por franceses. No queda ni un solo aquitano.

El asombro me impidió responder. Todos mis recelos sobre él y Raúl volvieron a aparecer, pero ¿cómo iba a imaginar tamaña perfidia? Eché a correr.

—¡Adiós! ¡Me marcharé esta misma noche!

—¡Aguardad! Todavía tenemos mucho de qué hablar.

Me volví.

—¡Ya basta de conversaciones! ¡Retirad a vuestros hombres de inmediato!

Se limitó a mirarme.

—¡Por todos los santos, abad Suger, llamadlos de vuelta u os llevaré ante los tribunales! ¡Firmasteis un contrato civil!

El hombre de acero emergió del interior del ralo gnomo.

—¡El contrato civil, Leonor, no vale ni la vitela sobre la que está escrito!

—¡Por supuesto que vale! ¡Había muchos testigos!

—¡Habéis profesado los votos matrimoniales con la entidad más poderosa del mundo, la Iglesia y su Papa de Roma! La Iglesia os controla.

—¡Me controla si me quedo en Francia, pero no pienso quedarme!

Sonrió con compasión.

—Debisteis partir ayer, en vez de avisarme. Todos los puentes del Sena están cerrados, todos los guardas alertados; incluso cuando vinisteis aquí, la guardia francesa os acompañó. No podéis salir de París.

Me desplomé, tal fue mi conmoción.

—¿Tan ávido de poder estáis, abad Suger?

—Luis necesita un heredero.

—¡Encontrad a otra persona para favorecer vuestras ambiciones!

Por primera vez se enojó.

—Me veis tan sólo como al asesor ambicioso de reyes. ¿Cómo creéis que sucedió, mi gran duquesa? ¿Acaso he tenido, como vos, derecho para gobernar desde mi nacimiento? ¿Para casarme con la grandeza? ¿Acaso mi padre me instruyó en historia y política? Nací siendo un humilde campesino, doña Leonor, y mi padre murió apaleado a manos de su patrón. Yo soñaba con convertirme en comandante militar; ah, sí, tengo dotes como soldado, pero ¿cómo va a encontrar un pobre campesino un mecenas que le proporcione caballos y armas? También podría haberme convertido en un famoso arquitecto, si alguien me hubiera aceptado como aprendiz. Pero nadie haría tal cosa, mi querida señora; a nadie le preocupa un campesino tosco e ignorante que ni siquiera sabe leer. Miles de jóvenes con talento viven y mueren como animales a menos de media legua de donde nacieron. Entonces la Iglesia ofrecía una salida; en el seno de la Iglesia podía estudiar y desarrollar mi talento natural, hasta tal punto que llamé la atención del rey Luis el Gordo. Con su ayuda conseguí por fin un caballo y una espada y luché a su lado; gracias a su indulgencia empecé a reconstruir mi abadía. ¿Quiero proteger al rey francés? ¡Sí! ¡Se lo debo todo a Francia y a su familia real! ¿Lo entendéis?

—Yo sólo entiendo que teníais una ventaja de la que yo carezco, abad Suger. Sois varón. ¿Dónde gobierna una mujer, al margen de su alcurnia? ¿Dónde estudia una campesina, por inteligente que sea? No en vuestra querida Iglesia, estimado abad, que ni siquiera financia conventos, sólo monasterios. ¿No advertís la valentía de mi padre? ¡Se lo debo todo a mi padre!

—Él os dio Aquitania; yo en cambio os estoy ofreciendo Francia.

—¡Lo que me ofrecéis es el lecho de Luis! ¿Eso es Francia? ¿Habéis mirado alguna vez a su madre, la anterior reina? ¡No me convertiré en una desdichada arrugada y consumida como ella, ni por vos ni por nadie!

Bajó la cabeza para orar.

—Volved a tomar asiento, querida. Prescindamos de la cólera y hablemos sin apasionamiento. Escuchadme, Leonor, sospecho que amáis a algún joven caballero, ¿no es así?

El corazón me latía a toda prisa. Hablaba como Dangereuse... ¿tanto se me notaba?

Me dio una suave palmadita.

—Debéis renunciar a él... Lo siento. En honor a vuestro padre y por la confianza que en vos depositó, debéis comportaros como la gobernante que sois.

—Mi padre quería que gobernara Aquitania.

—Francia se expandirá y se adueñará de vuestra querida Aquitania de un plumazo. Francia será el poder supremo de Europa, y podréis compartir ese poder.

—No podéis obligarme, abad Suger.

—¿Ah, no? —Su expresión benigna pareció tornarse malévola—. ¿Por qué creéis que Teobaldo de Champaña fue a Burdeos? Para estudiar vuestras fortificaciones, querida mía, y dispone del mayor ejército de Europa.

—¡Invadir mi ducado va en contra de vuestro tan cacareado derecho canónico! ¡Se supone que Francia debe protegernos!

—Teobaldo y el Papa son como hermanos. —Sonrió sardónicamente—. La Iglesia y el ejército son la misma fuerza, como una mano y un guante.

—¡Yo poseo un ejército! ¡Y también un capitán!

—No se trata de un ejército unido, ni mucho menos —me rebatió—. Vuestros barones están siempre enfrentados. Son famosos por sus mezquinas querellas.

No podía negarlo. A lo lejos retumbaban los truenos.

—¿Existe alguna posibilidad de que cambiéis de parecer? —le supliqué.

—Llevaréis la corona de Francia, Leonor. Y no cambiaré de opinión.

La hermosa vista de Chevreuse desapareció tras un torrente repentino y con ella mi breve instante de esperanza ilusoria.

—En ese caso, acepto la corona, pero no el lecho real.

—¿No queréis gobernar Aquitania? ¿Ni siquiera verla de nuevo?

Miré fijamente sus ojos grises y fríos.

—Si os acostáis con Luis, os permitiré gobernar Aquitania.

—¿Podré vivir en Aquitania cuando gobierne?

—Durante los veranos, sí.

—¿Y permitir que mi tío sea senescal en Poitiers?

Reflexionó al respecto.

—Sí.

Sentí una punzada de dolor en el corazón.

—En ese caso, no tengo elección.

Se le iluminó el semblante.

—¡No os arrepentiréis!

—Debo partir, pero espero recibir vuestras promesas por escrito. —Me erguí—. Y obedeceréis las órdenes de vuestra reina.

Antes de que pudiera responder eché a correr a través del campo embarrado, bajo los manzanos, hasta llegar a la zona edificada. Allí aminoré la carrera para esquivar los troncos caídos, pero de repente tropecé. Durante unos instantes yací tendida sobre astillas de madera y barro. Me sentí tan desdichada que quería morirme.

—¿Está bien la señora? —preguntó una voz.

Alcé la mirada y vislumbré a un carpintero encaramado al andamio.

—¡Sí, gracias!

Intenté incorporarme e hice un gesto de dolor. *Dex aie*, tenía el pie aprisionado bajo un madero. ¡Maldita vidriera de Suger y maldito lunático que la había financiado! Dudaba que Luis pudiera... y me quedé inmóvil. La lluvia fue a más y de repente amainó, y yo seguía allí tumbada. Los rayos del sol se filtraron entre los maderos altos como si buscaran las imágenes de san Dionisio. Conseguí liberar la bota.

Suger seguía sentado bajo el zumaque.

—¿Habéis olvidado algo?

—Os importa un bledo el heredero, abad Suger.

—¿A qué os referís? Os garantizo que yo...

—Queréis aferraros a vuestro poder. Vos y el abad de Claraval lucháis por el alma de Francia, ¿me equivoco?

Inspiró profundamente.

—Sí. Os elogio por vuestro...

—Olvidad los cumplidos. ¿Qué queréis de mí realmente?

Nos miramos de hito en hito.

—Vuestra cultura aquitana. —Lo dijo con voz tan baja que le tuve que pedir que lo repitiera—. Oh, ya sé que en este momento Champaña e incluso Francia no estarían de acuerdo conmigo, y yo mismo me he mostrado crítico con vuestro abuelo y sus seguidores. Sin embargo, contáis con una arquitectura magnífica. Valoráis el arte, ¿no es así? Valoráis el saber, seguro que habéis oído hablar del gran Abelardo. Francia debería llevar la delantera, ser la envidia de todas las naciones. O podría convertirse en una teocracia cerrada y cruel.

—Será un placer para mí ayudaros desde Aquitania. Enviaré trovadores, arquitectos, incluso científicos de Montpellier a París.

—Los convocaréis desde el trono. Lo digo en serio, Leonor.

Escudriñé su expresión inflexible.

—Porque no podéis controlar a Luis —concluí con voz queda—. Sin mí, lo perderéis en manos de Thierry.

Se puso rígido.

—Eso es una interpretación.

—Es la verdad. Por consiguiente, me debéis mucho más de lo que me habéis ofrecido.

Frunció el ceño.

—Tened cuidado, he sido generoso.

—No si tenemos en cuenta lo que está en juego y vuestra debilitada posición. Cuando murió Luis el Gordo, se os acabó la buena suerte.

—Sí. —Se levantó como el gallo de pelea que era—. Vos misma habéis visto que el abad Bernardo intenta hacerse con el control por la fuerza. Acabáis de describir cómo vuestro padre...

—¿Está reclutando un ejército contra Francia?

—Es más insidioso. Cubre el país con advertencias y amenazas espantosas sobre la venganza de Dios. ¡Es infatigable en sus esfuerzos por cambiar la estructura del país!

—Necesita a Luis.

—Sí.

—Y si gana, por mediación de Thierry, os quedaréis sin poder.

Sus ojos grises se le llenaron de lágrimas.

—El abad Bernardo intenta impedir la construcción de mi nueva abadía, Leonor. El arte y la belleza no son cristianos, según él, lo cual es falso, por supuesto. Pero él goza de la confianza del Papa. Espero que podáis...

—¿Seducir a vuestro rey impotente para conseguir las vidrieras? —Me temblaba la voz—. ¡Mi vida por una ventana!

—¡Una ventana con vistas a Dios, Leonor! Debéis comprender... conocéis mejor que nadie la relación entre el arte y la vida.

—*Oc*, y mi comprensión tiene un precio. Si voy a interceder por vuestra visión, quiero gobernar Francia.

Palideció.

—¡Yo gobierno Francia!

—Temporalmente, a no ser que yo colabore. Mas si debo aprender a pensar en el poder y no en la felicidad personal, entonces yo asumiré el gobierno. Pensad con rapidez, abad Suger. Podéis mantenerme prisionera, pero no podéis obligarme a seducir a vuestro rey.

—Me doy por vencido —admitió—. Cuando Luis se convierta en vuestro esposo de hecho, gobernaréis Aquitania y cogobernaréis conmigo en Francia. Que así sea.

—Por escrito.

—No.

—¿Qué garantía tengo entonces?

—Mi palabra.

—Comprenderéis que no puedo hacer nada con Luis durante dos años por lo menos, ya que guarda luto por los padres de los dos —dije para forzar la situación.

—Consumaréis el matrimonio la noche de vuestra coronación, dentro de tres meses, en Bourges —ordenó—. Si queréis gobernar Aquitania...

—Tendréis vuestro heredero en el plazo de un año.

¿Qué más podía decir? El abad Suger, que seguía hablando con entusiasmo de su gran abadía, me acompañó hasta donde se encontraba la guardia francesa. El sol ya estaba bajo, los días se acortaban. Me preparé para cabalgar de vuelta a París.

Cuando hube montado, Suger sujetó mi brida.

—Reina Leonor —capté el halago—, ¿puedo contar con vuestra buena voluntad para otro asunto?

—No tengo buena voluntad para con vos, abad Suger.

—Por favor; somos amigos, socios por el bien de Francia. —Agitó la mano—. Procedéis del ducado más rico de Europa y sois una dama de gusto impecable. —Volvió a sonreír—. ¿Enviaréis una contribución para ayudarme a pagar las vidrieras? Son escandalosamente caras.

Menudo viejo mendigo desvergonzado.

Sonrió, como si me estuviera leyendo el pensamiento.

—Ya os conté cómo me hice con el poder, Leonor. Debéis aprender a utilizar vuestras armas.

—¿Y cuáles son?

—Belleza y riqueza.

Otro aguacero repentino que cayó durante el viaje de vuelta disimuló mis lágrimas, los truenos, mis alaridos de angustia. ¿Qué importaba si había sido más astuta que aquel bribón artero en nuestro trato? Seguía siendo cautiva de Francia y había perdido a Rancon. Cuando hubimos recorrido varias leguas, mis lloros cesaron. De todos modos habría perdido a Rancon. Qué más daba cohabitar con Luis que con cualquier otro jabalí verrugoso. ¡Pero yo quería a Rancon! ¡No podía vivir sin él! ¡La abuela se equivocaba con respecto al amor! El rey Luis podía ostentar un título más valioso que el barón Rancon, ¡pero no para mí! ¡Mi corazón, mi mente, mi carne ardiente lo veían de otra manera! Rancon más Aquitania equivalían a Leonor.

Argumentos fútiles. Rancon estaba casado; yo estaba casada. No había tenido elección con Suger, salvo para hacerle renunciar a su propia soberanía a cambio.

Cuando llegué a París, fui generosa enviando a Suger una bolsa de monedas de oro. Lo supiera o no, se trataba de un soborno, el primero de muchos. Mis dos bazas: la riqueza y la belleza. Dudaba mucho de poder seducir a Luis con alguna de ellas, pero iba por el buen camino con el abad Suger, en parte porque él había olvidado mi tercera baza: la inteligencia.

4

Tres meses después en Bourges, cuando fui coronada reina de Francia, Rancon se encontraba entre mis invitados.

Lo supe mucho antes de que Mamile se acercara a mí sigilosamente con su alegre susurro, antes de que la coronación empezara en la grande y gélida iglesia. Si bien nunca lo miré directamente, ni a él ni a su esposa, siempre seguí con el rabillo del ojo su silueta alta e imponente enfundada en una túnica ceremoniosa larga hasta los pies de color marrón intenso. Advertí sus rizos más cortos, la palidez de su piel en invierno, el jugoso tono rojizo de sus labios. Por encima de todo, el aroma almizcleño que despedía su cuerpo hizo que mis sentidos flotaran. No presté atención alguna a la figura femenina de complexión más delgada que lo acompañaba.

La ceremonia concluyó con la pesada corona sobre la frente, y entonces debía saludar a mis invitados. No sin dificultad, me comporté con la consabida cortesía hacia nuestros nobles franceses, los prelados y por último mis damas y caballeros de Aquitania; todo eran preámbulos para el saludo que más importaba.

—Mi señor de Rancon —murmuré.

—Mi reina, os saludo. —Inclinó su rostro para el beso de la paz. Tuve que hacer acopio de fuerzas para contenerme. ¡Que nuestros labios queden sellados para siempre!—. ¿Puedo presentaros a doña Arabela?

—¡Mi reina! —La joven se arrodilló en el suelo, y luego se puso en pie.

No era una ardiente belleza española ni una arpía enclenque; tenía un rostro dulce y anodino, y la tez y los ojos claros. Parecía delicada. Y Rancon se mostraba protector. Debilitada por los celos, me obligué a dirigirme al siguiente caballero y a su dama.

A partir de entonces evité la persona de Rancon, si bien seguía obsesionada por su presencia.

Finalizada la cena y el festival de la Natividad, subí por fin la empinada escalera del castillo real para esperar a mi rey amante. Era la noche en que debía concluir la abstinencia, tal como había ordenado el gran dios Suger.

—Hoy estáis radiante, Gracia —observó Amaria mientras me seguía.

—*Dex aie*, Am, no me halaguéis; no es preciso. Odio verme vestida de púrpura. —Porque resaltaba mis «ojos de morsa».

Me tomó la larga capa que me cubría los hombros.

—No estoy de acuerdo. Con vuestros ojos y este color tan intenso... En todo caso, es de ingratos quejarse de un tono tan difícil de conseguir, ¿no? Pensad en cuántas ostras y múrices fueron necesarios para tañer de este color.

—Para «teñir» de este color —la corregí, y luego salmodié:

Compadeced a la pobre ostra
que la concha perdió
a fin de teñir
los hilos púrpura de la reina.

Amaria se echó a reír.

Proseguí:

Compadeced al múrice
que a pesar de su sexo puro
se ve obligado a sangrar
para a la reina alegrar.

—Estáis de un talante alegre, Gracia. ¿Por qué tanta animación?

—Me malinterpretáis. Soy presa del pánico.

Que se creyera que me refería a Luis. Me despojé de la corona, que era larga y estrecha, más apropiada para un caballo que para un humano.

—Corred las colgaduras de los laterales de la cama, Am, pero dejad el extremo abierto.

Me acerqué a la ventana y abrí las contraventanas; caían pequeños copos de nieve.

—¿No tendréis frío?

Me volví e hice una mueca.

—Estoy esperando a Luis.

—Por supuesto. ¿Debería...?

—Sí, ayudadme a prepararme y luego podéis retiraros.

Después de rodear el altar con candelas, me soltó el pelo y lo trenzó de forma holgada; me despojé de la vestimenta rígida y me enfundé una cómoda vestidura rosa con ribetes de marta cibelina. Amaria me observó sin articular palabra, me besó en la mejilla y se marchó.

Recogí al instante el púrpura que había dejado a un lado y lo sostuve junto a mi rostro ante un espejo. Me favorecía, sí. Mis ojos parecían violetas y me brillaban las mejillas. Mi talante alegre dio paso a la melancolía. Debía cumplir mi parte del trato, pero, oh, a qué precio.

Se oyó un débil golpe en la puerta.

Luis, que todavía vestía el traje de ceremonia completo, advirtió aterrorizado la ropa holgada que yo llevaba. Entonces Thierry apareció a su lado.

—¿Podemos entrar? —tartamudeó Luis.

—¿Los dos?

—Si sois tan amable... —dijo Thierry con su voz aguda y débil—. Necesitamos audiencia.

Me erguí.

—No en mi alcoba, conde Thierry.

—Por favor... —suplicó Luis a su consejero.

—Os aguardaré aquí, en la puerta, mi señor.

—¿Toda la noche? —le reté.

—Ya veremos. —Sonrió con suficiencia.

Cerré la puerta.

—Bienvenido, mi señor Luis.

Se desplazó furtivamente como un sabueso apaleado en busca de un lugar donde dejar la corona y la capa. Le levanté con cuidado el pesado manto de los hombros y lo dejé caer al suelo. Esquivó mi tacto como si fuera leprosa. Las Escrituras nos advierten de no echar margaritas a los cerdos, pero cuán más degradante resultaba echarlas a cerdos renuentes.

—¿Queréis rezar, mi señor?

—¡Sí! —Se arrastró a cuatro patas hasta el altar—. *Sanctus, sanctus, sanctus.*

Me arrodillé a su lado. Me fui quedando cada vez más fría y me dolía la mandíbula de mis esfuerzos por evitar que me castañetearan los dientes. En la alcoba no había chimenea y debí de dejar la contraventana ligeramente entreabierta; una corriente helada soplaba sobre las esteras. ¿No iba a acabar nunca?

Para cuando nos levantamos, la campana llamaba a maitines. Entonces, sin previo aviso, Luis se agarró el estómago y se encorvó.

—¿Estáis enfermo? —pregunté, alarmada.

—No, es que... ¿podemos tomar asiento? —Se sentó en el borde de la cama, con la cabeza doblada hacia las rodillas—. Dadme la capa —musitó.

Empecé a colocársela sobre los hombros, pero él se la acercó al regazo, y luego se sentó erguido. Parecía desolado.

—Os he fallado, Gracia.

Le había fallado a Suger, no a mí.

—No puedo —prosiguió—. Esperaba ser capaz, pero no puedo... mantener relaciones sexuales.

Lo entendí con la rapidez del rayo. Luis intentaba decirme que no se le levantaba el miembro.

—Estáis fatigado, mi señor, y yo también, francamente. Quizá deberíamos descansar.

—¡No! —Hizo una mueca de horror.

Menudo zoquete miserable. Era imposible que Luis aborreciera la posibilidad de unión sexual tanto como yo, pero al menos yo tenía el detalle de disimular mi repugnancia.

—¿Deseáis marcharos?

—Deseo hablar.

Extraje un pequeño faldistorio de detrás del altar y me senté frente a él.

Arqueó las cejas. Tenía los ojos enrojecidos.

—Esta noche se supone que... Suger dijo...

Yo sabía perfectamente lo que había dicho Suger.

—Seguid los dictados de vuestro corazón, Luis.

—¡Mi corazón! Oh, oh, oh, mi corazón, sí —lloriqueó, con la nariz enrojecida—. Mi corazón os quiere, Leonor, cuánto os amo... Si lo supieseis, es un pecado, mi perdición. —Bajó la voz hasta que se convirtió en un susurro—. Os amo más de lo que amo a Dios.

Así que Suger tenía razón sobre el motivo del celibato.

Se llevó la mano a las sienes y siguió lloriqueando y respirando agitadamente.

—Y... os quiero... con desesperación.

—Pero ¿hicisteis el voto de castidad? —sugerí, como si Thierry estuviera detrás de mí y no al otro lado de la puerta.

—¿Qué? ¿Qué voto? Oh, cuando era monje de castidad, a eso os referís, cuando estaba en el monasterio, castidad. ¿Conocéis esa historia? No... ojalá fuera tan sencillo. Esto es algo profundo, esposa.

¿Profundo? Palabra estimulante. Seguro que Thierry no lo había castrado, pero ¿qué sabía yo de los eunucos? Tal vez lo considerara una purificación.

—¿Acaso Thierry...?

—¡Sí! Oh, cómo comprende Thierry mi espíritu, mi alma... oh, y la vuestra también. Él me informó... ¿empiezo por el principio?

—Por favor.

Para mi sorpresa, empezó con la historia de Adán y Eva en el Edén. Aunque yo conocía bien la historia, escuché con atención. Terminó tras un largo discurso.

—¿Comprendéis su pecado, Leonor?

Reflexioné durante unos instantes.

—Desobedecieron a Dios —dije—. Eva fue la verdadera pecadora, por supuesto, porque tentó a Adán. Las mujeres siempre son el origen de la maldad.

—Totalmente cierto, si bien Adán también desobedeció a Dios.

—No, Eva le tentó —repetí con humildad. Lo cual demostraba que ella era la más lista.

—Adán fue hecho a imagen y semejanza de Dios y su desobediencia era más grave —objetó Luis.

—Sí, os lo garantizo; los hombres están hechos a imagen de Dios y las mujeres no tienen categoría moral. —¡Para que luego hablen de abjurar!

—No tienen categoría moral —repitió él con gratitud.

Lo cual significaba que yo no tenía categoría moral. ¿Quería además que lo tentara para que así él, a diferencia de Adán, pudiera rechazarme? Contemplé la posibilidad.

—Los hombres deben oponer resistencia y... oh, oh, Dios nos maldijo...

—¿Cómo? —insistí tras un silencio.

—Nos creó... es decir, podemos decir que no con el corazón y la mente, pero él nos creó... ¡Nos marcó la carne con la rebelión de Adán! —Volvió a echarse a llorar.

Esperé a que sus lágrimas amainaran.

—¿No podéis hablar con más concreción? No os entiendo.

Exhaló un profundo suspiro. Era el hombre menos coherente que había conocido, aunque se expresara de forma bastante directa.

—¡Su... su... mi... miembro!

Ah, entonces lo entendí; estaba en lo cierto. Era incapaz de tener una erección.

—Creo, mi señor, que puede haber un motivo físico así como moral para vuestro... problema. Ha sido un día largo y agotador.

—Durante el cual he tenido el miembro duro como un espolón de ataque —reconoció abatido.

Me sentía confundida.

—En ese caso, seguro que estáis preparado para...

—¿Cómo puedo hacer tal cosa? —exclamó, consternado—. ¿Pretendéis que disfrute del acto?

Pensé que él disfrutaría. Y yo sería en cambio quien sufriría.

Recogió la capa con desespero.

—Si... peco... oh, oh, Padre nuestro que estás en los cielos, ¡ayudadme! ¡No quiero cometer adulterio!

—¿Adulterio? —Me quedé estupefacta—. ¡Luis, soy vuestra esposa!

—Cohabitar con la lujuria... ¡preferiría cortármela!

Así que Thierry le había sugerido que se convirtiera en eunuco. Debía decírselo a Suger, se trataba de un asunto grave.

—¿Cómo sabéis que disfrutaréis con el acto, Luis? Quizá lo detestéis. —Me di cuenta de que estaba yendo en contra de mis intereses en el caso, pero la cuestión me intrigaba.

Soltó un grito ahogado.

—Porque... porque... el acto, dijo Thierry, cuando estoy cerca de vos, mi... ¡me crece mucho! —Volvió a sollozar—. ¡Os quiero! ¡Os deseo carnalmente, y no debo! ¡Ahí radica el adulterio! ¡Mi miembro me traiciona!

Era incapaz de ocultar mi sorpresa.

—¿Queréis decir que podríais cumplir con vuestra obligación si no tuvierais una erección?

—¡Sí! —exclamó con gratitud—. Sí, si yo... fláccido... pequeño... ningún placer.

—Bueno, mi señor, como doncella y virgen que soy, sé poco de hombres, pero me han contado que la hinchazón a la que aludís debe producirse antes de que el hombre... cumpla con su misión.

—Os lo han explicado mal, mi querida esposa —dijo con seriedad—. El miembro debe estar fláccido; el acto conyugal debe ser como un apretón de manos.

—¿Cómo podría ayudaros?

—¡Vos! —Reaccionó con un horror poco halagüeño—. Vos sólo podéis enseñarme desobediencia... ¡sois Eva!

¿Significaba eso que Eva había causado la erección de Adán?

—Sin embargo, no tengo ninguna parte rebelde —señalé—. Puedo mostrarme indiferente. —Era la primera verdad absoluta que decía.

—Todo vuestro cuerpo es rebelde, estáis totalmente contaminada —explicó—. Os regodeáis en el pecado carnal.

Tan sólo mi determinación de gobernar Aquitania me permitía soportar el ultraje; debía participar en aquel juego hasta el final.

—Ambos profesamos el voto de crecer y multiplicarnos, que es más necesario si cabe debido a nuestros títulos.

—¡Ya estamos! —Levantó las manos en señal de horror—. ¡Intentáis tentarme!

—¿Tentaros al recordar nuestros votos matrimoniales?

—Suplicando hijos.

En resumen, cuanto más lo «seducía», tal como había ordenado Suger, más lo ahuyentaba.

—Querido esposo Luis —dije con ternura—, quiero vuestro amor; no puedo evitarlo. Sois tan... —¿Tan qué? Deslicé la mano bajo su capa y le toqué la rodilla.

—¡Deteneos! —Se apartó rápidamente—. ¡No lancéis vuestro cuerpo sobre el mío! Vos sois el sepulcro de mi muerte. ¡Debo recordarlo! Lleno de flemas, excreciones y supuraciones olorosas. ¡Que Dios me otorgue la fuerza necesaria para despreciaros como os merecéis!

—Merezco amor, no odio. —Le acaricié la espalda.

—Thierry tiene razón...

Entonces cometí mi primer error.

—¿Preferís obedecer a un eunuco antes que cumplir con vuestro deber?

Se sonrojó peligrosamente.

—Thierry conoce a las mujeres, creedme. Me ha hablado de sus artimañas... métodos con las manos, frotamientos con la lengua, cosas que se practican en los baños de los harenes.

—¿Me estáis llamando concubina?

—Sois todas iguales.

—¡Cómo osáis decirme tal cosa! ¿Me amáis? Creedme, si os amara...

Me callé demasiado tarde. Ése fue mi segundo error. Me agarró del brazo.

—¿Quién es él?

—¿Quién es quién?

—El hombre al que amáis. Thierry me advirtió...

—¡Soltadme, me estáis haciendo daño!

Me retorció el brazo hasta hacerme saltar las lágrimas.

—Os vi dedicando miraditas todo el día a un noble detrás de otro. Con Aimar de Limoges...

—No seáis ridículo.

—Bamboleando las caderas, apoltronada con expresión procaz... Volvió a retorcerme el brazo.

—Os lo advierto, Leonor.

—¿El qué?

—No daréis un solo paso, exhalaréis un solo suspiro, hablaréis o escribiréis a ningún hombre sin mi conocimiento.

—¿Es una amenaza?

—Thierry vigilará todos vuestros movimientos, todos vuestros pensamientos.

Me zafé de sus garras.

—En ese caso, permitidme que os advierta, Luis... mantened a ese eunuco fuera de mi vista.

Sonrió burlonamente.

—Matará a cualquier hombre que se acerque demasiado a vos. Por orden mía.

Nos estábamos alejando peligrosamente de la cuestión.

—Luis, esto no es propio de vos. Sois un alma gentil, un...

Hizo una reverencia con rigidez.

—De nuevo seducción. Perdéis el tiempo, señora mía.

Debería de haberme sentido halagada; ni siquiera Suger podía reprocharme mi conducta. Sin embargo, reconocí el auténtico peligro con un escalofrío, que no tenía nada que ver con la ventana abierta. Miré a Luis con otros ojos. Ante mí ya no había un bufón, sino un hombre peligroso, formado para el poder, tal como me había advertido Suger, y deformado por el fanatismo religioso, tal vez más inteligente de lo que parecía y, por encima de todo, en estado de conflicto entre el deseo que le causaba mi cuerpo y su promesa de celibato. ¿Me amaba? No tanto como me odiaba.

—¡Aguardad, Luis!

Se detuvo, pero no me miró.

—¿Decís que Thierry va a espiarme?

—Sí.

—¿Y os creeréis todo lo que os diga?

—Por descontado.

—¿Y asesinará a todo hombre que considere sospechoso?

—¿Debo repetir mis palabras?

—¿Y yo qué? ¿Qué me pasará si dice que soy infiel?

Se volvió con los ojos empañados de lágrimas.

—No tengo elección, ¿verdad? Una reina infiel debe morir.

Abrió la puerta; Thierry se unió a él de inmediato y ambos volvieron la vista hacia mí antes de desaparecer.

Bueno, gracias a Dios no me había acostado con ese desalmado y su repugnante gusano rígido. Seguía siendo virgen y probablemente continuaría siéndolo mientras Thierry viviera.

Me acerqué de nuevo a la ventana y la abrí para dejar entrar el aire frío. Reinaba un silencio sepulcral.

No, no había tanto silencio; los juerguistas cantaban en la taberna que había al otro lado del camino:

> Oh, espejo, una vez en ti mi reflejo vi,
> el eco de mis suspiros como un bufón oí.
> Pero cuando supe lo que hacer debía,
> como Narciso, en mi estanque perecí.

La canción de Rancon, aunque no con su voz.

Me lavé la cara con nieve. Aquélla era la situación; mediante aquel desgraciado matrimonio había perdido toda esperanza de felicidad personal. «Por lo menos todavía me queda Aquitania», pensé sombríamente. Y gobernaría. Aquitania y parte de Francia. Sí, Suger tendría que cumplir su trato.

Fría compensación.

5

En primer lugar, Suger me aseguró que yo no moriría a manos de Luis.

—¡Qué sinsentido! —resopló.

Yo me limité a mirarlo mientras él hacía un gesto de rechazo con la mano.

—Tenéis mi palabra —dijo, y tras un largo silencio, me advirtió—: Tened cuidado. Paciencia, querida Leonor; todos los cambios importantes exigen paciencia.

Establecimos un plan para llevar a cabo mi formación.

Suger era un buen profesor; tal vez no tan notable como mi padre, pero supo instruirme en distintos ámbitos. Mi padre se había especializado en la cultura, en el comercio exterior y en el inestable equilibrio del poder político entre nuestros barones; a Suger le interesaba la expansión francesa, los juegos militares y la diplomacia eclesiástica. De hecho, nos enseñamos mutuamente; yo llevé uvas de Burdeos a las afueras de París (necesitaban más sol y un avenamiento mejor; probamos con plántulas de Borgoña), y le permití hacer uso de mi nuevo puerto de La Rochelle. Para mostrar su gratitud, me ayudó a diseñar un palacio para París; luego nos reunimos para hablar de la nueva catedral. Nos veíamos todas las mañanas.

Yo ayudé a Francia en lo referente al comercio, pero también me ayudaba a mí misma. Aprobé diecisiete leyes marítimas para facilitar las exportaciones, dupliqué nuestras ventas de sal y vino y experimenté con nuevos métodos para producir frutos secos y quesos. Como consecuencia de ello, tripliqué mis ingresos. Cada vez veía con más claridad que la riqueza era sin duda la fuente de mi poder.

Aun así, a pesar de nuestro intercambio sobre política, el abad Suger no podía darme el poder en Francia que me había prometido. De hecho, él tenía muy poco poder. Le sugería sus ideas a Luis y a menudo éste le escuchaba, pero la influencia del conde Thierry de Galeran iba en aumento. En cuanto a mí, le sugería opiniones a Suger, quien, en temas de economía, como el cultivo de las uvas, a veces pasaba por encima de Luis. A mi esposo no le interesaban sus ingresos, pero Suger en escasas ocasiones transmitía mis propuestas al rey, y nunca en mi nombre. Mi verdadero poder residía en Aquitania. Visité el ducado muchas veces durante los meses de invierno, aparte de pasar los veranos en Poitiers, y controlé todos los aspectos del gobierno a través de mensajeros diarios de Poitiers a Burdeos.

Tampoco desatendí la cultura aquitana ni mi otra baza: mi belleza. Sin embargo, primero me protegí con una barricada femenina alrededor de mi persona: amigas de la infancia, tías, primas, visitantes extranjeras y nuevas amistades francesas. En el seno de este ejército de mujeres me sentía a salvo de Thierry, de Luis, de los hombres extraños de todo tipo y, posiblemente, también de mí misma. No obstante, me encargué de alimentar mi fama de mujer hermosa en el centro de una corte fastuosa y ofrecí a mis trovadores, poetas y romanceros festivales para celebrar todas las onomásticas, excelentes oportunidades para flirtear y conversar, para la intriga y el escándalo, mientras que al mismo tiempo yo permanecía tan inalcanzable como una princesa de hielo. Provocaba comentarios; pellizcaba narices, incluida la probóscide aguileña del abad Bernardo, y vestía mis diseños de moda: colas largas y serpenteantes, corpiños escotados, pendientes que me colgaban hasta el hombro, tocados de pico y griñones, costuras laterales que insinuaban tentadoras porciones de piel. Me hice famosa y deseada. En una ocasión, casi fui demasiado lejos con Hugo de Lusignan: siempre habíamos coqueteado —medio en serio—, pero me costó controlarlo.

¿Ponía el corazón en ese papel? Sólo en mis horas de vigilia. Para evitar los sueños, dejé de dormir: Amaria me proporcionaba velas para poder examinar las cuentas en las noches tormentosas. Lo más revelador: nunca invité a Rancon a París.

Sin embargo, obtenía verdadero placer con la frustración de Luis. De todo mi público, él era el más atormentado. Mientras cantaba en el coro de Notre Dame o estudiaba el catecismo con Thierry, mi esposo deseaba a la sugerente reina que había alardeado de sus encantos la noche anterior. Se trataba de un juego delicioso: aunque yo resultaba más que visible, también era inaccesible, y por consiguiente podía desearme todo lo que quisiera sin consecuencias; por otro lado, el hecho de que me deseara tanto me protegía de sus odiosas insinuaciones. Todavía no estaba preparado para «estrechar manos» en la alcoba. Pero eso no me libraba de sus celos cada vez más agobiantes. Él y Thierry me seguían a todas partes, incluso a Aquitania en verano, donde Hugo suponía de nuevo un problema, pero no Rancon.

De mayo a septiembre iba a Poitiers y Burdeos, donde me reunía con mis barones e intentaba convencerlos de que fueran menos belicosos, que se centraran más en nuestro bien común. Solicité ayuda por carta a Rancon, quien respondió magníficamente. De hecho, él era mi verdadero senescal en el sur.

Una tarde, cuando me encontraba en Poitiers, dejé la gran sala temprano y me dirigí en solitario a mi alcoba. En cuanto entré, me di cuenta de que allí dentro había alguien. No se oía ningún ruido, pero percibí una presencia. Me quedé totalmente inmóvil. ¡Ah! ¡El olor de las mollejas hervidas! ¡Allí estaba! Oí un ligero crujido detrás del tapiz donde colgaba las túnicas. Con gran sigilo me acerqué al extremo del tocador, donde el brillo del crepúsculo me permitió ver a Thierry extrayendo mi ropa interior del arcón de la ropa sucia. Prenda por prenda, olisqueaba la zona más íntima. Esperé hasta que casi hubo terminado.

—¿Es así como obtienen placer los eunucos? —inquirí.

Se quedó petrificado.

—Os burláis de la herida de un héroe.

—¿Vuestra falta es una herida? Puesto que despreciáis a las mujeres, debe de ser una bendición. De hecho, también es una bendición para las mujeres.

—Si me excusáis... —Intentó pasar.

—No hasta que respondáis a mi pregunta, mi señor. No permito que mi perro olisquee mi ropa interior, y mucho menos un criado.

—¡Soy conde!

—Dado que servís a mi esposo, también me servís a mí.

—En este caso estoy sirviendo a vuestro esposo. Pedidle a él una explicación.

—Primero responderéis vos.

Volvió a moverse.

—Hablo muy en serio, conde Thierry. ¿Acaso deseáis que grite para pedir ayuda, que diga que me habéis atacado? ¿Cómo creéis que responderá el rey?

—Sois una bruja.

—Sin duda. Tengo el cuerpo de un perro, la cabeza de un lobo, la cola de un león y ordeno a mi rana de zarzal que lance conjuros a la luna. Pero incluso las brujas necesitan intimidad. ¿Qué buscabais en mi ropa interior?

No movió sus ojos metálicos.

—Buscaba pruebas de comunión sexual.

—¿Acaso Luis no os ha informado de nuestra castidad?

—No me refiero a la comunión sexual con el rey.

Me quedé sin habla.

—¿Cómo?

Me lanzó una mirada lasciva.

—La mujer retiene el semen del hombre durante varias horas después del acto y va goteando de forma gradual de sus partes pudendas, por lo que deja un ligero olor almidonado.

Apenas podía articular palabra.

—Escuchadme bien, mi señor de Galeran: si osáis entrar de nuevo en mi alcoba, ordenaré que os maten. Decidle eso a vuestro amo y señor.

Siguió con la misma expresión lasciva.

—Tengo remedios contra vuestras artes diabólicas.

—No contéis con la raíz de la mandrágora, mi señor; esperad más bien una daga en la espalda. Ahora estáis en Aquitania.

Se marchó. Antes de que tocaran las completas, me enfrenté a Luis con toda mi cólera. Prometió alejar a Thierry de mi vista, pero por supuesto no lo cumplió.

Así transcurrieron siete años.

El séptimo verano que me disponía a partir hacia Aquitania, se abrió un obispado en Champaña y el Papa quería que se ocupara. Suger instó a Luis a que nombrara a uno de sus hombres. Sin embargo, Bernardo de Claraval respaldó la decisión del Papa, y Teobaldo de Champaña se puso de acuerdo con Bernardo, al igual que Thierry. Para mi sorpresa, Luis insistió en tener el obispo que él quería. Luis era capaz de mostrarse intransigente cuando se le contrariaba —tal vez debido a su debilidad— y se negó a ceder. Mientras él y Suger permanecían en París para negociar con Teobaldo, yo me fui a Poitiers, acompañada tan sólo de Petra. No daba crédito a mi buena fortuna. ¿Cuándo había sido la última vez que pude liberarme de mis carceleros?

Una tarde, en Poitiers, salí de puntillas de los aposentos femeninos, donde mi tía Agnes roncaba, entré sigilosamente en la biblioteca de mi padre, tomé *Tristán e Isolda*, que hacía años que no leía, y salí al manzanar. Una manzana parecía lo suficientemente madura, así que lancé una piedra y la hice caer. Qué dicha gozar de la libertad como cuando era niña. Avancé despacio por la hierba tierna, todavía húmeda por el rocío matutino, pasé junto al lagar para dirigirme a mi escondite secreto, donde el afluente desembocaba en el Clain. En lo alto, el cielo estaba ligeramente plateado, como si una araña invisible hubiese tejido la tela en las alturas. Cuando me hallaba cerca del viejo puente romano, me detuve para recuperar el aliento.

Oí risas a mi derecha. Una voz que me resultaba familiar, pero con un tono diferente. ¿Una de las criadas? Me mordí el labio, no debería pero... aun así... me quité los zapatos. Distinguí una voz masculina que, de nuevo, me resulta sorprendentemente familiar. Soy como Thierry, pensé, escondiéndome para mirar, pero no podía evitarlo. Los amantes se encontraban tras un hibisco lleno de flores amarillas. Me arrodillé y luego me tumbé sobre el vientre.

Muy despacio fueron arrojando la ropa sobre una roca. No debería, volví a pensar mientras me escurría hacia delante. Entonces vi la mitad inferior de la pierna de un hombre, bien torneada, con la pantorrilla peluda. Un poco más adelante se encontraba su compañera. Mientras los observaba, fascinada, el pie del hombre frotaba la tibia de la mujer. El grado de intimidad me aturdía. Estaba asustada y asombrada a la vez. Con un débil gemido, el hombre se colocó sobre la mujer y, a sabiendas de que estaban demasiado ocupados para advertir mi presencia, me acerqué todavía más.

En ese momento reconocí a Raúl de Vermandois montando a mi hermana.

Me llevé el puño a la boca y observé el acto entero. Asqueada y asombrada por la intimidad física —él tanteaba el terreno buscando la mejor postura para introducir el miembro, el sonido de la succión, el leve olor, los jadeos y gemidos— y luego por la emoción punzante. Sentí el éxtasis con ellos, olvidé preguntas en la magia del momento. Oh, Dios mío, estaban... Él se quedó muy quieto, sus labios posados sobre los de ella, cuya mano, que reposaba sobre una mata de diente de león, se abría y cerraba para tomar una flor amarilla.

—Os amo, os amo —murmuró él con ardor.

Se quedaron muy relajados. Una abeja zumbaba cerca de las nalgas de él y le subió por la espalda. Ella desplazó la mano de la flor al pelo de él y la abeja se acercó a la flor. No osaba quedarme, tampoco marcharme. Los tres permanecimos tal como estábamos antes de que él se volviera a mover. Raúl todavía estaba dentro de mi hermana y, mientras se retorcían y gemían, me marché rápidamente.

Corrí hacia mi lugar de lectura. ¡*Dex aie*, se me había caído el libro! Desanduve el camino corriendo... demasiado tarde. Se estaban vistiendo. Mientras observaba desde detrás de un árbol, caminaron como si fueran una sola persona, con los brazos entrelazados, cruzaron el puente y yo recuperé *Tristán e Isolda*.

Estaba demasiado inquieta para pensar. Di vueltas formando círculos displicentes, primero sobrecogida por la escena de amor, luego estremeciéndome ante las implicaciones. Si la descubrieran... peor, si lo descubrieran... era demasiado espantoso como para planteárselo siquiera. Debía hablar con Petra de inmediato, pero ¿cómo? ¿Para decirle qué? ¿Para reconocer qué?

Sentí cierto malestar interior. Fueran cuales fueran las consecuencias, ellos conocían las delicias del amor. ¿Cómo podía yo soportar la esterilidad de mi vida? ¿Qué más daba gobernar Aquitania y Francia? Entonces soñé que yacía bajo el hibisco soportando el peso de Rancon. Oí el zumbido de las abejas, sentí el tacto de sus dedos mientras buscaba... ¡Oh, Dios mío, basta! ¡No hay esperanza!

Quería que Petra tuviera al hombre que amaba, se lo había prometido, pero ¿un hombre casado con la sobrina de Teobaldo de Champaña? Y Raúl era el senescal político de Francia. No me extrañaba no haber confiado nunca en él.

A las dos semanas, mandé llamar a Petra.

—Tengo buenas noticias, querida. Os he encontrado marido.

Aunque no hubiese presenciado el acto que habían protagonizado bajo el hibisco, en aquel momento igualmente habría sabido que existía un grave problema.

Empalideció, se agarró a la mesa; pensé que se iba a desvanecer.

—No puedo...

—Por supuesto que podéis, querida. Creedme, vuestro matrimonio será mejor que el mío.

Se apartó.

—¿Quién?

—Felipe, el duque de Flandes. Una elección de lo más acertada, ¿no? Siempre os ha gustado y él está loco por vos. Además, me gustaría tenerlo como hermano. —Reí con soltura.

—No, Gracia, de verdad, debéis creer mi palabra. No puedo casarme.

—Soy vuestra señora suprema, Petra, formáis parte de mi dote matrimonial. Ya sé que en una ocasión prometí que podríais escoger marido, pero habéis esperado demasiado. Os ordeno que os caséis con Felipe. —Tomé la carta de él—. Ya está en camino.

Se levantó.

—¡Detenedle, Gracia! ¡Os lo suplico! ¡No lo entendéis!

—¿Entender qué?

Nos miramos fijamente, y ella fue la primera en desviar la mirada.

—No estaré aquí... Me voy a Esc... —Su voz se tornó confusa.

—¿A Esc? ¿Es una taberna?

—A Escocia. —Nunca la había visto tan desdichada.

—¡A Escocia! —Estaba segura de que lo había entendido mal—. ¿Ese peñasco yermo del norte de Inglaterra dónde los hombres y las mujeres luchan desnudos codo con codo y se pintan de azul? ¿Se trata de una broma?

Su mirada transmitía desesperación.

—Os equivocáis... son civilizados.

—¿Por qué os marcháis? ¿O qué os hace pensar que os vais a marchar?

Por fin abrió la boca.

—Para tener a mi bebé.

—¡Bebé! —Me acerqué a la ventana para ocultar mi rostro. De hecho, aquello complicaba mis planes de matrimonio. Me volví—. Supongo que Raúl es el padre.

Se quedó boquiabierta.

—¿Cómo lo sabéis?

—Se os veía desde el puente.

Tuvo que asumir la realidad.

Regresé junto al escritorio.

—¿Queréis contármelo, Petra?

—Sí, ¿pero podría acompañarnos Raúl?

—¿Sabe que estáis encinta?

—Por supuesto. Está esperando... podría hacer que vayan a buscarlo.

—Pues hacedlo.

Cuando entró en la sala, Raúl estaba rojo de tanto correr. Ordené que no nos molestaran. Cuando me volví, había tomado a Petra entre sus brazos.

—Mi hermana dice que tiene pensado desaparecer en las lejanas tierras de Escocia. Muy conveniente para vos, ¿no?

Me miró sin apartar la vista.

—Comprendo vuestro cinismo, reina Leonor, y siento haberme mostrado tan débil en este asunto. Pero debéis saber que amo a vuestra hermana... la amo... y que tengo intención de seguirla en cuanto pueda. La envío a Escocia con mi hermano, quien la cuidará bien.

—Tal vez sea cínica, mi señor, como decís, pero «en cuanto pueda» me parece un tiempo asaz flexible.

—Debo conseguir la anulación de mi matrimonio, lo cual podría resultar difícil.

—¿Anularlo después de haber tenido cinco hijos? ¿Qué edad tenéis, Raúl?

Se sonrojó.

—Cincuenta y uno. Y soy abuelo.

—¿Cuánto tiempo hace que sois el amante de mi hermana?

—Nos enamoramos de inmediato, reina Leonor. Cuando pronunciasteis vuestros votos en Saint-André, nosotros dijimos los nuestros en silencio.

De repente recordé la felicidad que pude percibir en Petra el día de mi boda.

—Así pues han transcurrido siete años —calculé—. Y ahora se ha acabado. Petra se casará con el duque de Flandes. Siento que esté encinta, por supuesto, pero no será la primera vez.

Raúl rodeó a Petra con los brazos.

—Antes moriríamos que separarnos.

«Pues que sobrevenga la muerte.» El mensaje resonaba; acababa de leer *Tristán e Isolda*.

—¿Moriríais?

Asintió.

—No espero que lo entendáis. Ambos lo sabemos todo sobre los matrimonios por motivos políticos y económicos, pero de vez en cuando... Nosotros hemos recibido una bendición: nos hemos encontrado el uno al otro.

Por primera vez los vi tal y como eran: un hombre y una mujer que formaban una unidad, hermosa más allá de toda comprensión. Tuve que apartar la mirada.

—En tal caso os ayudaré, pero...

—¡Oh, Gracia! —Petra corrió a abrazarme, pero yo me mantuve distante.

—¿Os habéis olvidado de Luis?

A nuestra llegada a París encontramos el palacio sumido en la agitación. El abad Suger se había trasladado desde Saint-Denis para asesorar a Luis de la mañana a la noche sobre el nombramiento de Bourges. Él exigía que el rey mantuviera su decisión con respecto al obispo, un hombre llamado Joubert, y la ira de Luis aumentaba día tras día.

Cuando lo vi, estaba enfurecido. Estalló en una retahíla de quejas. El papa Inocencio había amenazado su soberanía, el conde Teobaldo cometía traición apoyando a ese charlatán en Roma, y Thierry había mostrado por fin su verdadera lealtad. Suger permanecía un paso detrás de él, asintiendo como una marioneta.

Me mostré de acuerdo con él, pero tenía una cuestión más importante en mente; pregunté si podíamos pasear a solas por el jardín después de cenar, puesto que habíamos estado separados tanto tiempo (tres semanas). Él se sonrojó de placer.

Escuché con atención su enumeración indescifrable.

—Estáis más ofendido con Teobaldo que con cualquier otro, ¿no es cierto?

—Sí, porque es mi tío, el hermano de mi padre. Siempre me ha querido, y también a toda mi familia. —Habló en tono ofendido—. Suger dice que debería nombrar al obispo. ¿Por qué me reta Teobaldo?

Me detuve y me coloqué frente a él, inspirada.

—¡Sé la explicación, Luis! Le importa un comino el obispo, existe otro motivo.

—Nunca le he contrariado.

—Raúl de Vermandois apoya vuestra elección, ¿verdad?

—Sí, al igual que Suger.

—Pero Suger no está casado con la sobrina de Teobaldo, y Raúl sí.

—¿La condesa Leonor ha puesto a su tío en mi contra? Le preguntaré a Raúl.

Le tomé la mano.

—No es necesario, querido. Permitidme que os explique. ¿Sabéis?, Raúl quiere la anulación de su matrimonio.

Luis palideció.

—¡Imposible! ¡Tiene cinco hijos! ¿En qué se va a basar para...?

—En motivos de consanguinidad: él y Leonor son primos en cuarto grado. Todas las personas de nuestra clase están emparentadas; incluso vos y yo somos primos. Y...

—Obtuvimos una dispensa.

—Sí, pero Raúl y Leonor no. Por consiguiente, él desea anular el matrimonio.

Con una extraña perspicacia, Luis advirtió la fragilidad de mi argumento.

—¿Por qué ahora? Debe de existir alguna otra razón para que desee la anulación.

—Sí. —Exhalé un largo suspiro—. Está enamorado de mi hermana.

—¿De Petronila? —Su sorpresa no resultaba demasiado aduladora—. ¡Pero si está casado!

—Un matrimonio concertado nunca produce amor, Luis —dije, basándome en mis propias experiencias—. Raúl lo intentó, los cinco hijos demuestran que cumplió con su obligación... pero se enamoró de Petra en cuanto la conoció, el mismo día que vos y yo nos conocimos.

El recuerdo de nuestras nupcias empañó su mirada.

—No lo veo claro. Si Raúl... y si Dios, la boda... Su motivo no es puro...

—Nosotros no somos quiénes para juzgar el tema de la anulación, querido; lo importante es lo que cree Teobaldo. Intentad seguir mi razonamiento. Teobaldo sabe que Raúl os apoya en el tema de los obispos. Y Teobaldo podría sospechar que respaldáis a Raúl con respecto a la disolución de su matrimonio. Se trata de un intercambio.

Luis vaciló, frunciendo el ceño.

—Debo reflexionar seriamente sobre este tema.

—Bien, asunto zanjado... ayudaréis a Raúl y a mi hermana.

—¿Qué? ¿He dicho yo eso?

—Habéis dicho que no cederíais ante Teobaldo.

Luis se encolerizó.

—¿Cómo osa llevarme la contraria en este asunto?

—Asuntos.

Un salto gigantesco. Dejé que la información fuera calando.

Suger actuó con mayor rapidez. Me abordó a la mañana siguiente.

—¿Qué sucede entre Raúl y vuestra hermana?

Se lo expliqué.

—Decidles que detengan esa ridiculez de inmediato. Sólo nos falta un escándalo para complicar la situación.

—Es demasiado tarde. —Le di más explicaciones.

—En ese caso, creo que él tiene una solución excelente: que los dos se retiren a Escocia.

—Suger, quizás os sorprenda saber que yo creo en el amor entre un hombre y una mujer. Es algo que no abunda, lo reconozco; razón de más para valorarlo especialmente.

Me observó con detenimiento.

—Sí, me sorprende, pues parecéis sensata. No obstante, en este caso estáis siendo poco realista. El papa Inocencio es el último pontífice del mundo en consentir la infidelidad, sobre todo cuando hay otras complicaciones.

—Lo sé. Sin embargo, Luis debería enviar un legado a Roma.

—¿Por qué, si ya se sabe la respuesta?

—Por cuestiones de protocolo.

—¿A fin de poder decir a vuestra hermana que lo intentasteis? Sonreí.

—No debería tener que instruiros en cuestiones religiosas, Suger, pero consulté a mi obispo de Poitiers; tres obispos equivalen a un Papa. Si encuentro a tres obispos dispuestos a dar su aprobación, el matrimonio de Raúl puede anularse, y él y Petra podrían casarse ese mismo día.

—¡Conozco la norma a la perfección! —exclamó—. No significa nada, puesto que nunca encontraréis a tres obispos que se arriesguen a ser excomulgados.

—Ya hemos encontrado a tres. Los obispos de Noyon, Craon y Senlis absolverán a Raúl de sus votos nupciales anteriores. —A modo de ocurrencia tardía, añadí—: El obispo de Noyon es hermano de Raúl, ¿sabíais?

La condesa Leonor y sus hijos se refugiaron en casa del conde Teobaldo, quien los aceptó con una falta de entusiasmo evidente; eran la carga de Raúl, no la suya. Raúl se casó con mi hermana. El Papa envió al obispo que él había nombrado a Bourges y la ciudad le negó la entrada; Luis envió a su propio hombre a Bourges.

Tibaldo declaró la guerra.

Luis se apresuró a contratar mercenarios de Flandes y Brabante, luchadores despiadados que carecían de la compostura de los caballeros, pero Suger fue quien más le ayudó. Como estaba más enfadado que Luis, si cabe, nos convocó en Saint-Denis para mostrarnos un arma secreta.

En una de las arboledas situadas detrás de la abadía había una serie de calderos escondidos.

—Sólo he usado esto en una ocasión —advirtió a Luis—, y hay que tener pericia. Os lo advierto, es peligroso. Tal vez debería acompañaros.

Luis habló con dulzura.

—No puedo permitir que arriesguéis la vida, querido amigo. Instruidme, tendré cuidado.

Suger exhaló un suspiro.

—Lo usé con vuestro padre en el Loira, en una batalla que se suponía que duraría una semana, y celebramos la cena de la victoria al cabo de un día; así que confundimos al enemigo. El principio es sencillo, pero no puedo deciros por qué funciona. Sólo sé que es cierto. Introduzco astillas de madera seca aquí, en el caldero, las mezclo con grasa extraída del cerdo y sangre de vaca, que quizá sea el ingrediente más importante.

La sangre era un líquido negro y viscoso que despedía un olor nauseabundo.

—Colocad la mezcla en unos toneles no demasiado grandes y lanzadlos desde las catapultas. Parece ser que explotan, aunque no estoy seguro de si es algo espontáneo o si se inflaman con el fuego que ya arde. No obstante, os garantizo que zanjan el asunto con rapidez; no existe defensa posible contra mi arma. Recordad que fueron los rayos de Dios los que prevalecieron sobre Lucifer.

Luis envió crónicas de un avance rápido. El ejército de Teobaldo todavía no se había mostrado, pero los espías de Luis le informaron que se encontrarían en el pueblo de Vitry-sur-Marne en el plazo de unos días. Acto seguido escribió desde Vitry-sur-Marne diciendo que estaba acampado en las colinas que rodeaban la población y que había enviado un mensaje cortés al señor del castillo, invitándole a desistir de toda rebelión y a unirse a la causa de Luis. Otra misiva nos informó que no había recibido respuesta y que, por consiguiente, estaba haciendo rodar las cubas para preparar el arma de Suger.

—¿Contra una ciudad? —se preguntó Suger, preocupado—. Le dije que luchara en campos abiertos.

Transcurrieron varios días y nuestra preocupación fue en aumento. Entonces, un día a última hora de la tarde, un caballero exhausto traspasó la compuerta a galope; tenía la cara negra de hollín. Había venido a describir la batalla.

El rey había mezclado el preparado grasiento de Suger según su receta, luego había esperado durante dos días una respuesta del señor del castillo; como no recibió ningún mensaje, sumergió unas varas en la mixtura de Suger y las apoyó contra la muralla exterior de la ciudad.

Suger refunfuñó.

—Le dije que la vertiera en toneles.

Había encendido las varas y al cabo de varias horas la ciudad quedó envuelta en una nube de humo espesa y nociva. Aprovechándose de la nube, y con la cara cubierta con unos pañuelos, los mercenarios se abrieron camino a machetazos por las poternas de la ciudad, que parecía vacía. Al señor no se le veía por ningún sitio. Los mercenarios regresaron al campamento.

Aquella tarde se levantó viento del oeste. De repente las llamas que bordeaban las murallas se convirtieron en un infierno. El aire se ennegreció otra vez y se produjo una ventisca de cenizas.

—La zona estaba seca —dijo el caballero con voz ronca—. Tuvimos que apagar con los pies las pequeñas llamaradas que había alrededor del testudo del rey en la ladera de la colina. Luego se produjo un ruido, pensamos que era el aullido del viento... —Tenía los ojos inyectados de sangre y vidriosos.

Los soldados habían oído un ruido seco. De repente, las cenizas negras se mezclaron con objetos pesados, como ramas carbonizadas. Una estuvo a punto de caer encima del regazo del rey; la apartó con el pie. Se trataba de una pierna humana.

Luis descendió por la colina rápidamente para entrar por las poternas en persona. Medio asfixiado y dando traspiés, descubrió que la iglesia había explotado y habían perecido en ella unas dos mil víctimas inocentes que se habían refugiado allí, ancianos, mujeres y niños.

Suger enterró la cabeza en mi hombro; le acaricié fríamente el cuerpo tembloroso.

Entonces Suger recibió una carta de Bernardo de Claraval, una copia de la que le había enviado a Luis. Leí sólo un fragmento: «Estáis siguiendo a la diablesa hasta la perdición. Haced caso de mis palabras, pues el demonio suele adoptar la tentadora forma de una mujer, pero debéis resistiros al embrujo del diablo. Preguntaos si el Padre de los huérfanos, el Juez de las viudas, aprobaría esta matanza...»

—¡Santo cielo! —exclamé—. ¿Acaso sirvió en los harenes con Thierry? ¿Por qué ese odio contra las mujeres?

—Se refiere a mí —dijo Suger con gravedad—. Sabe perfectamente que yo inventé el arma y que aliento a Luis para que resista. Luis ha errado en su uso, pero el principio es correcto: un rey debe ser obedecido.

—No sois una mujer, Suger, yo sí.

—Muy bien, pues entonces nos acusa a los dos.

Sin embargo, fue Luis quien recibió el castigo: el papa Inocencio excomulgó al rey francés y se lanzó un interdicto contra Francia. Pese a ello, Luis siguió luchando.

Aunque las nuevas eran terribles, yo apenas lo advertí puesto que Petra estaba de parto.

Sin duda.

6

Al oír los gritos de Petra pensé cuán equivocado estaba Luis al decir que Dios había maldecido a los hombres dotándolos de miembros rebeldes. Si Dios había maldecido a alguien, sin duda había sido al sexo femenino con los dolores de parto.

—¡Empujad, empujad!

Se oyó un débil grito parecido a un maullido y salió un pequeño fardo. Entonces las mujeres hicieron su trabajo rápidamente y cortaron el cordón.

—¿Deseáis sostenerlo? —me preguntó la partera.

Antes de darme tiempo a responder ya tenía el bulto ceroso entre las manos, mientras las mujeres seguían extrayendo la placenta. Entonces el bebé abrió los ojos. Me habían dicho que los bebés no ven gran cosa, pero mi sobrino tenía unos ojos oscuros como el Atlántico al atardecer que destilaban inteligencia. Nos examinamos a modo de saludo silencioso.

—Está sonriendo —dije.

—Parloteos, mi señora.

Una sensación de ternura me embargó el pecho; era mi sobrino, el bebé Raúl. Estaba vivo, era un ser humano de verdad, cuando hacía sólo unos instantes no era nada. ¿De dónde había salido?

—Un milagro —susurré.

—Sí, todos los bebés son milagrosos —convino la partera—. Nosotras las mujeres hacemos milagros.

La miré asombrada mientras asimilaba aquella verdad fundamental como si acabara de ser inventada. Aquella frase escondía una sabiduría cuya magnitud apenas alcanzaba a comprender.

El recién nacido interrumpió mi ensueño con una serie de quejidos airados.

La nodriza le hizo cosquillas en los labios. Le observé agarrarse a su pezón, besé a mi hermana adormecida y me marché.

Al salir me desplomé en el suelo y me apoyé contra la fría pared. Lágrimas de debilidad corrían por mis mejillas. ¡Debía tener un bebé! Santo Dios, ¿no había sacrificado el amor en mi vida? ¿También debía verme privada de los frutos del amor? Era una mujer con ansias de mujer, un bebé de mi propia sangre, alguien a quien amar y que me amara sin sentimientos de culpa y sin emitir juicios. Sin embargo, ya tenía veintidós años. ¿Era demasiado tarde?

Me obsesioné con mi nuevo plan, que debía incluir a Luis. ¿Podía convencerle para que cooperara? En cierto modo parecía haber cambiado; se había vuelto combativo —¿acaso viril?—, pues había desafiado al Papa, a Bernardo de Claraval, a Thierry. Recé por su victoria y por su pronto regreso a París.

Desde Roma nos llegó la noticia de que el papa Inocencio había muerto y que le sustituiría el papa Celestino II.

—El nuevo Papa no podrá ser peor —me aseguró Suger.

—Sin duda.

Otra semana recibimos la nueva de que el papa Celestino había revocado el interdicto contra Francia, aceptaba de nuevo a Luis en el seno de la Iglesia y deseaba tratar el asunto del obispo de Bourges. ¡Luis había vencido! Inmediatamente cesó de luchar y acudió a la negociación de paz en Corbeil, pero abandonó la reunión enfurecido cuando Bernardo de Claraval le dijo con sorna que yo le manejaba a mi antojo. La situación iba mejorando; mi esposo estaba mostrando su valía.

Aunque no había paz, tampoco había guerra, porque Luis no veía ningún sentido a luchar únicamente por Raúl y Petra. Así pues, escribió que regresaba a París. Con el corazón palpitando, me enfundé en sedas exóticas, me rocié el cuerpo con esencia de rosas, hice que Dangereuse me arreglara el pelo, dispuesta al fin a consumar el matrimonio.

Y a ser madre.

Cuando oí la fanfarria salí al patio, intimidada como una jovencita, a recibir a mi héroe victorioso. Los caballeros cruzaron la poterna, luego los pajes y el portaestandarte, pero ¿dónde estaba el rey? Entonces lo vi, intentando pasar desapercibido por una entrada lateral. Le caían cenizas del pelo descuidado, tenía la cara llena de hollín, llevaba un cilicio e iba con los pies descalzos y ensangrentados. De hecho, avanzaba tambaleándose, y en cuanto vio la puerta, se cayó. Era evidente que había ayunado.

—¿Qué os ocurre, mi señor? —Corrí a socorrerle—. ¿Por qué esta penitencia?

Me miró desde el suelo.

—¿Vos que sabéis lo de Vitry osáis preguntarme?

—Sí, pero pensé que... Vos mismo dijisteis que era necesario. Fuisteis tan valiente, pensé... —Le tendí la mano para ayudarle.

—¡No me toquéis!

—Permitidme. —Thierry de Galeran ayudó a Luis a levantarse.

Suger y yo intercambiamos una mirada en el patio.

Los meses siguientes marcaron un nuevo momento bajo de mi existencia: vivía con un fantasma verminoso que se sentaba en el suelo y se fundía con las paredes, mientras los ojos le daban vueltas como si fuera un loco. Ése era el hombre que debía engendrar a mi hijo, si es que llegaba a tener alguno. Parecía un caso perdido. Estaba matándose con la penitencia; yo me desesperaba pensando que no tendría la energía, y mucho menos la voluntad, de cumplir con su deber. No obstante, seguía mostrándose celoso, me seguía como un espectro vengativo.

Suger estaba igual de turbado por la suerte de Francia. Si Luis se obstinaba en su castigo, sin duda su hermano intentaría arrebatarle el trono.

—¿Qué ocurriría entonces? —pregunté.

Me miró con severidad.

—¿Os referís a vuestro matrimonio? Arrastraríais a Luis de vuelta a Poitiers para que pasara allí el resto de sus días.

—Que no serían muchos.

—Esa situación no se producirá; tengo una idea. No estará en paz consigo mismo hasta que no logre la paz con sus vasallos. Creo que tenemos que convocar una conferencia de paz.

—¿Con Teobaldo de Champaña? Ahorraos el bochorno; Luis nunca acudiría, suponiendo que pudierais convencer a Teobaldo.

—Oh, creo que sí puedo convencerlo, sí, y también al villano de Bernardo, incluso al Papa, si elijo un buen momento. Y por último a Luis. Ya veremos si no. La convertiré en el eje de la inauguración de Saint-Denis.

Demostró conocer a mi marido mejor que yo, porque Luis aceptó de inmediato, si los demás también accedían. Suger escribió varias largas misivas con diligencia: el papa Celestino estaba demasiado enfermo para viajar, pero enviaría a un vicario; Teobaldo aceptaba asistir siempre y cuando las cuestiones se zanjaran a su gusto; el abad Bernardo de Claraval estaba ansioso por dirigirse al rey recalcitrante.

Mientras Suger pregonaba su victoria a los cuatro vientos, yo mecía al bebé de Petra y reflexionaba. Analicé los antecedentes de los participantes, sin tener en cuenta al papa Celestino, que no asistiría. Estudié poco esperanzada a Teobaldo y su controvertida relación con Raúl, y luego me centré en Bernardo de Claraval, mi adversario más poderoso. Sus antecedentes eran espantosos: Bernardo odiaba tanto a las mujeres que se negaba a dirigir la palabra a su hermana porque ésta había tenido un bebé, un hijo legítimo, pues eso significaba que había pecado, en vez de hacerse monja como él le había aconsejado.

No obstante, debía intentarlo.

La inauguración tuvo lugar el 11 de junio, el día de San Barnabé, y Suger había planeado con sumo cuidado transportar las preciadas reliquias de Dionisio el Areopagita hasta el nuevo relicario del coro, un evento irresistible para la comunidad religiosa. Nadie estaba más feliz que Luis, pues convenía a sus esperanzas y humildad participar en esta práctica.

Todos se quedaron boquiabiertos ante la espléndida luz coloreada que iluminaba las escenas sagradas y que se derramaba sobre el suelo, los muros y los rostros levantados. Dios había entrado en Saint-Denis. Cuando concluyó la ceremonia, los participantes en la negociación de paz se reunieron en la sacristía, un aquelarre de enemigos. Amaria y yo seguimos a los hombres al interior, aunque no nos habían invitado. El abad Bernardo de Claraval era el centro de la reunión, un pequeño diablo oscuro y retorcido —más bajo que Suger— vestido de púrpura. Se sobresaltó al verme, pero no dijo nada.

Los participantes estaban en fila tras la mesa de negociaciones. Luis se había despojado por fin de la camisa pulgosa y vestía el azul propio de los franceses. Llevaba el pelo y las uñas limpios.

Teobaldo, el primero en hablar, pidió a Luis que devolviera las tierras arrebatadas a la Champaña; el rey aceptó. Además, Luis debería permitir que el hombre del Papa ocupara su cargo en Bourges. Luis aceptó también.

Me indigné.

Entonces el abad Bernardo exhortó al rey por su rebeldía ante Roma con la dura invectiva que yo tan bien conocía, y tuve que apartar la mirada para controlarme. Finalmente, el abad le dio a Luis el beso de la paz; se había terminado. La compañía desfiló ante mí como si no estuviera. Esperé a que el abad Bernardo llegara al final de la fila.

—Abad Bernardo, debo hablar con vos en privado. —Le tomé del brazo.

El abad, horrorizado, se resistió como si estuviera atrapado por una cobra.

—¡Soltadme! —exclamó.

Bajé la mirada hacia su oscuro ceño fruncido.

—Tenéis grandes poderes, mi señor abad; todos saben de vuestra habilidad para profetizar... y para lanzar maldiciones.

—Dios ejerce su propia voluntad. Yo soy el instrumento de Dios; los milagros son suyos. —Aunque seguía hablando en tono severo, se sintió halagado; había descubierto su punto débil.

—Os subestimáis, mi querido abad. No pongo en duda que seáis un santo entre nosotros. Podéis hacer infinidad de bien y por supuesto vuestras maldiciones tienen por objeto hacer entrar en razón a los pecadores.

—Concretad, mi señora.

—Estoy pensando en mi esposo, el rey de Francia.

—Acabamos de zanjar nuestras diferencias.

—Pero es que él cree que le habéis lanzado una maldición, un conjuro privado.

Se quedó realmente horrorizado.

—¡Nunca he maldecido al rey Luis! ¿Quién os ha contado tamaña mentira diabólica?

—No lo sé, pero él cree... Considera que no debe... que le negáis un príncipe para su reino.

—¿Qué tengo yo que ver con un príncipe real?

—Dice que no puede, que no... —Reprimí los sollozos.

Entrecerró los ojos.

—Decidme la verdad, señora mía: pedís por vos. Sois estéril, ¿no es cierto?

—No lo sé, nunca hemos consumado el matrimonio.

El tono con el que hablé debió de convencerle.

—Porque el rey...

—Él cree que deseáis que permanezca casto.

El abad Bernardo se sonrojó.

—En ese caso, debéis asegurarle que se equivoca. Al fin y al cabo, no es clérigo sino rey.

—Lo he intentado, pues sabía que vos nunca haríais tal cosa, pero él no me cree. Me parece que alguien debe de estar utilizando vuestro nombre.

Abrió la boca para preguntar quién, y luego la cerró; sabía perfectamente a quién me refería.

—Hablando de nombres —y entonces bajé la mirada con modestia—, si tenemos un hijo, lo cual sé que sucederá si intercedéis, ¿podría llamarle Bernardo? Sé que es una osadía pedir tal cosa, pero me gusta la idea de que un rey lleve el nombre de Bernardo. Tal vez podríais incluso ser su consejero privado.

Asintió.

—Veré qué puedo hacer.

—¿Se lo haréis saber a Luis en persona? ¿Rezaréis por él?

—Os doy mi palabra, que es la palabra de Dios.

Le solté el brazo.

Cuando se hubo marchado, Amaria y yo caminamos lentamente por aquel lugar de luz traslúcida. El corazón me latía con tal fuerza que me resultaba audible; por primera vez en años, estaba llena de esperanza. ¡Tendría un hijo!

Nunca llegué a ver la carta del abad Bernardo a Luis, pero supe cuándo la recibió.

—¿Cómo os sentís, Gracia? —me preguntó mi esposo después de la cena.

—¿Sobre qué?

Hizo bolitas con la miga de pan.

—Me refiero a si gozáis de buena salud.

Aquella noche acudió a mi alcoba.

De nuestra comunión sexual, cuanto menos se diga, mejor. Hice salir a todas mis damas de los aposentos femeninos para que pudiéramos gozar de intimidad, pero entonces apareció Thierry de Galeran en compañía de Luis. Así pues, nuestra intimidad empezó con una acalorada discusión.

—¡No permitiré que un desconocido se quede en mi alcoba! —Me eché a llorar—. ¿Cómo podéis ser tan insensible?

Luis empezó a hablar de forma entrecortada de sus habituales necedades religiosas.

—¡Fuera, los dos!

Al final sucumbí hasta el punto de aceptar que Thierry permaneciera justo al otro lado de nuestra puerta abierta. Parecía ser que su misión era guiar a Luis en el uso de su *cagoule*, una prenda con un orificio para el miembro, aunque en su caso, la abertura estuviera demasiado arriba y fuera demasiado pequeña como para cumplir otro objetivo que frustrar sus planes.

La tercera noche llegó solo y se despojó de la túnica. Tal como había sospechado, disfrutó del acto; yo no, sobre todo porque, a pesar de que era obvio que estaba excitado, no dejaba de rezar pidiendo perdón.

Afortunadamente, al cabo de dos semanas pude decirle que estaba encinta, aunque luego tuve que soportar sus súplicas de que continuáramos amándonos para asegurarnos por completo. Cuando volví a quedarme sola, me agarré el abdomen con ambas manos y le susurré a mi hijo:

—¿Ves lo que hará mamá por su hijito? ¡Te quiero, bebé!

Adoraba mi abdomen, que se iba dilatando, me ungía la piel con aceites para que no se me estriara como la de Petra, me construí unos cabestrillos para sostener al bebé, encontré la nodriza adecuada. Y aguardé. Una mañana mágica, descubrí una mancha de sangre en la cama y llamé a doña Jenette. No había nadie de la familia para ayudarme; Petra estaba en Vermandois y Luis se hallaba de visita en Senlis, pero no me importaba.

Deseaba saborear cada momento a solas.

Para mi sorpresa, el parto no me provocó dolor alguno. De hecho, resultó mucho más placentero, incluso erótico, que la concepción. Al igual que Petra, empujé, tiré de las cuerdas, respiré con profundidad, pero no necesité morder la toalla. Entre sueño y sueño, me pregunté si Petra no había estado excesivamente asustada para haber soltado todos aquellos alaridos, o si por el contrario yo era afortunada, o si yo quería el bebé más que ella. Entusiasmada, me coloqué sobre el banco de partos y di a luz. Oí un ruido seco y luego un débil quejido.

—¡Dádmelo! —dije jadeando al tiempo que tendía la mano hacia el bulto ceroso.

—No es un niño, es una niña —me corrigió la comadrona.

Un ángel celestial. Antes incluso de que la lavaran, advertí sus rizos sedosos, la piel blanca y las mejillas redondeadas.

—¿No es una delicia? ¿Habíais visto alguna vez un bebé tan perfecto? —pregunté a la mujer, incluso mientras volvía a empujar para expulsar la placenta.

—Es el bebé más guapo que he visto nacer —me aseguró doña Jenette—. ¿Cómo la llamaréis?

—Sólo le va bien un nombre, ¿verdad? María, la madre de los cielos.

Me negué a que la ataran a la cuna, puesto que no quería separarla de mis brazos salvo para que la amamantasen. Cuánto odiaba la norma que me prohibía dar mi propio pecho rezumante, como si yo tuviera que ser fértil para la siguiente visita de Luis.

Cuando Luis llegó de Senlis, María ya tenía tres días. Me alegré de que no la hubiera visto antes porque era aún mucho más bonita. Abrió los ojos y los tenía azules como una de las vidrieras de Suger y sonreía cuando le hacía cosquillas. Luis, por supuesto, había sido informado del nacimiento y la vestí con el mejor encaje de Chantilly para recibirlo.

Entró en el cuarto infantil a última hora de la tarde. Revestí la ventana con una cortina para proteger los ojos de María, por lo que él no era más que una silueta.

—Saludos, mi señor. ¡Venid a ver! ¿No os parece un milagro?

—Dios ha lanzado su ira contra mí, Leonor —dijo con voz sepulcral antes de echarse a llorar desconsoladamente.

Por primera vez, advertí que volvía a llevar el cilicio y que tenía cenizas en la cabeza.

—¡Por todos los santos, Luis! ¿Qué sucede? ¿Acaso el Papa...?

—¿Cómo podéis mirar a esa... hembra y preguntar? —Señalaba a María con dedo tembloroso.

—¿Hembra? ¿La llamáis hembra? ¡Es vuestra hija!

—Que Dios me asista. Que Dios me perdone este pecado. —Cayó de rodillas.

—¿Cómo? ¿Porque habéis dado una heredera a Francia?

Su rostro, que estaba casi a la misma altura que el mío, se contrajo en una mirada lasciva.

—Una niña, una hembra, esposa. ¿No lo entendéis? ¡El abad Bernardo me prometió un hijo! Le rezó a Dios para que me diera un hijo varón, y ésta es la respuesta de Dios. ¡Un demonio!

Le tapé los oídos a María.

—¿Osáis llamar demonio a este angelito?

—Cuando una niña emerge del vientre, la lengua de la serpiente antigua le lame la transpiración y la marca como demonio. Dejadme ver, os enseñaré la marca.

Rápidamente llevé a mi precioso bebé a una esquina.

—Salid de esta alcoba, Luis, y no os acerquéis nunca más ni a mi persona ni a María. De lo contrario os prometo que os marcaré personalmente con un agujero en el corazón, si es que lo tenéis. Sois un loco supersticioso, incluso peor, ¡sois malvado! Dios hace que la mitad de la población sea femenina, ¿acaso afirmáis que todas son demonios? Yo más bien pienso que son las personas como vos y vuestro Bernardo y Thierry quienes son demonios. ¡Nacisteis sin alma, sin compasión y sin capacidad para amar! ¡Os odiaré para siempre! ¡A partir de este momento, sois mi enemigo!

Se quedó boquiabierto.

—No sigáis ahí ni un segundo más, ¿me oís? ¡Fuera! ¡Fuera de mi vista!

Luis se marchó lentamente.

VIA CRUCIS

1147

7

Una tarde templada y agradable, Petra, el pequeño Raúl, María y yo estábamos sentados con los pies colgando en el lateral de un viejo muro de contención romano donde el Sena se dividía al pie del jardín. Yo sostenía el ejemplar de mi padre de *Tristán e Isolda* frente a María.

—¡Escuchad! —ordené a Petra—. Os juro que nunca le he enseñado este libro. ¿Queréis leerle esto a vuestra tía, María?

Mi encantadora princesa inclinó sus rizos rubios y se apretó la nariz con el dedo índice. Lentamente, leyó ceceando las seis primeras líneas.

Tomé el libro.

—¿Me creéis ahora?

—Sorprendente —reconoció Petra. Hizo que Raúl se le acercara más en un gesto protector. Raúl no era exactamente tonto, los niños siempre van más atrasados que las niñas, pero su evolución era preocupante. Gimoteaba y lloraba con excesiva facilidad, como si fuera hijo de Luis, y tenía el contorno de la cintura demasiado grueso, las rodillas hacia dentro y un pie torcido. En cambio mi milagrosa hija...

—Gracia.

Di un respingo al oír la voz de Luis detrás de mí.

—¡Anunciaos! —exclamé—. *Dex aie!* Podíamos habernos caído al agua del susto.

—No consideré que fuera necesario en nuestro propio jardín —se disculpó con humildad—. Pensé...

Petra se levantó.

—Os dejo, Gracia.

—Llevaos a María con vos.

Luis observó cómo se apresuraban a volver a palacio.

—A veces pienso que María no sabe que soy su padre.

Le miré con desconfianza.

—¿Os habéis bañado?

—¿Cómo lo sabéis?

—Una ballena putrefacta ha sido arrastrada de nuevo al mar. —Estaba alerta.

—¡Sí! ¡Gracia, vuelvo a ser yo! —Sostenía un pergamino enorme envuelto en seda—. Este documento, esta bula papal, acaba de llegar de Roma. —Se arrodilló sobre la hierba—. Voy a desenrollarlo y a leéroslo. ¿Me ayudáis? —Intentó poner en vertical la misiva escurridiza.

—Decidme qué pone.

—Muy bien. Empieza con un *Quantum preadescessores* sobre mi valentía, mi esplendor como rey cristiano, mis estrechos lazos con Roma, mi fe, mi posición elevada como líder del mundo cristiano.

—¿Qué quiere de vos el papa Eugenio?

Habló sobrecogido.

—Liderar una cruzada a Tierra Santa.

—¿Porque Edesa cayó en manos de los infieles? No es más que un pequeño reino.

—Edesa es uno de los cinco reinos fundados en la Primera Cruzada.

—Lo sé, Luis. —Mi abuelo se había perdido en un uadi de Edesa.

—Y Jerusalén puede ser la próxima. —Colocó el pergamino con cuidado sobre la hierba—. Y yo voy a liderar un ejército para él.

¿Acaso había enloquecido el Papa? ¿Después de lo ocurrido en Vitry?

—Cuando lleguemos a Jerusalén, me arrodillaré ante las reliquias sagradas de nuestro Señor y suplicaré la absolución por lo de Vitry. El Papa me ha prometido que me absolverá.

Eso es lo que había oído y todavía le enloquecía. Le brillaban los ojos; tuve que apartar la mirada.

—¿Sois consciente de lo que eso significa?

Me temía que sí.

—Podemos volver a ser marido y mujer. Tendremos muchos hijos. Gracia, lo que siempre habéis deseado, e hijos varones para Francia. —Hablaba con voz pastosa.

Jamás tendría otro hijo. María heredaría tanto Francia como Aquitania. Por fin sabía cómo debió de sentirse mi padre. Mi hija era un personaje ilustre.

—¿Cuándo os proponéis partir?

Se rió jubiloso.

—Primero debo predicar la cruzada por toda Europa a fin de reclutar un ejército cristiano.

Si había algo que Luis no sabía hacer, aparte de dirigir un ejército, era predicar. Sólo era capaz de expresar una idea sencilla: los celos.

—¿Cuántos soldados de Cristo esperáis reclutar?

—Aquí en Francia, cien mil, quizá la mitad de tal cantidad en Aquitania, con vuestra ayuda, por supuesto.

No hice comentario alguno.

—Y el Papa desea que Alemania se nos una, lo cual podría significar otros ciento cincuenta mil hombres.

—¿Dirigiréis a trescientos mil hombres?

—¡Sí! ¡He sido elegido, Gracia! El Señor me ha escogido por encima de otros hombres. Me siento... oh, no soy capaz de describirlo... me siento humilde, agradecido y eufórico. He vuelto a nacer. ¡Tengo toda la vida por delante!

Trescientas mil víctimas condenadas. La piel me escocía y me faltaba el aliento. No recordaba un desastre tal en toda la historia. Me humedecí los labios.

—¿Contra cuántos sarracenos lucharéis?

—Es difícil de estimar. En todo caso, son de lo más violento. Su líder, Zengi, ejecutó a todos los hombres que quedaban en Edesa y luego reunió a mujeres y niños para venderlos como esclavos.

—Intentad decirme una cantidad.

—¡Ochocientos mil, quizás un millón!

—Tres veces más numerosos que vuestro ejército. Entonces necesitaréis el arma de Suger, ¿no?

Le brotaron las lágrimas y la voz se le estranguló.

—¿Cómo podéis preguntarme eso? Nunca volveré a lanzar un tonel de muerte viviente otra vez, Gracia. Si hubierais visto...

—Pero las posibilidades, Luis...

—¡Tenemos a Dios de nuestro lado! —Se le secaron las lágrimas y su voz se tornó dulcemente sepulcral, aunque seguía teniendo la nariz roja.

Recordé con viveza las historias de la cruzada de mi abuelo, las rivalidades y traiciones entre las facciones. Un líder fuerte era el primer requisito, Luis en persona había citado a Zengi como líder de los sarracenos. Podría haber llorado ante la tragedia que se avecinaba, pero... gracias a esta circunstancia Luis estaría lejos de mí. Oh, sin duda lloraría lágrimas amargas junto con el resto de Europa a medida que el coste de esa farsa fuera en aumento, pero mientras tanto yo disfrutaría de la ausencia de Luis durante años. ¿Quizá para siempre? Reinaría con Suger y le enseñaría a María los asuntos de estado. Me persigné rápidamente.

Luis advirtió mi gesto.

—Querida Gracia, estáis tan emocionada como yo, ¿verdad? ¡Lo veo en vuestros ojos! Oh, querida mía, amada mía, ¡qué maravillosa aventura compartiremos!

Retrocedí ante la mano que me tendía.

—Juntos podremos pisar las estaciones de la Cruz. Juntos podremos venerar...

—Aguardad, Luis, ¿estáis insinuando que yo vaya a Jerusalén?

—¿Pensáis que os dejaría sola en París?

—No estoy precisamente sola.

—Lejos de mí, lo cual es sola —declaró con fría formalidad—. Somos una sola alma, una sola carne, y nadie podrá desgarrarnos.

—Estamos separados todos los veranos, Luis, y no desgarrados.

—Aquitania no es como Jerusalén. No os dejaré en Francia para que todos los hombres de Europa se aprovechen de vos.

—¡Acabáis de decir que todos los hombres estarán en la cruzada! Seremos un continente de mujeres.

—¿Quién es él, Gracia?

—Por todos los santos, sed razonable.

—¡No me obliguéis a encerraros en una jaula y transportaros!

—¡Nunca os obligaría a hacer algo tan degradante!

—Si es la única forma de garantizar vuestra fidelidad...

—Luis, os juro que seré casta. ¡Lo juro por santa Radegunda!

—¡La santa del amor carnal!

—¡La santa de Aquitania!

—¡La santa de vuestro abuelo! ¡La santa que permitió que vuestro padre se casara con su propia hermana! ¡Sois fruto del incesto!

—¡No eran hijos de los mismos padres! —Se trataba de un tema demasiado manido—. ¡Traed reliquias de Notre-Dame! ¡El santo que queráis! ¡Haré el voto de mantenerme fiel ante Dios!

Bajó la voz.

—¿Juraréis por las reliquias?

—¡Sí! ¡Sí!

—Entonces lo haréis antes de que nos marchemos. Sólo entonces me dedicaré a la misión de Dios.

Sin embargo, ya estaba acostumbrada a sus cambios.

—Antes de que os marchéis, no que «nos marchemos».

—¡Vendréis, insisto!

—¡Insistid todo lo que queráis! ¡Me quedo con mi hija!

Corrí para alejarme del jardín.

—¡Rezaremos juntos en Jerusalén, Gracia! —me gritó.

Unas horas después, Suger amonestaba a Luis.

—¡No podéis dejar vuestro país por un afán de penitencia frenético!

—No es frenético, Suger, debo recuperar mi vida.

—¡Francia es vuestra vida!

—Dios proveerá...

—¡No, vos habéis de proveer! —Suger elevó la voz hasta convertirla en un chillido—. Ahora, mientras hablamos, Enrique de Anjou está reuniendo a su ejército para atacar París. ¡Enrique es vuestro verdadero enemigo, no Zengi! ¡Y Enrique está aquí! ¿Sois consciente de que tomó el Vexin la semana pasada?

—¿El Vexin? —Luis parecía aturdido—. Pero si pertenece a Francia.

—Ya no. Y cuando se entere de que Francia está sin rey...

—Sin rey ni reina. Leonor vendrá conmigo.

El asombro de Suger resultó casi cómico.

—¿Vais a emprender esta locura juntos?

—Sí —respondió Luis.

—¡No! —exclamé yo—. ¡Luis tiene una de sus obsesiones! Intentad hacerle entrar en razón, abad Suger.

Suger se dispuso a pronunciar uno de sus largos discursos en el que daba a conocer que si Luis insistía en emprender tan fanática aventura, entonces yo debía ser regente de Francia porque, sin lugar a dudas, María necesitaba un progenitor como regente en caso de que heredara el trono.

—Debéis nombrarla vuestra heredera de inmediato —le dije a Luis.

—Lo haré —dijo él lentamente— si me acompañáis.

Esbocé una sonrisa forzada.

—Si la nombráis heredera, prometo jurar sobre vuestras reliquias.

Cuando Luis emprendió la Segunda Cruzada en su corte navideña de Bourges, no consiguió reclutar ni a un solo hombre. Acto seguido se trasladó a Orléans, a Limoges, a Poitiers, pero tampoco nadie quiso sumarse a su aventura. Cuando se les insistía, los nobles argüían haber sufrido años de desastrosas sequías, o que tenían un problema familiar o una vieja herida que les impedía entrar en batalla. Después de Vitry, nadie quería acompañar a Luis en su aventura bélica.

Luis habría superado tal escollo si hubiera confesado que no tenía intención de dirigir el ejército, que él mismo iba como peregrino en busca de la salvación religiosa y que encabezaría la marcha de otros peregrinos, no la de los soldados, pero se mostraba indeciso al respecto. Con un objetivo tan confuso como de costumbre, se aferró al prestigio que le otorgaba ser el jefe elegido por el Papa y se reservó el derecho de asumir la autoridad militar si así lo decidía, si bien intentaría evitar los combates. La forma con la que conseguiría conquistar a las hordas infieles sin entrar en batalla quedaba poco clara, aunque yo sospechaba que tenía un plan secreto para convertirlos. Cómo lograría tal cosa, resultaba un misterio incluso mayor. En resumidas cuentas, se deleitaba con el honor al tiempo que evitaba la responsabilidad. Tal vez, cavilé yo, hacía bien en no revelar aquella incertidumbre interna. No había necesidad de poner al descubierto un propósito desquiciado junto con los desconciertos militares.

Transcurrieron varias semanas, y empezaba a parecer que Luis alzaría su espada ardiente en solitario contra los sarracenos. El papa Eugenio estaba loco de preocupación; exhortó al rey Conrado de Alemania pero, dado que éste combatía con denuedo contra el estado pontificio para la consecución de un territorio en Lombardía, ni siquiera se dignó responder. Los reyes de Hungría, Noruega, Bélgica y Dinamarca se mostraron igual de indiferentes, aunque nunca supe de sus excusas concretas. Era fácil imaginar que ellos y todos los gobernantes de Europa estaban resentidos porque Roma se consideraba una potencia mundial gracias a las riquezas obtenidas mediante los impuestos. Por supuesto, el gobernante que Roma más necesitaba, el emperador Manuel I de Grecia, escapaba a la influencia del Papa. Si bien el imperio Oriental estaba más directamente amenazado por los turcos que por Jerusalén, su estilo de cristiandad bizantina no podía considerarse en absoluto cristiano, aparte de que se sabía que mantenían relaciones comerciales con los infieles. Sin embargo, gozaban de una situación estratégica y, por consiguiente, indispensable; además, también eran muy ricos.

Entonces el papa Eugenio encontró la solución al dilema: designó al abad Bernardo de Claraval ayudante de Luis para el reclutamiento. Bernardo voló sobre su escoba por la totalidad del continente, predicando, amenazando, profetizando catástrofes y fomentando, en general, el pánico entre la población. Varios grandes señores decidieron participar en la cruzada, pero la mayoría de los reclutas eran «peregrinos», es decir, aventureros en el mejor de los casos, prisioneros que negociaban sus condenas en el peor. Entonces, en un momento de debilidad, durante la Navidad, Conrado de Alemania decidió también emprender la cruzada, promesa de la que inmediatamente intentó retractarse, si bien Bernardo no se lo permitió. Acto seguido, el fervor de la cruzada se propagó por doquier salvo por Aquitania. Para nosotros, seguía existiendo el problema de Luis.

Para mi infinito alivio, Bernardo de Claraval prohibió rigurosamente la presencia de mujeres en la cruzada. Señaló con claridad que no éramos soldados, ni peregrinas, ni criaturas de Dios, sino una vergonzosa anomalía de la raza.

No obstante, incluso el abad Bernardo necesitaba riqueza, puesto que las cruzadas eran caras. Sus peregrinos, que en realidad eran los delincuentes más desesperados de Europa, tenían que comer; los caballeros tenían que cobrar y los señores debían recibir una compensación por la pérdida de ingresos. Francia carecía de fondos para dedicar a tal empresa, al igual que Conrado de Alemania, que tenía pensado partir antes que los franceses a fin de saquear los campos para conseguir alimentos y dejar a los franceses enfrentados a un dilema.

La aventura de la cruzada fue una ruina financiera antes incluso de que se iniciara.

Suger impuso un diezmo al pueblo francés para financiar las cruzadas, pero eso no bastó. Entonces Bernardo de Claraval me dio permiso a regañadientes para marchar con Luis, siempre y cuando yo aportara cantidades ingentes de dinero a la cruzada.

Rechacé tamaño honor.

8

El 5 de febrero, en medio de una noche tormentosa, recibí en mi alcoba una carta dirigida a mí y calificada de «personal y urgente». Pedí que me trajeran velas y la leí tendida en la cama bajo una montaña de pieles. Mi primera idea fue que alguien había muerto, quizá mi abuela Dangereuse en Poitiers. Pero no, estaba escrita en latín, obviamente por un escriba.

«Leonor, duquesa de Aquitania, condesa de Poitou y reina de Francia, os saludo.»

La sorprendente disposición de mis títulos me hizo pasar las páginas en busca de la firma: «Raimundo, príncipe de Antioquía.» Era la primera vez que tenía noticias de mi tío Raimundo. Empecé por el comienzo.

«Me mortifica el no haberos escrito con anterioridad, ya fuera con motivo de la muerte de mi querido hermano Guillermo o, posteriormente, en vuestro ascenso al trono de Francia. Para cuando supe de ambos eventos, ya había transcurrido más de un año. Por favor, creedme cuando os digo que todavía enciendo una vela por Guillermo todos los días de mi vida; lo amaba de todo corazón, pues siempre se mostró benevolente conmigo, su hermano menor, algo poco frecuente en nuestra época. Siempre lo echaré de menos.»

Sentí una oleada de dolor puesto que siempre había sido un buen padre con su hija. Tras mi experiencia con Luis y María, de nuevo me di cuenta de lo excepcional que había sido para un hombre poderoso mostrarse generoso con una mujer, más incluso que con un hermano menor.

«Estoy seguro de que vos también compartís la generosidad y lealtad para con la familia, tan acusadas en vuestro padre. Aunque oímos hablar poco de Francia aquí en Antioquía, sabemos que tenéis fama de ser la mujer más hermosa e inteligente de Europa.»

Halagos. ¿Con qué propósito?

«No sé cuánto os contó Guillermo de mi situación, por lo que pido vuestra indulgencia si repito lo que ya suponéis. Fui enviado a Inglaterra mientras erais todavía una niña, para hacer de príncipe al rey Enrique I, quien había perdido a su propio hijo en el mar. Tras la muerte de Enrique I, Matilda y Esteban se enzarzaron en la gran batalla por el trono y yo me encontré perdido. Entonces me abordó el patriarca de Antioquía: buscaban al hijo menor de una gran casa, alguien suficientemente sano como para tener descendencia, un caballero fuerte, aventurero, inteligente, devoto pero no estrecho de miras, puesto que Antioquía comprende varias fes, para que fuera el príncipe de esa gran ciudad.»

Obviamente, la modestia no era una de las virtudes requeridas, ni tampoco la educación en las letras.

Recordé el dolor de mi padre por el hecho de que Raimundo nunca hubiera aprendido a leer ni escribir.

«El príncipe de Antioquía acababa de morir y había dejado como heredera a su hija Constancia de ocho años. Sin embargo, la viuda del príncipe, Alicia, se había apoderado del trono. Alicia era armenia de nacimiento y hermana de Melisenda, reina regente de Jerusalén, pero no tenía ninguna relación de sangre con Antioquía. La idea era traerme a Antioquía, en apariencia para casarme con Alicia a fin de ser aceptado; pero una vez allí, en realidad me casaría con la hija y heredera, la princesa Constancia.

»La aventura entrañaba numerosos riesgos, sobre todo porque el emperador Manuel I de Constantinopla planeó quedarse con Constancia y así anexionar Antioquía a Grecia. Yo acepté, confiando de corazón en el éxito.

»Me casé con Constancia en secreto, tal como se había planeado; su madre, Alicia, corrió a Jerusalén, donde su hermana la reina Melisenda juró enemistad eterna. Derroté a los griegos, y Manuel Comneno también es mi enemigo. Os explico todo esto a fin de que comprendáis mejor mi aislamiento actual.

»Cuando Zengi y sus hordas de sarracenos atacaron Edesa, anunció que Antioquía sería la próxima en caer. Mis caballeros son valientes, aunque menos numerosos, y ni Jerusalén ni Grecia vendrán en mi ayuda. No estoy preocupado por mí sino por mi pueblo y mi familia. Constancia y yo tenemos ahora tres hijas; la mayor y heredera se llama Leonor en vuestro honor. ¿Lo sabíais?

»Nos encontramos ante un caso desesperado, sobrina. Mi única esperanza es que mi país, Aquitania, se una a nosotros para apoyar mi causa. Sé que el Papa ha emplazado al rey Luis de Francia a que ayude a Jerusalén, pero Jerusalén corre menos riesgos que yo aquí en Antioquía. Dios mediante, os ruego que dirijáis a nuestros señores aquitanos hacia Antioquía, para que luchen contra los infieles, lo cual sé que podemos hacer juntos.

»Por favor, informadme de vuestra decisión lo antes posible. Lucharé hasta la muerte si es necesario, pero estoy desesperado.»

Las candelas titilaban; me sumergí todavía más bajo las pieles, recordando al apuesto tío de mi niñez. Raimundo. *Oc*, recordé subir con el abuelo a la carroza diseñada en forma de barco el día de Santa Radegunda, probablemente yo no tuviera más de cinco años, porque el abuelo había muerto aquel año; los dos observamos al tío Raimundo bajar por la colina a caballo hasta la iglesia de santa Radegunda, un hombre apuesto y sonriente que sólo tenía ojos para las mujeres. Luego, mucho después, el día que partió hacia Inglaterra para sustituir al príncipe inglés ahogado, estaba lleno de esperanzas pero las damas que dejaba atrás lloraron abiertamente. Me caía bien, a todo el mundo le caía bien, y era el único hermano de mi padre. Pero ¿lo apreciaba lo suficiente como para emprender una cruzada? ¿Con Luis? ¿Aquel miserable meandro al Infierno? ¿Y mandarle dinero? Aparté las pieles y entonces cayó otra misiva del paquete. De Rancon. El corazón se me paralizó.

«Leonor, reina de los franceses, os saludo. Perdonadme, pues he leído la carta que os ha escrito el príncipe Raimundo. Como veis por la fecha, fue enviada hace dieciocho meses y me tomé la libertad de abrirla, por temor a alguna catástrofe.»

¡Dieciocho meses! Por todos los santos, ¿qué habrá pensado Raimundo de mi largo silencio?

«Leonor, me he tomado también la libertad de sondear de modo informal la opinión de vuestros barones sobre ese asunto. Si nos dirigís, estamos dispuestos a luchar por el príncipe Raimundo. La mayoría de nosotros lo recuerda como un verdadero aquitano y como un miembro caballeroso de vuestra familia.

»Sin embargo, debo recalcar que no nos ofrecemos a seguir al rey Luis en esta cruzada. Marcharemos hacia Tierra Santa con Francia por conveniencia, pero nuestro objetivo es ayudar a Raimundo y sólo a Raimundo; no luchar contra los sarracenos. Además, os necesitamos como cabeza visible.

»¿Estáis dispuesta? Os aseguro que estoy ansioso por trabajar por vos, tal como hablamos años ha cuando vuestro padre todavía vivía. Atentamente, etc., Rancon.»

—¡Amaria! —llamé—. ¡Rápido, traed recado de escribir! ¡Nos vamos a la cruzada!

Suger se enfrentó a mí como si fuera un jabalí. Aunque reconoció mi preocupación sincera por mi tío, señaló con muchas pullas sarcásticas que, si de verdad me importaba, debía hacer todo lo posible por suspender aquella marcha desastrosa. Enviar dinero a Raimundo, consentir que contratara mercenarios, permitir que los hombres que estaban en el lugar de los hechos lucharan de inmediato; al fin y al cabo, su suerte era la que estaba en juego. No, porque ese hombre era aquitano, argüí; había solicitado ayuda y, Dios mediante, se la prestaríamos. Entonces el viejo abad sugirió con astucia que asistiera a las reuniones de los consejeros antes de tomar la decisión definitiva.

Salté sobre un nido de víboras. Nunca había oído tanto lanzamiento de virulencias entre «amigos». Peor fue su decisión *mesclatz* de elegir un nuevo jefe cada mañana. Sustituir a Luis podía tener sentido, pero ¿carecer de jefe por completo? No obstante, me mantuve firme.

Partí de inmediato hacia Poitiers para reunirme con mi tío Rafael, mi senescal, a fin de asegurarme de que se ocupara de todos los asuntos durante mi ausencia. Al cabo de dos semanas, asistí a otra reunión en París, donde tuve que batallar contra los avaros obispos. El oro de Aquitania se separaría rigurosamente del diezmo para las cruzadas, puesto que lo necesitaría para mi ejército. A modo de venganza, el abad Bernardo de Claraval declaró que, aunque podía seguir a mi esposo, no iría ninguna otra dama, ni caballos adicionales, ni sabuesos de caza ni halcones ni galas de ningún tipo. Debía ir como suplicante con mi bordón ceniciento.

Hice llamar a las damas de mi entorno más cercano: Florine de Borgoña, Mamile de Bouillon, Toquerie de Aquitania, Faydide de Berry, Amaria de Gascuña, y las invité a ayudarme. Entonces estaban casadas, todas menos Amaria tenían hijos y todas aceptaron. Así pues, reunimos entusiasmadas los mejores equipamientos para la caza, corceles, perros y aves; consulté a mis diseñadores para que crearan la armadura adecuada en caso de ataque. De hecho, diseñé unos trajes especiales para nuestra entrada en Grecia, nuestra primera estación de la Cruz; nos engalanaríamos como fieras amazonas.

Por supuesto, no le dije nada al capitán que dirigiría nuestro ejército, ni tampoco mis damas preguntaron. ¿Cómo iban a hacerlo? Cada una de nosotras habíamos entablado relaciones en Poitiers durante la infancia y todas guardamos el más discreto de los silencios.

El plan: los alemanes partirían en mayo, un mes antes que el resto de nosotros, lo cual les otorgaba ventaja, pues podían saquear el campo para conseguir comida. A cambio, debían realizar labores de ingeniería para nosotros, en concreto construir puentes resistentes que cruzaran los distintos ríos. Tras la partida de los alemanes, el resto de nosotros se reuniría en Metz, incluido mi ejército aquitano, y seguiría sus pasos a través de Alemania, por Hungría, de ahí a Bulgaria, que formaba parte de Grecia, y luego bajando por la península griega hacia Constantinopla. Conrado y sus alemanes nos esperarían allí.

Desde Constantinopla marcharíamos juntos cruzando Anatolia hasta Jerusalén.

La única voz sensata entre el murmullo de idiotas era la del obispo Arnulfo de Lisieux, algo milagroso, teniendo en cuenta que era el legado papal y procedía de Normandía, enemiga de Francia. Me gustó de inmediato; era un erudito clásico, fino y cortés, con ingenio y un humor malicioso y, gracias a su posición destacada, pude expresar mi cariño sin provocar la cólera de Luis. Aun así, tenía que ir con cuidado puesto que supe que el obispo Arnulfo era el consejero espiritual del joven Enrique de Anjou, quien se esforzaba por convertirse en duque de Normandía. Me guardé especialmente de no revelar tal relación a Suger. La compañía al completo estaba plagada de intrigas y pequeñas ocultaciones.

Al comienzo de la Cuaresma, Luis y yo nos hicimos una cruz con ceniza en la frente y cabalgamos por los caminos llanos de Borgoña hasta Vézelay, y de allí a recibir la cruz de manos de Bernardo de Claraval. Nos aguardaban miles de cruzados, entre los cuales se encontraban mis señores y caballeros aquitanos, excepto Rancon, que profesó los votos en Burdeos. La tarima de madera a la que se subió el abad Bernardo para pronunciar su exhortación se derrumbó a mitad de sermón, accidente que muchos tomaron como presagio de desastre. Aunque en el fondo yo consideraba que la cruzada estaba condenada al fracaso, albergaba la esperanza de que el ejército aquitano pudiera rescatar a Raimundo.

Cabalgué en solitario hasta Vermandois, donde Petra cuidaba de la pequeña María. A mi princesa le encantaba la campiña que rodeaba el *château* de su tía y me despidió de forma un tanto impaciente puesto que quería montarse en el carrito tirado por su poni.

Petra me observó con curiosidad.

—No os preocupéis, Gracia; María crecerá bien aquí con Raúl.

—Si me ocurriera algo... —Se me hizo un nudo en la garganta.

—¿Cuándo veréis a Rancon? —inquirió Petra.

Estaba a punto de contestar que no lo sabía, pero su mirada me lo impidió.

—En Metz.

Me rodeó con los brazos.

—¡Oh, Gracia, tened valor! ¡La vida es tan corta!

Me incliné, entre sollozos, para abrazar a María, a quien quería más que a nadie en el mundo, y aun así monté en el caballo y me marché llorando.

Mis damas y yo cabalgamos hacia Saint-Denis el 17 de junio de 1147, el día después de Pentecostés, cuando se celebraba la feria de Lendit, para el inicio oficial de la cruzada. Aunque llevaba diez días lloviendo, la mañana amaneció radiante, lo cual era un buen presagio según Mamile, y nos enfundamos unas túnicas de lino blanco, nos recogimos el pelo con tocas blancas y nos colgamos unas pesadas cruces del cuello. Trotamos en silencio por las calles vacías de París.

La noche anterior Luis había partido para las vísperas y en aquel momento repartía pan en una leprosería, por lo que fuimos las primeras en llegar a Saint-Denis. Estaban preparando las casetas para la feria y los campos estaban llenos de mercaderes y compradores que nos observaban con curiosidad. Entramos en el deslumbrante edificio y ocupamos nuestros puestos en los bancos situados en la parte posterior de la nave.

Poco después, una hilera de monjes se dirigió al altar y salmodiaron suavemente ante la elevada cruz enjoyada. Mientras escuchaba el eco de voces que flotaba por los arcos encumbrados y contemplaba los fragmentos de color vivo, supe que nada de lo que experimentara en Jerusalén sería más sagrado. Cuán clarividente había sido Suger al reconocer que el arte sirve a Dios, es Dios. Lentamente, el santuario se fue llenando de clérigos y grandes nobles; luego, Suger en persona caminó por el pasillo central para ocupar su lugar ante el altar. Tenía una expresión sombría.

La fanfarria francesa sonaba desde el patio y, con un revuelo de emoción, los cruzados volvieron la vista hacia la puerta. Luis apareció envuelto en un halo de luz. Reluciente por el sudor y las lágrimas, sosteniendo en alto el bordón ceniciento de peregrino con el balde vacío balanceándose en el cayado, fue arrastrando los pies por el pasillo con sus sandalias nuevas de soga. Advertí que ya llevaba manchada la túnica gris de peregrino por detrás, como si se hubiera sentado sobre el agraz.

El abad Suger ofreció lacónicamente el morral de peregrino al rey, el símbolo de Jerusalén y la oriflama francesa, que había tomado de la pared. Cegado por las lágrimas, Luis volvió a recorrer el pasillo con solemnidad, pero a trompicones, y salió por la puerta. Una vez que se hubo vaciado la iglesia, salimos las damas.

Los hombres ya habían desaparecido en el refectorio, donde se les serviría un ágape ligero, seguido de una noche de oraciones. Puesto que se nos excluía de esta parte de la ceremonia, nos dirigimos al manzanal situado tras la iglesia, donde tomamos una comida que habían preparado los monjes. Cuando el calor del día aflojó, montamos sobre los caballos para dirigirnos directamente a Metz, adelantándonos a los demás.

Nos vimos obligadas a avanzar con lentitud debido a los pesados carros que cargaban nuestro vestuario y las jaulas de los halcones encapuchados, aparte de que teníamos que adaptarnos al paso de los sabuesos, que iban trotando.

En cabeza de la fila una única voz cantaba:

Oh caballeros, si a Dios bien sirvierais
y vuestras almas del ardiente infierno salvarais,
luego contra los demonios que su feudo confiscaron lucharais
y con el dolor de la pena profunda los torturarais,
¡los caballeros que cabalgan con Luis, rey de Francia,
sin duda con los ángeles cantarán!

Las luciérnagas centelleaban sobre las acres zanahorias silvestres que crecían junto al camino y el suave clop-clop del caballo marcaba los latidos de mi corazón. Al cabo de dos noches, cuando Venus se elevó por el pálido horizonte, cruzamos el río Mosela, frente a la ciudad amurallada de Metz, donde nos reuniríamos con mis barones y sus caballeros.

Y su capitán.

A la mañana siguiente, cuando Amaria y yo subimos a un peñasco en busca de nuestro ejército, divisamos un mar de campamentos improvisados poblados por patanes desdentados y sucios, desnudos hasta la cintura, mujeres amamantando a sus pequeños, ancianos con cruces hechas con andrajos sujetas al pecho y mujeres extravagantes que reían a voz en cuello, pero ningún aquitano. En la otra dirección, cerca del río, los estandartes de un gran duque o barón o rey ondeaban en los pabellones de colores vivos del ejército. Los señores holgazaneaban bajo los árboles, riendo y charlando.

Los señores y la chusma tenían algo en común: todos estaban hambrientos. En Metz se negaron a vender comida a los cruzados. Para cuando Luis llegó aquella noche, los peregrinos amenazaban con atacar la ciudad. Luis convocó una reunión de urgencia. Para mi deleite, me enteré de que Thierry de Galeran había sido elegido para negociar con Metz antes de nuestra llegada.

—¡Estaba todo preparado! —gritó enfadado—. Prometieron en nombre de Jesús vendernos carne y pan. No sería un regalo, por supuesto, les ofrecí una buena cantidad de dinero.

—Entonces, ¿qué sucedió? —inquirió Luis.

—Es una conspiración —respondió Thierry—. ¡El rey Conrado de Alemania debe de haberles ordenado que retengan la comida!

—¿Conspiración con qué fin? —preguntó el obispo Arnulfo de Lisieux—. Y aunque estuvierais en lo cierto, ¿no deberíais haberlo sabido con anterioridad? Conrado se marchó hace un mes.

A Thierry se le ensombreció el semblante.

—No, si les ordenó que no dijeran nada. —El obispo Arnulfo aguardaba—. Si no fueron los alemanes, fueron los griegos —musitó el templario.

—¿Desde tan lejos? —Arnulfo arqueó las cejas.

Luis susurró una oración.

Mientras los clérigos se permitían acusaciones delirantes, los señores y los caballeros escuchaban con atención. Teobaldo de Champaña estaba representado por su hijo mayor, Enrique, un magnífico joven caballero; Jorge de Borgoña estaba sentado con la mano apoyada en la parte inferior del rostro, sus ojos claros reflejaban escepticismo; Roberto, el hermano pequeño de Luis, estaba a la espera, junto con Alfonso-Jordán de Tolosa, Guillermo de Nevers, Thierry de Flandes y los templarios habituales. El señor más interesante, al que sólo conocía por su fama, era el tío de Luis, el conde Felipe de Maurienne, el mayor después del de Borgoña, que había traído por lo menos a la mitad de las fuerzas francesas. Con su gruesa mata de cabello pelirrojo que le cubría una pequeña porción de la frente, las cejas claras y crecidas sobre los pequeños ojos marrones, su expresión desmoronada, se asemejaba más a un viejo marinero que a un gran noble. Aunque escuchaba con atención, no hizo ni un solo comentario.

Me excusé de la reunión, y Thierry de Galeran salió a hurtadillas detrás de mí.

Mi ejército no había llegado todavía.

Al día siguiente, cuando las campanas tocaron las sextas, Thierry de Galeran apareció ante mi pabellón para comunicarme que debía regresar de inmediato al consejo, que había una emergencia de vida o muerte. En el interior del pabellón azul de Luis, los clérigos echaban chispas.

—¡Ataque! —gritó el arzobispo de Langres, primo del abad Bernardo—. ¡Han socavado la misión del Señor!

Thierry le dedicó un gruñido al obispo Arnulfo.

—¡Ahora tal vez me creeréis cuando digo que fuimos traicionados!

Luis estaba tan acongojado que ni siquiera era capaz de rezar.

Tiré de la túnica de Arnulfo.

—¿Qué ha ocurrido?

—Un asesinato —susurró—. Un joven llamado Roberto robó un pequeño bote a primera hora de la mañana para ir a Metz a comprar pan. O entró a hurtadillas por las poternas o le atacaron junto a las murallas, no se sabe, pero los guardas armados lo mataron a machetazos sin clemencia.

Esperé a ver cuál era la reacción de Maurienne; para mi sorpresa, no estaba presente. Tampoco veía motivo alguno para estar allí; mi ejército había de llegar sin duda ese mismo día. Anuncié a Arnulfo que me marchaba.

Me detuve en un montículo para protegerme los ojos del sol. Mis señores aquitanos estaban desperdigados en la hierba junto al río: Hugo, Godofredo, Bernardo, Aquiles, Guido, Aimar, sentados con las piernas abiertas, sacándole punta a los palos. Se me fue helando la sangre lentamente antes de advertir otra silueta y de pronto recobré el aliento.

—¡Os saludo! —dije alegremente.

Rancon corrió hacia mí. Antes de que pudiera prepararme, estaba entre sus brazos, recibiendo el beso de la paz de esos labios jugosos que tan bien recordaba.

—Debo hablar con vos a solas. De inmediato —susurró.

Asentí, demasiado exaltada para responder, y advertí las motas de cielo que se reflejaban en sus ojos oscuros. Luego me encontré en los brazos de Aimar de Limousin, que por aquel entonces era ya un vizconde engreído y aburrido, quien me presionó los labios brevemente y me dejó una sensación de piel fría y húmeda; le siguió su hermano menor Aquiles, que rió en voz alta con ojos traviesos; Hugo de Lusignan, que se estaba quedando calvo, me envolvió con fuerza con su suave gordura, aplastándome los pechos; sus hermanos Guido y Godofredo eran versiones más delgadas de Hugo y menos entusiastas. Rancon permaneció cerca cuando los hombres volvieron a entretenerse con las navajas y las bromas.

—¿Me disculparéis, señores míos —imploré sonriendo—, si os robo al capitán unos momentos? Debemos hablar de estrategia.

Los ojos vidriosos de incredulidad se alzaron hacia arriba antes de que Amaria dijera lealmente:

—Haced lo que debáis, reina Leonor.

Rancon asintió.

—Una petición. Mientras hablamos, señores míos, os sugiero que vayáis a cazar algo para cenar. He oído decir que la buena gente de Metz nos niega su hospitalidad.

—Es demasiado temprano para cazar —protestó Hugo.

—¡De ninguna manera! ¡Os mostraré los mejores terrenos para alimentarnos! —propuso Toquerie.

Dediqué una sonrisa a Rancon.

—Podríamos pasear junto al río, sólo que... —No quería que Thierry nos viera.

—¿Dónde está vuestro pabellón? —preguntó.

—Hace demasiado calor en su interior —protesté débilmente. Demasiado peligroso.

—Abriré las portezuelas.

—Pero... —Nuestras miradas se encontraron—. Bueno...

Le conduje a mi enorme pabellón color salmón con unas águilas de color azul oscuro bordadas a los lados, y los estandartes de Aquitania y Francia ondeando por encima.

En el interior, Rancon abrió rápidamente las portezuelas; desde detrás de él, miré en todas direcciones y las cerré igual de rápido.

Él sonrió burlonamente.

—Pensé que temíais que hiciera calor.

Y lo hacía, el doble de calor que en el exterior; además, el aire estaba viciado.

—Habéis dicho que queríais hablarme en privado.

—Sí, es urgente. ¿Habéis visto a alguien?

—No. —Señalé la mesa con un gesto y nos sentamos uno frente al otro. Por primera vez, lo miré fijamente. Había cambiado desde mi coronación, había engordado, ya no poseía un cuerpo juvenil; tenía el cuello más grueso y musculoso, llevaba el pelo corto al estilo militar y las líneas del ceño marcadas de forma permanente. Estaba más curtido que la última vez que nos habíamos vimos, o tal vez fuera un reflejo de la tienda salmón lo que le otorgaba aquel brillo dorado. Se le habían intensificado las facciones de una manera inexplicable, la nariz más marcada, los labios más rojos, los ojos más ardientes. El sudor le humedeció la frente y la túnica corta blanca. En aquel horno un tanto estrecho, la cercanía y quizá mi propia sensibilidad intensificaban su fragancia varonil, que resultaba casi embriagadora.

Intenté mostrarme formal.

—¿Qué sucede, Rancon?

Frunció el ceño.

—¿No lo sabéis?

—¿Cómo iba a saberlo? ¿Le ha sucedido algo a Raimundo?

—No, más cerca de casa.

El pulso le latía con fuerza en la mandíbula; los ojos le ardían. Se humedeció los labios. Oh, Dios, permitidme ocultar mis sentimientos mejor que él, pensé. Descubrirse tan temprano, de manera tan audaz... me sentía aturdida.

—¿De qué se trata entonces? —pregunté con un hilo de voz. Mientras bajaba mi mirada reveladora, de repente observé el dedo con el que daba golpecitos sobre la mesa—. ¿Ese anillo de carbúnculo pertenecía a mi padre?

—Sí, me lo dio en aquella última *chevauchée*, cuando... —Se interrumpió, confuso, y luego se quitó el anillo—. Tomadlo, es vuestro.

—No, él quería que lo tuvierais vos. —Lo empujé hacia él.

—No, le habría gustado que vos... entonces no sabía que iba a morir.

—Aunque lo hubiera sabido... ¡quedáoslo, Rancon!

Empujamos el anillo a uno y otro lado de la mesa antes de que se lo pusiera finalmente. Los dos estábamos sin resuello, como si acabáramos de participar en una justa. En sus ojos se reflejó entonces el brillo del topacio.

—Esta mañana, mientras nos aproximábamos a Metz nos encontramos con Felipe, conde de Maurienne —anunció con gravedad.

Me esforcé por centrarme en sus palabras.

—He observado que no asistió a nuestra reunión. ¿Estaba de caza?

Se agarró a la mesa.

—Gracia, se marcha de la cruzada.

—¿Cómo? —Me quedé atónita—. Pero si no puede, ¡aceptó la cruz! ¡Cuenta con la mitad del ejército! ¿Qué harán los franceses?

—Perdonadme, no me he expresado bien; tenía que haber dicho que ha decidido ir por mar en vez de por tierra. Por los Alpes, bajando por la bota, y por mar desde Sicilia.

—¿Ha informado al rey?

—No, fuimos los primeros en saberlo.

—Me sorprende. Hace tiempo que descartamos la ruta por mar. ¿Por qué habrá cambiado de parecer?

Antes de responder guardó unos momentos de silencio y volvió a dar golpecitos con el dedo.

—Dijo que el clero está formado por un grupo de incompetentes pendencieros que no saben nada del ejército y mucho menos de las rutas. No obstante, son quienes toman las decisiones.

—Cierto.

—Lo peor, el rey es un energúmeno. —Las perlas de sudor le caían por la frente—. Son sus palabras, no las mías.

—Sin embargo, Luis es su sobrino. —Y Luis no era sólo un energúmeno, peligrosa idea.

—Y odiaba decirlo por ese motivo, le prometí que guardaría el secreto.

—No será un secreto por mucho tiempo... el hecho de que se marche, me refiero.

—Escuchad lo que quiero deciros. Maurienne invitó a nuestro ejército a marchar con el suyo. Admira nuestra fuerza bélica y desea ayudarnos. Dice que la ruta marítima tiene más sentido.

Tuve una sensación que no presagiaba nada bueno.

—Para los aquitanos quizá.

—¡Eso fue lo que le dije! ¡Que aceptaríamos gustosos su propuesta! ¡Sabía que estaríais de acuerdo, lo sabía!

Carraspeé.

—Oc, la mejor estrategia con diferencia. ¿Cuándo se marcha?

—¡Debemos unirnos a él esta misma noche! ¡Informaré a nuestros hombres! —Se apartó de la mesa y entonces advirtió mi expresión—. Perdonadme, os debería ofrecer varias oportunidades para informar a los franceses.

—Puedo informarles en cualquier momento. Marchad cuando debáis.

Su silueta dorada se duplicó.

—Sin duda los franceses no protestarán. Al fin y al cabo, nuestro objetivo es Antioquía, no Jerusalén. Eso ya lo saben.

—Sí, lo saben. —Me encogí de hombros—. Necesitan mi apoyo financiero, y se lo he dado hasta cierto punto.

Se inclinó sobre la mesa.

—No os precipitéis, reina Leonor. Entiendo que en estos momentos existe desacuerdo con respecto a Metz, y el conde Maurienne también lo sabe. Enviaré a Hugo para que le pida que espere unos días a fin de permitiros hacer las disposiciones que necesitéis.

Las disposiciones, menuda farsa; al fin y al cabo, el Señor acababa de condenarme a unirme a la procesión de desharrapados junto a los peregrinos que iban dando traspiés por los caminos menos transitados de Europa, luego por los uadis de Anatolia, precisamente lo que había jurado evitar, mientras mi objetivo verdadero se escabullía como un zorro esquivo ante mi vista, y luego desaparecía. Mi vida había terminado. ¿Por qué había aceptado participar en esa búsqueda miserable e infructuosa?

—No, marchaos de inmediato.

—Veo que existe un problema, Gracia. —Rancon acercó más su rostro—. ¿Se trata del conde? Conocéis a Maurienne mejor que yo.

«Permitidme que me comporte como la reina y duquesa que soy —pensé—, permitidme que evite que las personas más queridas sepan mi funesto destino.»

—Por lo que sé, es un señor de lo más honorable. Los franceses se llevarán una decepción pero, al fin y al cabo, los esperará en Anatolia, ¿no?

No se movió.

—Tengo la impresión de que no pensáis acompañarnos.

—No, no puedo, Rancon. —Esbocé una sonrisa forzada—. Soy la reina de Francia y tengo mis obligaciones...

—¡Sois la duquesa de Aquitania, maldita sea! —exclamó—. ¡Por todos los santos! ¡Tengo vuestro compromiso por escrito! ¡Prometisteis encabezar nuestra marcha hasta Antioquía! ¡Luchar por Raimundo!

—¡Bajad el tono de voz, os lo ruego! —Me alarmé—. Sí, me comprometí con la causa de Raimundo y tengo intención de cumplir mi promesa. Pero ahora debo marchar a Constantinopla con mi esposo, Rancon.

Se apoyó en la mesa e inclinó la cabeza.

—Lo siento, disculpadme. Es lógico que deseéis estar con vuestro señor.

—¡No!

—¿Entonces?

—Él... él quiere estar conmigo.

—Pero tengo entendido que no... es decir, que no compartís su tienda.

—Oh, por favor, Rancon —le supliqué—. Intentad comprender lo que os digo. No es fácil.

Parecía angustiado.

—Tal vez lo sepa. Se oyen rumores...

—¿Rumores?

—Escandalosos. No quiero repetirlos.

—Pero ¿los creéis? —Nunca me había sentido tan ultrajada.

—¡No, no los creo! ¡Sé que no seríais infiel!

—Pero otros sí lo creen, ¿verdad? —Lo irónico del asunto es que me había convertido en el instrumento de Bernardo en su lucha contra Suger—. Los rumores sobre mi persona son un arma política.

—¿Política?

—Dos abades rivalizan por el poder sobre Francia. Luis es el verdadero objetivo, no yo. Sin embargo, Luis es vulnerable en lo que a mí respecta. Él es...

—Os adora —concluyó Rancon con amargura—. Eso también lo hemos oído.

¿Por qué cargar a Rancon con las rivalidades entre Suger y Bernardo de Claraval o los muchos participantes en aquel juego?

—Su tergiversado criterio moral lo hace vulnerable... y peligroso. Por eso es mejor que os marchéis con Maurienne.

El temperamento irascible de Rancon afloró de nuevo.

—¿Un peligro para mí? ¿Cuándo he ofendido yo al rey? ¿Acaso os he hecho alguna insinuación?

Le tendí la mano.

—Rancon, Luis no se rige por la lógica. Sois un hombre, y eso a él le basta.

Entrelazó sus dedos con los míos.

—Y vuestro protector. Santo Dios, no consentiré tales mentiras...

—Gracias, pero no sabéis lo que estáis diciendo. Este asunto escapa a vuestra protección. —Sonreí para suavizar la situación—. Y como señora suprema que soy, creo ser quien debe protegeros. Por tanto, marchaos. Pronto alcanzaréis a Raimundo.

—Sí, lo alcanzaremos pronto —apretó los dedos—, y no, no os dejaré.

Tal responsabilidad me alarmó hasta el punto de hacerme ver una verdad más profunda.

—¡Escuchad! Luis está obsesionado, Rancon, yo diría que incluso loco, y es sumamente peligroso.

Arqueó las cejas.

—¿Peligroso?

—No personalmente. Pretende ser afable, cristiano, pero sus secuaces obedecen sus órdenes.

—Los secuaces no pueden fabricar pruebas.

—No obstante, creísteis los rumores escandalosos que circulaban sobre mí, ¿no es cierto?

—Acabo de deciros que nunca...

Le hice callar con la mano.

—Y tienen instrucciones de matar en caso de que existan tales pruebas. Os digo, Rancon, que cualquiera que se acerque a mí...

—Vuestro rey os controla con amenazas —me interrumpió Rancon, enfadado—. ¡No tenéis motivos para temer!

—Tenedlo por seguro, yo así lo creo. En última instancia, él vencerá, lo sé. Pero no quiero que vos, ni ninguno de mis aquitanos, sea su víctima. —Me di cuenta de que debía de haberlo pensado antes.

Mi tono, por no decir mis palabras, le habían afectado profundamente.

—Me parece increíble.

—No hay nada increíble, mi señor.

Entonces, ambos oímos un ligero chirrido.

—¡Silencio! —Me acerqué a la ventana.

Me siguió.

Los dos vimos a Thierry de Galeran moviéndose sigilosamente junto al pabellón de enfrente.

—El espía de Luis. Me sigue a todas partes.

—¿Es él quien os amenazó? —susurró Rancon.

—Entre otros.

Me volví. Nuestros rostros estuvieron a punto de rozarse.

—Id al lado opuesto y aflojad las cuerdas. Hay una abertura entre la pared y el suelo de la tienda por la que podréis escapar.

Me besó... ¿otro beso de la paz?

—Os protegeré, Gracia. *Teste me ipso*.

—Iréis con Maurienne. Os lo ruego.

—No, desobedezco a mi superior.

Le observé mientras se movía, escurridizo como una anguila, sobre el suelo de lona. Tenía una cicatriz en la parte posterior de la rodilla derecha.

Le concedí unos momentos... no, me concedí unos momentos. Sus labios, su olor; cerré los ojos. Además estaría en la cruzada, él y todos mis amigos. Me sentía ligera y aliviada, y también enfadada conmigo misma. ¿Era ahora yo la que daba demasiado por supuesto? Había hablado con sinceridad sobre Luis, ¿por qué no había mencionado a Arabela? No, aquello resultaba *mesclatz*. ¿Cuándo una esposa, ya sea reina o no, ha influido en el comportamiento de su propio esposo? Sin embargo, tenía sentimientos... ¿la amaba?

Cuando salí al exterior, Thierry de Galeran emergió de la sombra que proyectaba el pabellón vecino.

—¿Quién era ese hombre que acaba de salir de vuestra tienda? —inquirió.

—Mi señor Hugo de Lusignan —respondí sin vacilación.

En ese momento vi a Rancon sobre el montículo, observándonos. Moví la cabeza.

—Teníais las portezuelas cerradas.

Tomé a Thierry del brazo para alejarlo de Rancon.

—Eso ha sido ahora, cuando se ha marchado. Las hemos abierto a propósito para que pudierais oír mejor nuestra conversación.

Entrecerró los ojos.

—Yo nunca escucho a hurtadillas. ¿Qué quería?

—Pues saber si conocía el paradero de Felipe de Maurienne. Por desgracia, no tengo noticias del caballero.

Al parecer, Thierry me creyó.

—Dejasteis la reunión antes de que terminara.

—No tenía sentido que siguiera allí.

—El rey desea hablaros de dinero.

—Mi tema preferido. En tal caso regresaré, por supuesto.

Así pues, los franceses sabían de la marcha de Maurienne, lo cual me quitaba un peso de encima. Y los aquitanos iban a seguir a su capitán, que me seguiría a mí. Me atraían los bosques de Europa sin senderos marcados; las inmensidades desiertas parecían meros castillos de arena en Anatolia. Estaba ansiosa por embarcarme en las grandes aventuras que se avecinaban.

9

Partimos al cabo de dos días. Durante ese tiempo, pasé un sinfín de horas extenuantes en la tienda de Luis mientras los obispos decidían detalles irrelevantes y, cuando terminaban, a última hora de la tarde, observaba a mis señores de Aquitania desde la lejanía, pero no a Rancon. Toquerie me informó que había ido con unos pocos hombres a recoger más grano para los caballos. Tal vez, pero quizás estuviera evitándome, lo cual significaba que había captado mi mensaje.

Había advertido a Rancon con razón, pero el primer día de la marcha todos nosotros estábamos inquietos como niños. ¿Quién podía resistirse a los cielos soleados, a las ramas oscilantes de color verde dorado, a los encantadores lugareños que nos saludaban por los caminos? A última hora de la tarde, Amaria y yo cabalgamos juntas a lo largo de toda la comitiva: en cabeza iba Jorge de Borgoña, elegido por el consejo aquella mañana, con sus caballeros, escuderos, cuidadores de caballos, y los hombres de a pie por detrás, cargados con arcos, flechas, lanzas y mazas. A continuación iban las literas y los carros de pertrechos. Luego nosotros, luego otros señores franceses, con el mismo orden general, y por último los peregrinos, seguidos por la chusma. Y Luis, por supuesto, que iba cerrando la marcha.

Dejando de lado la afectación beatífica de Luis, los peregrinos y sus desagradables vecinos me preocupaban. Si bien algunos llevaban bordones cenicientos y sin duda eran sinceros, muchos otros parecían sinvergüenzas descarados, de mirada dura y cuerpos llenos de cicatrices. Las mujeres se dividían entre zánganas grávidas y seguidoras, llamadas de forma eufemística «lavanderas», y ninguna de ambas variedades llevaba comida o animales de cría. No obstante, eran responsabilidad de Luis, no mía; él se había ofrecido a alimentarlos si venían, lo cual probablemente fuera incentivo suficiente.

—No nos aproximamos siquiera a los trescientos mil hombres —me informó Amaria—. Yo diría que sumamos veinte mil como máximo.

—¿Los habéis contado?

Se le daban muy bien los cálculos.

—No uno por uno, pero tened en cuenta que si lleváramos grano aunque tan sólo fuera para cien mil caballos, nuestra comitiva se extendería más de cuarenta leguas.

Estaba en lo cierto. No todos los hombres iban a caballo, ni mucho menos, pero todos los caballeros que montaban llevaban por lo menos a veinte trotando a su lado. Y los caballeros eran muy meticulosos con respecto a la alimentación de sus animales. Por supuesto, en nuestra comitiva no se encontraban los hombres de Marienne, que entonces estaban cruzando los Alpes, ¿serían veinte mil más?, ni el ejército alemán. No obstante, según la estimación más optimista, la cantidad era muy inferior a la cifra que Luis había calculado en un principio.

Con el transcurso de los días se fue creando una costumbre. Puesto que los aquitanos no tenían que asistir a la elección matutina de jefe, empleaban el tiempo cazando para nuestra comida de la tercia alta, cabalgaban por la tarde y hacían ejercicios militares durante el largo crepúsculo. Yo tenía que asistir a las reuniones matutinas y también enviaba mensajeros a Francia y a Aquitania casi a diario, puesto que Suger y mi tío Rafael debían estar al corriente de mis decisiones y, por supuesto, también escribía a Petra y a María.

No obstante, conseguía reunirme con los míos a última hora de la tarde, donde participaba encantada en una celebración de la vida. El coqueteo era una costumbre meridional, una salsa picante para disimular el talante rutinario de la obligación. Todas las damas y caballeros de Aquitania cantaban, gritaban y reían mientras se mezclaban los unos con los otros, se daban palmaditas en los muslos y formaban un pequeño alboroto. Yo hacía lo mismo. Así fue como transcurrieron los primeros días y no tuve ningún contacto con Rancon, ni siquiera nos hablamos. Lo vi mientras corría de un conde francés a otro, haciendo consultas y gestos en dirección a la fila. Aprendí que aquélla sería nuestra costumbre.

Afortunadamente, Luis también estaba feliz. Le vino muy bien que dos cruzados murieran sintiendo unos dolores espantosos la primera semana, lo cual le dio la oportunidad sublime de socorrerles en su agonía y luego ungirlos para el entierro. Con el diezmo para las cruzadas de Suger compró alimentos caros y daba de comer a treinta peregrinos hambrientos cada mañana antes de interrumpir su ayuno. Lo mejor de todo es que sus actos eran aclamados en público. Luis dejó de ser el monarca o guerrero incompetente y devino el mártir sagrado, una especie de santo. Todo el mundo estaba satisfecho.

Si bien los clérigos fingían saber la ruta a seguir, de hecho nos limitábamos a seguir el curso de los ríos y arroyos que fluían hacia el sur. Así teníamos a los animales abastecidos y evitábamos excesivas escaladas. No pasábamos por las ciudades, en parte debido al malestar creado por el ejército alemán y en parte porque el agua estaba contaminada por residuos humanos y las fábricas de curtidos. Teníamos que detenernos en las fronteras, por supuesto, para negociar el derecho de tránsito libre con los reyes.

Durante el largo crepúsculo observaba a mis señores enzarzados en batallas simuladas con los animales. Todos eran habilidosos y fieros, pero palidecían cuando Rancon entraba en acción. El muchacho que recordaba con tanta viveza había madurado hasta convertirse en un apasionante luchador profesional. Aunque empleaba cañas en vez de lanzas, una piedra sujeta con un cordel en lugar de la maza con púas, se fundía con su caballo al cargar hacia delante con ojos desorbitados, convertidos el hombre y la bestia en una máquina mortífera. Me quedé sin aliento al verlo.

—Tened cuidado, Gracia —murmuró una tarde con voz suave Florine, que se encontraba a mi lado.

Me sobresalté.

—Que tenga cuidado con qué.

—Con vuestra cara. ¿No lleváis un espejo?

—¡Por supuesto que no!

—Entonces permitidme que os informe de lo que otros ven. Habéis cambiado, estáis encantadora. Tenéis las mejillas sonrosadas como manzanas, los labios del color de las cerezas y los ojos os brillan como el mar bajo la luz del sol.

No me costó reírme.

—*Dex ai*, amiga mía. Me estáis comparando con un campo de árboles frutales.

—Sois una llama ardiente —replicó—. Sobre todo cuando le observáis. —Señaló a Rancon con un movimiento de cabeza.

Me estremecí.

—Lo mismo podría decirse de vos —repliqué a la ligera—. Es una gran aventura, ¿no?

—Todo el mundo se ha dado cuenta —advirtió.

Me volví para observar el final del ejercicio, y seguidamente regresé con paso firme a mi tienda. Me senté a oscuras, agarrándome las mejillas calientes. Florine estaba en lo cierto: si reflejaba mis sentimientos, estaba de nuevo poniéndonos a mí y a Rancon en peligro. No obstante, ¿cómo evitarlo? Sin duda, no podía cambiarme el corazón, pero en el pasado me había convertido en la señora de los engaños. Salvo que en París, incluso en Poitiers, no había estado expuesta a tamaña tentación a diario. Bueno, debía poner en práctica mis tácticas, intentarlo con mayor empeño. Al fin y al cabo, tanto Rancon como yo estábamos casados con otros y, en su caso, por lo menos, no tenía indicio alguno de que no fuera feliz en su relación.

Florine había hecho bien en avisarme.

Salvo por unos pocos aguaceros, sobre todo por la noche, hizo buen tiempo hasta que cruzamos la frontera con Hungría, donde empezó a llover día tras día. Avanzamos penosamente por los campos embarrados, subiendo colinas y bajando por ciénagas, haciendo pocos progresos. Cuando llegamos al Druze nos detuvimos del todo. Una corriente rápida en el medio lo caracterizaba como río, pero quizá nos encontrábamos ante un lago. ¿Y dónde estaba el puente que se suponía que habían construido los alemanes? ¿Había sido arrasado? Pensamos en cruzarlo con embarcaciones, pero la orilla opuesta era demasiado empinada para desembarcar.

Luis consultó a sus ingenieros, quienes intentaron hacerle desistir de que levantara un puente. Enviamos exploradores río arriba y río abajo, para que buscaran un punto mejor para cruzar, mas fue en vano. Luis decidió cabalgar hasta Budapest para solicitar la ayuda del rey Geza. Sin duda el joven monarca sugeriría alguna ruta alternativa para llegar a Bulgaria. Luis partió con sus señores, incluido el intrépido Thierry, para encontrarse con el rey, diciendo que estaría de vuelta en un par de días.

A la mañana siguiente, el fuerte viento ahuyentó las nubes y salió el sol.

—¡Leonor! ¡Gracia!

Salí del pabellón y me encontré a Rancon.

—¡Venid a cazar, señora mía! ¡Vuestros adláteres están preparados! —exclamó. Le brillaban los ojos e iba vestido con el traje verde de caza. Detrás de él, todos mis señores y damas estaban montados en sus corceles de caza.

—¡Vamos a por la garza azul! ¡Decid a vuestro maestro cazador que vaya a buscar el halcón! —dijo Hugo.

Me eché a reír.

—¡Todos vosotros sois *mesclatz*! ¡Hace demasiado viento para cazar!

—¡Y un día demasiado hermoso como para no intentarlo! —Rancon me tendió la mano.

Le escudriñé el semblante.

—¿Podéis esperar? ¡Pediré la comida!

Hugo soltó una gran risotada.

—¡Dios mío! ¡Nos comeremos las aves! ¿No las habéis visto, Gracia?

Aquiles levantó el puño.

—¡No os demoréis, Gracia, o nos las perderemos! ¡Os juro que si venís, esta noche celebraremos un festín!

Rancon seguía tomándome de la mano.

—Oscurecen el cielo.

Me deshice de su mano.

—¡Enseguida estaré con vosotros!

Cuando salí de la tienda a su debido tiempo, los aquitanos discutían con voz entusiasmada.

—Creo que el viento ha cambiado —advirtió Mamile mientras levantaba un dedo húmedo—. ¡Nos oirán!

Apenas vacilamos unos instantes.

Aimar dio un golpecito a su caballo de caza negro.

—¡Conseguiremos comida para después!

Rancon, que todavía no había montado, me tomó de la mano para ayudarme. Me había proporcionado uno de sus mejores alazanes.

—¿Estáis cómoda?

Asentí.

—He enviado a Rimbault para que nos adelante.

Su corcel se topó con el mío, me colocó la mano en la región baja de la espalda.

—¿Os sentís bien?

Cuando noté los ojos de Florine sobre los míos, no respondí.

Rimbault, nuestro maestro de caza, había salido con los cazadores y los halcones para esperarnos en el punto de encuentro. Entonces sonaron nuestros cuernos y trotamos lentamente hacia una hilera baja de colinas boscosas. Los cascos pisaron charcos y salpicaron barro. Rancon, que ahora encabezaba la hilera, cabalgaba tranquilo bajo las nubes que surcaban raudas el cielo. Me encantaba la caza, me encantaba el día que hacía, me encantaba no hallarme en la cruzada. Salvo por el paisaje, podríamos haber estado en Aquitania.

De repente Hugo empezó a cantar con voz ronca y estridente, y enseguida se le unieron los demás. Era el verso de mi abuelo:

¡El amor y la guerra grandes alegrías me dan
y confundirlas no deseo.
Sólo porque me duelen tanto las ingles,
hay distintas maneras de usarlas.
¡Señor!
¡Dios!
Dadme aventuras en los campos,
que cedan el enemigo o la dama,
da igual.
Buen nombre tengo
a horcajadas sobre mi corcel batallador
o mi dama en el prado!

Hugo alzó el puño:

—¡Todos juntos!

Alzamos las voces para entonar la enérgica melodía, empezando por el segundo verso. El viento soplaba más fuerte y echamos a correr saltando sobre troncos y arroyos.

De repente, cayó un aguacero.

—¡Poneos a cubierto! —gritó Aimar.

Espoleé mi alazán para que se acercara a un castaño, junto al cual desmonté para refugiarme.

—¡Mirad!

Rancon estaba al otro lado. Tenía tres castañas en la mano y empezó a hacer malabarismos con ellas. Y, plop, plop, plop, le cayeron en la boca abierta mientras él se inclinaba hacia uno u otro lado. Se las tragó.

—¿Estáis loco? —exclamé, horrorizada—. ¡Os vais a atragantar!

¡Crac! Un rayo rasgó el cielo.

Sin mediar palabra, Rancon se acercó al árbol.

—¡Os las habéis tragado! ¡Bobo! —repetí.

—¡No, vos las tragasteis, os he visto! Ahora cerrad los ojos.

Los cerré.

Sus labios cálidos se posaron en los míos.

—¿Lo veis? —Se apartó y me enseñó las castañas, como si me las hubiera sacado de la boca.

—¡Sois un embaucador!

—¿Ah, sí?

¿Lo era? ¿Era una broma o me había besado?

—¿Cómo lo habéis hecho?

—¿Lo hago otra vez? —Recogió más castañas. Pero antes de que tuviera tiempo de repetir el truco, volvió a salir el sol.

—¡Mirad, ha dejado de llover! —exclamé.

—También puedo hacer el truco con sol. —Empezó a hacer malabarismos.

—¡Montad! —gritó Aimar.

Rancon tiró las castañas al suelo, se acercó corriendo a su corcel y montó en la silla sin tocar los estribos.

Me levanté los faldones, crucé la extensión de hierba y salté sobre mi montura con la misma facilidad.

Él se echó a reír.

—¡Habéis demostrado vuestra valía!

—¡Soy una embaucadora!

Cabalgó delante de mí y le observé la espalda. Un beso o una broma, ¿de qué se trataba? Contrólate, me dije; aquello podría haber pasado con Hugo o con cualquiera de mis señores.

Subimos por una maraña de raíces y rocas hasta una pequeña colina que estaba totalmente seca. Entonces descendimos a una hondonada cubierta de hierba, también seca, un lugar perfecto para esperar que pasara el calor del día. Nuestros sirvientes enseguida sumergieron el vino en un arroyo para enfriarlo, luego montaron unos caballetes bajo la sombra veteada. Pronto nuestro grupo comió con apetito voraz urogallo, trucha, cerdo y dulces, todo ello regado con tinto de Aquitania. Todos excepto yo. No podía comer, ni hablar ni mirar a nadie. Me esforzaba por guardar la compostura, si bien no tenía forma de saber si mis mejillas eran manzanas y mis labios cerezas.

Cuando estuvieron ahítos de comida, los componentes del grupo se tumbaron bajo los árboles. Me coloqué bajo un mirto y extendí los faldones lejos de los demás.

Enseguida Rancon se tumbó en la hierba y apoyó la cabeza sobre mi regazo. Sin osar moverme, sonreí a Florine, que me estaba observando. Ella tenía el hombro apoyado en el de Guido. De hecho, todos estaban emparejados con alguien.

—Id a buscar otra botella, Rancon —dijo Hugo, bostezando—. Cuando tengo calor me entra sed.

Rancon no abrió los ojos.

—Id vos. Estoy dormido.

Guido se echó a reír.

—Eso de que el vino os refresca no se lo cree nadie, Hugo; el vino calienta la sangre.

—Os equivocáis, el vino me refresca, compañero.

Guido dio un puñetazo a Hugo en la cadera.

—No la otra noche. Os dio calor en la entrepierna, compañero. Borracho como una cuba, os dio por perseguir a esa gitana medio desnuda por todo el campamento. —Se apartó rodando antes de que Hugo lo alcanzara.

—Parecéis celoso, Guido —observó Mamile.

—¿De esa ladrona? ¡Preguntadle a Hugo qué se le llevó, aparte de la simiente, me refiero!

—Sigo teniendo sed. —Hugo se levantó.

—Os acompañaré —se ofreció Mamile.

—A mí también me apetece estirar las piernas —dijo Guido—. ¿Venís, Florine?

Pronto todos ellos se desperdigaron por la vegetación de dos en dos. Rancon abrió los ojos de par en par y sonrió.

—Parece que nos hemos quedado solos —dijo.

—Excepto por las abejas.

Se incorporó. Las abejas zumbaban alrededor de las botellas vacías y los restos de carne.

—Un animal erótico, la abeja.

—¿Erótico? Yo diría que es carroñero. —No obstante, recordé la abeja en la espalda de Raúl hacía mucho tiempo, la mano de mi hermana a tientas con una flor amarilla, y me dio un vuelco el corazón.

—Siguen al amor. Lo notan incluso cuando no tienen ninguna prueba. Entonces dan su vida para conseguirlo. ¿No os parece erótico?

—En cierto modo, les falta melodía, apariencia...

—¡Escuchad!

Agucé el oído. Un zumbido feliz y continuo, el perfume dulzón y ceroso de la miel. Debíamos de estar cerca de una colmena.

—¿Y bien?

—Os lo aseguro, son como los trovadores. No importa que lleven una túnica rayada.

—¡Ay! Qué demonios... —Rancon se levantó de repente—. ¡Dios mío, me ha picado! —Se llevó la mano a la espalda.

Me eché a reír.

—¡Picado por el amor!

Se volvió y nuestras miradas se encontraron.

—Sí.

—¿Duele?

—Sí. Pero me complace este dolor...

—¿Os ayudo?

—Por favor. Sois la única que podéis. —Se levantó la camisa—. ¿Veis el aguijón?

Le vi la espalda lisa, la protuberancia de los músculos.

—Cerca de la columna, a media altura.

—¡Sí! No os mováis.

Con cuidado, con sumo cuidado, curvé el índice y el pulgar.

—¡Ya está!

—Dios mío, ¿ya está? —Se miró por encima del hombro—. Pero todavía duele. Dicen que la saliva... si pudierais...

Lentamente, saqué la lengua. ¿Era un beso o un remedio?

—¡Tomad mi vino! —gritó Hugo desde los matorrales—. ¿Queréis un poco?

Rancon se recolocó la camisa. Tenía el rostro arrebolado y los ojos brillantes.

—¿Qué ha ocurrido? —preguntó Florine.

—Me ha picado una abeja. Gracia me ha quitado el aguijón. —Pausadamente se acercó a mí y, delante de todos ellos, me dio un pequeño beso—. Gracias, señora mía.

Un beso de agradecimiento, nada más.

Cuando las sombras se alargaron y refrescó el ambiente, montamos para la cacería. Por debajo de nosotros los charcos de agua estancada se reflejaban brillantes en nuestros ojos; los mozos de cuadra y los cazadores se movían a hurtadillas entre los halcones encapuchados sujetos a las perchas.

Cuando maese Rimbault hizo la señal, descendimos a una hondonada verde y oscura. Nos informaron que las garzas volarían directamente sobre nuestras cabezas al cabo de una hora, regresarían de las zonas donde se alimentaban. Todos tratábamos de descubrir a nuestros pájaros.

El mío era el último de la fila. Me puse la protección para el brazo y tomé a *Jeté*, un hermoso halcón blanco galés con la capucha llena de plumas y cascabeles.

—¿Deseáis cabalgar la primera? —me preguntó maese Rimbault cortésmente.

—¡Sí, gracias!

—¡Escoged una pareja!

—¡Yo iré! —se ofreció Hugo.

—Lo siento, ya lo habíamos acordado —dijo Rancon, sonriendo. Maese Rimbault dio su aprobación.

—¿Tenéis el blanco noruego? Excelente, el equipo nevado da buena suerte.

Rancon se acercó a mí.

—Oléis a miel —murmuró.

Sin mirarlo, desaté los cascabeles de mi halcón y lo sujeté por las garras. Se me subió al antebrazo, pesado como una roca, con las zarpas bien clavadas en la protección.

—Los halcones también son un símbolo erótico. —Rancon me sonrió.

—Sólo que comen carne, no miel.

—De todos modos, están dispuestos a morir por ello. —Su voz se convirtió en un susurro—. Yo también.

—¿Entonces sois un símbolo?

—Vuestro caballo, señora mía —dijo el mozo, pasándome las riendas.

—Permitidme. —Rancon me levantó por el lado de la caza.

Le sonreí desde lo alto.

—¿Habéis olvidado que he demostrado mi valía?

—Ha sido un lapsus pasajero. —Montó en su caballo.

—Las garzas aparecerán enseguida —advirtió Rimbault en voz baja—. Mejor que observéis al mozo.

Cual guerrero en el campo de batalla, Rancon miró entonces a nuestro vigía en la distancia. Yo hice lo propio.

El mozo señaló en silencio hacia el noreste.

—¡Una bandada! —susurraron varias voces detrás de nosotros.

Nuestras presas, dispuestas en forma de flecha, con los cuellos estirados, tiñeron de negro el cielo bermellón oscuro.

Nuestros caballos avanzaron como si fueran uno.

—¡Allí! —susurró Rancon.

—¡Sí!

—Un ave majestuosa, ¿eh? ¡Cacémosla!

Un fragmento escindido del cielo. Sobre nuestras cabezas, a casi trescientos metros.

—¡Ahora! —gritó Rancon—. ¡A la bandada!

—*À vol!* —canté.

Rápidamente lanzamos nuestras aves al aire. Echaron a volar directamente hacia el blanco. La garza ascendió graznando aterrorizada.

—¡Adelante! —Rancon espoleó al caballo.

Juntos galopamos como si también tuviéramos alas.

La garza volvió a graznar.

—¡Cuidado! —gritó Rancon—. ¡Va a soltar el buche!

Di un viraje para esquivarlo. Más ligera, la garza ascendió en espiral mientras los halcones la seguían de cerca, pero de repente quedó atrapada en una corriente de bajada. ¡*Jeté* se encorvó y la alcanzó! La sangre me cayó en la mejilla. La garza se echó a un lado, hizo un amago e intentó atacar.

Voló directamente hacia nuestros halcones pero no era fácil engañarlos. El galés atacó; la garza se desvió y cayó unos doce metros. Sangrando con profusión, la presa herida descendió en dirección al agua para buscar algún tipo de refugio.

Demasiado tarde.

El noruego atacó sobre un ala y la apresó; fue entonces cuando el galés le agarró el pescuezo. Rancon y yo galopamos para estar listos para la caída. Febrilmente, extrajimos palomas muertas de los morrales. Justo antes de que las tres aves entrelazadas cayeran al suelo, lanzamos las palomas a los halcones, que se abalanzaron sobre los restos sangrientos y soltaron a la garza. Sujeté la pihuela de los halcones mientras Rancon recogía el ave ensangrentada.

Rápidamente le cubrió el pico afilado con la funda, luego encapuchó la cabeza de la garza y, con un giro rápido de cuello, se acabó la caza.

—*Asusée!* —exclamó el grupo.

—¡Perfecto! —me congratulé.

Rancon miró el ave muerta.

—¿Os sentís como yo?

Asentí.

—Un ave majestuosa, Gracia, una ave azul majestuosa. Abatida.

Cabalgamos en fila india bajo una cúpula de árboles frondosos que creaban una noche artificial, si bien por encima de nosotros se apreciaban destellos de luz crepuscular. Avanzábamos con lentitud pues el camino era accidentado. Yo iba detrás de Rancon, y Amaria detrás de mí.

Rancon cantaba con voz melodiosa:

Quien no sabe cazar, corazón no tiene;
quien no sabe cantar, de arte carece;
quien no sabe amar, Gracia no tiene.
Que ningún hombre de mi condición se maraville
si la amo, no me lo reprochéis,
mi corazón con ningún otro amor se deleita
ni aquí en la tierra ni en el cielo.
Los soplos de Gracia me matan,
algo que sólo el amor puede contener;
caigo en círculos vertiginosos de las alturas
y me fundo en la Gracia antes de perecer.

«Gracia», la palabra clave sobre la que trataba la canción y empleada como siempre había querido mi abuelo, un juego sobre la similitud entre la exaltación religiosa y el éxtasis sexual. ¿Había estado en lo cierto? ¿Cómo iba yo a saberlo? No había experimentado ninguna de aquellas dos sensaciones. No obstante, él había sido el primero en apodarme «Gracia». Una profecía, había dicho. Era mejor poeta que profeta.

Sin embargo, la palabra había quedado enraizada como nombre y como símbolo en la canción. ¿Cuál era la intención de Rancon? Ese día se había mostrado atento, pero no más que cualquier otro de mis señores si me hubiera elegido. No debía deducir nada sino limitarme a gozar del momento. Intenté memorizar el suave sonido de los cascos de nuestros caballos, el crujido incluso más sutil de las monturas, el aroma intenso del follaje húmedo. Una luna fina y dorada estaba suspendida como una cimitarra en el azul ultramarino, acunando la estrella de Venus, el emblema de nuestro enemigo sarraceno. Oh, cielos, la vida era tan efímera y cabalgábamos tan rápido... ¿hacia dónde?

Avanzamos durante horas bajo la oscuridad creciente, todos en silencio. Los caballos resoplaban, daban traspiés en los surcos.

Se oyó una voz procedente de la penumbra.

—¿La reina de Francia se encuentra entre vosotros? El rey la busca.

—¡Está perfectamente a salvo! —contestó Hugo.

Nos detuvimos.

—Decidle que se presente —ordenó el guarda.

Espoleé al ruano para que avanzase.

—¡Reina Leonor! —La voz del guarda se oyó más cerca.

—¡Aquí, mi señor!

Las antorchas iluminaron la silueta pálida de Luis entre sus consejeros.

—Os saludo, mi señor —dije—. Habéis vuelto rápido.

—Antes de lo que esperabais —replicó Thierry de Galeran—. Reina Leonor, exigimos saber dónde habéis estado todo el día hasta estas horas.

—Pues conmigo, con todos nosotros —dijo Hugo con cierta agresividad—. Hemos dedicado el día libre a la caza y nos hemos perdido en estos bosques desconocidos de regreso al campamento.

Amaria añadió en un tono más agradable:

—Tenemos un par de garzas para la mesa del rey.

—El rey no come carne —espetó Thierry—, y la reina lo sabe perfectamente. Reina Leonor, tened la amabilidad de responder a mi pregunta: ¿dónde habéis estado?

—Don Hugo acaba de responder. —Rancon se colocó al frente—. ¿Dudáis de su palabra?

—La pregunta era para la reina.

Rápidamente me abrí paso entre los dos.

—¿Con qué autoridad retáis a mi capitán, conde Thierry? No lleváis corona, ni estamos casados. Apartaos de mi camino.

—Respondedme a mí, Leonor —dijo Luis desde su halo de luz.

—Ya habéis oído a don Hugo.

Pasé con altivez por su lado. Luis seguía siendo un hurón apestoso.

A la mañana siguiente ocupé mi puesto en la parte final de la comitiva mientras Luis viajaba entre los peregrinos. Aunque yo iba calzada, fui caminando.

Tras la comida del mediodía, cabalgué con el obispo Arnulfo de Lisieux, quien se deleitaba enseñándome los especímenes botánicos que encontrábamos por el camino. Le escuché con atención; era su mejor alumna, afirmó él, desde que había enseñado al joven Enrique de Normandía, que conocía todos los tipos de retama que florecían en aquel bonito ducado. Sonreí cortésmente, pues que me comparara con Enrique no era mucho mejor que lo hiciera con Luis.

10

Así pues, de nuevo más como reina de los franceses que como duquesa de Aquitania, entré cabalgando en Bulgaria, una parte de Grecia que tal como descubrimos rápidamente era territorio enemigo. Ni una sola vez se nos permitió entrar en las ciudades griegas; nunca pudimos comprar comida o grano por precio alguno. ¿La excusa de los griegos? Los brutos de los alemanes les habían enseñado el talante de los cruzados y no permitirían que les robaran por segunda vez. Debido al hambre se produjeron deserciones entre la chusma, y algunos hombres se convirtieron en criminales peligrosos. Todos sufríamos; el terreno estaba poco arbolado y la posibilidad de caza era nula. De todos modos, las damas nos vestimos de amazonas. Estábamos en Grecia, ¿no? Los griegos nunca llegaron a vernos, pero Luis estaba consternado: ¿cómo osábamos cabalgar con el pecho descubierto? (No lo llevábamos descubierto, sólo que las túnicas eran de talle corto.) ¿Cómo osábamos cubrirnos las piernas con botas doradas? (Reconocí nuestro error y rápidamente descartamos las «sandalias griegas», puesto que las tiras nos laceraban los pies y no parecían tener demasiado sentido, puesto que ningún griego nos veía.)

Todos nos sentimos aliviados cuando los pajes franceses gritaron «¡Constantinopla!» desde la parte delantera de la comitiva.

Me abrí paso entre los caballeros franceses para unirme a Luis y sus consejeros más cercanos allí en una colina desde la que se divisaba el estrecho. Al otro lado flotaba la legendaria Constantinopla, una medusa iridiscente con cientos de brazos extendidos para apresar navíos desprevenidos.

—Estamos esperando a nuestro guía, Demetrio —me informó Arnulfo—. Lo enviamos hace dos horas para avisar al emperador de nuestra proximidad.

Rancon subió a mi lado.

—¡Ahí está! —anunció Thierry, señalando a Demetrio, que se acercaba por barco.

Luis retrocedió. Despreciaba a ese griego, demasiado obsequioso, que llevaba una túnica que le revoloteaba alrededor de las piernas lampiñas y lubricadas. El mensajero se tiró al suelo ante el caballo de Luis.

—Rey santo, señor del mundo cristiano, el monarca más majestuoso de toda Europa y esperanza de toda la humanidad contra los saqueadores de Tierra Santa, yo os saludo. El emperador Manuel, gobernador de Bizancio y de la sagrada Iglesia ortodoxa, da con humildad su bienvenida a sus hermanos cristianos.

Se oyó el resoplido de un caballo.

—Ruega a vos y a vuestra graciosa reina que aceptéis su hospitalidad en el Filatium, su pabellón de caza.

Refunfuñé en voz alta. Luis y no nunca habíamos compartido aposento.

—Sin duda os habéis confundido —interrumpió Thierry—. El Filatium está fuera de las murallas de la ciudad, don Demetrio. Tenemos que reunirnos con el rey alemán, Conrado, dentro de Constantinopla. Tened la amabilidad de situarnos cerca de Conrado.

Demetrio alzó sus enigmáticos ojos negros.

—El Filatium es donde se alojó el rey Conrado mientras estuvo aquí.

—¿Mientras estuvo aquí? —repitió Arnulfo—. ¿Dónde se encuentra ahora?

—El rey Conrado se marchó hace tres semanas.

Se alzó un estallido de voces, aunque Demetrio reconoció no saber por qué se había marchado Conrado ni adónde se dirigía. Sí sabía, sin embargo, por qué el emperador mantenía a los cruzados fuera de Constantinopla. Los alemanes habían envilecido la ciudad con su comportamiento delictivo.

—¿Cómo osáis llamar delincuentes a los alemanes? —se quejó Thierry, aunque él había dicho lo mismo no hacía ni dos días.

Los alemanes habían robado en el gran bazar, se habían mostrado desdeñosos con los templos de la fe y, lo peor de todo, habían matado a dos sacerdotes.

Se acallaron las protestas. ¿Matado a dos sacerdotes? ¡Inexcusable!

—Decidle a vuestro emperador que somos franceses, no alemanes; decidle que nuestro rey es un santo —manifestó Thierry con voz temblorosa.

Demetrio se volvió más empalagoso si cabe.

—La primera obligación del emperador es proteger su ciudad.

Todos advertimos la doblez.

Rancon se acercó al griego.

—Si el emperador no ofrece la hospitalidad debida, don Demetrio, ¿qué hay de las otras condiciones? ¿Nos dará grano y comida para nuestra larga marcha?

Los ojos negros se tornaron más evasivos.

—No lo sé.

—En tal caso, sugiero que lo averigüéis de inmediato —espetó Rancon con frialdad. Mientras regresaba a su sitio, añadió entre dientes—: Vigilad vuestro oro.

—Debemos consultar entre nosotros —ordenó Thierry.

Me uní en silencio al corrillo de consejeros, pero la discusión se desarrollaba con el embrollo caótico de costumbre. Debíamos atacar Constantinopla de inmediato (no disponíamos de barcos para hacerlo); debíamos regresar a Europa y dejar que Conrado pereciera; debíamos seguir adelante con la esperanza de convencer al emperador. A pesar de las palabras incendiarias, la última sugerencia era nuestra única posibilidad.

Mientras cargábamos nuestras provisiones en las barcazas para cruzar a la otra orilla, Rancon volvió a acercarse a mí con sigilo.

—Acamparemos en la playa, cerca de vuestros aposentos. Debemos hablar.

—Tened cuidado —le advertí—. Demetrio nos acaba de decir que el pabellón de caza está rodeado por el jardín de animales salvajes, lleno de leones.

Le brillaron los dientes.

Al cabo de una hora descubrí que el pabellón disponía de aposentos separados, un problema menos. A lo largo de la noche, Luis estuvo hablando en su alcoba con los consejeros mientras yo escuchaba tumbada los animales que rugían al otro lado de la ventana.

Por la mañana vi que me aguardaba una carta de Raimundo.

Corrí a lo largo de la pasarela protegida que conducía al mar en busca de mis barones.

Le arrojé la misiva a Rancon.

—Leedla, por favor.

Escrita también en latín y con el lenguaje formal de un escriba, nos dirigía una advertencia clara. Bajo ningún concepto debíamos confiar en el emperador Manuel, el griego más pérfido que jamás había ocupado el trono. Nuestro éxito dependía de una fundada sospecha.

«No confiéis en los griegos —escribió—. No aceptéis nada de ellos; guardaos de su falsa simpatía.»

—¿Se la habéis mostrado al rey francés? —preguntó Rancon.

—No. ¿Debería hacerlo?

—Puesto que no tiene intereses en Antioquía, no tenemos motivos para compartir la información de Raimundo —dijo con frialdad.

Aimar tomó la carta.

—Disimulad también lo que sabemos de los griegos. Seguidles el juego.

—Si es que conseguimos ver a los griegos —añadió Hugo.

Rancon se acercó.

—Los veréis, señora mía, si es que alguien los ve. Cuando así sea, intentad comprar provisiones. Tomad, he hecho una lista con lo que necesitamos. Llevadla encima.

Lancé una rápida mirada a los artículos.

—¿Por qué tanto, Rancon? Con esto tendríamos para ir y volver a Antioquía.

Rancon se recostó, apoyándose en los codos.

—Mejor que sobre que no que falte.

—¿Por qué no comprar lo necesario por el camino? Así las bestias no tendrían que ir cargadas —sugirió Godofredo.

Rancon frunció el ceño.

—Vamos a entrar en una zona desértica sin forraje para nuestros caballos y quizá no haya donde comprar suministros. Me basta con que encontremos agua suficiente.

Me guardé la lista en el corpiño.

—Haré lo que pueda.

Era la primera vez que Rancon y yo hablábamos desde la cacería.

Durante esa misma hora, un mensajero entregó una invitación para que los grandes primos europeos entraran en la ciudad en las sextas a fin de reunirse con el emperador de todo Bizancio, visitar la ciudad con posterioridad y cenar en el palacio real.

Las campanas tocaron las sextas, se abrieron las puertas y espoleamos a nuestros corceles para avanzar, pero nos cerraron el paso.

Los mozos griegos nos ordenaron que desmontáramos y cabalgáramos sobre unos corceles dignos de nuestro cortejo, por cortesía del emperador. Todos nosotros nos sentimos insultados, incluso los clérigos en sus jamelgos, puesto que nos enorgullecíamos de nuestros animales; en Aquitania sólo cabalgábamos con los mejores alazanes españoles.

Nuestras nuevas monturas tenían las patas y el cuello cortos, como los ponis, la cara pintada con ojos desorbitados y ollares anchos, las crines y las colas engalanadas con cordeles de brillantes resplandecientes, las patas envueltas en bandas de seda de distintos colores con motivos en forma de rombo. Cuando empezamos a movernos, los animales brincaron y se menearon como si estuvieran bailando.

Nos olvidamos de las monturas en cuanto vimos, boquiabiertos, los edificios cuadrados de un blanco cegador, los jardines exuberantes y, sobre todo, las enormes estatuas que se alzaban cada pocos metros y que representaban a dioses paganos. Los sacerdotes se cubrieron los ojos ante la imagen de los genitales masculinos y luego los femeninos. Los restos de pintura chillona ponían de manifiesto que con anterioridad incluso habían sido más naturales; los ojos eran incrustaciones de lapislázuli.

Las calles amplias estaban tan limpias que observé a los graciosos animales que nos transportaban. Sí, llevaban unos bragueros sujetos bajo la cola. Estábamos flanqueados por una hilera de guardas de pie a lo largo del bordillo que parecían menos humanos que las estatuas, puesto que se asemejaban tanto entre sí como un enjambre de abejas: bronceados, cuerpos lampiños y brillantes ungidos con aceite, túnicas cortas de color púrpura, petos y cascos dorados, sandalias doradas acordonadas hasta las rodillas, narices romanas, ojos marrones y mandíbulas cinceladas.

En aquel momento estábamos en el Mesê, la famosa calle del mercado. Detrás de los guardas se extendía un bazar bullicioso con puestos y vendedores que ofrecían tapices, brocados, artículos de oro, latón y cobre, espejos con el dorso de plata, sofás, cojines y mesas. También había infinidad de animales que iban desde las bestias domésticas, como camellos, caballos y cabras, hasta las águilas blancas e incluso un pequeño antílope, que parecía un unicornio.

Enseguida llegamos al palacio de Blachernae. El patio estaba repleto de fuentes, azulejos, más estatuas —bustos de gobernantes— y jardines. Entramos en una enorme sala para audiencias dominada por una larga mesa dorada colmada de vestiduras con incrustaciones, espadas ornamentadas, lámparas, sillas de montar e incluso dos grandes gatos moteados, con collares de rubíes. El oficial que nos recibió nos dijo en latín que podíamos elegir entre los regalos expuestos, tantos como quisiéramos, aunque debíamos aceptar las disculpas del emperador porque había pocos. Tomé uno de los espejos de mano enmarcado en oro. Florine había estado en lo cierto, debía reconocerlo. A pesar de la dura autodisciplina que me había impuesto durante las últimas semanas, el rostro seguía resplandeciéndome con una luz reveladora. ¿No había logrado nada? Miré por encima del hombro, donde Rancon examinaba una lámpara. Sí, había evitado la posible muerte de mi capitán. Dios quisiera que pudiera seguir protegiéndolo de mi locura.

Cuando terminamos de elegir, entramos en una cámara en la que había una cortina púrpura que colgaba del techo al suelo. Sonaron unas trompetas, se oyó un gong y unos soldados bronceados descorrieron lentamente la cortina. Manuel Comneno, emperador de todo Bizancio, y su esposa, la emperatriz Irene, aparecieron ante nuestros ojos sobre una tarima púrpura situada a tres metros por encima de una escalinata dorada. Los clérigos sisearon.

El emperador Manuel tenía veintisiete años y estaba en excelente forma: dejaba entrever su espléndido cuerpo atlético, erguido y alto, por medio de unas astutas aberturas que iban del tobillo a la cadera. Tenía unos sorprendentes ojos azules (recordé que su madre era húngara), que parecían orificios vacíos en su rostro oscuro, como si el cielo se viera a través de ellos, labios delgados, la frente pequeña y el mentón como un talón. Su ajustada túnica era un campo florido bordado con piedras preciosas, la alta corona una serie de placas esmaltadas y brillantes. La expresión de su rostro presentaba la apariencia cultivada de las bellas artes.

Vi a Luis a través de los ojos vacuos y azules de Manuel, puesto que también tenía veintisiete años y supuestamente era un gran monarca. La túnica de peregrino manchada estaba casi transparente por el uso, llevaba la barba larga y descuidada como la de un ermitaño, tenía el pelo poblado de piojos. Físicamente estaba en forma debido a la larga marcha, pero ¿quién lo veía? Por lo menos no estaba llorando.

La emperatriz Irene de Bizancio era la mujer más hermosa que había visto jamás. Sabía que su nombre verdadero era Berta de Sulzbach, que se había casado recientemente y que estaba emparentada por matrimonio con el rey Conrado de Alemania, pero nunca había imaginado que tendría un rostro tan enigmático. Sus ojos, también azules, eran extraños y enormes, casi desconcertantes; la piel le resplandecía como la porcelana blanca; los labios, color rosa brillante, parecían una flor; el cabello rubio, bajo un abanico enorme con filigranas de oro, le caía en cascada en mechones rizados y trenzas hasta las caderas. Vestía una túnica de seda de color púrpura intenso, plisada con ampulosidad sobre el brazo al estilo romano. Bajó la mirada hacia nosotros con rostro inexpresivo.

Con una voz de barítono dulce y sonora, el emperador Manuel se dirigió a Luis en griego. Para sorpresa de todos, la emperatriz tradujo inmediatamente sus palabras al latín con una precisión académica, en voz alta. Daban la más cálida bienvenida a los soberanos de Francia, y el emperador concedía su permiso para que se postraran ante él.

Por primera vez, Luis y yo reaccionamos de igual modo: ¡Nunca! No éramos sus vasallos ni inferiores a ellos. No obstante, el obispo Arnulfo le susurró algo a Luis al oído, mi esposo me lanzó una mirada y los dos nos tendimos sobre los fríos azulejos de mármol. Aquél era el precio de mi pequeño espejo.

De nuevo palabras en griego, y luego en latín. Entendí que el emperador Manuel llevaría a los hombres a ver la Cruz Verdadera, así como otras maravillas, mientras la emperatriz Irene me acompañaba a mí y a mis damas a sus aposentos, llamados el *gynaikion*. Acto seguido, los gobernantes extendieron los brazos para ser guiados por las empinadas escaleras doradas.

Irene pasó por nuestro lado sin mirarnos siquiera, pero un guarda vestido de púrpura nos indicó que la siguiéramos. Mis amigas y yo nos apresuramos tras nuestra anfitriona, quien se agarraba con firmeza a sus sirvientes para mantener el equilibrio, recorría un laberinto de palacios dentro de palacios, cada uno de los cuales era lo bastante grande para dar cabida a todo el palacio de París: los techos eran altos como olmos, paredes con espejos que duplicaban el espacio, arañas de luces de amatista y perlas labradas, suelos embaldosados que representaban escenas de amor y guerra. Cientos de intrépidos soldados bronceados flanqueaban las paredes.

Finalmente llegamos a un jardín de rosas situado frente a un palacio púrpura estridente. La emperatriz se detuvo, y dirigiéndose a nosotras de espaldas, anunció con su latín aflautado que mis damas girarían a la derecha en el interior del palacio y que yo debía seguirla.

La emperatriz me condujo a sus aposentos, cuyas paredes y suelos estaban revestidos de azulejos dorados púrpura, y decorados con una docena de pieles de león que hacían las veces de alfombras y vestiduras.

—Traedme una bata blanca —ordenó la emperatriz, también en latín.

Uno de los soldados le ofreció una prenda holgada. Entonces, mientras se colocaba como una muñeca con los brazos extendidos, los hombres la desnudaron. Dos levantaron el alto tocado dorado y las trenzas rubias con él, por lo que se quedó con una cabeza normal, de cabello castaño sin brillo envuelto en una malla. Acto seguido, la sostuvieron mientras daba un paso adelante y dejaba unos zapatos de plataforma tras de sí. No era de extrañar que tuvieran que llevarla. A continuación, la túnica cayó a sus pies y quedó ¡totalmente desnuda! Los hombres ni se inmutaron. Uno sostenía una bandeja de ungüentos mientras el otro le limpiaba la cara con suavidad. La piel de porcelana se esfumó, así como los labios rosados como flores y las cejas artificiales. Tenía el cuerpo sonrosado y suave, los pechos especialmente bonitos, con pezones rosados y brillantes. Esperé que los pezones corrieran la misma suerte que los labios, pero no, eran un don de la naturaleza. Se enfundó la bata por encima de la cabeza y observé que los bajos coincidían exactamente con su altura real. Se le desprendió la cinta del pelo y los rizos le cayeron hasta media espalda. Hizo una señal a los sirvientes para que se marcharan y se volvió en mi dirección.

—¿Estáis ahí? —preguntó en francés—. Dadme la mano.

—¿No veis? —dije asombrada.

Se echó a reír.

—No hasta que se pase el efecto de la belladona. La utilizo para que parezca que tengo los ojos más grandes; tendríais que probarla.

La tomé de los dedos y nos sentamos juntas sobre una piel de león. La emperatriz me tocó el rostro.

—¿Sois tan hermosa como dicen?

—Depende de quién me contemple.

—Bien, pronto tendré mi propia opinión. —Dio una palmada y una orden en griego. Desaparecieron dos de los soldados para regresar acto seguido con una bandeja de higos secos. La emperatriz hablaba sin cesar. Me preguntó sobre todo por el viaje de ida, se interesó por Aquitania, y básicamente estuvimos hablando de trivialidades.

—Ahora os veo —dijo de repente—. ¡Sí, sois hermosa!

Su tono de voz me hizo bajar la cabeza. Había advertido lo mismo que Florine, no cabía la menor duda.

En cuanto recuperó la vista, cambió de actitud. Dio otra palmada y todos los hombres salieron de la estancia.

—Se supone que los eunucos son de absoluta confianza, pero nunca se sabe, y deseo hablaros en privado.

—¡Eunucos! ¿Son eunucos? ¡Pues sí que hay! —Me estremecí sin querer. Para mí, los eunucos siempre estarían asociados a Thierry, el asesino.

—Es el sexo que aquí más domina. Los hombres ambiciosos quieren ser eunucos, ya que gozan de oportunidades especiales en el ámbito militar, en los coros de las iglesias y, por supuesto, para trabajar en las casas de los grandes. Son incorruptibles, y su pérdida se compensa con el beneficio material.

—Hombres, mujeres y eunucos —dije con incredulidad—. En casa, nosotros...

—Hombres, mujeres, eunucos y pederastas —me corrigió—. Y unas cuantas mujeres de Lesbos que prefieren a las mujeres, aunque suelen mostrarse muy discretas al respecto.

Conocía bien la sociedad en la que yo vivía, puesto que también había sido la suya. ¿Aceptaba la moralidad bizantina? Por supuesto, la mitad de los hombres de mi país también eran eunucos, sólo que por decisión propia, y los llamábamos «monjes». También ellos recibían excelentes recompensas aunque no podía decirse que fueran incorruptibles. La diferencia entre nuestros respectivos países, imaginé, era la situación de las mujeres. En un lugar en que los hombres deben renunciar a sus impulsos naturales, las mujeres se consideraban malvadas, lo cual propiciaba el sacrificio. También era aplicable a la inversa. Si la pasión era perniciosa, algunas mujeres negaban su propia bestialidad con la débil esperanza de evitar esa imagen tan terrible. Teníamos monjas y a unas cuantas mujeres profesionales entre los pobres, pero la amplia mayoría eran esposas frígidas. Con mucha frecuencia había escuchado la historia en boca de Dangereuse, quien afirmaba que la esposa del abuelo, la madre de mi padre, había sido una de esas mujeres.

¿Irene era feliz con Manuel? No podía preguntárselo directamente, pero de todos modos me lo planteaba. Hacía dos años que había llegado allí para probar suerte, y el año anterior se había casado. Sí, su hermana estaba casada con el rey Conrado de Alemania, pero ella nunca había conocido al rey.

—¿Ni siquiera cuando estuvo aquí en Constantinopla?

—El emperador no tenía motivos para recibirle y yo no quiero ni verlo. Tiene más de cincuenta años y mi hermana dieciséis.

El enfoque de mis preguntas cambió. ¿Conrado no había visto al emperador Manuel? ¿Cómo había comprado suministros el rey alemán? ¿Acaso se había marchado de forma repentina por ese motivo?

Pero ella tenía otros motivos para desear mi compañía.

—Tengo una propuesta comercial, mi querida reina. Gobernáis en vuestro ducado, ¿no es cierto?

—Sí. —Con la injerencia considerable de Suger.

—¿Y comerciáis con Oriente a través de Burdeos?

—Sí, aunque menos de lo que desearía.

—¿Querríais comprarme seda?

—¿De Grecia, os referís?

Cambió el tono de voz.

—He dicho a mí: poseo mis propios telares. No os sorprendáis tanto, todas las emperatrices que me han precedido poseían y gestionaban su propia empresa, y a mí me encanta la seda. Ha sido un proceso difícil, pero he conseguido importar los mejores gusanos de China. ¿Os interesa?

—El intercambio será mutuo, emperatriz Irene; os compraré seda a mi regreso si ahora me vendéis lo que necesito. —Recité la lista de granos y suministros que me había dado Rancon.

Se echó hacia atrás con ojos vidriosos, y no por la belladona.

—Tendré que consultarlo con el emperador. Sois sobrina del príncipe Raimundo y debéis saber que mi señor quizá tenga ciertas reservas.

—Sin lugar a dudas, el rey de Francia también mirará con recelo el trato que hago con vos, pero habréis observado que no voy a pedirle permiso. ¿Por qué debíais hacerlo vos? Me ha parecido entender que los telares eran vuestros.

La emperatriz vaciló.

—¿Sabréis mantenerlo en secreto?

—Por descontado. Tengo buenos motivos.

Me escudriñó con mirada penetrante.

—Mi situación en Grecia es un poco distinta de la vuestra, por lo menos tengo que fingir que consulto a mi señor. Creo que él podría venderos algo, aunque no todo lo que pedís; yo me limitaré a compensar la diferencia.

—¿Cuándo?

—Pasado mañana.

Enviaría a Rancon al almacén designado. Firmé un pagaré para comprar seda por una cantidad mayor a la cifra correspondiente por el grano y los alimentos, pero daba igual.

Irene me sorprendió.

—No habéis pedido suficiente para cubrir vuestras necesidades.

Había pedido exactamente lo que Rancon recomendaba, que ya era más de lo que yo había juzgado necesario.

—¿Para cruzar Anatolia? Me han dicho que, como máximo, se necesitan cuatro semanas de viaje para llegar a Antioquía.

Me miró fijamente con expresión astuta.

—Permitidme que decida: recibiréis más de lo que pedís, y sin pagar. Prefiero que no quede constancia de ello. Bueno, ¿me permitís que os ofrezca un baño antes de vestirnos? Y venid, voy a elegir un vestido adecuado para el banquete.

Mientras me vestía, me congratulé. Había cumplido la misión de Rancon en un solo día y había descubierto que el poderoso imperio Bizantino era un mundo nuevo y más tolerante que el que yo conocía en Europa. ¿Podía incluso decirse que era un mundo más sensato? Había mucho para reflexionar.

11

Cuando entré en la sala del banquete, Luis empezó a persignarse
como un poseso. Iba maquillada para parecer la gemela de Irene (sin la
belladona), me habían dispuesto el pelo para que formara una cascada
de rizos y trenzas, y los collares de perlas de gruesas vueltas me caían
casi hasta las rodillas.

En realidad el vestido, de dos capas, era modesto, pero la ligera seda roja de la pieza exterior era de estilo griego, sobre una túnica de color rosa pálido, como la piel, por lo que desde cierta distancia parecía
que iba desnuda. Aunque me producía un placer perverso provocar a
Luis, el rey francés no era mi principal objetivo.

La mesa de oro macizo tenía forma de T, los gobernantes estaban
situados donde se unían las dos barras, las damas a la izquierda de Irene, Luis y los señores franceses a la derecha de Manuel, el clero en la
larga barra central.

El banquete empezó con una oración tediosa en griego que pro-
nunció el patriarca de Constantinopla, seguida de un breve y extraño
cántico interpretado por los eunucos con sus voces tenues; después de
rendir homenaje a la religión, la cena devino un festín dionisiaco. Un
eunuco se inclinaba detrás de cada comensal para ofrecer bandejas de
exquisito oro, copas de vino de un cristal tan delicado como las burbujas, aguamaniles de cristal, cucharas y cuchillos de oro y un curioso
instrumento con dientes llamado tenedor. La mayoría de los clérigos
desdeñaban este instrumento a favor de los dedos, y un caballero rompió accidentalmente una copa de cristal con los dientes.

Sin embargo, la comida servida de forma tan deliciosa resultaba casi
incomible, y me pregunté si en la zona habría escasez de caza. El cordero, servido con ajedrea y un grano llamado arroz, era comestible mas
no una masa negra y gelatinosa llamada caviar, que resultaba demasiado

salada y con sabor a pescado, ni unos tallos largos y mustios llamados espárragos, que olían como si los hubieran hervido en orina, ni las hojas de una hierba insípida llamada lechuga, ni las ranas fritas con queso de cabra... hubiera preferido comer serpientes. Me sentí aliviada cuando nos presentaron un pesado cesto de oro con un carrito por encima de nuestras cabezas y cada uno de nosotros pudo servirse frutas exóticas, como bananas y piña. Con cada plato había un cambio de vino.

El emperador Manuel se inclinó hacia delante para hablarme a través de Irene.

—Decidme la verdad, reina Leonor, ¿qué tal son nuestros vinos en comparación con los franceses?

—Los vuestros son mejores que los de Francia, pero no me preguntéis por Aquitania.

Asintió con una sonrisa. Supuse que Irene había censurado mis palabras. Luis se inclinó hacia delante al otro lado de Manuel y frunció el ceño con expresión amenazadora. ¿Acaso pensaba que había insultado los vinos franceses?

Empezó el espectáculo. Las mujeres turcas bailaban boca abajo sobre las manos y movían los dedos de los pies con mucho talento, luego bailaban erguidas con movimientos licenciosos del torso; nuevos instrumentos musicales, como la cítara y una curiosa gaita, acompañaban los cantos polifónicos, los primeros que había oído. Lo más intrigante fue un espectáculo de juguetes mecánicos, la colección privada del emperador, y nos maravillamos ante los ruiseñores de plata, las alondras y canarios cubiertos de piedras preciosas, los soldados con tambores, incluso un órgano automático. Irene me dijo que los habían diseñado los romanos y, hasta el momento, nadie había sabido repetir sus secretos mecánicos.

Irene desvió mi atención de los juguetes al emperador.

—Desea daros un ejemplar singular de Galeno, el famoso médico —me dijo—. Tiene la mejor biblioteca médica del mundo.

Asentí como muestra de gratitud hacia Manuel.

La fiesta se dio por concluida.

Luis me ignoró hasta que llegamos al pabellón de caza, donde ordenó con frialdad a mis damas que se marcharan de inmediato, pues tenía que hablar con su esposa a solas.

Habló con la mandíbula apretada, como si estuviera ahogándose.

—¿Cómo osáis deshonrar nuestra cruzada? ¿Os dais cuenta de que habéis mancillado nuestra reputación para siempre?

—No sé a qué os referís —dije con recelo.

—¡Presentarse en el banquete medio desnuda! ¡Exhibir el pecho ante nuestro enemigo! ¿Es que no me tenéis ningún tipo de respeto, ni siquiera a nuestra sagrada misión?

Capté el mensaje.

—¿Por qué decís que los griegos son nuestro enemigo?

Fingió sorpresa.

—Sabéis exactamente a lo que me refiero, mi señora. ¡Cualquiera que conozca tan bien al emperador como vos debe de haber oído hablar de su tratado con los sarracenos!

—¿Qué tratado? Dejad de actuar, Luis, y decidme lo que sabéis.

Con su mal genio característico, consiguió decir que tres meses antes de nuestra llegada, el emperador Manuel había firmado un tratado de paz con los turcos, en el que accedía a conceder partes de la península de Anatolia. Los griegos se habían limitado a capitular ante el enemigo. Y lo más condenatorio: Manuel había prometido a los turcos que no ayudaría a los cruzados.

—Ya lo veis, todas esas excusas sobre el comportamiento del ejército alemán eran un burdo engaño.

—¿Dieron los griegos algún motivo para su perfidia?

—Por supuesto, si es que queréis creer a unos mentirosos. Dicen que los cruzados llegaron demasiado tarde a ayudarles; lo estaban perdiendo todo a manos de los turcos. Cederles parte del territorio fue un esfuerzo para conservar lo que quedaba.

—¿Y no les creéis?

—¡Nunca! ¿Confiar en un griego? Y luego veros, a vos la reina de Francia, mostrándoos como os habéis mostrado. ¡Cómo habéis hecho babear a ese traidor bizantino!

—He sido cortés, Luis, nada más. Si deseabais que me comportara de otro modo, podríais haberme informado del tratado con anterioridad.

—¿Cuándo he podido yo controlaros? ¡Pero menudo vestido! ¡Ibais casi desnuda!

—Irene insistió en vestirme.

—¡No deseabais encandilar a la emperatriz! ¡Esos velos eran para seducir a Manuel! ¡Me sorprende que no bailarais!

—Si alguna vez hago de Salomé, señor mío, ¡llevaré vuestra cabeza en la bandeja!

Lo empujé fuera de mi alcoba.

Al cabo de dos días, el emperador Manuel congregó a los prebostes de la cruzada en el palacio de Blachernae para efectuar un anuncio serio. Aunque todos decían que la reunión debía de ser una trampa, nadie faltó a la cita. El emperador entró con brío, sin fanfarria ni pompa, y nos informó que acababa de recibir un mensaje del rey Conrado.

Nuestro grupo se sorprendió, pues era lo último que imaginábamos.

El rey Conrado había decidido tomar la ruta más corta a Jerusalén, por la que se tardaba sólo una semana, cruzando el monte Cadmos. Al pie de la montaña se había encontrado con los turcos y habían entablado una cruenta batalla. Los alemanes habían matado a catorce mil turcos, una derrota aplastante, y no habían sufrido prácticamente bajas. El rey de Alemania había obtenido una victoria importante; la cruzada pronto terminaría. Mientras permanecíamos en Constantinopla, el rey Conrado marchaba hacia Jerusalén para asestar el golpe final.

Los cruzados recibieron las noticias con estruendo. ¿No había pedido el Papa que todas las naciones cruzadas marcharan juntas, que todas compartieran la gloria? ¿Por qué no se habían tomado más en serio el primer acto traicionero de Conrado, marchar de Constantinopla sin los franceses?

—¿Cuántos turcos quedan todavía en Anatolia? —preguntó a Manuel el duque de Borgoña.

El emperador consultó a un oficial.

—No lo sabemos, pero no muchos. Los turcos suelen negarse a entablar combate tras una derrota. No deberíais tener dificultades.

—¡Marcharemos hacia Jerusalén de inmediato! ¡Preparaos para navegar hacia Asia Menor hoy mismo! —ordenó el duque de Borgoña.

Los vítores resonaron en el palacio de Blachernae.

Manuel accedió a prestarnos navíos para cruzar los Dardanelos.

—¡Tomaremos la delantera a los alemanes! —bramó alguien.

—¡Gloria a Dios!

Me acerqué a mis señores, que se encontraban en la parte posterior.

—¿Qué opináis?

—Espero que Conrado nos aguarde en Antioquía —dijo Hugo.

Rancon frunció el ceño.

—Mejor conformarse con que llegue a Antioquía.

Le escudriñé el semblante.

—Tío Raimundo nos previno contra los griegos. Quizá no supiera lo de los alemanes.

Tardamos el día entero en trasladar nuestra manada de caballos hasta el embarcadero, y luego los carros con suministros recogidos en el último momento. En cuanto hubimos cruzado al otro lado, donde la península seguía siendo griega, si bien las colinas situadas más allá podían ser turcas —las fronteras eran imprecisas después del tratado de Manuel—, extendimos nuestras esteras bajo las estrellas. Al volver la mirada hacia el agua oscura, Constantinopla, con sus torres y minaretes, quedaba claramente perfilada bajo la luz de la luna. Apenas la había visitado, me había perdido el hipódromo, la Cruz Verdadera, la biblioteca de Manuel, tantas maravillas.

Me desperté antes del amanecer.

—Señor nuestro Dios que estáis en los cielos, que recompensáis a los dóciles y amáis a los pobres, os rogamos que escuchéis nuestra humilde plegaria... —Luis se dirigía a los peregrinos, encaramado a un cajón para transportar el grano.

Mientras farfullaba, nos preparamos para la cabalgada.

Al cabo de una hora, el rey se santiguó por fin y dijo:

—Amén.

—¡Caballos a la vanguardia! —gritó Rancon.

Los hombres de Aimar condujeron nuestras monturas hacia delante.

—¡Aguardad! —ordenó Luis alzando las manos—. ¡Quedaos donde estáis! ¡Tenemos que elegir un jefe!

Hugo puso los ojos en blanco.

Tras una hora de fútiles disputas, Luis volvió a subirse al cajón.

—¡Hoy no cabalgaremos! —vociferó—. ¡Montad las tiendas! Debo esperar la llegada de mi tío Felipe, conde de Maurienne.

¿Qué era aquello? ¿Íbamos nosotros a esperar mientras Conrado se dirigía rápidamente a Jerusalén? Me abrí camino hacia mis señores, que estaban rodeados por los franceses y los templarios, mientras todos ellos hablaban con seriedad. Antes de que tuviera tiempo de escuchar sus puntos de vista, Thierry me dio un golpecito en el hombro: Luis me exigía que levantara el pabellón cerca del suyo. Muy enojada, di órdenes a los aquitanos de que acamparan en círculo a mi alrededor.

Cuando por fin regresé junto a mis señores, Godofredo, el encargado de nuestros suministros, estaba hablando con Rancon.

—Sólo Dios sabe lo que este retraso nos costará en grano.

—Si Maurienne viene dentro de dos semanas, no nos pasará nada —señalé—. Tenemos suministros para seis semanas y, si vamos por el monte Cadmos, sólo necesitaremos los de una semana.

—Suponiendo que Maurienne venga realmente —replicó Rancon.

—¿Creéis que ha desertado?

—Dijo que el Mediterráneo era la ruta más rápida. ¿Por qué no está aquí?

¿Y cuánto tiempo esperaríamos? Era la pregunta que nadie se atrevía a formular.

—Si el rey Conrado evita Antioquía y va directo a Jerusalén, el príncipe Raimundo está condenado —terció Hugo.

—Estamos todos condenados si esperamos demasiado tiempo y no sólo por culpa del grano o el rey Conrado —advirtió Rancon en tono alarmante—. Ya estamos en la tercera semana de octubre.

Hugo se encogió de hombros.

—Aquí, octubre es distinto. Estamos más al sur, seguro que los inviernos no son tan crudos.

—O quizá sean más crudos —replicó Rancon—. Pasaremos por puertos de montaña donde quizás haya un invierno permanente.

Ninguno de nosotros lo sabía y, en cualquier caso, no podíamos hacer nada.

Rancon montó un campo de batalla al día siguiente, delimitándolo con rocas, y desplazó a un pastor con sus cabras. A partir de aquel día, todos los hombres del ejército aquitano tenían que luchar, hacer amagos, empujar caballos cargados por pendientes inclinadas, disparar flechas y practicar el combate cuerpo a cuerpo. Los franceses, al reconocer las ventajas de tener a los hombres dispuestos para la batalla y entretenidos, enseguida montaron sus campos.

Al cabo de dos semanas llegó un navío sin Maurienne que no obstante trajo cartas. Suger escribía que no podía enviar más dinero a Luis, pues ya había recaudado lo suficiente para la totalidad del viaje, ¿qué había sido del dinero? Luis no me informó, por supuesto, pero Suger también escribió que María me echaba de menos. ¿Por qué no volvía a Europa en barco mientras podía? El arzobispo Godofredo de Burdeos envió un arcón de hierro con un tesoro para ayudarme, que Luis vio descargar del barco.

Rancon y sus barones se quedaron abatidos ante el nuevo retraso y cada vez se mostraban más pesimistas con respecto a Maurienne, cuando, transcurridas tres semanas, llegó acompañado de su ejército. No había ocurrido nada que explicara su retraso, salvo que había tardado más de lo que había imaginado en un principio. Luis estaba rebosante de alegría. ¡Dios había premiado su paciencia! Maurienne no se dejó afectar por la intervención divina y habló aparte con Rancon. ¿No era muy tarde para cruzar las montañas de Anatolia? Rancon reconoció que estaba preocupado. El asunto se sometió a debate; iríamos de todos modos.

Sin embargo, antes debíamos adquirir más provisiones: habíamos comprado para un mes, habíamos esperado un mes. Los franceses estaban especialmente necesitados, puesto que Luis daba de comer a los peregrinos todos los días, pero nos preparamos para regresar a Constantinopla. Luis envió a varios compradores, entre los que se incluía a Arnulfo de Lisieux, y yo envié a don Godofredo; todos regresaron con las manos vacías. ¡Manuel había duplicado el precio de sus bienes! Los franceses no tenían dinero suficiente, y yo no les había dado bastante.

—Congregad a todos ahora mismo —ordené.

Mis barones llegaron enseguida.

Deposité una bolsa con mi nuevo oro en manos de Rancon.

—Llevadla a vuestra tienda, escondedla en el suelo y luego regresad a por más.

La tomó sin mediar palabra. Le di a Guido una cantidad similar. Cuando me hube deshecho de todos los paquetes, señalé hacia un pesado arcón.

—Extraed mi tesoro.

Hugo y sus corpulentos compañeros obedecieron mis órdenes.

—Ahora tomad todo lo que podáis llevar oculto entre la ropa y no seáis recatados con respecto a donde lo escondéis.

Las mujeres se deslizaron monedas por entre el pecho y se ciñeron los cintos de forma que las monedas no cayeran al suelo, luego se levantaron los faldones y se cargaron las medias al máximo allí donde no se veía. Los hombres hicieron otro tanto y se llenaron también las botas y los cascos.

Al final todos se alejaron de mi tienda, caminando con afectación. Rancon regresó justo cuando entraban Luis y Thierry.

—Voy a requisar vuestro tesoro, señora mía, puesto que pertenece a Francia legítimamente —anunció Luis sin mirarme.

—Según nuestro contrato nupcial, me pertenece a mí —le recordé.

Sin prestar atención, Thierry levantó la tapa del arcón; la mitad de las monedas había desaparecido.

—¿Tanto habéis gastado? —preguntó Luis, torciendo el gesto.

—Al igual que vos, mi señor, este mes he tenido que abastecer a mi ejército.

—Pero no hacéis contribución alguna para nuestros devotos peregrinos. —Me miró con rostro burlón—. ¿Dónde está el dinero que recibisteis de Burdeos?

—¿Qué dinero? Pedí vino y me lo enviaron en cajas.

Thierry chasqueó los dedos y aparecieron varios subalternos con bolsas para llenarlas de monedas.

Los observé con frialdad.

—¿Debo suponer, mi señor, que de ahora en adelante daréis de comer a los aquitanos además de a los peregrinos?

—Dios proveerá.

—Lo cual no responde a mi pregunta.

—Podéis hacer cola con los mendigos, señora mía —dijo entre dientes.

—¡Antes mendiga que ladrona!

—¡Sois mi vasalla! ¡Lo que es vuestro me pertenece! —Hablaba en un tono cada vez más agudo.

—¿Desde cuándo una reina es vasalla?

—De ahora en adelante, se os prohíbe asistir a nuestras reuniones sobre política. En este país traicionero, debemos extremar las medidas de seguridad.

Rancon se interpuso entre nosotros, airado.

—¡No podéis aislarnos! ¡Los aquitanos debemos saber el plan del día, mi señor!

Luis lo miró, entrecerrando los ojos.

—¿Quién sois?

Mi pabellón estaba a oscuras, pero era posible que Luis nunca se hubiera fijado en la persona de Rancon.

—Ricardo de Rancon, el capitán del ejército aquitano de la duquesa, e insisto...

—¡Seguiréis a vuestro jefe!

—¡Si estoy obligado a seguiros, debéis informarme de vuestra estrategia!

—¡Debéis seguir a Dios! ¡Dios es nuestro jefe! —Luis paseó la mirada de Rancon a mí, y luego de nuevo a Rancon, antes de salir del pabellón.

—¡Por el amor de Dios, Rancon! ¿Por qué habéis discutido? —inquirí.

—¡Porque el aislamiento es intolerable, maldita sea! ¡Tenemos que estar al corriente de los planes!

—Sospecho que los clérigos se han hecho con el poder.

Rancon dio una patada en el suelo.

—¿Es que nadie va a poner freno a esta locura?

Godofredo tomó a Rancon del brazo.

—Enrique de Champaña me dijo que el rey planea ir por el monte Cadmos, la ruta más corta. Sea corta o no, debemos comprar suministros.

Me senté a la mesa.

—¡Escuchad! ¡Tengo una idea!

Rápidamente le escribí una nota a la emperatriz Irene ofreciéndole todo mi oro nuevo y las joyas para que las vendiera en el mercado, y pidiéndole más crédito.

Aquel día, al caer la tarde, Rancon y los hermanos Lusignan se disfrazaron de peregrinos y embarcaron en un pequeño bajel para dirigirse a Constantinopla. Llevaban oro macizo y joyas en los morrales, en las manos, angevinos para sobornar. Regresaron justo antes del amanecer con una flota de barcos pesqueros cargados de suministros. Repetimos la operación tres noches seguidas, y la última trajeron dos pequeños caballos árabes como regalo de la emperatriz Irene.

—Parece ser que Raimundo se equivocó con los griegos —declaró Rancon con voz cansina.

—Es que Irene no es griega, es de Sulzbach —señalé—. Y las mujeres no necesariamente siguen la política de sus esposos.

—Gracias a Dios —convino con fervor.

—De hecho, el intercambio no la ha beneficiado, Rancon. Todavía me queda la mitad del tesoro. No será griega, pero le gusta obtener beneficios. ¿Estáis seguro de que sumasteis bien la cantidad?

—Yo sabía que estaba haciendo un regalo. —Hizo una pausa.

—¿Y? Me ocultáis algo.

Ensombreció el semblante.

—Espero que no sea para acallar la voz de su conciencia.

Al cabo de dos días, formamos de nuevo nuestras filas, con Luis al frente. Además del medio día que habíamos empleado para elegir jefe, desperdiciamos otro medio con rezos, y era casi la hora nona cuando nuestros caballos ascendieron lentamente por las primeras estribaciones. Al llegar a la cima, miré por encima del hombro para ver Constantinopla por última vez, el último reducto europeo. La ciudad resplandecía a lo lejos y luego se fue difuminando lentamente. Parpadeé.

Cada vez estábamos más inquietos. Escuchaba comentarios llenos de preocupación. ¿Qué hora era? ¿Llovería? Mamile avanzaba a mi lado por el estrecho camino.

—El sol se oculta, Gracia. Oh, Dios mío, es un augurio terrible, de verdad.

Alcé la vista, resguardándome los ojos con la mano, y vi una sombra curva al borde de la esfera blanca. Aparté la mirada.

—¡Tened cuidado! —ordené—. ¡Os dañaréis los ojos!

¡Los sacerdotes exclamaron aterrorizados que era el día del Juicio Final! Todos se echaron a llorar, suplicaron clemencia, confesaron sus pecados. Mamile pareció perder el conocimiento.

—¡Aquiles! —llamé a mi señor más cercano—. ¡Ayudadme!

Sujetó a Mamile por la cintura justo a tiempo.

—¡Preparaos para morir!

—¡Rezad por vuestras almas!

El pánico iba en aumento. Aparecieron estrellas en los cielos ennegrecidos; los cruzados se convirtieron en voces incorpóreas.

Rancon se acercó a mí por el sendero.

—¿Estáis bien?

—Es un eclipse, ¿no?

—Sí, no durará demasiado. —Y desapareció.

Un fenómeno natural, pero los quejidos, los suspiros, la desolación, la asombrosa oscuridad puso de manifiesto el lado demoníaco de muchos. Por primera vez sentí miedo, temía no ya el desierto oscuro que me rodeaba sino la naturaleza humana. Cuando una hora después emergió una luz del sol pálida y enfermiza, y los sacerdotes dieron gracias a Dios por su clemencia y volvieron a montarse en sus jamelgos, mi melancolía no se disipó.

En la parte delantera alguien empezó a cantar el himno de los cruzados, sólo que ahora no olíamos la fragancia de la zanahoria silvestre, ni el suave chacoloteo de los caballos sobre la turba agradable. Sólo el movimiento rápido de una lagartija mientras las águilas ratoneras volaban en círculo sobre nuestras cabezas, a la espera.

Quizá Luis estuviera en lo cierto; tal vez necesitáramos que Dios nos guiara.

12

Siguiendo el consejo del emperador Manuel, decidimos comprar comida en Nicea antes de iniciar la larga marcha a través del monte Cadmos. Aunque Manuel nos había asegurado que la pequeña ciudad era rica y agradable, nadie acudió a recibirnos. Tampoco vimos ninguna señal de vida.

—¿Dónde está la gente? —preguntó Mamile con temor—. ¿Muertos en la oscuridad?

—Lo dudo, querida —la consolé—. Probablemente pastando las cabras, o cazando.

Para cuando hubimos cruzado toda la ciudad, sabíamos que los habitantes habían huido y se habían llevado todos los artículos valiosos. No vimos ni un caballo, ni una cabra ni un pollo; habían tapado hasta los pozos.

—Raimundo tenía razón acerca de los griegos —murmuró Rancon mordazmente.

En el extremo más lejano de la ciudad encontramos un lago donde pescamos algo para la cena. En nuestro campamento aquitano sólo montamos mi pabellón para que mis damas descansaran, sobre todo Mamile.

Más tarde comimos en silencio alrededor de la hoguera.

—De todos modos —dijo Hugo escupiendo una espina de pescado—, podemos esperar cualquier cosa durante siete días, si Manuel estaba en lo cierto con lo del monte Cadmos.

—Le creo. Esta mañana he hablado con nuestro guía, Titos —nos aseguró Rancon—, y dice que hay una ruta transitada por la cima. Abundan los arroyos y ríos y la hierba crece en los valles de alta montaña. Llegaremos a Antioquía en siete días, os lo prometo.

—Manuel dijo Jerusalén —le recordé.

—Antioquía está de camino.

—¿Qué ha sido eso? —preguntó Mamile desde la esterilla—. ¡Escuchad! ¿Lo oís?

—Nada, querida —respondió Amaria—. Tomad un poco de pescado y pan.

—Yo también lo he oído. —Me levanté con inquietud—. ¡Escuchad!

Un aullido grave, un crujido.

—¡Un animal! —dijo Godofredo—. Una especie de lobo, diría yo.

—¡Es humano! —Rancon se acercó a la pila de armas situada en el exterior de la tienda.

Todos los señores corrieron a por sus armas. En el interior esperábamos expectantes el fragor de la batalla. ¿Habían atacado los sarracenos? Oh, cielos, qué mal preparados estábamos.

—¡No hay peligro! ¡Son amigos! —exclamó Rancon.

—Quedaos aquí —ordené a mis damas.

Me abrí paso entre peregrinos y caballeros medio armados, y di palmadas en las grupas de los caballos para llegar a la parte delantera. Allí, bajo la tenue luz crepuscular, Luis y Thierry hablaban con una figura vestida de blanco. Rancon y el duque de Borgoña estaban junto a ellos.

Tras la figura, más de un centenar de hombres barbudos con túnicas blancas hechas jirones se balanceaban adelante y atrás como si fueran a desvanecerse. Algunos iban vendados; todos estaban ensangrentados. Reinaba un silencio inquietante.

El viejo que estaba más adelantado habló con voz grave y gutural.

—*Ist hier Frankreich?*

—¡Que Dios nos ayude! ¡Habla en alemán! —exclamó el obispo Arnulfo—. ¿Sois vos el rey Conrado?

De hecho era el victorioso rey Conrado, nuestro intrépido aliado alemán, que había matado a catorce mil turcos en el monte Cadmos.

Entonces salió a la luz la verdadera historia. A los alemanes les habían dicho que el viaje a Jerusalén duraría siete días, lo cual era falso. ¡Tardaron siete días en llegar al primer río! Puesto que no llevaban agua (y nosotros tampoco), estaban sedientos y a punto de morir. Se habían abalanzado hacia el río para beber.

¡Y habían encontrado la muerte! Miles de turcos les habían atacado desde detrás de las rocas. Para cuando se marcharon a caballo, ciento cincuenta mil alemanes yacían en charcos de sangre al pie de la montaña. Sólo habían sobrevivido aquellos pocos hombres que ahora estaban en nuestro campamento. Por la gracia de Dios, el rey Conrado estaba vivo.

¿Acaso los griegos habían conspirado con los turcos? ¿Habían enviado a los alemanes hacia la emboscada a propósito?

El rey Conrado habló con vehemencia.

—*Ja! Ja!* —No cabía la menor duda. Su guía griego había luchado en el bando de los turcos.

—¿Dónde está Titos? —Rancon se dio la vuelta—. ¡Titos! ¡Titos! Buscamos por el campamento, nuestro guía griego había desaparecido.

Excluyendo a los aquitanos a propósito, Luis llevó al rey Conrado a su tienda, donde él y sus consejeros urdirían nuevos planes. Hice ademán de seguir a Luis, pero Rancon me frenó.

—Las posibilidades son limitadas. Deberíamos decidir la ruta en este momento.

En el interior del pabellón, Rancon extendió un mapa sobre mi mesa mientras Amaria sostenía una vela de junco en alto: si no íbamos por el monte Cadmos, sólo quedaban dos rutas alternativas.

—La costa —concluyó Rancon rápidamente—. Más larga, pero más segura, y bien marcada.

—Si es Grecia. No olvidéis que Manuel cedió parte del territorio de Anatolia a los turcos. ¿Cómo sabemos qué territorio? —inquirió Hugo.

—Los griegos conservarían la costa por motivos económicos y estratégicos. No se me ocurre de qué les servirían las tierras desérticas del interior, salvo para aplacar a los turcos. De todos modos, mirad cómo serpentea aquí la costa, ¿no lo veis? —Todos se inclinaron hacia delante—. Eso duplica la distancia. Si tomamos la ruta más larga, Godofredo, ¿tendremos suministros?

—Para cinco semanas y media. Y eso siendo optimistas.

Rancon dobló el mapa. Cabalgaríamos en estricta formación: Rancon a la vanguardia con la mitad de los otros señores y las bestias, las mujeres, los carromatos, luego los hombres de a pie y un segundo ejército montado en la parte posterior, liderado por Aimar. Las velas de junco parpadearon, y Amaria se dispuso a rellenarlas.

Nuestras voces denotaban el peso de la fatiga. Hugo se levantó y estiró los brazos.

—¿Estamos acabando?

Antes de que tuviéramos tiempo de responder, un hombre irrumpió en el pabellón.

—¡A las armas! —exhortó Rancon, desenfundando el puñal.

—¿Dónde está la reina? —exigió la voz de Luis en la oscuridad.

Amaria encendió la vela de nuevo.

—Mi señor. —Todos hicimos una reverencia.

La luz titiló sobre los ojos clavados y enloquecidos de Luis, en sus labios flojos.

Me acerqué a él con cuidado.

—¿Qué sucede, mi señor? Aseguraos que esta crisis no...

—¡Zorra traicionera! —exclamó.

Todo el mundo lanzó exclamaciones de asombro.

Rancon se situó rápidamente entre nosotros.

—¡Disculpaos de inmediato! ¿Cómo osáis llamar traidora a nuestra duquesa? Disculpaos o... —Le flaqueó la voz. Le aparté.

—Entiendo que estéis disgustado, Luis. Todos lo estamos, y con razón. —Agarré a Luis del brazo.

Se separó de mí con brusquedad.

—¡No oséis volver a tocarme, puta!

Rancon gritó detrás de mí.

—¡Como que me llamo Rancon, que no permitiré que se insulte a mi señora!

—¡Ni yo! —añadió Aimar.

Luego se oyó un coro de voces femeninas y masculinas.

—¡Silencio! —Intenté hacerme oír—. ¡Está fuera de sí, está delirando!

—¿Delirando yo? —gritó Luis—. ¡Tengo pruebas! ¡Os vieron navegando de vuelta a Constantinopla en un barco pesquero para acostaros con el emperador, el enemigo de Dios! ¡Estabais dispuesta a sacrificar a miles de alemanes para satisfacer vuestra lujuria impura! ¡Sí, y sacrificarnos a nosotros también, puesto que pusisteis la mentira en su boca sobre la victoria alemana! ¡Una Jezabel! ¡Traidora!

Salió de la tienda a toda prisa.

Rancon se abalanzó detrás de él.

—¡No tan rápido!

Todos intentamos retenerle. Mamile, tendida en la esterilla, lo agarró del pie.

—¡Soltadme! —Empezó a patalear para liberarse, pero Luis había desaparecido. Rancon se giró hacia nosotros—. ¡Malditos seáis! ¿Por qué me habéis detenido? ¡Estrangularé a ese canalla!

Se oyó la voz ronca de Hugo.

—¡Sin duda teníamos que haberle dejado hacerlo! ¡El rey de Francia es un gusano delirante! ¿Por qué no nos lo dijisteis, Gracia?

—¡Maldita sea, ha insultado a Aquitania! —exclamó Guido.

—¡Me enfrentaré a él en mi terreno! La próxima vez que esté en Aquitania... —coreó Aquiles.

—Dejadme con nuestra duquesa —ordenó Rancon—. ¡Todos fuera!

Se hizo el silencio. Los hombres se marcharon arrastrando los pies. Entonces Aimar abrió la puerta.

—Estaremos fuera. —Todos los señores y las damas se escabulleron detrás de él, incluso Mamile.

Rancon respiraba con dificultad.

—Muy bien, ya me advertisteis, lo reconozco, pero no tenía la menor idea de que... ¡Escuchad! ¡Voy a protegeros de ese gusano! ¡No volváis a impedírmelo jamás!

—No se puede razonar con un hombre enloquecido.

—¡Razonaré con los puños! ¡O con un cuchillo en las costillas! ¡Verá lo que es la razón cuando le sangre la cabeza!

—*Calme-toi*, Rancon.

—¿Que me tranquilice cuando os ha llamado zorra y cosas mucho peores?

—Son palabras, nada más. —Puse mi mano sobre la suya—. Escuchad, decís que recordáis, pero me temo que no. Yo no corro peligro, vos sí.

—¿Por mi caballerosidad?

—Olvidaos de la caballerosidad. Luis se rige por un código distinto.

—¿Y qué código es ése? ¡Es un loco, Gracia!

—Incluso los locos son previsibles. Vuestra caballerosidad no venía al caso. Ya os he dicho con anterioridad que nunca me hará daño. Mas a vos sí que os lo hará, Rancon, y tiene poder para ello.

Se esforzó por controlarse.

—¿Y creéis que un insulto a Aquitania no os hace daño? ¿Y a nosotros? Aquitania también nos incumbe, ¿sabéis?, y vos.

—¡Las palabras no pueden herir a Aquitania! —insistí.

—¡Por todos los santos, las palabras preceden a los actos! ¿No advertís el peligro? ¿No sabéis por qué se casó con vos?

Se marchó antes de darme tiempo para responder.

A la mañana siguiente Luis se hundió en un barranco que conducía a una sierra, en dirección contraria al mar; un error nefasto, pues todos tuvimos que ver allí la salida y la puesta del sol. Después de dos días de vagar, al final vimos un destello cegador con un sendero estrecho a lo largo de la costa.

—Si los turcos deciden atacar, alcanzaremos el martirio al instante —comentó Rancon con una amargura que no había empleado desde Nicea.

Espoleó a su gran semental para que bajara por la pendiente resbaladiza; el resto de nosotros siguió el orden establecido. Maurienne se nos adelantó para preguntar si su ejército podía seguir al nuestro, a lo cual Rancon accedió. Los progresos que realizamos a partir de entonces fueron tortuosos, nos movíamos por curvas tan cerradas que los hombres se tocaban los unos a los otros junto a pronunciadas pendientes hacia el mar, apenas avanzábamos. Aparte de la topografía, tuvimos que esperar una y otra vez para que los peregrinos nos alcanzaran. Gimoteaban porque querían comida, descanso, calzado para sus pies ensangrentados; se negaron a llevar armadura y entonces los caballeros se vieron obligados a transportarla. Aunque era invierno, el sol se mostraba inclemente y no había sombra; bajo los yelmos, los caballeros hervían con su propio sudor. La primera noche y todas las siguientes alimentamos a las bestias y nosotros pasamos hambre. El tercer día aparecieron unos barcos griegos, ofreciéndonos pescado y pan a unos precios desorbitados. Si bien manteníamos la vista impasibles en lo que teníamos delante, advertimos que la cantidad de peregrinos disminuía cada vez más; se habían unido a los griegos de los barcos. Mientras tanto, nos sentamos en las rocas con cuerdas y anzuelos improvisados. Así fue como sobrevivimos.

—¿Cuánto falta para llegar a Antioquía? —le pregunté un día a Rancon.

—¿A este ritmo? Seis meses.

Entonces era noviembre.

Llegamos a la ciudad griega de Éfeso a tiempo para la Navidad. Por una vez los griegos fueron hospitalarios. Dejamos a nuestros agotados caballos apacentando en un prado lleno de agua. Una de las ventajas inesperadas de Éfeso fue que el rey Conrado decidió regresar a Constantinopla. Nuestra compasión por su terrible derrota había disminuido a medida que lo íbamos conociendo mejor. Era pomposo, quejica, malicioso y crítico. Luis, por lo menos, era bastante callado. Nos sorprendimos sin embargo al enterarnos de que el emperador Manuel había enviado un barco para que su «hermano» Conrado pudiera regresar a Constantinopla, de forma que Manuel se ocuparía personalmente de sus heridas. Manuel, que había traicionado al alemán, ¿era ahora su médico? Curiosamente, Conrado aceptó gustoso.

El día después de Navidad llovió por primera vez, cayó un diluvio. Al cabo de una semana, los cielos se aclararon y nos dispusimos a cabalgar de nuevo. Cuando nos acercamos a recoger a los caballos, encontramos varios cientos de cadáveres abotargados flotando en el prado inundado. Sólo habían sobrevivido los sesenta y dos corceles más resistentes. Rancon, a quien las lágrimas le surcaban las mejillas, vadeó por entre los cadáveres, buscando indicios de vida. Todos los caballeros lloraron como niños; aquellos animales eran sus amigos, aparte de su garantía en el campo de batalla. Entonces Rancon negoció con los griegos para conseguir nuevas monturas y las fue probando con las armaduras más pesadas. Aunque yo estaba dispuesta a dar todo el oro que tenía, sólo pudo comprar pequeños caballos árabes, veloces y ágiles, pero no preparados para la batalla.

Luis convocó una reunión poco después de la tragedia.

—Mis compañeros cruzados, Dios me ha aconsejado en un sueño que nos replanteemos la ruta. Ya no podemos permitirnos tomar la más larga siguiendo la costa, así que marcharemos cruzando el monte Cadmos.

Su anuncio fue recibido con un silencio absoluto.

Lentamente seguimos el crecido río Meander hasta las estribaciones. Al final los turcos hicieron acto de presencia. Desde las crestas elevadas enloquecieron, nos hostigaron y dispararon pequeñas flechas de hueso, que no alcanzaron su objetivo. Todos los jefes nos aconsejaron que miráramos hacia delante, que no alzáramos la vista. Las noches eran lo peor. No osábamos encender hogueras, pues marcarían nuestra posición, y nos vimos obligados a dormir envueltos con las pieles, tan cerca los unos de los otros como los lobos de una camada. Incluso durante el día, Florine tenía problemas para respirar y todos nos fatigábamos con facilidad.

Llegamos a las estribaciones del famoso monte Cadmos; aunque era muy alto, en realidad la cima se elevaba a partir de una meseta y por tanto no parecía peligroso, sobre todo teniendo en cuenta que los turcos ya no nos amenazaban. Cabalgamos de diez en fondo a la sombra de un precipicio escarpado. De repente se oyeron gritos en la parte delantera de la comitiva. ¡Habíamos llegado al lugar donde habían masacrado al ejército alemán! Miles de hombres jóvenes yacían congelados, como si hubieran decidido descansar después de comer; desarmados, vestidos con prendas ligeras; hubieran parecido vivos de no ser porque les habían devorado la cara.

—Les daré cristiana sepultura —sollozó Luis—. Traedme una pala.

—La tierra está helada, mi señor; tardaríamos semanas —arguyó Arnulfo con delicadeza.

Cuando Thierry se apresuró a compartir la opinión de Arnulfo, Luis se preparó para una misa. Para cuando el sacerdote hubo terminado, los copos de nieve nos escocían en la piel. A última hora de aquella tarde, acampados en las estribaciones, escuchamos el plan de Luis para cruzar la cumbre.

—Allí arriba se ve un camino ancho —dijo, señalando— que serpentea hasta la misma cumbre, donde hay una llanura amplia adecuada para acampar. Por favor, mirad antes de que sea demasiado oscuro.

Todos nos levantamos y miramos hacia allí obedientemente, aunque el crepúsculo estaba demasiado avanzado como para ver demasiado.

—El orden de ascenso será el siguiente —continuó—. Aquitania irá en cabeza —nos movimos con nerviosismo, sabiendo que los aquitanos se llevarían la peor parte en caso de emboscada—, seguidos por Champaña y sus caballeros, luego todos nuestros carromatos y suministros, a continuación los caballeros franceses y por último mis peregrinos. Yo haré avanzar la parte posterior.

—Si le parece bien a su Majestad —intervino Maurienne—, me gustaría mezclar a mi ejército con el de los aquitanos.

—¿En la parte delantera? —La consternación de Luis puso de manifiesto que quería expresamente que corriéramos peligro.

—Sí, preferiría la parte delantera.

—Muy bien —accedió Luis con fría formalidad.

El obispo Arnulfo fue la única voz discrepante.

—Majestad, creo que deberíais cabalgar en una posición más resguardada. La parte trasera es vulnerable.

—Deposito mi confianza en el Señor.

Por la mañana, la comitiva se formó silenciosamente tal como se había ordenado. Las mujeres nos pusimos las protecciones de cuero, los yelmos y la malla, hasta que Rancon sugirió que nos quitáramos la malla más gruesa; bastaba con el cuero. Nos sugirió también que cabalgáramos cerca del borde interior del sendero y que, en caso de ser atacados, no alzáramos la mirada.

El ascenso fue gradual al principio, pero luego el camino se tornó más estrecho y empinado. Los caballos de batalla resollaban por el peso que transportaban; los árabes soportaban bien las condiciones, al igual que las mulas que tiraban de los carros. Redujimos el paso a medida que ascendíamos y, aunque siguió nevando ligeramente, todos pasábamos calor por el esfuerzo. Parecía muy oscuro porque nos encontrábamos en la cara norte de la montaña. Cuando llegamos a la meseta, el resplandor me cegó los ojos.

Dimos gracias a Dios al instante.

Maurienne montó de nuevo su caballo.

—Esta parte de la meseta está demasiado descubierta. ¿Exploramos el terreno?

Mientras los otros se sentaban a esperar, seguí a Maurienne y Rancon hasta el otro lado, por donde descenderíamos al día siguiente. Allí, fuera de la vista, había un saliente más bajo, protegido por un lado por un pequeño precipicio y cubierto de árboles retorcidos y azotados por el viento.

Los restos de hogueras confirmaban que era el lugar habitual para acampar. Convinimos en que era perfecto.

—Bien resguardados en caso de ataque —dijo Maurienne— y protegidos del viento. —Algo importante puesto que habíamos decidido no hacer fuego, y allí el viento era más cortante que abajo.

Fuimos a buscar a los demás. Enseguida extendimos las esterillas, montamos cortavientos de tela y dejamos en libertad a los caballos para que pacieran en un rastrojo inesperado.

Entonces nos dispusimos a esperar a los franceses.

—Iré a lo alto del sendero para mostrarles el camino —propuso Rancon.

Maurienne le acompañó.

Al caer la noche y al ver que soplaba un viento glacial, recorrí la llanura desierta.

—¡Rancon! —grité.

Se oyó el eco de mi voz entre las rocas.

Luego, a lo lejos y muy abajo, oí:

—Ya vamos.

De repente divisé sus monturas entre la penumbra.

—¿Dónde están los demás?

—Cuando llevábamos casi un kilómetro —explicó Maurienne, consideramos que lo más prudente era regresar.

Rancon desmontó a mi lado.

—Os escoltaré de vuelta al campamento, señora mía. Maurienne y yo haremos guardia aquí toda la noche. Si viene alguien, avisaremos de inmediato.

—¿Lo prometéis?

—Tenéis mi palabra como capitán.

—¿Pensáis que...?

—No penséis.

Rancon no avisó hasta el amanecer.

—¡Venid! ¡Están aquí!

Llegué a tiempo de ver a unos cuantos caballeros dando traspiés por la llanura, donde cayeron de rodillas, llorando. No daba crédito a mis ojos —Gualterio, Jorge, Edwin— caballeros que conocía bien del ejército de Borgoña, valientes soldados todos ellos, reducidos entonces a las lágrimas.

Les habían tendido una emboscada, lloraban de rabia. Miles de turcos cobardes, que aguardaban en la montaña por encima de la parte más estrecha del sendero habían hecho caer rocas enormes sobre el ejército. Los cruzados habían quedado aplastados como hormigas, no habían tenido la menor posibilidad. ¿Dónde estaba la caballerosidad sarracena? ¡Atacar como serpientes enroscadas en sus agujeros!

—¿Cuándo os atacaron? —preguntó Rancon.

—Después de que pasáramos nosotros, cuando aparecieron los carros. La parte más indefensa de la fila, ¿dónde si no?

Los caballos y las mulas habían caído al abismo; los carros habían rodado cuesta abajo. El camino se convirtió en un muro de escombros. Los borgoñones, que iban detrás de los carros, se encontraron de repente con una aglomeración de animales muertos y ruedas que giraban. Se habían girado horrorizados, para situarse frente a los cruzados que cantaban el himno de las cruzadas y entonces, los hombres, al igual que los caballos, se unieron a los halcones, perros y suministros en un descenso en picado hacia su horrible sepultura.

Gualterio sollozaba, cubriéndose los ojos con las manos.

—¡Se quedarán como los soldados alemanes, con los ojos picoteados y...!

—¿Sois los únicos supervivientes? —preguntó Rancon.

—No lo sabemos —respondió un barón borgoñón—. No creo que nadie luchara. Estábamos armados pero no se pueden lanzar flechas hacia arriba. Lo único que detuvo a esos bastardos fue la caída de la noche. Tendremos que esperar.

Lentamente fueron apareciendo por el sendero más hombres fatigados, algunos todavía sobre los caballos, lo que quedaba del ejército de Borgoña, luego del de Champaña, y al final llegaron hasta nosotros los templarios. No todos estaban heridos, pero sí profundamente impresionados. Hasta el momento, no habíamos visto peregrinos y reinaba un ambiente de trágica expectación. Entonces arribaron Borgoña, Enrique de Champaña y maese Barre de los templarios; aparecieron todos los jefes salvo uno. Se acordó que si Luis no llegaba antes de la puesta del sol, un pequeño contingente iría en su busca.

Mientras cuidaba de los heridos, evitaba los pensamientos, pero no quedaban muchos heridos; la «batalla» había dado supervivientes o cadáveres, ningún punto medio. Cuando ya no pude ayudar más, me acurruqué apartada de los demás para esperar. La imagen de Luis muerto asumía un aspecto más benévolo.

—¡Peregrinos! —gritó alguien.

Unos cuantos hombres se desplomaron a los pies de Borgoña, sollozando.

Tras ellos, ayudado por Thierry, apareció Luis dando traspiés aunque seguía conservando el bordón de peregrino. Aunque iba cubierto de polvo y de mucosidades, tenía una sonrisa beatífica.

—Me he salvado —murmuró—. Dios me ha protegido del Anticristo.

—¿Qué ha ocurrido, mi señor? —preguntó Maurienne—. ¿Cómo escapasteis?

Todos guardaron silencio para escuchar. En la parte trasera de la fila, Luis empezó su explicación: los turcos habían atacado a los peregrinos cara a cara. Luis se había encaramado a un árbol achaparrado que salía de una roca, donde no era fácil que le vieran. No obstante, dos guerreros infieles advirtieron su presencia y le hicieron comentarios desagradables, pero estaba claro que no iba armado y parecía un peregrino más, así que lo dejaron.

—Mi humildad me ha salvado de los enemigos humanos —declaró Luis orgulloso. Acto seguido bajó la voz, sobrecogido—. Allí en la oscuridad, después de que desaparecieran los sarracenos, la serpiente me buscaba, oía los silbidos en la oscuridad, oía las piedras que caían a su paso. Con las primeras luces, bajé la mirada y la vi en un hoyo a mis pies, el dragón del Anticristo rodeado de su progenie resbaladiza, la tierra, el aire, el fuego y el agua. Miré directamente a los ojos amarillos del Infierno sin temor, porque mi Dios estaba conmigo.

»El dragón escupió fuego y las ratas de la muerte corretearon desde la maleza hasta la raíz del árbol en el que estaba. Con sus colmillos alargados, roían y roían, nunca olvidaré ese sonido, y supe que si Dios quería que muriera, había llegado el momento. Recé en nombre de su Hijo, en nombre de nuestro sagrado san Dionisio, que se hiciera su voluntad y que yo la acataría y, cuando alcé la vista, las ratas y el dragón habían desaparecido, y yo me había salvado.

—Amén, amén —murmuraron los peregrinos con entusiasmo.

—Ascendisteis por el Árbol de la Vida de Dios. —Thierry cayó de rodillas—. Habéis experimentado un milagro, mi señor; sin duda algún día seréis canonizado.

Maurienne tomó a Luis del brazo para acompañarlo a su pabellón. Me acerqué.

—Doy gracias a Dios de que os salvara, mi señor. No sabéis lo... Luis hizo la señal de la cruz.

—En el hoyo os vi por fin con vuestra forma natural, mi señora, pero he triunfado.

Se marchó renqueando.

13

Luis convocó una reunión en la llanura abierta en la hora novena. De pie en la hondonada azotada por el viento y rodeada por afilados picos marrones, todos alzamos la vista ansiosos, para ver si aparecían los turcos. Pero no, el cielo estaba despejado, las laderas desnudas; incluso las águilas ratoneras habían desaparecido, sin duda estaban alimentándose de nuestros soldados muertos. Luis se sentó en un estrado improvisado formado por rocas oscuras; los miembros de su clero y los templarios se apiñaron a su alrededor. A su izquierda, vi al obispo Arnulfo moviendo el brazo. Le observé los labios pero no acerté a leer sus palabras.

Thierry le susurraba algo a Luis. Luego dio un paso al frente para realizar un breve anuncio: regresaríamos a la ruta marítima de inmediato, viraríamos en dirección oeste hacia la ciudad de Antalya, que estaba a unos cuatro días de distancia. El maestro templario Barre sería nuestro jefe, no habría charlas, ni hogueras, ni pabellones, aunque sí utilizaríamos tiendas pequeñas.

—Preparaos para partir mañana al alba.

Regresó con su corrillo y se produjo un largo silencio.

—Ricardo de Rancon, barón de Taillebourg, tened la amabilidad de dar un paso adelante.

Rancon se destacó en el espacio abierto frente a Luis.

—Mi señor Rancon, fuisteis asignado para dirigir nuestro ascenso al monte Cadmos, ¿no es cierto?

—Sí, Majestad.

—¿Y estabais junto a mí cuando señalé la cima de la montaña donde podríamos acampar?

—Sí, Majestad, junto con muchos otros.

—Pero los otros no estaban en la vanguardia, ¿no es así?

—Los aquitanos iban a la vanguardia, cierto.

—Oísteis mis órdenes; visteis la zona que señalé. ¿Por qué, entonces, me desobedecisteis a propósito?

Rancon ladeó la cabeza.

—No entiendo vuestra pregunta. ¿De qué manera os desobedecí?

—Se os dijo que acamparais en la llanura. Si lo hubierais hecho, podríais haber oído, tal vez incluso visto, la arremetida contra los soldados de Cristo. Sin embargo decidisteis por vuestra cuenta, en contra de mis órdenes, acampar en un saliente alejado.

—¡Toda la cima de la montaña queda fuera de la vista y de la posibilidad de escuchar nada! ¡Señalasteis hacia arriba y vinimos arriba! ¿Acaso esperabais que expusiera mi ejército a los turcos?

Luis se puso en pie.

—¡Habéis cometido traición!

A Rancon se le enrojeció el cuello.

—Hice lo que todo general debería hacer: proteger a mi tropa.

Luis volvió a dejarse caer sobre la roca, con las manos en las rodillas.

—Perdisteis el contacto con vuestra tropa, algo que jamás debe hacer un general.

Rancon montó en cólera.

—¿Y un rey? ¿Acaso no tenéis ninguna responsabilidad sobre este ejército? ¡Dividisteis la fila! Pusisteis los carros en el medio, ¡un plan nefasto! ¡Deseabais que todos quedaran aplastados como si fueran alimañas! ¡Santo cielo, debería haberos desobedecido, pero no lo hice!

Thierry intervino enfadado.

—¡Los carros estaban cargados de fruslerías para mujeres! ¡El abad Bernardo prohibió los halcones y las galas en la cruzada, pero las mujeres desobedecieron!

Rancon contraatacó.

—Los carros también llevaban armas y suministros. Si la comitiva se hubiera organizado bien, si los caballeros hubieran cabalgado con ellos, si los escuchas hubieran ido por delante, como es habitual, nada de todo esto habría pasado.

—¿Defendéis a las mujeres? —preguntó Luis casi con amabilidad.

Adiviné sus intenciones. Intenté por todos los medios indicarle a Rancon que se callara.

—Las defiendo de las acusaciones falsas. A un caballero, y a un rey, le corresponde asumir responsabilidades.

—¿Defendéis a la reina en concreto?

—¿Acusáis a la reina en concreto? —Rancon esquivó la pregunta con frialdad.

La pregunta quedó en el aire. Luis se volvió de nuevo hacia sus consejeros, antes de seguir dirigiéndose a Rancon.

—¡Desafiar mis órdenes es desafiar a Dios! ¡Puesto que soy rey por la gracia de Dios, soy Dios aquí en la tierra! ¡En mi persona veis su voluntad! ¡Él deseó que sobreviviera!

Rancon palideció, pero siguió hablando con voz firme.

—¡Por voluntad de Dios yo también sobreviví a esta matanza!

Luis se puso en pie.

—Antes de la puesta de sol, colgaréis del cuello hasta morir.

Toda la compañía dio un grito ahogado. Me acerqué a Rancon con aire resuelto.

—Preparad dos sogas, mi señor Luis. Yo le ordené dónde debía acampar.

—¡Miente para salvarme! —gritó Rancon.

—¡Yo le di la orden! —repetí.

El rostro de Luis se desmoronó del modo que yo tan bien conocía.

—Gracia, pensáoslo bien, os lo ruego; no me dais elección.

—¡Miente! —bramó Rancon—. ¡Yo encontré el campamento! ¡Le dije que debía traer a las damas! ¡Lo reconozco!

—Rancon se opuso, pero tuvo que obedecer. —Miré a Luis de hito en hito—. Yo sola mando a los aquitanos, nadie más.

Se frotó la frente como si estuviera enfermo. Thierry se inclinó hacia él y le susurró al oído. Luis apenas era capaz de articular palabra.

—Gracia, pensad en las consecuencias.

—Vos sois quien deberíais pensar en las consecuencias, para variar. Presentasteis las acusaciones... ¿queréis colgar a alguien? ¡Pues colgadme a mí!

Maurienne se acercó a mi lado.

—Mi estimado señor, sobrino mío, hijo de mi querido hermano Luis el Gordo —dijo Maurienne—, os equivocáis de villano, si es que existe; ni Rancon ni vuestra reina dieron la orden de acampar al otro lado de la llanura, fui yo. Me adelanté para encontrar el terreno más propicio, insistí en que el saliente inferior sería más seguro y hospitalario. Si eso iba en contra de vuestras órdenes, entonces os malinterpreté, y me disculpo humildemente.

Observé los rasgos aplastados y poco favorecidos de Maurienne y pensé que nunca había visto a un hombre tan hermoso. Su lealtad a la verdad, su valentía, sencillamente me abrumaron. Le estaría agradecida de por vida.

—Yo cabalgué con vos, Maurienne —protestó Rancon—. Yo di la orden.

Maurienne seguía mirando a Luis.

—Como todos sabemos, las mujeres no tienen jurisdicción sobre los militares, y mi rango es superior al de Rancon. Además, tengo la autoridad añadida de ser vuestro pariente cercano.

Luis se levantó con paso vacilante.

—Mi tío Felipe de Maurienne y el barón Ricardo de Rancon han cometido traición contra el rey de Francia. Deberían morir, pero Dios me ha pedido que sea indulgente como muestra de agradecimiento por mi liberación. Por consiguiente, os declaro a ambos indignos para servir en la cruzada de Dios. En cuanto lleguemos a Antalya, regresaréis a Europa en el primer barco que zarpe.

Un murmullo de alivio recorrió la llanura. Yo también me sentí aliviada, pero la pérdida me enfurecía. ¡Alejar a Rancon antes de salvar a Raimundo!

Corrí tras Luis mientras desaparecía en el interior de su tienda.

—Debo hablaros.

Alzó la mirada desde donde se encontraba, envuelto en pieles.

—Tened cuidado, señora mía. Si mencionáis siquiera el nombre de vuestro amante, es hombre muerto.

—¿Os referís al emperador Manuel?

—No os hagáis la graciosa.

—No es ninguna broma seguir vuestras aberraciones, os lo aseguro.

—Me refiero al amante que acabáis de defender en una demostración pública de lo más grave.

—¡No es mi amante! —exclamé acaloradamente—. ¡Ni tampoco he pedido un juicio público para airear vuestros celos infantiles! ¡Vivís en una fantasía mortífera!

Apartó la mirada.

—Anoche murieron miles de personas. ¿Es eso una fantasía?

—Como soléis proclamar tan a menudo, Dios y sólo Dios decide quién muere.

—¡Y Dios condena el adulterio! ¿Sabéis cuál es el castigo para una reina adúltera?

—Me lo habéis recordado con la suficiente frecuencia. Si queréis libraros de mí, mi señor, ¿por qué no me colgasteis cuando tuvisteis la oportunidad?

Adoptó una expresión astuta.

—No puedo haceros daño, Gracia, por mucho que os lo merezcáis; sois mi recompensa.

—¿La recompensa de qué? ¿De trepar a los árboles?

—Anoche mientras estaba en el árbol, tuve otra visión, que no confesé en público. Una bandada de pájaros dorados cantó en un alegre coro que me salvaría, que podría rendir culto en Jerusalén, que sería absuelto de todos los pecados y que de ahora en adelante disfrutaría de la dicha del amor conyugal. —Me clavó la mirada—. Y por ello, debo conservaros conmigo. Iremos juntos a la Ciudad de Dios.

—Dios también me habló a mí, Luis. Me dijo que era una vasija demasiado frágil para su gran empresa; debo regresar con mi hija.

—¡No os burléis de mí! —bramó Luis—. ¡Os quedaréis conmigo! Además, permaneceréis impoluta. Si Rancon o cualquier otro hombre os toca o incluso os mira con la menor lascivia, será hombre muerto. ¿Me habéis comprendido, Gracia?

—Habéis hablado claro.

—Y la próxima vez no habrá juicio.

Salí de la tienda con paso decidido, y luego eché a correr.

Entré en mi tienda, que estaba a oscuras.

—¡Amaria, id a buscar a Rancon! ¡Debo prevenirle, rápido!

Una sombra se movió.

—Amaria no os oye porque está montando guardia.

—¡Rancon, marchaos!

—¡No me marcharé a no ser que deis la orden, *test me ipso*!

—¡Por el amor de Dios, os la estoy dando ahora! Luis os matará si os encuentra conmigo... ¡va en serio!

—Entonces, venid conmigo.

—No puedo... no puedo. —Estaba a punto de derramar lágrimas de contrariedad—. Por favor, sed razonable, vos especialmente.

—¿Acaso es irracional que desee que viváis, que quiera que Aquitania sobreviva? ¡Cielos! Ya me habéis sermoneado bastante. Ahora os ha llegado el turno de escuchar. Quizás esté loco de amor por vos, sometido a vos como un ratón, dividido entre el fanatismo religioso y sus huevos, reconozco todo eso. ¡Pero eso no es más que la superficie, Gracia! Él y Thierry, y Suger allá en París, todos quieren lo mismo, quieren Aquitania. ¡Y vos les estáis siguiendo el juego! ¿No os dais cuenta?

—¡Debéis partir! ¡De inmediato!

—Sólo con vos. Os salvaré aunque os resistáis, maldita sea. Salvar a Aquitania. ¡Es mi obligación! Vuestro padre...

—¡No le pasará nada ni a Aquitania ni a mí!

—¿Todavía creéis que no os hará daño?

—No me lo hizo, ¿verdad? Se dedicó a amenazarme, como de costumbre. Eso fue todo.

—Decidme, ¿qué habría sucedido si Maurienne no se hubiera delatado?

Me quedé sin respiración. ¿Qué me sucedía? En un instante me enfrenté a la verdad.

Sí, Maurienne; sin su oportuna confesión, Luis habría mantenido su palabra. ¿No es lo que había dicho? Se habría arrepentido del acto, habría derramado lágrimas de autocompasión por no haber disfrutado de mi cuerpo, pero en ese momento Rancon y yo estaríamos colgados el uno junto al otro en la oscuridad.

—¿Y bien? —me incitó su voz.

—Permitidme un momento.

—El momento ha terminado.

Hablé con lentitud, irónicamente, si él lo hubiera sabido. «La buena política se basa en el compromiso.» Ésas eran las palabras de Suger.

—Dejaré a Luis, lo prometo; regresaré a Aquitania y gobernaré sola. Pero debéis dejarme encontrar la fórmula. Marcharme ahora, con vos y con Maurienne, significaría nuestra muerte segura.

—¡Pedid la anulación! ¡Pedid a Raimundo que os ayude! —Habló con voz exultante.

—¡Sí, lo haré, pero marchaos!

Abrió la portezuela hacia la inhóspita oscuridad y se detuvo. Volvió hacia mí.

—¡Dios mío, Gracia, esto es *mesclatz*! ¡Ya sabéis lo que quiero decir por encima de todo! ¡Os amo! ¡Os amo!

Y me besó intensamente. No con los labios cálidos por el sol del muchacho de Aquitania sino con la boca voraz de un hombre adulto, seguro, insistente. Una y otra vez. Me agarré a él para no desfallecer.

—¡Oh, Dios mío, Rancon, no debemos hacer esto! ¡Es exactamente lo que sospecha!

—¡Por una vez tiene razón! ¿Me amáis?

—¡Sí! Siempre, siempre os he amado. Y siempre os amaré.

—Os quiero, os quiero. ¡Oh, cielos, cuánto os amo! Tomad esto en señal de fidelidad. —Me puso una sortija en la palma de la mano, el anillo de mi padre—. Regresad a Aquitania... estaremos juntos. ¡Para siempre!

Se marchó. Me desplomé sobre mis pieles. Para siempre. Juntos, sin estar casados. ¿Tristán e Isolda? Pero yo quería... Enterré el rostro entre las manos, besé el anillo. Incluso para ser Isolda tendría que dejar a Luis. No era un rey Marcos benévolo, no toleraría un romance... lo había dejado bien claro.

Pero ¿qué pasaba con Rancon? ¿Podía prometer «para siempre» cuando seguía con Arabela?

14

Asumí mi nuevo papel como Isolda al observar a mi amante zarpando hacia una muerte segura. Amor y muerte, la idea central de Tristán; esta vez, el protagonista reposaría en el fondo del mar.

¿Cómo iba a pensar otra cosa? La lluvia había caído sin cesar durante nuestra larga marcha a Antalya, donde encontramos una ciudad empapada y atenazada por la peste negra. Sólo había un navío en el puerto y todos querían navegar, pero la posición de Luis le permitió elegir el primero, lo cual significaba que Rancon y Maurienne eran los que se marchaban. A través del manto de lluvia plateado, la embarcación apenas resultaba visible, inclinada hacia un lado. Se me detuvo el corazón, pero el navío pronto se enderezó y desapareció.

¿Cuándo volvería a verle? ¿En Aquitania como mujer libre de acuerdo con el plan? Me sacudí las pieles húmedas. Se convertiría en pasto de los peces y yo seguro que moriría en esa ciudad llena de meados. Tristán e Isolda, un romance corto en la versión que protagonizábamos. Faydide había muerto esa mañana de la peste negra para unirse a cientos de otras personas en una tumba poco profunda. La ciudad enferma apestaba a bubas supurantes y a vómitos, y en el nivel más elevado y habitable de la ciudad, a cadáveres. Incluso bajo el aguacero, los peregrinos de Luis cavaban tumbas poco profundas, que apenas servían para dar cabida a sus ocupantes. Entonces bajé con cuidado al nivel inferior, donde nos agachamos en nuestro sufrimiento real con las ratas.

Al cabo de diez días, se hundió el cementerio anegado, produciendo un deslizamiento de lodo repleto de cadáveres hasta nuestros pies. Igualdad en la muerte; los vivos compartían entonces la rociada del mar con calaveras flotantes, brazos y piernas desmembrados con carne putrefacta.

Por una vez los prelados de Luis se dieron cuenta de que debíamos partir de Antalya de inmediato. Se nos ordenó que nos preparáramos para la marcha: ¡regresaríamos al monte Cadmos! Todo el mundo se puso a gritar, y Luis perdió cualquier atisbo de autoridad. Entonces, casi con indiferencia, un marinero comentó que Antioquía no estaba más que a tres días de distancia por mar.

Dado que el marinero era griego, sospechamos de sus intenciones, hasta que un chipriota confirmó la distancia, y luego otro del Líbano. A través de un navío comercial Luis pidió al emperador Manuel que diera un precio, puesto que queríamos alquilar barcos para nuestro transporte. Manuel envió tres barcos desvencijados, todos ellos peligrosamente escorados. En la cubierta faltaban varios tablones, las velas estaban hechas jirones, pero ¿qué podíamos hacer? Luis ordenó que nos diéramos prisa.

Los caballeros objetaron que no había bodega para transportar a los pocos caballos que nos quedaban. Luis ordenó que cortaran las puertas por los lados de forma que los enormes corceles pudieran ser trasladados bajo la cubierta, y nos preparamos para partir. Entonces Luis se vio obligado a tomar otra decisión. En tres barcos apenas cabían los señores, sus caballeros y caballos; no había espacio para los miles de peregrinos y soldados de a pie que habían sobrevivido a la peste negra. Con los ojos en blanco como un loco, Luis proclamó que Dios le había ordenado que convirtiera a los peregrinos en soldados de a pie, y les ordenó que marcharan inmediatamente por el monte Cadmos y que se reunieran con nosotros en Antioquía, donde les aguardaríamos antes de seguir hasta Jerusalén. En un gesto patético pero presuntuoso, les dio como paga militar el resto del oro que me había robado.

Embarcamos en nuestras desvencijadas naves. Mientras los remos entraban en contacto con el agua, me quedé en la cubierta, cerca de los cubos colgados destinados a nuestros residuos y volví la vista hacia la ciudad condenada. Al cabo de una hora, un vendaval se apoderó de la vela hecha jirones, y tanto la ciudad como la costa desaparecieron detrás de unas olas enormes. Nuestra chalana agujereada cabeceaba y giraba inútilmente; las velas se rasgaron, los cubos de residuos repiqueteaban sobre la cubierta y los tablones crujían. Rodábamos adelante y atrás, sujetos a estacas de hierro en la cubierta para evitar caernos por la borda. Teníamos el cuerpo despellejado y magullado por las cuerdas.

Hacia el mediodía advertimos que nuestra obra muerta descendía, que el mar se acercaba... que nos hundíamos. Los marineros gritaron que las puertas de las bodegas para los caballos no estaban calafateadas... el barco era un colador. Mientras los marineros se aprestaban a detener la fuga, los caballeros caían por las escaleras, desesperados por rescatar a sus animales; transcurridas varias horas, los caballeros volvieron a subir con rostro ceniciento. Los cuerpos de los animales muertos se desplazaban de un lado a otro, dando golpes rítmicos y regulares, mientras el barco se bamboleaba. El olor de animales muertos, por nocivo que fuera, era mejor que el hedor dulzón y nauseabundo de la descomposición humana.

Los tres días se convirtieron en una semana y luego en dos. Murieron varias personas y Toquerie empezó a vomitar. El barco todavía no se había hundido con su cargamento de muerte. La tercera semana me desperté aturdida con delirios de luz solar y flores. Igual que Luis con sus visiones, pensé: se acerca el momento de mi muerte. Entonces Amaria me deshizo las cuerdas y me incorporé. Estábamos flotando cerca de un campo de anémonas brillantes. No me extrañaba que Luis hubiera estado tan seguro de sus pájaros dorados y serpientes... aquello parecía real.

El capitán anunció que haríamos escala en el puerto de San Simeón al cabo de una hora. San Simeón, el puerto de Antioquía.

El mar estaba entonces cubierto de pétalos de flores y varios barcos pequeños, llenos de caballeros que nos vitoreaban, cabeceaban cerca. Bajamos asombrados la mirada hacia los rostros de nuestros propios señores, que habían zarpado antes que nosotros desde Antalya. Enrique de Champaña exclamó que había hecho el viaje en tres días, tal como estaba previsto, y que ya nos daba por perdidos. ¡Gracias a Dios que nos habíamos salvado! Tendríamos que haber parecido espectros, pero gracias a la lluvia incesante, por lo menos estábamos limpios. Los remeros nos acercaron lentamente al brazo de obra que se internaba en el agua.

Observé angustiada las hordas vociferantes en busca de mi tío Raimundo. El himno de los cruzados sonaba a nuestra derecha; la muchedumbre empujaba a la gente al agua. ¿Dónde estaba Raimundo de Antioquía entre aquella masa humana?

Florine fue la primera en verlo.

—¡Allí, Gracia! ¡Ese oficial vestido de árabe!

De pie en el punto exacto donde debíamos desembarcar, se alzaba apuesto como un dios griego con su cuerpo reluciente y bronceado.

Llevaba un turbante de *orofois* sujeto con un grupo de rubíes relumbrantes, una túnica bordada muy corta cerrada con esmeraldas, con un sable dorado colgado de la cadera, las piernas largas y elegantes envueltas con unas cintas doradas. Un oriental exótico, pero aun así resultaba familiar. Luis fue el primero en bajar por el tablón. Raimundo le dio el beso de la paz y luego alzó la mirada expectante. Posé el pie en el tablón tambaleante. Al cabo de unos instantes, quedé aprisionada contra el pecho de mi padre, miré en la profundidad de sus ojos azules; los dos hermanos podrían haber sido gemelos. Empecé a sollozar.

—Bienvenida, Leonor.

Me secó las lágrimas con ternura. El aire templado, la limpieza, la salud, el entusiasmo, los rostros de los amigos y de mi tío, que parecía una reencarnación de mi padre, resultaron milagrosos. Lancé una mirada a Luis, que minó mi euforia. Incluso mi esposo parecía menos amenazador en aquella tierra hospitalaria.

Raimundo nos proporcionó caballos para que nuestra compañía recorriera las cuatro leguas que nos separaban de Antioquía propiamente dicha, donde su esposa, Constancia, nos había preparado un festín. Cabalgamos por las colinas a lo largo del río Orontes por un camino estrecho pavimentado y amurallado por los romanos. La ciudad de Antioquía era una Constantinopla en miniatura, provista de la pátina antigua de Éfeso, y más hermosa que ambas. Construida con piedra blanqueada en la ladera del monte Silipus, estaba llena de jardines colgantes, enredaderas con flores que cubrían las paredes y sombreada por árboles cargados de flores púrpuras como las lilas. Nos detuvimos en la plaza mayor.

—Mi palacio está aquí delante, Majestad —nos dijo Raimundo—. He preparado una villa para vos y mi sobrina al lado.

—El rey y yo residimos en zonas separadas hasta que lleguemos a Jerusalén —dije tranquilamente—. Me gustaría quedarme con vos en vuestro palacio, si es posible. Así conoceré a mis jóvenes sobrinas.

Raimundo aceptó encantado y Luis se limitó a hacer un comentario:

—Vivís mejor aquí que nosotros en París.

Raimundo se echó a reír.

—Sois muy ingenioso, rey Luis, y sabéis cómo halagar. París es la joya del mundo civilizado.

El palacio de Raimundo, al igual que el Blachernae de Constantinopla, era antiguo y estaba decorado con muy buen gusto. Mi tía Constancia, con unos cuantos años menos que yo y tres hijas pequeñas, era una serena belleza armenia de penetrantes ojos verdes. Con un tacto exquisito, preparó baños perfumados para mí y mis damas y luego puso ropas deslumbrantes a nuestra disposición. Unas mujeres cuidaron de nosotras en los baños, lo cual fue de agradecer, puesto que estábamos sumamente cansadas y corríamos el peligro de dormirnos en el agua. Para cuando asistimos al banquete, ya ni siquiera éramos capaces de fingir que estábamos despiertas y rápidamente nos acostamos. Sin embargo, antes de dejarme vencer por el sueño recapacité sobre las palabras de Rancon: «para siempre». ¿Era posible? Sí, si había sobrevivido. Sonreí. En aquel marco, pensé que seguro que sí.

Rancon había nombrado a Hugo de Lusignan mi nuevo capitán. Aunque Hugo no era mi preferido debido a su ambición desmedida, se tomó el cargo con seriedad.

—El príncipe Raimundo cree que la batalla decisiva contra los sarracenos se librará en Alepo —informó—. Tienen un nuevo jefe.

—Pensé que Zengi era insustituible.

—Zengi murió en invierno. Nur al-Din es un enemigo incluso peor. Por eso Raimundo cree que la mejor oportunidad es atacar Alepo de forma preventiva. Saldré a cabalgar con él para decidir la estrategia.

—¿Cuándo atacaréis?

—Él cree que debemos esperar que los setenta mil soldados de a pie de Luis lleguen de Antalya.

—¡Soldados! —exclamé haciendo una mueca.

Hugo sonrió.

—¡Escuchad! Necesitamos un muro de carne para contener las flechas. Ellos irán primero, nosotros detrás.

—¿Alepo puede esperar a los peregrinos?

—Buena pregunta.

Durante nuestra estancia en Antioquía, busqué la oportunidad de abordar a mi tío. La tercera tarde nos reunimos en mi alcoba. Visto de cerca, Raimundo, con su brío desenfadado, se parecía más a mi abuelo que a mi padre.

Preparó unos almohadones para que nos acomodáramos.

—Por fin podemos hablar como personas. Odio todo este protocolo.

—Nunca lo había visto igual; no tenéis parangón en este arte. —Sonreí.

—Aquí en Oriente un Estado funciona gracias al protocolo. A eso y a las luchas. Pero no queríais que viniera aquí para hablar de Antioquía, supongo. ¿Qué puedo hacer por vos, mi querida Leonor?

Estaba demasiado sorprendida como para responder.

—Eso es otra de las cosas que aprendemos aquí en los reinos francos... cómo oler una petición.

—Quiero anular mi matrimonio.

Adoptó una expresión seria al instante.

—¡Santo cielo! ¡Eso sí que es grave!

No me alargué demasiado hablando de la mente retorcida de Luis, sobre todo con respecto a los asuntos militares. Me limité a describirlo como un fanático religioso y célibe.

Se pasó la mano por las cejas.

—Me lo imaginaba, claro está.

—¿Y eso? Aquí no ha dicho nada, ¿no?

—Apenas le he visto, pero se os ve que lanzáis destellos de sufrimiento. Constancia incluso me preguntó qué os afligía. Además... he oído rumores.

—¿Rumores de quién? —Rancon había oído rumores en Aquitania, pero ahora estábamos en Antioquía, otro mundo.

—Los barcos traen noticias locales, la mayoría de las cuales se tergiversan por el camino. —Se encogió de hombros—. Que sois frívola, enamoradiza... ¿de veras queréis oírlo? Sabía que debía de ser un escándalo mayúsculo si había llegado a mis oídos.

—¡No he hecho absolutamente nada!

—Entonces entiendo que es Luis quien quiere poner fin al matrimonio.

Me sobresalté.

—¿Por qué decís eso? Seguro que él no dice eso.

—Porque cuando un esposo quiere escapar, convierte en villana a la mujer, ¿no?

Asentí, aunque no creía que Luis quisiera perder Aquitania.

—¿Podría quedarme aquí con vos mientras Luis va a Jerusalén? Tengo que preparar los argumentos legales.

—¿Os referís a después de que luchemos por Alepo?

—Por supuesto, después de Alepo. No tengo intención de ir a Jerusalén. No obstante, si deseáis reuniros allí con los franceses, podría quedarme con Constancia.

—Sería un honor para ella, para los dos.

De repente pareció que su rostro se cubría de pequeñas líneas de angustia, como si acabara de atravesar una telaraña.

—Sin embargo, os agradecería que no informarais a Luis de vuestros planes hasta que hayamos luchado en Alepo. Necesito su ayuda desesperadamente... Oh, no es preciso que me digáis que es un mal soldado, pero tiene un ejército y el protocolo lo es todo, como os he dicho. Es importante que parezca que vamos juntos.

—Por supuesto, Raimundo. ¡Oh, gracias!

A continuación pasamos la mayor parte de la tarde hablando de Aquitania, de la familia que teníamos allí y de otros temas interesantes. Era un hombre encantador, valiente, de talante generoso, y preocupado.

15

Mientras Luis esperaba a sus «soldados de a pie peregrinos» de Antalya, visitó obstinadamente santuarios cristianos, vio el lugar donde san Pablo acuñó por primera vez el término «cristiano», las reliquias, incluso se detuvo en las ruinas romanas, pero se negó a cabalgar hasta Alepo para estudiar el terreno o debatir la próxima batalla con el príncipe Raimundo.

Al cabo de tres semanas, un mensajero irrumpió en nuestro festín nocturno agitando un pergamino.

Raimundo lo sostuvo en alto.

—¡Un mensaje de Antalya!

Luis corrió a su encuentro.

—¡Es mío! —Empalideció mientras lo leía, y luego dijo con voz ronca y patética—: ¡Mis peregrinos han desertado! ¡Los turcos les ofrecieron comida y con mi oro...!

Mi oro, pensé yo.

Luis abrió la boca y se puso lívido.

—Se han pasado al enemigo. —El resto fue un susurro—. Se han co-convertido al isla... al islamismo.

Los presentes gimieron consternados.

Luis alzó la mano.

—*Pace, pace*, vinimos a ayudar a Jerusalén, y ese objetivo se mantiene. Incluso aunque nos hayamos entretenido aquí, el rey Conrado y el emperador Manuel navegan para reunirse con nosotros. Por consiguiente, ¡preparaos para partir de inmediato! ¡Juntos atacaremos Damasco!

—¡Damasco! —bramó Raimundo, horrorizado—. ¡Damasco está de nuestro lado!

—No sois ningún aliado —respondió Luis—. No podéis dar vuestra opinión.

—¿Opinión? ¡Es un hecho! ¡La cruzada se organizó porque habían atacado Edessa! ¡Alepo es el siguiente objetivo, no Jerusalén! ¿Acaso vinisteis a atacar a vuestro único aliado sarraceno?

—¡Esperad! —Me abrí camino hasta la parte delantera—. Los aquitanos vinieron a ayudar a Raimundo de Poitiers. Cuando escribió pidiendo ayuda, respondimos, y a Dios pongo por testigo que ofreceremos tal ayuda. ¡Cuando luche en Alepo, estaremos de su lado! Ordeno a mi ejército que permanezca en Antioquía para luchar con Raimundo.

—¡Eso! ¡Eso! —vitoreó Hugo—. ¡Nuestra duquesa ha hablado! ¡Me hago eco de sus palabras!

Al caer la noche teníamos con nosotros a los supervivientes del ejército de Maurienne, pero aunque muchos franceses deseaban quedarse no osaban desobedecer a su rey.

Me tumbé muy esperanzada en la esterilla de seda. Por fin había expresado mis intenciones de forma directa y, aunque era consciente de que Raimundo estaba decepcionado, sabía que nuestras posibilidades de victoria eran superiores sin Luis. Pronto terminaría todo. De un modo difuso escuché a Amaria moviéndose cerca de mí, y luego nada más. Aunque cerré los ojos, no lograba conciliar el sueño. Las imágenes se sucedían en mi cabeza: Rancon en el establo de Taillebourg, en mi pabellón de Metz, luego por la noche en el monte Cadmos y... ¿qué era eso? Había alguien en la alcoba. Movimiento. ¿Acaso Rancon...? No, ¿Amaria? Otra vez, pasos, respiración. Cerca.

¡Grité! Un trapo me cubrió la cabeza, y luego me lo introdujeron a la fuerza en la boca. Me entraron náuseas. Estaba encapuchada, unas manos me recorrían el cuerpo con brutalidad, oía gruñidos. Me puse a patalear, golpeé algo pero no veía y no podía hablar. Oí movimientos similares procedentes de la cama de Am, a ella también la estaban maniatando. Yo estaba encogida sobre el vientre, con las manos atadas a la espalda con una cuerda, así como los tobillos. Volvieron a colocarme sobre la espalda y me propinaron una fuerte patada en las costillas con una bota. Me retorcí de dolor, me dieron otra patada.

Alguien me colocó sobre su hombro como si fuera un saco de arroz. Un broche de metal me hizo un corte en el estómago.

Por el cambio de aire supe que habíamos salido de la alcoba, que pasamos por el balcón y bajamos las escaleras. Con cada paso sentía un corte en el centro de mi cuerpo.

¿Dónde estábamos en aquel momento? En la calle, sí, olí un caballo. Del hombro al cuello huesudo del caballo; por lo menos me había librado de la tortura del broche de metal. Empezamos a cabalgar.

¿Hacia dónde? ¿Quiénes eran aquellos hombres? ¿Sarracenos? ¿Me iban a tomar como rehén? ¿Pedirían un rescate por mí? ¿A Raimundo? Oh... Dios mío... me llevarían a un harén. ¡Oh, santo cielo, socorro!

¿Podía escaparme rodando? Lo intenté pero estaba bien sujeta. ¿Dónde estaban los guardas de Raimundo? Muertos o sobornados. Recorrimos una distancia corta. Nos rodearon más caballos, los cascos resonaban sobre los adoquines. Los hombres gruñían pero no hablaban. Me lanzaron a un lecho de paja mal ventilado. El carro enseguida empezó a traquetear por los adoquines. Otro cuerpo, el de Amaria, pensé, iba dando sacudidas junto al mío.

El aire era tan cálido que agobiaba, había salido el sol y yo necesitaba orinar. Controlé las ganas e intenté encontrar una postura que me permitiera respirar. ¿Quién era el culpable de aquello? Me devané los sesos pensando en los enemigos que Raimundo había mencionado; intentaría negociar en cuanto tuviera una oportunidad.

Cuando por fin nos detuvimos, me sentía totalmente aletargada. Tenía los pies y las manos entumecidos, la garganta seca. Entonces percibí una luz a través de la capucha. Unas manos me alzaron con cuidado y me dejaron en el suelo. Alguien manipuló las cuerdas, me despojó de la capucha y de la mordaza. Vi formas pero no era capaz de identificarlas.

—¡Agua! —pedí jadeando.

Me acercaron un frasco a los labios. Me salpiqué la cara, la bebí toda.

—¡Más! —dije con voz ronca.

—Os advertí en el monte Cadmos, Leonor, pero no me hicisteis caso.

Me atraganté. A través de una mancha borrosa, ¡vi a Luis! Thierry, que llevaba la túnica sujeta con un enorme cinturón de latón, estaba a su lado. Era mi secuestrador, y detrás de él había un círculo de señores franceses avergonzados.

Luis continuó empleando aquel tono de devoción gazmoña que tan bien conocía.

—Creí que la infidelidad era el más odioso de los pecados en una reina, pero me habéis demostrado lo contrario.

Proferí un grito ahogado.

Él me comprendió.

—Me refiero al incesto, esposa.

¿Incesto? ¿Acaso el sol le había secado las pocas células vitales que todavía poseía? No tenía hermanos, ni primos ni padre.

—Vos y vuestro tío Raimundo de Antioquía os habéis conocido carnalmente.

¡Raimundo! Enseguida capté su plan diabólico. Mi destrucción, la de Raimundo, la de la cruzada, todo concentrado en una sola palabra: incesto.

Hice una seña para pedir más agua.

—El incesto es el pecado más grave que puede cometerse. No obstante, perdono vuestra falta, esposa. En Jerusalén os confesaréis ante Dios, y Él os designará como mi amada compañera.

Me guardé el agua en la boca y me acerqué a él.

Le escupí en la cara con todas mis fuerzas.

Desde Jerusalén escribí una febril carta de disculpa a Raimundo, emborronada por las lágrimas. De todas maneras, envié la misiva a través de un mensajero, y volví a escribir. Era incapaz de detener mi retahíla de horrores ante lo que podría haberle sucedido a su causa y a su persona si lo hubiera puesto al descubierto ante Luis. No hacía falta que me extendiera con respecto al posible daño, los dos lo sabíamos. Si los rumores de mi «infidelidad» habían viajado desde París hasta Antioquía, ¡con cuánta rapidez se extendería el escándalo irresistible del incesto! Mi reputación ya estaba mancillada sin remedio, pero Raimundo había sido un príncipe magnífico. Los remordimientos me angustiaban.

Y mi querido tío respondió, por mano de mi tía, en lugar de hacerlo a través de un escriba. Tanto él como Constancia se disculpaban por la falta de seguridad. ¡Era culpa suya que me hubieran secuestrado! Pero ¿a quién se le ocurriría prevenir a los guardias del rey francés? Me compadecían, me ofrecían protección si lograba escapar. Raimundo incluso vendría a Jerusalén y me acompañaría en el viaje de vuelta si yo daba la orden. ¿Había existido jamás un corazón tan generoso? Me enorgullecía de ser su sobrina.

En cuanto a Luis, me encerré en mis aposentos y le negué la entrada; prefería estar encarcelada a ver su detestable fisonomía.

Una carta de Suger confirmó la velocidad a la que viajaban los rumores. Él también me informaba, para mi sorpresa, que el conde de Maurienne y mi capitán de Aquitania habían regresado con inusitada rapidez. A continuación decía que estaba consternado ante el hecho de que mi relación con Luis se hubiera desintegrado hasta alcanzar niveles tan sórdidos y que no le cabía la menor duda de que la culpa la tenía la imaginación exaltada del rey, aparte de las terribles dificultades por las que habíamos pasado. Tampoco le cabía la menor duda sobre cuál debía ser mi reacción, y me suplicaba, me imploraba, con todo el peso de Francia y Aquitania sobre sus espaldas, que recordara la importancia de la paz interna para el bien público.

«Querida, queridísima Gracia —escribió—. Os quiero como mi reina y como la hija que nunca tuve. Comprendo vuestra angustia; a vuestro regreso os compensaré como pueda, pero no hagáis nada imprudente mientras no tengáis acceso a consejos racionales. No descansaré hasta que me escribáis que haréis caso de mi advertencia.»

Antes de tener tiempo siquiera de responder a Suger, recibí otra carta escrita de puño y letra de Constancia. La tinta estaba corrida y sus palabras resultaban casi incoherentes: ¡Raimundo estaba muerto! ¿Muerto? Me temblaban tanto las manos que apenas podía leer. ¿Acaso Luis había regresado para cometer tal atrocidad, o había enviado a Thierry?

No, había sido más sutil, más indirecto. Asesinato por omisión o, mejor estaría decir, por una serie de encargos equivocados. Si Luis y los franceses se hubiesen quedado, si Luis no me hubiera secuestrado y dejado así al ejército aquitano a la espera, Raimundo seguiría con vida. Resultó ser que Raimundo había salido a caballo dos semanas antes para examinar el terreno para la batalla siguiente, acompañado de una guardia poco nutrida. De repente se levantó una tormenta de arena en el desierto con una intensidad inusitada, y se refugió en un estrecho declive. Los hombres de Nur al-Din descendieron al instante, blandiendo las cimitarras. Raimundo luchó con dureza pero tenía el viento en contra y la arena le cegaba. Lo mataron allí mismo y luego lo decapitaron. Su cabeza, clavada en un marco de plata, estaba ahora en la puerta de Bagdad. Nur al-Din había perpetrado el asesinato, sin duda, pero Luis había condenado a Raimundo a que corriera tal suerte. Luis Capeto, rey de Francia, era un asesino. Nunca le perdonaría.

«Perdonadme, querida sobrina, porque aunque no excuso a los sarracenos, seguro que esto no habría ocurrido si los cruzados hubieran ofrecido a Raimundo el apoyo que se merecía. El rey es el principal responsable. No añadiré nada más.»

Tampoco era necesario. Le escribí unas palabras de condolencia de inmediato y mostré mi total acuerdo con sus conclusiones.

Luis fue absuelto de la matanza en Vitry; luego, por poderes, a través de Luis, fui absuelta de mis pecados con mi tío. ¿No podríamos retomar las relaciones maritales normales?, escribió. Y, oh sí, le apenaba la desaparición prematura de Raimundo, sobre todo teniendo en cuenta que había pensado regresar a Antioquía en persona para desagraviar a mi tío, pues sabía perfectamente quién tenía la culpa de todo aquel asunto. Yo, por supuesto, no respondí.

Resentida y consternada como estaba, seguía sorprendiéndome la hipocresía de Luis. Él, el peregrino más abyecto de todos, el fanático más religioso, el loco más lunático y peligroso, el papista más severo, estaba deseoso de seguir ignorando las enseñanzas de la Iglesia y mantener relaciones carnales conmigo, quien supuestamente había cometido incesto. No, no deseoso, ansioso. Sin duda el peor pecado de Adán, el que quizá molestó a Dios más que la desobediencia, era el hecho de que Eva fuera la pariente más cercana de Adán. Incesto, el tabú universal. Todos los matrimonios de la Iglesia mencionaban la consanguinidad. Incluso Luis y yo...

—¡Am! —di un respingo—. ¡Haced venir al obispo Arnulfo de Lisieux inmediatamente!

En cuanto aquel prelado mundano estuvo ante mi presencia, le tomé las manos.

—¿Cuál es el motivo por el que una pareja puede anular su matrimonio?

—Mi querida reina, os ruego...

—¡Pensad, Arnulfo! ¿Cómo consiguió Raúl de Vermandois la anulación de sus votos?

Frunció el ceño.

—Con la batalla de Luis en Vitry.

Yo ya había pensado en eso, por supuesto, pero el motivo verdadero era legal. Los obispos habían anulado el matrimonio de Raúl debido a su relación con Leonor.

—¡Debido a la consanguinidad! ¡Incesto!

Buscó algún indicio en mi mirada.

—Luis y yo somos primos. ¡Y acaba de proclamar al mundo que el incesto es el pecado que menos tolera! ¡Estamos emparentados en cuarto grado! ¿Me representaríais ante el papa Eugenio?

—Mandad traer vuestros árboles genealógicos.

Los dos sonreímos.

Entonces escribí a Rancon. Aquitania pronto volvería a ser mía. Pronto sería libre, había mantenido mi palabra.

Por supuesto, la cruzada tenía que finalizar antes de que yo pudiera marcharme de Jerusalén. Afortunadamente para mí, bastaron tres días para que los cruzados fueran derrotados en Damasco. Luis proclamó la victoria y se preparó para marcharse. Por aquel entonces, Luis ya sabía que había entablado una demanda de anulación; no le quedaba otra opción que comparecer frente a mí ante el tribunal papal. Tuve la prudencia de no zarpar en el mismo barco que él; fui por la ruta de Sicilia mientras que él desembarcó en Brindisi. Nos reuniríamos en Tusculum, sede pontificia después de que Roma desplazara a la Santa Sede.

Tras el esplendor de las ciudades orientales, Tusculum parecía un pueblo primitivo, construido alrededor de un palacio decadente de un horrible tono mostaza. El interior de la residencia no daba mejor impresión. Los cimientos del edificio se estaban hundiendo a un ritmo desigual, por lo que había unas grietas enormes que recorrían las paredes amarillentas y un hedor penetrante a *garderobe*. No obstante, para mí era como el Elíseo, el lugar donde recuperaría la libertad.

El día concertado, el obispo Arnulfo me acompañó a la estancia del Papa. Arnulfo me había preparado bien, sabía que el pontífice, llamado Pedro Bernardo, nacido en el seno de una familia aristócrata de Pisa venida a menos, debía su rápido ascenso en la jerarquía eclesiástica al abad Bernardo y a su orden cisterciense. Él interpretaba la ley a su manera y nos ceñiríamos estrictamente a sus instrucciones. Estaría predispuesto contra mí, pero el hecho de que estuviera preparado para escuchar el caso resultaba alentador.

La sala era demasiado pequeña, y el fuerte aroma del incienso y de los gladiolos mustios dominaba el ambiente. Luis llegó antes que yo. Limpio y vestido con su túnica regia, parecía joven, radiante, indemne después de la miríada de cadáveres y de las vidas truncadas tras su paso. Como era de imaginar, tenía los ojos llenos de lágrimas.

Nos arrodillamos para recibir la bendición del Papa.

El papa Eugenio habló con un ligero ceceo mientras un débil hilillo de saliva le resbalaba por la comisura del labio. ¿Una apoplejía? ¿Le había dañado el cerebro? Cuando se levantó, le miré directamente los ojos negros de párpados caídos; no, estaba en plenas facultades.

Sin embargo, las manos le temblaban mientras pasaba los documentos relativos a mi caso. Leyó nuestras genealogías en voz alta, luego se volvió hacia Luis y le preguntó si podía rebatir nuestra consanguinidad. Luis respondió que sí, que éramos primos, pero que habíamos recibido la absolución en la ceremonia nupcial, y por consiguiente la consanguinidad no podía ser un impedimento entre nosotros. El Papa se dirigió entonces al obispo Arnulfo.

Cierto, dijo Arnulfo sin reparos, la ceremonia nupcial había intentado desechar el obstáculo más obvio, pero ¿lo había logrado? La ceremonia también había ordenado a la joven pareja que creciera y se multiplicase, no obstante en diez años de matrimonio sólo había producido un descendiente, que además pertenecía al sexo débil. ¿Acaso no se trataba de un indicio de la desaprobación de Dios?

—Dios tiene sus propias razones —sentenció Eugenio—. Quizá la hija no sea más que el primer miembro de una familia numerosa.

Arnulfo se sintió reconfortado al oír tal argumento. Estaría de acuerdo de no ser porque existían circunstancias especiales: el gran abad Bernardo de Claraval había intercedido personalmente ante Dios en este caso para lograr el nacimiento de un príncipe. Estaba claro que nadie podía poner en duda las credenciales de Bernardo ante Dios; la negativa de Dios no era sino una prueba de su ira.

Entonces, para mi sorpresa, Luis pidió hablar. Me había percatado de la ausencia de Thierry, pero supuse que uno de los otros obispos sería el defensor de Luis.

Con un susurro intenso, que hasta a mí me pareció convincente, Luis lamentó sus errores en el matrimonio.

—He amado y respetado a mi esposa como ningún otro hombre antes que yo, pero nos casamos a la sombra de la muerte de nuestros padres y, por tanto, no pudimos consumar el matrimonio en la primera oleada de deseo. Luego se produjo la tragedia de Vitry y yo me hice penitente, y la castidad pasó a ser uno de mis sacrificios. Sólo ahora, sólo después de haber visitado Jerusalén a instancias vuestras, tengo la posibilidad de ser el esposo que siempre quise ser. Os suplico en nombre de Jesucristo, nuestro Salvador, que nos enseñó a perdonar, que me concedáis una segunda oportunidad.

Todo cierto, salvo que había omitido los siete años de castidad voluntaria entre el luto y Vitry, como consecuencia de sus convicciones monacales, aparte de olvidarse de mencionar sus celos desaforados y el asesinato de mi tío. El obispo Arnulfo hizo un gesto para indicarme que guardara silencio.

Sin embargo, el Papa me preguntó directamente.

—¿Qué decís a esto, hija mía?

—Reconoce las circunstancias de su matrimonio, Santidad —respondió el obispo Arnulfo—, pero el hecho es que parece estéril. Se está acercando al final de sus años fértiles —tenía veintiséis años— y considera que por el bien de Francia, debería ceder el trono a una sucesora más fértil.

—¡No! —gritó Luis.

El Papa juntó las manos.

—Creo que el rey de Francia desea cumplir con sus obligaciones conyugales. Considero además que los muchos años de abstinencia han provocado una tensión antinatural entre las partes contendientes. Por consiguiente, rechazo la petición de la reina y declaro nuevamente que la consanguinidad no puede ser un obstáculo entre ellos. Sin embargo, como vuestro Padre aquí en la Tierra, os ayudaré todavía más. Esta noche renunciaré a mi alcoba para que podáis reconciliaros ante Dios. —Sonrió y dejó al descubierto los orificios negros—. Además, a riesgo de pretender mayores poderes que los de vuestro venerado abad Bernardo, rezaré por un heredero al trono.

Me puse en pie.

—Nadie puede obligarme a consumar una unión que considero pecaminosa. Permaneceré en vuestra alcoba con el rey por orden vuestra, pero sólo como su prima, que es lo que soy, no como su esposa, que no lo soy.

Me marché rápidamente.

Transcurridas varias horas, me encontraba junto al Papa, Luis y un grupo de obispos en el interior de la diminuta y calurosa cámara papal. De la pared colgaban efigies pintadas de la cabeza de san Juan Bautista lanzando una mirada lasciva desde la bandeja (y que me recordaba a Raimundo); el apóstol san Juan ardiendo en aceite; san Policarpo consumido por las llamas, ninguno de ellos más martirizado que yo. La cama elevada estaba cubierta de flores, y el enorme altar rodeado de ramos mustios.

Las contraventanas estaban cerradas, el calor de las velas del altar era insufrible, y el hedor de las plantas putrefactas combinado con la putrescencia humana resultaba abrumador.

Antes de retirarse, el papa Eugenio preparó el sacramento de la eucaristía. Mordisqueé la hostia, sorbí el vino dulce y fuerte y observé la marcha de los santos varones.

—¡Oh, Gracia! —dijo Luis tendiéndome los brazos—. Si supierais cuánto he esperado este momento, cuánto os amo. Por favor, no opongáis resistencia...

—Me resisto a vos —dije con voz sorda. Estiré la mano para alcanzar una vela encendida—. Si os atrevéis a tocarme, me prenderé fuego como san... san...

Caí hacia delante. Los halos de luz se reflejaron en el rostro de Luis cuando me agarró.

Cuando me desperté, yacía desnuda junto al cuerpo igualmente desnudo de Luis. Recogí mi túnica del suelo, horrorizada, y gemí de repugnancia. Me dirigí tambaleante a la puerta.

—Gracia, esperad; acaba de amanecer...

Gracias a Dios la puerta no tenía el pestillo corrido. Me quedé de pie en el rosedal del Papa y vomité.

Al cabo de diez días supe que estaba embarazada.

16

Una vez en Francia, fui directa a Vermandois a recoger a María y a dar el pésame a Petronila, pues había enviudado. Me pareció que había estado fuera décadas en vez de años, pero mi querida princesita se comportó como si sólo hubieran transcurrido algunos días. Retomamos nuestras clases y juegos sin esfuerzo. Para mi deleite, tenía el don familiar de la poesía.

En abril di a luz a mi segunda hija, a quien puse el nombre de Alix. Cuando me desperté después de dar a luz, Luis estaba sentado a mi lado.

—La próxima vez tendremos a nuestro príncipe —susurró.

Le dirigí la palabra por vez primera desde hacía meses.

—¿Cómo me drogaréis la próxima vez, Luis? Nunca más volveré a comulgar.

Por primera vez desde el fiasco papal, le escribí a Rancon una misiva corta y sombría: «Cumpliré mis promesas. Os ruego que seáis paciente.»

¿Tenía que esperar la muerte del papa Eugenio y depositar mis esperanzas en otro Papa? Tal vez, pero Eugenio gozaba de buena salud y el abad Suger enfermó. Su estado era grave. En enero, durante una ventisca, fui a caballo hasta su abadía y me senté junto a su lecho en la alcoba llena de menta. Le tomé la mano seca y cálida.

—Acercaos más, querida.

Cumplí sus deseos.

—Prometedme que no le dejaréis.

Le besé la mano.

—No puedo, querido amigo. Vos conocéis mi corazón mejor que nadie.

—Me pregunto si es así. ¿Es por vuestro tío?

¿Cómo mentir a un hombre moribundo?

—Luis lo mató, si es que os referís a eso.

Me observó con ojos desvaídos.

—Ya lo había decidido. En el monte Cadmos.

—Entonces ¿de quién se trata?

—¿Tiene que haber otro hombre?

—Para vos, sí. Desde un buen comienzo, ¿eh? Luis nunca tuvo ninguna oportunidad.

—Lo intenté, abad Suger; sabéis que lo intenté.

—Estáis eludiendo la pregunta, hay alguien. Sea quien sea, evitadle el problema, Leonor. En Europa no hay nadie con la fuerza suficiente para aceptar el reto que suponéis.

Sonreí.

—¿Tan formidable soy?

—Debéis olvidar vuestra vida privada; a los ojos del mundo sois Aquitania. Os advertí hace tiempo que Francia e Inglaterra se disputarían el premio, y Francia saldrá victoriosa. Luis luchará, Leonor. No hay nadie en Europa que pueda retar a Francia.

—No debéis preocuparos.

Me miró fijamente con sus ojos apagados.

—Después de todos mis esfuerzos, ante unas posibilidades tan maravillosas. Y ahora Luis ha recapacitado por fin. Os ama.

—Por el momento, abad Suger. Mañana podría cambiar.

—Utilizad vuestra fuerza para la paz, Leonor; quedaos con Luis.

Estaba emocionada y entristecida, pues apreciaba verdaderamente a aquel anciano.

—Vos y yo hacemos buena pareja —le dije.

—Sí, deberíamos habernos casado. —Sonrió y cerró los ojos.

Sí, pensé, nos queríamos pero me molestaba que me coaccionara. ¿Por qué debía seguir Luis dominando mi vida?

Durante el año siguiente, fui de palacio en palacio, de condado en condado, siempre seguida de Luis. Rancon y yo nos carteábamos, a veces a diario. Mis mensajes eran cortos e indirectos, por si los interceptaban. Él escribía bajo la identidad de un trovador imaginario, Bernardo de Ventadorn, y se refería a mí como «Bel Vezer», que significaba «visión hermosa».

Una mañana pensé que estaba a salvo en el pabellón de caza de Bélizes. Acababa de leer un poema de amor apasionado, sentada a la orilla de un arroyo, cuando Luis me habló desde detrás.

—Os presento mis respetos, Gracia.

Salté al agua, donde jugaban María y Alix.

—¿Cómo os atrevéis a acercaros a mí sin avisar?

—Es la única forma que tengo de ver a mi esposa —respondió con humildad.

—Soy vuestra prima, ¿qué queréis?

—Ver a mis hijas.

—Pues miradlas y partid de inmediato.

María se protegió los ojos de la luz.

—¿Sois mi padre?

Alix, que se me aferró a las piernas, empezó a llorar.

Luis hizo una mueca de dolor y se sentó en la hierba.

—Os he traído mi tribunal, puesto que ya sabía que sería inútil que os convocara en París. Debemos ocuparnos de un caso.

—Carezco de jurisdicción sobre vuestro tribunal.

—Concierne a vuestro vasallo, el conde de Anjou; el conde Godofredo se niega a presentar el caso ante otra persona que no seáis vos. He llamado al abad Bernardo de Claraval para que argumente por vos, pero debéis hacer acto de presencia.

—¿De qué se trata? —inquirí.

Exhaló un suspiro.

—Un senescal llamado Berlai invadió Anjou desde Aquitania; Godofredo y su hijo Enrique lo encadenaron. No lo liberarán hasta que deis la orden, puesto que sois señora feudal de Anjou... y a menos que reconozca a Enrique como duque de Normandía.

—Vos nombrasteis a Berlai, no yo. Y pensaba que hacía años que Enrique era duque de Normandía.

—Se ganó el título en una batalla —reconoció—, pero el rey Esteban de Inglaterra lo reclama legalmente. Desde la época de Guillermo el Conquistador, Inglaterra y Normandía han sido gobernadas por el mismo hombre.

—Y Francia colocó a Esteban en el trono inglés para evitar dar a una mujer la herencia que le pertenecía, ¿no? Y esa mujer era la madre de Enrique.

Parecía apenado.

—Eso fue durante el reinado de mi padre, no del mío. Estoy dispuesto a concederle lo que le pertenece si me rinde homenaje, a lo cual se ha negado hasta el momento.

—Zanjad el asunto como os plazca, a mí no me interesa. —Me dirigí con rapidez hacia el pabellón e hice que mis princesas me siguieran.

—¿Adónde vais?

—A recoger mis cosas y marcharme.

—No podéis... todo el mundo está aquí esperando.

Tenía razón, el patio estaba lleno de caballeros. Bueno, me sentaría como un perrito mientras Bernardo pronunciaba su sermón y luego me marcharía, mejor zanjar el tema lo antes posible.

La sala revestida de madera era pequeña para ser un tribunal, pero había que conformarse. Ocupé mi lugar junto a Luis en el nivel más elevado; el abad Bernardo charlaba animadamente con Thierry mientras esperábamos a los demandantes. La campana señaló el mediodía. Se oyeron susurros en la puerta y dos hombres entraron dando grandes zancadas sobre los tablones de madera; las espuelas sonaban a cada paso.

Con el fondo de la sala iluminado por las ventanas abiertas, el padre y el hijo infames se arrodillaron un instante, pero enseguida se pusieron en pie, tan arrogantes como unos gallos en un estercolero.

El conde Godofredo, el amigo de mi padre, era un hombre increíblemente apuesto, con el cabello color caoba ondulado hasta los hombros; una lujosa capa de cendal al hombro llevada con despreocupación y destellos de las piedras preciosas que le decoraban la cintura y los puños. Sus ojos pardos se movían con descaro de una persona a otra, y su sonrisa sesgada era impenitente.

Su hijo Enrique era tan feo como guapo su padre, pero esa impresión era efímera. Aunque era igual de alto que Godofredo, el cuello corto y ancho de Enrique y su pecho anchuroso le hacían parecer más bajo. El pelo, también rojizo, tenía el largo de tres días, su rostro tostado por el sol era un amasijo de pecas, las pestañas y las cejas casi albinas. La ropa que vestía, aunque lujosa, carecía de estilo y no llevaba piedras preciosas. No obstante dejó fascinados a todos los presentes en la sala. Le llamaban «cometa rojo» debido a sus salidas alocadas y golpes mortíferos por toda Normandía; se decía que poseía los poderes ocultos de su famosa antepasada, la bruja Melusina. Era famoso también por su inteligencia formidable y ambición despiadada, pero no fue su fama lo que embelesó nuestras miradas sino su fuego interno. Era un animal peligroso en nuestro entorno; daba patadas en el suelo, le vibraban los músculos y parecía no poder controlar del todo su energía bullente. Sonreía al igual que su padre, pero su sonrisa infundía terror. Tenía unos dientes grandes y superpuestos, y sus ojos grises y saltones poseían la calidez del granizo.

El abad Bernardo inició el juicio. Con muchos circunloquios religiosos, al final consiguió decir que los angevinos habían prendido a Berlai de forma ilegítima y que debían liberarlo de inmediato.

—No es un asunto de la Iglesia, ni tampoco de Francia —dijo el conde Godofredo con voz profunda y melodiosa—. Esperamos que nuestra duquesa de Aquitania escuche nuestro caso.

Aguardaron mucho tiempo mientras Bernardo estaba en el podio; ni siquiera miró en mi dirección, pero prosiguió su arenga. El conde Godofredo miró por la ventana; su hijo tenía la vista fija al frente y los dos sonreían. Bernardo se exaltó con sus banalidades habituales y, al ver que no obtenía respuesta, de repente le gritó a Godofredo:

—¡Habéis insultado a Dios! ¡Habéis cometido traición contra el rey de Francia con la toma ilegítima de un título! ¡Rendíos con respecto a este asunto, o en el plazo de un mes moriréis ahogado!

Se oyeron numerosas exclamaciones.

El conde Godofredo se echó a reír.

—Sois un viejo y conocido farsante, señor abad. No me intimidaréis con vuestras profecías.

Por primera vez lo miré fijamente. Qué hombre tan valiente.

Enrique habló con voz ronca, como si hubiera pasado mucho tiempo cara al viento.

—Nos gustaría presentar el caso a nuestra duquesa Leonor. —No reina, duquesa.

Me dirigí a la parte delantera de las gradas.

—Presentad vuestro caso, mi señor.

Rectifiqué mi primera impresión. De cerca, Enrique no era tan feo como me había parecido. A sus dieciocho años, gozaba del brillo y la seguridad propias de la juventud, y su energía animal resultaba magnética e imponente.

—Si os ocupáis personalmente de nuestro prisionero, lo dejaremos en vuestras manos.

—Entonces hacedlo, acepto tenerlo bajo mi custodia.

—Ése no es el único asunto que debemos tratar —dijo Luis a mi espalda—. Exijo que me rinda homenaje.

—¿Lo reconocéis como duque de Normandía? —preguntó el conde Godofredo.

—Ese honor le pertenece al rey de Inglaterra.

—Lo cual pronto será el duque Enrique, os lo aseguro. —La voz de Godofredo tenía un deje metálico.

Enrique se arrodilló.

—Os reconozco como mi señor supremo y os juro mi fidelidad para siempre.

Luis estaba asombrado.

—En ese caso, por supuesto que os habéis ganado el ducado.

Pero Enrique me miró.

—Como muestra de mi promesa, os cedo el Vexin.

—¡El Vexin! —Luis no fue el único sorprendido. Todos empezamos a rumorear. El Vexin, la franja de territorio más estratégica de toda Normandía, igual de asombroso que si Luis le hubiera entregado su corona en aquel mismo momento. Yo fui la más desconcertada pues tenía la clara impresión de que el joven Enrique me había dirigido a mí aquellas palabras. Pero ¿para qué quería yo el Vexin?

Al cabo de un mes, Luis me abordó de nuevo, esta vez en Poitiers. Estaba sudado y tembloroso tras una dura cabalgada desde París.

—¿Os habéis enterado de las nuevas? —dijo jadeando.

—¿Ha muerto el Papa? —pregunté esperanzada.

—El Papa no, el conde Godofredo de Anjou. —Se cubrió el rostro con las manos y empezó a llorar—. Estabais presente, fuisteis testigo, cuando el abad Bernardo profetizó que moriría en el agua en el plazo de un mes, y justo ha transcurrido un mes.

—¿Cómo murió? —pregunté lentamente.

—En el río Loira. Fue a darse un baño, hacía mucho calor, se resfrió y murió esa misma noche.

Sentí un escalofrío.

—¿El agua estaba contaminada?

—Supongo que sí, pero ésa no es la cuestión. Oh, Gracia, tenemos un santo entre nosotros. Siempre he sabido que el abad Bernardo era un santo, pero esto va más allá de la devoción, tiene poder para hacer la voluntad de Dios.

Y, como había estado en Jerusalén, se me ocurrió una idea.

—Sean cuales sean sus predicciones, diga lo que diga, debe de ser verdad —repetí entrecortadamente.

—Dios nunca se equivoca.

Lo cual significaba que Bernardo de Claraval nunca se equivocaba. Me di un golpecito en la frente al ver lo tonta que era. Había ido a aquel pozo en una ocasión... ¿por qué no regresar? Lamenté la muerte del pobre Godofredo de Anjou, recé una oración por su alma y le di las gracias por haberme enseñado el camino a seguir. Una hora después ya había escrito al abad y le había confesado mi pecado con mi tío. Reconocí estar asolada de vergüenza. Me arrepentía; le aseguraba que no era digna de que me considerasen la madre de Francia. ¿Leería mis otras confesiones? Disfruté de mis inventos escabrosos... ¿por qué había tardado tanto en hacerlo?

Al poco tiempo el abad Bernardo de Claraval se dispuso a escribir sus famosas cartas a todos los oficiales y obispos de Francia, pregonando mis famosas transgresiones a los cuatro vientos: tenía una mente frívola, era estéril, era una meretriz y había cometido el peor de los pecados con mi tío. Por el bien de Francia, por el mantenimiento de la dinastía de los Capetos, debía ser relegada. Apreté la mandíbula y dejé que los chismorreos se propagaran.

Luis intentó resistir, pero Bernardo era demasiado fuerte. Cuando el papa Eugenio cambió de opinión y aprobó la disolución de nuestro matrimonio, Luis capituló; se fijó una fecha para anular nuestro casamiento. Entonces interrumpí la correspondencia secreta que mantenía con Bernardo, en la que le confesaba mis transgresiones, y me centré en las condiciones necesarias para proteger a mis hijas. Luis se veía obligado a casarse de nuevo, pero dudaba que llegara a tener más hijos; mi María debía ser nombrada heredera y, detrás de ella, Alix. Insistí además en el derecho a verlas con frecuencia y participar en su educación. Bernardo y Luis podían burlarse de mi capacidad para traer al mundo hijos varones, pero nadie podía criticar mi dedicación a la progenie femenina. Estaba resuelta a hacer de ellas unas buenas aquitanas y a proteger su futuro.

El 21 de marzo, el viernes anterior al Domingo de Ramos, en Beaugency, cerca de Orleans, nos reunimos para anular nuestro matrimonio. El abad Bernardo estaba allí, Thierry también para representar a Luis y yo tenía al arzobispo Godofredo de Burdeos y al obispo Arnulfo de Lisieux de mi lado. El abad Bernardo dedicó la mayor parte de la tarde a enumerar mis pecados, pero a mí me reconfortaba el hecho de saber que era la última vez que tendría que escuchar todas aquellas estupideces depravadas. Sin embargo, añadió una sorpresa: durante la cruzada, había conocido carnalmente a Saladino.

—¿Quién es Saladino? —le susurré a Arnulfo.

—Un sarraceno. —Sonrió—. Debía de tener once años cuando estuvisteis por aquellos lares.

Mi caso era sencillo; no respondimos a ninguna de las acusaciones de Bernardo, que eran irrelevantes, y pedimos la disolución con motivo de la consanguinidad y arguyendo como prueba que la reina era infecunda. La conclusión estaba cantada, el divorcio asegurado. Sólo faltaba establecer las condiciones: las de Luis, que yo no volvería a contraer matrimonio sin su permiso, que mi esposo y yo rendiríamos homenaje a Francia; por mi parte que nuestras hijas serían las herederas al trono de Francia, y que yo conservaría el derecho a verlas cuando lo deseara y a marcar las pautas de su educación.

Luis me siguió hasta el camposanto, donde mi caballo ya estaba ensillado.

—Aguardad, Gracia. Esto no puede haber terminado así.

—Ya he escuchado acusaciones suficientes para toda mi vida, Luis.

—No me refería a eso. Sólo porque... No he dejado de amaros. —No derramó lágrimas; intentó parecer varonil—. Y no me creo nada de lo que ha dicho Bernardo.

—Es un poco tarde para reconocerlo, mi señor.

Me tocó el brazo.

—Os lleváis mi corazón con vos... no sé si sobreviviré. Si pudierais darme un poco de esperanza.

—Siempre hay esperanza si se confía en Dios. Ambos estamos en sus manos.

—Yo deseo estar en las vuestras. —Se tapó el rostro—. No soporto esta situación, Gracia, por favor, por favor...

No se limitó a llorar, sollozó con el dolor profundo y gutural de un hombre, como el que había visto en caballeros cuando habían perdido a sus amigos. Lo habría compadecido de no ser porque llevaba un collarín de plata y recordé la cabeza cercenada de mi tío Raimundo enmarcada en plata sobre un muro de Bagdad.

—Cuidaos, Luis. Es tarde, debo partir.

Le di un beso en la mejilla, un beso de Judas.

Entonces monté en el caballo y me alejé lentamente, circundada por una guardia aquitana poco numerosa a las órdenes de Aimar. No me había atrevido a colocar a Rancon en presencia de Luis, pero me reuniría con él en Poitiers un día después de mi llegada. Estaba radiante de alegría.

El cielo era un fondo color azul oscuro con ráfagas veloces de nubes blancas; los árboles estaban empezando a adquirir un tono verde pálido. El chacoloteo de los caballos nos salpicaba de barro la ropa delicada que vestíamos, pero no me importaba. Cada paso me acercaba más a mi hogar, a Rancon. Por primera vez, osé recordar la presión de aquel abrazo de antaño y me estremecí ante la perspectiva. Al atardecer entramos en el patio de Blois, donde me estaba esperando Constancia, la hermana de Luis. Me recibió con frialdad, pero no me importaba. Su esposo estaba en Inglaterra, y así evité su hostilidad. Me excusé temprano para poder proseguir el viaje antes del amanecer. De madrugada, Amaria me apretó la mano:

—¡Silencio, Gracia, alguien intenta abrir la puerta!

¿Sería Thierry de nuevo? ¡No podía creerlo! ¿Cómo justificaría Luis un segundo secuestro? Amaria y yo salimos silenciosamente por la ventana y nos dirigimos al establo. Aimar me informó que el intruso era Teobaldo de Blois, el hermano pequeño del duque, quien sin duda esperaba aumentar su fortuna. Cambiamos de ruta a propósito para salir de Blois lo antes posible y entrar en Anjou, donde estaría a salvo. Sin embargo, seguimos siendo cautos, cabalgamos siguiendo el curso del Loira, al amparo de los árboles. Evitamos los puentes y buscamos el vado de Port-de-Piles, cercano al castillo de Chinon.

Lo cruzamos rápidamente... y enseguida nos vimos rodeados de mercenarios despiadados.

—Dejadnos pasar —ordenó Aimar.

—Vos y vuestros hombres podéis marcharos —repuso un joven caballero imberbe con voz quebrada—, pero no doña Leonor. La reclamo como dote matrimonial.

No tenía más de catorce años.

—¿Quién sois? —pregunté.

—Vuestro futuro esposo, mi señora. Soy Godofredo de Anjou.

—Mi hermano pequeño —dijo una voz ronca a mi espalda—, por el que os pido disculpas. Tiene una ambición desmesurada.

Miré fijamente los ojos resplandecientes de Enrique, duque de Normandía. Asintió durante un instante y luego se dirigió de nuevo a su hermano.

—Este comportamiento no es propio de un caballero, Godofredo. Marchaos antes de que pierda la paciencia.

La voz juvenil de Godofredo se tornó aguda.

—¡Me robasteis Anjou y Maine, pero no os quedaréis con Aquitania!

Enrique desenvainó la espada.

—Os quitaré la vida si no os marcháis de inmediato.

—¡Mi padre me lo prometió! ¡Dijo que Anjou era mío puesto que vos os quedabais con Normandía!

—¿Queréis discutir con él en el cielo?

—¡Como me llamo Godofredo que lucharé!

Entonces aparecieron por lo menos cien caballeros normandos por el bosque, los setos y el extremo más alejado del río.

—¿Todavía queréis luchar?

—¡Sí!

La voz ronca de Enrique se tornó severa.

—Os estáis comportando como un crío, Godofredo. Preparaos. Si queréis luchar conmigo por Anjou, ningún problema, pero no asustaréis a esta gran dama.

Godofredo parecía estar a punto de echarse a llorar.

—¡No os escaparéis de ésta, os lo prometo! —Sin embargo, espoleó a su corcel de forma repentina y desapareció entre los árboles seguido de su pequeño ejército.

Enrique me dedicó una reverencia.

—De nuevo os pido disculpas. Vuestros encantos deben de haberle trastornado.

—Como bien podéis conjeturar, mis encantos se miden en leguas cuadradas —repliqué—. Os damos las gracias, Enrique.

—Vamos, permitidme que os escolte el resto del trayecto. En estos caminos abundan los hermanos pequeños en busca de una oportunidad matrimonial.

Lo cual confirmó mi experiencia reciente en Blois.

—Sin duda os estoy desviando de vuestros propósitos.

Desplegó una sonrisa radiante.

—Estoy preparado en Barfleur, a la espera de vientos propicios para invadir Inglaterra. Hemos aguardado años; no importa esperar unos días más.

—En ese caso acepto gustosa vuestro ofrecimiento.

Hicimos avanzar nuestras bestias.

La situación era ridícula. La «estrella roja de maldad», como Suger había llamado a Enrique, parecía haber caído del cielo para rescatarme. Me habría gustado que el abad hubiera podido vernos trotando apaciblemente el uno al lado del otro a través del paisaje vernal. Miré de reojo el perfil de Enrique: no era un hombre apuesto, desde luego, con la mandíbula prominente y los ojos vidriosos, la nariz grande y la boca pequeña, pero llevaba el sello de la grandeza.

—Lamento sobremanera la pérdida de vuestro padre, mi señor. Era buen amigo de Aquitania.

—Gracias.

—¿Culpáis a Bernardo de Claraval?

—¿De qué?

Le recordé la profecía.

Me dedicó una sonrisa; de cara presentaba mejor aspecto.

—¡Por todos los santos, de ningún modo! Todos esos charlatanes reparten predicciones alarmantes como si fueran rosquillas, así que no es de extrañar que de vez en cuando acierten. Le advertí a mi padre que el Loira olía a fango lleno de orines, pero se empeñó en nadar. Era muy terco.

Qué alivio encontrarme de nuevo entre personas sensatas.

Entonces seguíamos el curso del Clain, y más adelante vi Poitiers.

—Os ruego que me permitáis corresponderos con un poco de hospitalidad, Enrique, antes de que regreséis a Barfleur.

—Sois muy amable, pero sólo por una noche.

Que era lo que yo ofrecía, pues Rancon llegaría al día siguiente.

Aimar me preguntó entonces si él y sus hombres quedaban libres de otras obligaciones, puesto que debían cabalgar en dirección sur. Lo despedí encantada en Pont-Joubert.

—¿Dónde está la gente, Gracia? —preguntó Amaria cuando entramos en la ciudad.

—No lo sé. —Me di cuenta de que habían amedrentado a la población y no vi burgueses en las calles—. ¿Ha habido alguna peste?

Petra y sus tres hijos me esperaban en palacio. Oh, cielos, que no haya ocurrido ningún problema.

Me volví hacia Enrique.

—Tal vez debierais reconsiderar mi oferta de hospitalidad. Si hay cólera o...

—No se me ocurriría permitir que os enfrentarais a tal desgracia. Os acompañaré a palacio a caballo.

Cabalgamos en silencio por las calles vacías. Cada vez me sentía más incómoda. Cuando llegamos a la plaza de mi pequeña iglesia nueva, Notre-Dame, encontramos unos caballeros holgazaneando bajo el sol. Llevaban el estandarte de los dos leones dorados en un campo rojo: la insignia de Normandía.

Detuve el caballo.

—¿Son vuestros hombres, Enrique?

Se encogió de hombros de un modo encantador.

—Disculpadme. Envié un mensajero para alertar a la tropa de que me había desviado; es obvio que unos cuantos decidieron unirse a mí.

Seguido por los caballeros de su séquito, me di cuenta de que debía de sumar una fuerza de doscientos hombres dentro del recinto amurallado. El corazón me palpitaba, presa de una fría premonición. Entré en palacio y lo encontré vacío. No, no vacío del todo... había cuatro caballeros repantigados en el salón. Le hicieron una reverencia a Enrique.

—Permitidme que os presente a mis mejores amigos y consejeros, doña Leonor. Éste es...

—¿Dónde está mi hermana, doña Petronila? —le interrumpí.

—A salvo —me aseguró Enrique—. Tuvo que ausentarse.

—¿Ausentarse? ¿Dónde? ¿Por qué motivo?

—A fin de asegurarnos de que nuestros planes podrían llevarse a cabo sin dificultades.

—¿La habéis tomado como rehén, mi señor?

—Ésa es una palabra desagradable. Digamos que...

—¿Qué queréis, don Enrique?

Cambió de pie sobre el que apoyar el peso de su cuerpo.

—Quiero lo que quieren todos los hombres, mi querida dama. Vuestros encantos me han trastornado.

Ya me había dado cuenta de cuál era el propósito que perseguía desde que había visto a los caballeros, pero todavía no me lo acababa de creer.

—Sois mi vasallo, me debéis fidelidad.

—A la cual le añado amor galantemente. Y soy vuestro vasallo de Anjou, pero no de Inglaterra.

—¡No sois rey!

—Un detalle sin importancia; casi soy rey.

—¡Ningún rey secuestra a una duquesa!

Asintió con diplomacia.

—Pero todavía no soy rey. Nos encontramos en un círculo.

—No es tan fácil apoderarse de mis tierras, Enrique. Mis barones no pondrán pies en polvorosa como vuestro hermano.

Sonrió.

—Podría apoderarme de Aquitania fácilmente por la fuerza, como hice con Normandía. —Entonces se encogió de hombros—. Y además no están aquí.

Se me encogió el corazón. Oh, ¿por qué le había dicho a Rancon que viniera un día después de mi llegada?

—¿Y tomarme por la fuerza es más fácil?

Sonrió burlonamente.

—Y más agradable. No, me malinterpretáis, y quiero que quede claro. Os he ansiado toda la vida; mi propia madre me ha dicho que sois la única mujer digna de mi lecho, y cuando os vi... —Se llevó la mano al corazón.

Luis mentía mejor.

—¿Vinisteis a Francia para inspeccionarme?

—Y para darle a Luis el Vexin a cambio de la esposa que iba a robarle. —Se echó a reír.

—Quizá tengáis la astucia de Proteo, Enrique, pero no me tuvisteis en cuenta en vuestros cálculos... ¡Seré vuestra enemiga para siempre! Ahora, marchaos mientras podéis.

—¿Y vuestra hermana?

El corazón me dio un vuelco.

—Ella será la primera en rechazar vuestro chantaje.

—Por lo que a ella respecta, sin duda, pero tiene hijos. El muchacho parece enfermizo. —Se humedeció los labios—. Bueno, primero el matrimonio, y el amor ya llegará después, como dicen. —Chasqueó los dedos, y un paje salió de la estancia.

Lo agarré de la manga.

—¿No os importa que me acostara con mi tío?

Rio ruidosamente.

—¡No me lo creo!

Qué horror, no era capaz de advertir cuánto. Aquitania extendida ante mí como un festín que iba reduciéndose. Rancon...

—Enrique, compartiré Aquitania con vos, os lo prometo —dije presa de la desesperación—. Os cederé los territorios que quedan al norte de La Marche, pero... os lo suplico... evitadnos esta ignominia.

—Compartiréis mi lecho y toda Aquitania mientras tanto. ¿Por qué debo negociar?

—¡Pensad en vuestra reputación! ¡Qué dirá el mundo!

—Os culparán a vos, no a mí. Como habéis dicho, os acostasteis con vuestro tío. ¿Qué iba a esperar el pueblo?

—Pedidle permiso a Luis. Le debéis...

Se carcajeó burlonamente.

—¿Acaso se le pide un juguete a un bebé?

—Entonces pensad en Inglaterra. En estos momentos quizá soplen vientos favorables para la invasión. No descuidéis vuestro objetivo de mayor envergadura.

—Inglaterra puede esperar.

—¡No, yo esperaré! Me casaré con vos cuando seáis rey, no antes —afirmé con dureza—. ¿Por qué iba a rebajarme?

Se le borró la sonrisa del rostro.

—¡No os estáis rebajando, maldita sea! Soy el hombre más poderoso de Europa, como bien sabéis, y tenéis suerte de que os haya elegido. Con respecto a la espera, ¡esperaréis como esposa mía!

Observé a aquel engendro de hombre pecoso. Aborrecí la petulante seguridad que tenía en sí mismo, su insolencia jocosa. ¿No existía la manera de rebajar su petulancia?

Me erguí.

—Por última vez, Enrique, os advierto que estáis cometiendo un error de consecuencias funestas.

—¿Me amenazáis con morir en el agua? Pobre Leonor, habéis vivido en Francia demasiado tiempo. ¡Os las dais de ser otro Bernardo de Claraval!

—Bernardo invocó a Dios como instrumento; yo no necesito a Dios.

—Vayamos al grano. —Chasqueó los dedos.

—Hablo en serio, Enrique. ¡No os apoderaréis de Aquitania... y no os apoderaréis de mí!

—Ya veo que tendré que convenceros. —Me tiró de una de las trenzas con actitud juguetona—. Estáis a punto de tener lo que siempre habéis deseado, un hombre de verdad.

El paje regresó con un sacerdote que no conocía.

Enrique fue escueto.

—Todo está dispuesto. No me molesté en publicar amonestaciones o dispensas, pero me he ocupado de lo necesario. Soy consciente de los sentimientos de Luis, así que no habrá demostraciones.

Sus cuatro consejeros me rodearon, y el sacerdote leyó la ceremonia. Ni Enrique ni yo tuvimos que responder; fuimos declarados marido y mujer.

No había pasado quince años con Luis en balde; sabía que los votos no estaban sellados hasta que consumáramos el matrimonio.

Nuestro banquete de bodas fue una comida para soldados regada con vino de mi bodega. Advertí que Enrique apenas probaba el alcohol, una lástima. Tampoco se mostró cariñoso ni consciente de mi presencia. Se dedicó a hablar de la invasión de Inglaterra: lord Huntingdon le sería leal, y Leicester no.

—¿Adónde vais? —me preguntó con severidad.

—A ocuparme de mis necesidades.

—Os acompañaré.

—Mi doncella me ayudará.

—Sí, pero ¿os podrá proteger?

—Lo suficiente.

Se acercó a mí y apoyó su frente en la mía.

—Id a preparaos, mi querida esposa. Me reuniré con vos en vuestra alcoba para la invasión más importante.

Me senté de nuevo.

—Me quedaré aquí con vos. Hablabais de Vegetius, ¿no?

Se sorprendió.

—¿Conocéis al romano?

—Recibí clases de estrategia.

Pareció realmente complacido.

—Tengo más de lo que esperaba. Ya está bien para un rato... si es que puedo esperar.

Una táctica dilatoria de la que yo no tenía forma de escapar.

17

Enrique se desvistió sin vergüenza y sin poner mucho interés y dejó al descubierto unos genitales que eran desproporcionadamente grandes. Dio una vuelta alrededor de la cama, y yo me retiré rápidamente hacia la ventana. Gracias a Dios no estaba drogada.

—Leonor, esposa —dijo con voz pastosa. Me aprisionó contra el alféizar y apretó sus caderas contra las mías—. ¿Lo sentís? —Acercó la cara.

Le mordí la nariz.

—¡Hombre lobo! —¡Sangraba!

Me empujó contra la pared de enfrente, presionó sus labios contra los míos. Me atraganté con su sangre amarga.

—Quitaos la ropa —exigió con un gruñido.

Me rodeé con fuerza la túnica con los brazos; él intentó abrir el cierre que llevaba en el hombro. Mientras se concentraba en ello, levanté la rodilla y le golpeé la entrepierna con fuerza.

—¡Ay! —Se retorció de dolor.

Corrí hacia la puerta.

—¡Socorro!

Me desgarró la túnica desde atrás.

Cuando me volví, tenía el miembro como una espada.

—Enrique, os ruego que no...

Me golpeó la mandíbula con el puño y caí pesadamente sobre las esteras.

—Daos la vuelta. —Me propinó una patada en las costillas. Luego me retorció el brazo para obligarme a dar la vuelta.

Se sentó a horcajadas sobre mí y me rasgó la ropa interior.

—Abrid las piernas, maldita sea.

Inmovilicé las piernas, crucé los pies. Intenté arañarle la espalda, pero llevaba una piel encima. Consiguió que abriera las piernas ayudándose con la rodilla, luego apoyó el peso en mis muñecas y arqueó la espalda encima de mí.

Comenzó sus embestidas mortíferas.

Pero no conseguía penetrarme.

—¡Relajaos! —gruñó.

Me embistió una y otra vez con su espada imperiosa, pero no conseguía entrar. Estaba igual de sorprendida que él; no tenía ni idea de que pudiera controlar aquella zona de mi cuerpo. Pero tras embestir durante una eternidad, consiguió su propósito. Mordí la esterilla.

—Bueno, ahora ya es oficial; Aquitania es mía. —Apoyó su enorme cabeza sobre mi hombro—. Os ha gustado, ¿no?

¿Acaso a un caballero le gusta ser atravesado por una espada?

Para mi horror, empezó de nuevo. Ya no tenía ningún sentido que opusiera resistencia, había perdido. Con una curiosa indiferencia, escuché cómo gemía, noté sus manos palpando y toqueteando, rodó a mi lado como si fuera un muñeco y luego se apoyó en mi vientre.

Luis había afirmado que no podía cumplir con su deber conyugal si sentía placer. ¿Pensaba lo mismo Enrique? El conocimiento carnal para tener un hijo, la violación por un ducado. ¿Dónde estaba el amor?

Enrique roncaba con fuerza junto a mi oreja, tenía el cuerpo pesado como un roble caído. Empezó a llover. El olor característico de la tierra en primavera entraba a través de la ventana.

Enrique se despertó.

—¿Preparada, esposa?

Y empezó de nuevo.

Por la mañana, cada embestida era como un atizador caliente. Gemía de dolor.

—Sabía que os conmoveríais —susurró Enrique—. La nieta del famoso trovador. ¿Soy como en sus canciones?

—Sí. —Canté con amargura—: «Las follé, afirmo con precisión, cien veces y ochenta y ocho más.»

Estaba complacido.

—¿Las habéis contado?

—Es una canción sobre un hombre que viola a dos hermanas.

Se echó a reír.

—No se puede violar a la esposa. —No pude evitar acordarme de Luis—. Y no tocaré a vuestra hermana.

¿Estaba bromeando? No, quería tranquilizarme.

Enrique estaba impaciente.

—Vamos, decidme la verdad, ¿qué tal he estado?

—No tan bien como Luis. —Sonreí con dulzura.

—Oh, venga, no os mostréis irónica; seguro que os ha encantado. A las damas les encanta la seducción ruda.

—Si creéis a Ovidio —repuse mordazmente.

Abrió unos ojos como platos.

—¿De Vegetius a Ovidio? Me sorprendéis, querida esposa.

—Y vos a mí —repliqué—. Creía que un hombre de vuestra talla habría superado el rudimentario consejo de Ovidio para el varón adolescente, aunque supongo que debería reconoceros el mérito de leer algo.

Me agarró con brusquedad.

—Compararé mis lecturas con las vuestras cuando queráis, mi querida duquesa. ¿Acaso me consideráis un bruto analfabeto de campo? Ésta es la noche más feliz de vuestra vida y la más afortunada; os habéis casado con un gran hombre, lo sepáis o no, y compartiréis mi destino. Os he elegido porque sabéis gobernar. Hablaba en serio cuando os dije que decidí todo esto tiempo atrás. En Inglaterra, una reina gobierna con su esposo, *regalis imperii participes*, y estoy dispuesto a compartir el puesto con una mujer, a diferencia de vuestro anterior marido.

Se ciñó el cinturón.

—Y un día de éstos me suplicaréis un poco que os vuelva a follar, como decís. Sé reconocer a una conversa.

A media mañana mi hermana regresó con sus hijos y luego todo el personal de palacio, mudos de asombro. Negué con la cabeza a modo de advertencia: al cabo de unas horas podríamos hablar. Enrique, por el contrario, se declaró cautivado por mis encantos y decidió quedarse una noche más. Me quedé sin respiración: si Rancon llegaba mientras Enrique estaba allí...

Poco después de la tercia alta llegó un mensajero: ¡el rey Luis iba al mando de un ejército que se dirigía a Normandía! Para colmo de males, le acompañaban Teobaldo de Blois y Godofredo, el hermano pequeño de Enrique. Enrique dejó caer el papel de vitela y se llevó las manos a la cabeza.

—¡Tenía que haber matado a Godofredo cuando tuve ocasión!

Se tambaleó hacia delante con aire vacilante.

—Le mataré... Le mataré... —gruñía una y otra vez como un oso herido. El personal de palacio se apartaba a su paso.

—¿Tiene un ataque de epilepsia? —susurró Amaria.

—No, querida, está contrariado. El terrorífico cometa rojo muestra su genio de niño de dos años.

Fuera o no infantil, la pataleta de Enrique resultaba tan espeluznante como peligrosa. Se fue agravando, el tambaleo se tornó más irregular, los ojos parecían salidos de su órbita y la nariz le empezó a sangrar de nuevo donde le había mordido. La mucosidad mezclada con la sangre, y los ojos fijos como si le hubiera dado un verdadero ataque. No hacía más que gruñir con voz ronca. Advertí que sus caballeros se apartaban de su camino.

—¡Toma! —Apartó las esterillas de un puntapié y arrancó un tablón—. ¡Toma! —Aplastó un altar de marfil—. ¡Toma! —bramó al tiempo que rompía el extremo de un arcón antiguo.

Blandió el tablón astillado entre sus manos. Todos nos acurrucamos junto a la pared.

—¡Vos! —Lo blandió en dirección a un caballero, que lo esquivó con rapidez.

—¡Vos! —Lo blandió ante mi hermana, que se puso a gritar.

La tiré del brazo desde atrás con fuerza. Petra cayó, ilesa. Reuní a mi familia, salimos por la puerta y subimos a trompicones a los aposentos femeninos.

Acurrucados en silencio, escuchamos los golpes y los gritos. Luego, de repente, se hizo el silencio. Alguien llamó a la puerta. Aparté a mis amigos de la puerta.

El paje de Enrique estaba al otro lado.

—El duque desea despedirse.

Hice una seña a mi familia para que se quedara donde estaba, seguí al paje hasta la gran sala, donde Enrique se estaba tomando tranquilamente una copa de vino tinto.

—Ah, mi querida esposa, siento decepcionaros pero debo partir de inmediato. —Se volvió hacia un caballero—. Informad a mi ejército de Barfleur, decidle que se reúna conmigo en Ruán. Cabalgaré pasando por Maine; ocupaos de que los caballos estén preparados a mi paso. Necesitaré por lo menos once.

Me colocó las manos sobre los hombros con una dulce sonrisa. Le seguía saliendo sangre de la nariz y tenía un trozo de junco adherido al labio inferior.

—Ha sido la noche más feliz de mi vida. Un presagio excelente de nuestro futuro en común. Cuidaos mucho durante mi ausencia y no os preocupéis, esto no me llevará demasiado tiempo. Os escribiré todos los días; nos reuniremos en Barfleur.

A continuación me aplastó con un largo beso. El junco pasó de sus labios a los míos.

—¡Por todos los santos, qué mujer tan espléndida! ¡Pensar que sois mi esposa! —Se echó a reír con un júbilo infantil—. ¡Enrique y Leonor!

Bajó las escaleras corriendo hacia el corcel que le esperaba. Tenía las piernas un tanto arqueadas debido a lo mucho que cabalgaba, pero en cuanto montó, presentaba una figura magnífica. Se despidió con la mano, se volvió con pericia y se marchó sin volver la vista atrás.

Casi de inmediato, recibí una carta de Luis:

Duquesa Leonor de Aquitania, os presento mis respetos.

¿Es preciso que os diga que habéis incumplido todas las cláusulas de nuestro acuerdo? Hasta el abad Bernardo está sorprendido ante la profundidad de vuestra depravación. ¡Casarse de inmediato con el enemigo de Francia! ¿Cuánto tiempo habéis estado tramando este acto ruin? ¿Desde lo acaecido en Berlai? No sólo me habéis traicionado sino que habéis renunciado a vuestras hijas para siempre. Nunca volveréis a ver a María ni a Alix, y las he desheredado.

Si cambiáis de opinión, seguiréis siendo bien recibida en mi lecho.

LUIS CAPETO, REY DE FRANCIA

Grité y me tambaleé, presa de un ataque yo también. Habría hecho añicos el altar y destrozado el arcón si hubiera quedado algo. ¡Estaba fuera de mí! ¡Enrique era el culpable de todo aquello! ¿Acaso no sentía lástima por los inocentes, ninguna compasión por los hijos desheredados? ¡Después de lo que su padre había hecho por él! Sí, y su madre también, con el vasto regalo de Inglaterra. Como me llamaba Leonor que vengaría a mis princesitas. ¡Aplastaría las queridas pelotas de Enrique con una mano de mortero! ¡Le arrancaría los ojos gélidos de las cuencas! Se arrepentiría del día que se fijó en mí en Francia, y nunca lograría apoderarse de Aquitania.

Trova de Amaria de Gascuña

Cuando nuestro señor admira el águila blanca como la nieve,
con esmero apunta su arco fiel
y, zumbando, la flecha asesta un golpe mortal;

pero el pico como un témpano de hielo brilla,
y rápidamente los tendones le desgarra
para atravesarle directamente el corazón.
Suelta el ave, y se tambalea sobre su corcel,
cae al suelo, sangrando.
El pájaro herido aletea cerca de su oído
puesto que asegurarse debe de que oye:
«Vos, valeroso señor que me apuntasteis con vuestro dardo,
escuchad cuál vuestra suerte será;
no moriréis ahora ni tampoco bien estaréis,
sino que para siempre en el infierno de los vivos viviréis.
Sufriréis dolores insoportables
y maldeciréis este día una y otra vez
cuando seguisteis vuestro ojo fiel
y me abatisteis cruelmente con vuestra hiel.»
El señor alzó sus ojos lastimosos:
«Un cazador siempre dispara a aquello que vuela,
mas no sabía que hablarais;
debéis de ser una doncella hechizada.
Si es así, decidme, ¿no existe curación
para la agonía que soportar debo?»
El águila yacía en un charco de sangre,
las plumas manchadas por el torrente escarlata.
Y aun así alzó su grácil cabeza
tal como hizo nuestro Señor cuando estaba muerto:
«Sólo existe una curación allá en los cielos
y es el amor fiel y puro;
si algún señor me socorre,
y con su amor me libera
del hechizo (tal como bien supusisteis),
ambos creceremos en esta tierra
en un estado de gloria,
si el amor a su tiempo llega.»

Todavía tenía la carta de Luis en la mano cuando una docena de caballeros entró galopando en el patio y gritó «*Asuseé!*». Allí en el centro estaba Rancon, tostado por el sol meridional, sus rizos negros y brillantes largos de nuevo. Subió las escaleras corriendo.

—Mi señora. —Se arrodilló un instante y alzó la mirada.

—Rápido, entrad.

—Santo cielo, ¿qué ha ocurrido aquí? —exclamó al observar el altar destrozado, las esterillas revueltas como si hubiera habido un terremoto y entonces me miró—. ¿Quién os golpeó en la mandíbula? —Enrojeció de furia—. ¿Quién ha sido el hijo de puta? ¿Ha sido Hugo?

Me puse a sollozar desconsoladamente.

—¡Gracia! ¡Cielo santo, decídmelo! —Se acercó para abrazarme en el preciso instante en que mi familia entraba en la *salle*.

—Excusadnos, por favor, vamos a los aposentos de las mujeres. —Hice pasar a Rancon al lado de mi asombrada hermana y del personal de servicio.

Una vez en la alcoba fui incapaz de controlar el llanto.

Rancon me apartó el pelo del rostro.

—Antes de que empecéis, quiero examinaros la mandíbula. Enseñadme los dientes. ¿Os duele aquí? ¿Aquí?

Observé su rostro a través de un manto de lágrimas. Tan cerca y tan lejos, todo mi futuro malogrado.

Cuando se aseguró de que no tenía ningún hueso roto, se apoyó en la puerta, con el ceño fruncido.

—Empezad por el principio, Gracia. Alguien os atacó a propósito.

—¡No puedo! —Más lloros, pero sabía que debía confesar. Poco a poco, de forma incoherente, le conté la lastimosa historia de que Enrique me había rescatado, me había obligado a casarme con él y la posterior violación.

Cerró los ojos y susurró:

—¡Lo mataré aunque me cueste toda la vida!

—No, Rancon, me asusta... no le habéis visto cuando... —Está loco, pensé. No de forma delirante como Luis; Enrique utilizaba su locura como arma. Me estremecí al recordar su mal genio.

—Le vi en Maine. Luché por él, válgame Dios. ¿Lo recordáis? —Rancon abrió unos ojos como platos.

—Por supuesto. —Había ido a Maine con mi padre.

—Su enemigo era Francia, pero destruyó a su propio pueblo para estar seguro de su lealtad. Le vi cargar contra el campo indefenso. Se vuelve loco, empieza a dar golpes, a quemar... oh, es imparable cuando quiere un trozo de tierra. Ahora codicia Aquitania.

—Exactamente.

—Oh, cielos, ¿por qué no la atacó directamente? ¿Por qué no nos dio una oportunidad de defendernos? Pero tomaros... lastimaros... golpearos... —Profirió un grito con su gloriosa voz de cantante—: ¡Mataré a ese hijo de puta!

—¡Callaos! Debe de haber una manera... —Apenas podía articular palabra.

Se cubrió el rostro con las manos.

—Y yo que pensé que, esperé...

—¡No voy a capitular, Rancon!

De repente se vino abajo. Por segunda vez en pocos días, un hombre lloroso se aferraba a mí.

—¡Oh Gracia, Gracia, Bel Vezer, no soporto pensar en vos...!

Le acaricié los rizos ásperos, las mejillas húmedas. Cuando nos miramos el uno al otro, quedé abrumada por su cercanía, la fragancia que tanto tiempo había anhelado, la presión de sus músculos duros.

—No penséis, Rancon, sigo siendo la misma persona....

Me besó.

—Podríais resultar herida, puedo esperar, ya me diréis...

Le acerqué todavía más a mí y le besé como hiciéramos en el monte Cadmos, una y otra vez. Luego nos tumbamos desnudos en mi lecho y la oscuridad fue poco a poco apoderándose de los muros. En el exterior volvía a llover, lo cual traía el perfume intenso de las flores de los castaños, seguido de una tenue luz de luna, que hacía bailar sombras en el cielo. Rancon se durmió, igual que yo; nos susurramos y acariciamos mutuamente hasta que la luz de la luna se convirtió en la del sol.

—¡Ahora! —susurré.

—No quiero haceros daño...

Jadeando, palpando, buscamos solaz con desesperación. Cuando intimamos por primera vez sentí una fuerte punzada de dolor, pero no grité. ¡Maldito Enrique! ¡No permitiría que me robara aquel momento! Pasó el dolor y con él los recuerdos. Rancon me amó una y otra vez y otra vez más, y me maravilló el reconocer cuánto difería el acto del amor, tan repetitivo de hecho, entre un hombre y otro. O tal vez no fuera el hombre sino mi cuerpo, puesto que lo abrí para el compañero elegido como una flor, una «flor peluda» como la había llamado mi abuelo en una canción. Mi deseo fue a más, seguía queriendo más. Por fin estaba bajo mi hibisco, como mi hermana hacía tanto tiempo, y también yo lloré de felicidad.

No obstante, entre besos y declaraciones de amor encontramos el momento para urdir una trama.

—Gracia, contadme la ceremonia con todo lujo de detalles, todo lo que recordéis.

Así lo hice.

Otra sesión de amor y entonces me dijo que lentamente debía volver a explicarle la situación con la que me había encontrado en Poitiers. ¿Los soldados de Enrique habían formado un ejército de ocupación y ninguno de los lugareños me había visto llegar a casa ni había asistido a la ceremonia nupcial?

No, ni uno solo, aparte de los caballeros de Enrique.

¿El sacerdote era desconocido? ¿Ni amonestaciones? ¿Ni contrato? ¿Ni dispensas papales? ¿Y Enrique se había marchado después de una sola noche?

—¡No ha ocurrido! —exclamó jubiloso—. ¡Gracia, nunca os casasteis! ¿No lo veis? ¡Es su palabra contra la vuestra! ¡Sin duda vuestra hermana y tías os respaldarán!

—Pero Luis lo supo enseguida —señalé—. Cree que estoy casada.

—¿Me dejáis ver su carta?

Envié un paje a buscarla.

Rancon leyó detenidamente la misiva de una sola página.

—Si quiere que volváis a su lecho, debe de creer que no estáis casada. Luis es puntilloso con esas cuestiones.

—Entonces, ¿por qué atacó Normandía?

—Me aventuro a decir que Enrique se lo dijo personalmente a Luis antes de que os casarais, a fin de reivindicar el Vexin en vuestro nombre. Bien pensado.

—El rey de Francia nunca aceptaría una ceremonia burda. Quizás él sea vuestra baza más importante. —Mientras se explayaba al respecto, empecé a albergar esperanzas.

Yo debía actuar con cuidado, me dijo, escoger el momento para anunciar mi condición de soltera, probablemente cuando Enrique estuviera ausente, en Inglaterra, y no pudiera defenderse; y, hasta que yo pudiera moverme, no debía alertar a Enrique, que era más astuto que un zorro y más despiadado que un león.

—Estaremos juntos, tal como planeamos, Gracia —me susurró Rancon junto a los labios.

—Oc —respondí—. Tristán e Isolda.

—¡No vais a casaros como Isolda! ¡Estaréis soltera! ¡Viviremos juntos! ¡Gobernaremos Aquitania juntos!

Como amantes. No como marido y mujer. Seguía sin mencionar su condición de hombre casado.

—¿Vuestra esposa os permitirá que viváis conmigo? —pregunté finalmente.

Hizo que apoyara la cara en su hombro.

—Ella sabe lo que siento, Gracia; era demasiado importante como para ocultarlo. Pero está enferma; me pidió que esperara.

¿Enferma de qué? Era incapaz de controlar mis celos.

—¿Es grave?

—Ahora no quiero hablar de Arabela. Ha entrado en una secta que exige el suicidio.

Por su tono comprendí que debía desistir. Amor y muerte, su muerte, no la nuestra.

—Gracia. —Habló con voz pastosa y recorrimos nuestro alocado camino del amor una vez más.

Al cabo de dos días estaba exhausta por el amor, literalmente reducida a una sombra. Recordé el poema *Tristán*, cuando el rey Marcos había bajado la mirada con compasión hacia los amantes dormidos, puesto que estaban delgados y demacrados de tanto amor.

Sin embargo, nada podía detenernos. Aunque Rancon estaba ojeroso y no había probado bocado, seguía anhelando amar. Y lo mismo me sucedía a mí. Nos estábamos convirtiendo rápidamente en mártires de nuestra pasión.

Recordé que Enrique había dicho que «reconocía una conversa» al amor carnal. Estaba en lo cierto, sólo que no era él el sacerdote que me había convertido.

Al final nos levantamos, sonriendo con languidez, con los planes a punto. El adulterio exigía estrategias tan complicadas y arteras como cualquier otra batalla. Tanto Rancon como yo nos deleitábamos en nuestra misión, ¿por qué no? Habíamos sellado todas nuestras confabulaciones con el acto del amor.

Por último descendimos las escaleras de la forma más recatada posible, con ojos velados y sonrisas triunfantes, y nos despedimos acompañados del personal de servicio. Se arrodilló ante mí cortésmente.

—¡Adiós, señora mía, pronto me pondré en contacto con vos!

Y nos perdimos el uno en los ojos del otro.

—El beso de la paz. —Me incliné hacia delante y sólo el hecho de que Petra me sujetara el brazo con fuerza hizo que me levantara.

Incluso después de haber montado en el corcel le costaba marcharse.

—Gracia, se me olvidó...

Y olvidó lo que había olvidado y volvimos a besarnos. Al final le observamos traspasar la poterna.

Para sorpresa de Europa, a Enrique le costó derrotar al rey francés, Luis, quien, encendido por la pasión, luchó como un león contra mi nuevo esposo. Yo rezaba para que venciera Francia, pues de ser cierto que era esposa, deseaba convertirme en viuda. Sin embargo, Luis se retiró cuando concluyó el período de enfrentamientos, y Enrique cabalgó directamente a Barfleur en espera de vientos propicios. Tal como había prometido, me escribió todos los días y entonces me mandó llamar para que me reuniera con él en el punto de partida.

Alerté a Rancon.

Me tomé mi tiempo para llegar al lugar de la cita con la esperanza de encontrar un puerto vacío, pero el viento me falló. Me detuve en la ladera desde la que se divisaba la media luna perfecta de la bahía de Barfleur y divisé una gran flota dividida en dos partes por un antiguo malecón romano: al norte había galeras reales de un solo mástil y velas pintadas bien enrolladas y sujetas. Hacia el sur una mezcla de botes y barcos de remo que apenas se mantenían a flote en la marea. Incluso desde donde yo estaba olía el intenso aroma a cabeza de pescado y entrañas que chapoteaban al fondo de las embarcaciones. Escudriñé las alturas: un día manchado, el cielo cubierto con una gasa gris; las gaviotas sobrevolaban el oleaje de peltre como ratas hambrientas y mi corazón estaba con las aves. Luego volví la vista al puerto, donde advertí el pabellón escarlata en el promontorio del norte, entre un faro octogonal y un edificio aduanero cuadrado.

—¡Eh! —exclamé. Amaria me siguió por la tortuosa bajada que conducía al pueblo de Barfleur.

Aunque la calle principal estaba repleta de marineros y soldados, parecía extrañamente vacía; los lugareños habían huido o les habían obligado a marcharse. Sin las actividades normales, la hilera de casuchas parecía expuesta como el cuerpo avejentado de una prostituta, agrietada, corrompida por los hedores varios de los residuos humanos, tejados de paja rasgados como pelucas de mala calidad, las paredes inclinadas hacia el lado funesto debido a los ataques, los letreros pintados tableteando como dientes. Con gente aquel lugar habría podido parecer pecaminosamente feliz; vacío, resultaba siniestro.

Mi presencia causó la sensación que cabía esperar. Gracias a los años de práctica, había transformado mi aspecto en un arte y llevaba un yelmo alado de plumas de grulla blanca ribeteado con lazadas de diamantes; mi túnica de seda bizantina colgaba de la montura casi hasta el suelo y, según el movimiento, parecía de color marfil o rosa pálido, aparte de estar circundada de rubíes y perlas; de un hombro me colgaba una capa color coral que se sujetaba con un pasador que representaba unas manos de oro. El caballo iba igual de esplendoroso: desde la máscara de oro, las campanillas de oro de la brida, sedas escarlata repujadas con leones y águilas, que le cubrían el cuerpo de ébano, hasta la cola, adornada con rubíes.

—Os saludo, María, madre de Dios —dijo un sorprendido marinero, y se santiguó con devoción.

Lo bendije con indiferencia.

Sin apartar la mirada de la tienda escarlata, dejé el camino polvoriento y avancé por encima de una maraña de charcos llenos de insectos dejados por el oleaje. Los soldados corrían delante de mí, esquivando la hilera de tiendas situadas detrás del faro, y por fin apareció Enrique en persona. Fue dando saltos por encima de las dunas.

—¡Gracia! —gritó—. ¿Dónde os habíais metido?

Se situó a mi lado, alzando la mirada del racimo de uvas que estaba engullendo con voracidad, con la piel manchada como la de un sapo, si bien se trataba de un sapo que nunca se transformaría en príncipe.

—Os presento mis respetos, mi señor.

—Santo cielo, sois como el sol. —Se cubrió los ojos como si estuviera deslumbrado—. Cuando estoy lejos de vos, vivo en la oscuridad.

Muy poético. Durante unos instantes dudé si podía seguir adelante. En Francia había despreciado a Thierry de Galeran, si bien tenía claro que los templarios cruzados son todos unos fanáticos estrechos de miras y que la castración provoca otro tipo de deformaciones, pero ¿cuál era la excusa de Enrique? ¿La arrogancia del poder? Le odiaba con todas mis fuerzas.

Dejé que me rodeara con los brazos. Mi yelmo emplumado me ayudó a impedir su beso. Me observó con expresión socarrona.

—He luchado por vos todo el verano.

Sonreí.

—Y no habéis salido victorioso.

—¿Ah, no? Luis está en París y yo aquí con vos, lo cual es victoria suficiente. Venid, quiero que conozcáis a mi madre.

Recogí la cola de la túnica mientras pasábamos por encima del agua. De cerca, los barcos resultaban aterradores. Eran alargados, bajos, al estilo vikingo, aunque con un espacio muy amplio para los caballos; los mástiles se balanceaban en lo alto como árboles caídos y todas las proas estaban decoradas con unas tallas espantosas. Enrique hizo una pausa ante un bajel especialmente horroroso pintado de color escarlata con escamas doradas.

—Éste es mi *Esnecca* —proclamó orgulloso.

—Ya veo que se trata de una serpiente. —La proa contaba con una cabeza de serpiente maligna con piedras preciosas en los ojos y en la lengua.

Frente al pabellón real, la madre de Enrique, la famosa Matilda, que tantas veces me habían mencionado como ejemplo político, dio un paso adelante con la mano extendida; presentaba un aspecto formidable enfundada en una túnica escarlata larga con leones estampados, aparte de tener una cabeza enorme.

—Os saludo, duquesa Leonor. Os damos la bienvenida a nuestra familia.

Tenía una actitud tan imperiosa que me pregunté si debía besarle el faldón.

—Gracias.

—Enrique fitzEmperatriz pronto os entregará una corona.

¿FitzEmperatriz? ¿Hijo de emperatriz? Ah, sí, esa mujer alta y atractiva de cabello brillante y ojos fríos había estado casada con el emperador del Sacro Imperio Romano y, al parecer, seguía gustándole el título; sin duda conservaba el acento alemán. Matilda, ancha de espalda y culona, era una diosa nórdica; tenía la frente lisa, los ojos claros y penetrantes, el mentón elevado y la voz como un redoble de tambores. Qué madre tan curiosa para el efervescente Enrique, qué esposa tan curiosa para su padre libertino.

—Mi mayor sueño siempre ha sido portar la corona de Inglaterra.

—Ninguno de los dos advirtió mi tono sarcástico.

—Atracará cerca de Bristol —dijo ella—, donde tengo muchos seguidores leales. Winchester sigue siendo mi capital.

«Mi capital.» Qué irónico que aquella vehemente heredera del trono inglés tuviera que renunciar a sus derechos a favor de su hijo. Francia la había obligado a ello, o no, quizás hubiera sido Inglaterra, o tampoco, tal vez hubiera sido la Iglesia, que proclamaba que las mujeres eran incapaces de gobernar. Si su vida me había servido de historia con moraleja en el pasado, en ese momento aún me servía más. Vi a una mujer orgullosa y derrotada que debía depender de su hijo para reclamar lo que le pertenecía. No obstante, él sería quien llevaría la corona de Inglaterra, no ella.

Mientras ella y Enrique explicaban su estrategia, intenté recordar qué sabía de la historia marital de Matilda. Su padre, Enrique I de Inglaterra, la había asignado de pequeña al emperador alemán, que había muerto cuando ella contaba unos veinticinco años. Su padre le había encontrado un segundo marido en la persona de Godofredo de Anjou, once años menor que ella: él quince y ella veintiséis. ¿Acaso era una coincidencia que Enrique fuera diez años menor que yo, y que yo, al igual que Matilda, fuera duquesa por derecho propio y también hubiera estado casada con un rey? ¿Acaso Enrique había emulado a sus padres al casarse conmigo?

Si así era, tenía que haber sido más prudente; si se hacía caso de la historia, el matrimonio de sus padres había sido uno de los más desgraciados del que se tenía constancia. Matilda había dejado a Godofredo varias veces, aunque su padre la había obligado a volver. ¿Había olvidado Enrique que yo no tenía padre? En cuanto me marchara, sería para siempre.

Matilda repitió algo, se mostraba mansa como un cordero.

—Sí, comprendo que Enrique reclame el trono —murmuré—, pero ¿por qué tiene que invadir? Supongo que no os arriesgaríais a matar al rey Esteban, mi señor.

—¡Nunca! —exclamó Enrique—. Matar a otro monarca sienta un precedente peligroso. Tengo intención de negociar mis derechos; el ejército que me apoya le convencerá de que abdique.

El plan parecía simplista. ¿Debía abandonar el trono un rey sólo porque Enrique blandía su árbol genealógico? No obstante, Enrique era formidable... me compadecía del rey Esteban.

Matilda me pasó el brazo por encima de los hombros con gran satisfacción.

—Sois tan encantadora como dicen, una reina adecuada para mi hijo.

¿Me había escogido ella? Observé que me mostraba los dientes con su sonrisa, que quedaba oculta por la dureza de sus ojos. Sí, me había escogido por Aquitania, no porque fuera «encantadora»; esa mujer pensaba como un hombre, una madre adecuada para su hijo violador.

Enrique sonrió.

—Demasiado hermosa como para estar escuchando tonterías militares. Dejadme con mi esposa, madre.

Matilda me besó en la mejilla.

—Por supuesto, perdonadme.

Enrique me condujo a su tienda escarlata; de repente recordé a Rancon en mi tienda color topacio y casi me desvanecí por la nostalgia.

—He pasado un verano terrible, gracias a vos. —La voz de Enrique resonó sardónica.

—Yo no os pedí que lucharais.

—No por las luchas. —Su voz ronca se tornó más grave—. Me sentía acechado. Todas las noches me dormía con una hermosa visión.

—Sí, ya he oído decir que sois un mujeriego incorregible.

—¡No me refería a otras mujeres! ¡Me refería a vos! —me espetó—. ¿No sois capaz de captar un cumplido? Sois mi esposa; os quería, os quiero. Cielos, sois tan cremosa como una flor de espino y vuestro rostro... nunca he visto una sonrisa como ésa, y la forma como movéis los ojos a un lado como si quisierais hacerme señas. Estoy desarmado.

Aparté la vista para evitar mirarle; acto seguido tuve que apartarle las manos para que dejara de toquetearme.

—Desgraciadamente, mi señor, no es el momento adecuado para el amor. Debo pediros que os abstengáis.

Se quedó inmóvil bajo el reflejo rojo; incluso Enrique compartía la repugnancia universal hacia una mujer impura. ¿Habría funcionado aquel ardid cuando se casó conmigo? Probablemente no; la ambición es más poderosa que la repugnancia. Entonces se acercó y me besó.

—Aguardaré aquí, entonces, hasta que estéis preparada. No puedo hacerme a la mar sin la bendición de mi esposa.

—Tonterías, debéis marcharos cuando haya viento. Sois un futuro rey.

Me tocó el ala emplumada.

—Tenéis razón, pero, santo cielo, cuánto os deseo. ¡Y pensar que pasaremos toda la vida juntos!

Tragué saliva para evitar vomitar.

Apenas veía a mi nuevo esposo salvo al caer la tarde, cuando se reunía con su madre y conmigo para darnos instrucciones. Ella sería su senescal en Normandía; yo gobernaría en Anjou, Turena, Maine y Aquitania desde Angers, su cabeza de partido. Había dicho que me otorgaría poder, pero me sorprendió su generosidad. No obstante, sospechaba que el poder verdadero estaba en manos de Matilda, puesto que era ella quien daría la mayor parte de las órdenes; estaríamos en contacto de forma constante. Aunque Enrique nos escribiría a las dos, las noticias oficiales serían remitidas a su madre. Hice que Amaria enviara a Rancon las nuevas relativas a mi misión.

El cuarto día se levantó viento al amanecer y la playa se convirtió en un hervidero de actividad. Hacía tiempo que los barcos se habían cargado con armas y aparejos varios; primero embarcaron los caballos y luego los hombres. Enrique fue el último en subir por el tablón y me abrazó delante de todo el mundo.

—Os traeré una corona —susurró—. ¿Qué contorno de cabeza tenéis?

—Muy grande. Preguntadle a Francia.

Se echó a reír y se marchó.

Me despedí de la emperatriz Matilda y pronto me encontré de nuevo en la ladera observando cómo las velas se inflaban al viento. ¿Conseguiría Enrique su propósito? Lo había intentado ya en dos ocasiones pero no era más que un niño. Reconocí que tenía madera de jefe. Su velocidad y eficiencia eran maravillosas y sus hombres parecían respetarle, aunque yo tenía en mente asuntos más importantes que el destino de Enrique. Hice galopar a mi corcel hacia Angers.

No mucho después me detuve en otra ladera, bajé la mirada hacia la pequeña ciudad amurallada construida en pendiente hacia el río Maine, donde una fortaleza enorme dominaba el paisaje, el castillo en el que había crecido Enrique. El edificio era formidable, el foso casi invisible al fondo de una profunda sima cubierta de hierba, el puente estrecho y custodiado por una puerta con púas. Me dirigí allá abajo a una velocidad vertiginosa.

En el interior de la fortaleza almenada, nos encontramos con un recinto enorme rodeado por afilados dientes de piedra; mis guías me condujeron a través del patio ventoso hasta los aposentos domésticos, que, gracias a Dios, parecían habitables. Un grupo de bienvenida me recibió con una deferencia que me resultaba inaudita en Francia, fruto sin duda del temor que Enrique les infundía. Sonreí para que todos se relajaran. Para mi deleite, muchos eran eruditos de la cercana escuela de Chartres, un vestigio de la época del conde Godofredo.

—¿Ha llegado mi trovador? —pregunté.

—¿Bernardo de Ventadorn? —contestó el padre Gabriel, uno de los eruditos de Chartres—. Hace dos días que está aquí.

—Decidle que se presente ante mí, os lo ruego.

—¿En vuestra alcoba?

Lo miré de hito en hito.

—Sí, allí es donde me encontrará.

La tarde ya había caído cuando llamó a la puerta; su capa verde llenaba la puerta y me lancé a sus brazos.

—Oh, Rancon, decidme cómo...

Y nos reímos y nos abrazamos. Intentábamos hablar entre besos, hasta que al final conseguimos hacernos entender.

—¿Hicisteis lo que os ordené?

—Sí, pero...

—¡No os tocó!

—¡No! —Me estremecí.

—¡Gracias a Dios! —Me envolvió con fervor en su capa.

Cerré los ojos.

—Rancon, estoy encinta.

18

—¡Rancon, estoy encinta! —repetí con voz temblorosa.

Se puso rígido, su silueta se alzaba imponente en la oscuridad. Entonces gritó exultante a pleno pulmón:

—¡Soy padre!

—¡Silencio! ¡Pueden oíros!

—¡Oh, Dios, vamos a ser padres! —susurró. Me besó una y otra vez—. Gracias, gracias. Pensé que nunca sería padre y que seáis vos... ¡Nuestro hijo!

—Es de Enrique.

—¡Tonterías! ¡Sé que soy el padre!

—Enrique es el padre.

Se apartó.

—¿Por qué no dejáis de repetir eso? ¡Pensé... debisteis de pensar que es el fruto de nuestro amor!

Sin duda es lo que yo creía, lo reconocí, pero la generación no tiene nada que ver con la posesión. Le recordé que acababa de perder a dos hijas en manos de Luis de Francia; por ley, pertenecían a su padre, aunque a él le resultaran indiferentes. Me faltaba la respiración. Aunque mantenía correspondencia con María varias veces por semana a través de mi hermana, que estaba en Vermandois, nunca aceptaría semejante pérdida. Seguiría luchando por mis hijas... ¿Rancon no lo entendía?

—¡Sí! ¡Por supuesto que lo entiendo! ¡Nunca permitiré que Enrique me arrebate a mi hijo!

Palabras valerosas seguidas de más palabras valerosas y, por último, el silencio. Él conocía la ley igual de bien que yo y había luchado contra Enrique en el campo de batalla. Intenté animarle: el bebé quizá fuera niña, «del sexo débil», dije con sequedad; en tal caso, quizás Enrique permitiera que se criara en Aquitania.

—¡Podría llevarla a Taillebourg! —exclamó Rancon.

—No, a Poitiers, donde yo la visitaría. Donde los dos podríamos ser padres.

Otra pulla sutil puesto que no estaba demasiado deseosa de que Arabela hiciera de madre de mi hija. Mis espías me habían informado de que no creía en el materialismo, lo cual se refería a los hijos.

Habló con voz tensa.

—Estamos evitando el problema principal, ¿verdad, Gracia? Estáis atrapada. Sea hijo mío o de Enrique, ahora no os atrevéis a renegar de vuestro matrimonio con él.

—Me temo que no. —El dilema al que hacía semanas que me enfrentaba.

—¡Dios mío, nunca seréis libre!

Le sellé los labios con un dedo.

—Me liberé de Luis, ¿no es cierto?

—Luis tenía el punto débil de la religiosidad, mientras que Enrique...

—También es vulnerable. Sólo tengo que descubrir su flaqueza.

—No añadí una obviedad, que había estado casada quince años con Luis antes de librarme de él.

—¡Nunca renunciaré a vos! —exclamó angustiado—. ¡Oh, Dios mío!

—Ni yo a vos, Rancon.

—No puedo evitarlo.

—Yo tampoco.

Amantes condenados.

Encontramos solaz en el amor. Luego en la exultación, después en el olvido. Hasta el día siguiente, cuando me di cuenta de que Rancon no había dejado de pensar ni durante los momentos de éxtasis.

Apareció al mediodía, vestido de jinete.

—He venido a despedirme, mi señora; me marcho a Aquitania.

Me quedé boquiabierta... ¿después de renovar todas nuestras promesas de amor?

—Pero ¿por qué ahora? ¡Luego no tendréis más remedio! ¡Tenemos tan poco tiempo, Rancon!

—Porque dije a los barones que el matrimonio con Enrique nunca se celebró, independientemente de lo que piense Luis de Francia. Que ibais a poner en evidencia las reivindicaciones de Enrique. —Habló con monotonía—. Ahora debo informarles de lo contrario.

—¿Y cómo creéis que reaccionarán?

Meditó cuidadosamente la respuesta.

—Existen varias posibilidades. Hugo de Lusignan se enfurecerá por no haberos raptado él. —Sus ojos traslucían preocupación—. Lo peor es que podrían rebelarse. La mayoría de ellos no siente aprecio alguno por Enrique.

—¡Ni tampoco por Luis!

—Toleraban a Luis porque era débil.

No del todo cierto, pensé, lo toleraban porque Suger era inteligente.

—Y porque rendimos homenaje al rey de Francia, sea débil o no. Pero Enrique carece de jurisdicción sobre Aquitania, por no decir que no es más que conde, aparte de que no es débil y que se caracteriza por su estilo despiadado. —Se mordió los labios al recordar—. Debéis regresar a Aquitania lo antes posible, donde estaréis a salvo de ese bruto. Por vos y por los barones, vuestro gobierno personal es el mejor remedio.

Asentí. Fácil de decir o de prometer; por el momento, yo estaba en Angers.

—Y debéis escribir a Enrique hoy mismo, Gracia —añadió lentamente—, para informarle de vuestro estado.

Alcé la mirada con brusquedad. Tenía ojeras... ¿no había dormido nada la noche anterior?

—¡No puedo, Rancon! ¿Después de negarme a compartir su lecho en Barfleur? ¡Sospechará!

Rancon se me adelantó en el pensamiento.

—Decidle que tuvisteis pérdidas de sangre y que temíais un aborto.

—Enviaré una carta de inmediato.

Nos miramos a los ojos. Él se mostraba seco, casi frío, el soldado Rancon que tantas veces había visto en acción.

—No sé cuánto tiempo permaneceré en Angers. Creéis que... —Mi voz era pastosa.

—Regresaré en cuanto pueda, dentro de unos días. Ya sabéis lo que siento —dijo con voz también pastosa.

Rancon regresó el día que recibí la respuesta de Enrique. ¡Estaba loco de alegría! Alardeaba de que un heredero otorgaba mayor validez a sus reivindicaciones sobre Inglaterra, idea demasiado horrible como para reflexionar siquiera sobre ella. Entonces los dos analizamos las cartas diarias de Enrique con avidez, reformulando nuestros planes con cada una de ellas. Enrique y el rey Esteban se habían enfrentado con sus respectivos ejércitos en las afueras de Londres, donde habían negociado. Al ver la envergadura de las fuerzas de Enrique, el rey Esteban había capitulado ante el poderío de Enrique sin rechistar; lo había nombrado heredero. Así pues, al final la estrategia de mi esposo había surtido efecto. Era el heredero de la corona inglesa.

—¿Cuántos años tiene el rey Esteban? —pregunté a Rancon.

—Cincuenta y tantos, creo, es un hombre vigoroso.

—¿Quién era su heredero antes de que nombrara a Enrique?

—Su hijo, el príncipe Eustaquio —se apresuró a responder Rancon—, y él también es vigoroso. No renunciará tan fácilmente a su herencia.

Enrique seguía informando: tenía la palabra del rey, pero debía asegurarse el apoyo de los nobles ingleses. Recordaba que el destino de su madre había dependido del respaldo que fue capaz de lograr entre la nobleza. Ahora pondría la mira en ganarse su favor.

—Es decir, que puede pasarse varios años en Inglaterra —declaré.

Rancon rió alborozado.

—¡Silencio!

Estábamos en mi alcoba, leyendo bajo la luz de la vela.

Mientras Enrique cortejaba a la nobleza inglesa durante los meses siguientes, Rancon y yo participamos conjuntamente del milagro que se gestaba en mi vientre. Aunque ya había visto que la repugnancia que Luis sentía por el embarazo era extrema, también sabía que la mayoría de los hombres deja a sus esposas al cuidado de otras mujeres durante dicho período, por lo que no me esperaba el entusiasmo de Rancon. Me aplicaba aceite sobre mi contorno en expansión, me besaba el ombligo que iba abriéndose, me alzaba los pechos pesados con turbación. Al comienzo me sentía cohibida, luego cada vez esperaba y disfrutaba más con sus atenciones.

Al final, para sorpresa de ambos, el embarazo nos estimuló desde el punto de vista erótico. Nos amábamos con fervor, con nuestro hijo cabalgando entre nosotros, probábamos posturas nuevas, mimábamos a nuestro bebé y el uno al otro a la vez. Ninguna parte del cuerpo del otro permaneció en secreto; nos acariciamos, lamimos, nos conocimos de forma absoluta. Entramos en un mundo delirante, un *empressement* de amor.

También nos volvimos un tanto temerarios. Cierto es que «Bernardo de Ventadorn» tocaba y cantaba para nuestro grupo todas las noches y que organizó una sala de música para enseñar a los aprendices, pero también asistía a todas las reuniones junto a mí, me consultaba entre susurros cuando los temas concernían a Aquitania y, por supuesto, dormía en mi alcoba. ¿Alguien se dio cuenta? Nadie dijo nada, pero Juan de Salisbury, un erudito que estaba de visita, tenía fama de chismoso.

Mi primer hijo varón nació al cabo de siete meses con ayuda de Petronila, mientras Rancon aguardaba fuera de la sala de partos. Rancon estaba demacrado cuando entró en la alcoba. Tenía lágrimas en los ojos.

—Gracias a Dios que estáis viva.

—Claro que estoy viva. Ha sido un parto fácil.

—Pero gritabais... ha sido horrible.

¿Había gritado? No lo recordaba.

—¿Queréis ver al bebé? —preguntó Petra con aire vacilante.

Observó al bebé fijamente.

—Se os parece.

Menos mal. Si hubiera tenido el cabello oscuro de Rancon, sus ojos marrones... bueno, mi madre era morena; podía haber reivindicado su influencia.

—E igual que mi padre y su padre antes de él. Bebé Guillermo.

—Sonreí.

—Guillermo, duque de Aquitania.

—Y es vuestro hijo, Rancon; lo sé.

Se sonrojó.

—¿Estáis segura? No le veo ningún parecido.

—Yo sí. Devolvédmelo, por favor. —Acuné a mi bebé con alegría, aspiré con delicadeza su dulce olor infantil, que ya se parecía al de Rancon. El hijo de Rancon, el hijo de Enrique por ley y mi hijo sin lugar a dudas. Ninguna madre había amado tanto a sus hijos como yo, e incluso mientras besaba la suave pelusa de Guillermo, recordé a María y a Alix.

Enrique escribió:

«Leonor, duquesa de Aquitania y Normandía, condesa de Anjou, próxima reina de Inglaterra, os presento mis respetos: estoy encantado de tener un príncipe, que estéis bien, etcétera. Admito que me ofendió que hicierais caso omiso del nombre que elegí, Enrique, hasta que advertí que sois una mujer sutil; Guillermo en honor a Guillermo el Conquistador, el primer miembro de mi familia que tomó el reino de esta isla. Por consiguiente, un presagio: será Guillermo II.»

En la carta siguiente, Enrique no mencionaba a Guillermo.

«He realizado progresos entre los nobles de aquí, salvo Bigord,

Leicester y Hereford, pero estoy profundamente ofendido con el príncipe Eustaquio. Paso muchos ratos agradables en los bosques que cubren la isla. Cuando sea rey, los reclamaré como terreno privado.»

No mencionaba que tuviera intención de regresar a Normandía. Rancon y yo abrigamos a nuestro pequeño hijo para disfrutar de una agradable cena en el jardín.

Sin embargo, al cabo de una semana recibimos la siguiente misiva:

«¡He realizado un gran descubrimiento! ¿Os he contado alguna vez cuánto venero al gran rey Arturo? Bueno, pues he estado investigando y creo que puedo demostrar sin sombra de duda que fue enterrado en Glastonbury. He pedido que lo exhumen de inmediato. Vos habéis estudiado poesía. ¿No creéis que los escritos de Godofredo de Monmouth sobre la vida de Arturo son indignos? El metro suena forzado y los personajes endebles. He oído rumores de que contáis con un trovador excelente en vuestra corte, Ventadorn. Si creéis que está capacitado, enviadlo de inmediato a Inglaterra, querida esposa. Le pagaré con generosidad para que reescriba las historias de Camelot.»

—¡Lo sabe! —exclamé—. Marchaos, Rancon, salvad vuestra vida.

Rancon volvió a leer el pergamino.

—Tranquilizaos. Lo pondremos a prueba tomándole la palabra. Le responderé yo mismo.

Le escribió ese mismo día, declarándose halagado. ¿Podía Enrique profundizar más en el proyecto y concretar más con respecto al pago?

Se intercambiaron varias misivas desganadas, que acabaron en agua de borrajas. El rey Arturo no volvió a mencionarse. No obstante, la advertencia estaba hecha; me alegré cuando Juan de Salisbury zarpó de regreso a Inglaterra.

También recibíamos cartas de Aquitania, de mi tío Rafael desde Poitiers. Los hermanos Lusignan atacaban el ducado con fiereza, ambicionaban más territorio y un título mejor.

—¿Qué tipo de título?

—Quieren ser condes.

En resumen, codiciaban mi título, dado que mi derecho al ducado se basaba en gran medida en mi título de condesa de Poitou. Además se aprovechaban de mi ausencia. Se trataba de un asunto preocupante, pero nada que no hubiera experimentado con anterioridad, bastaba con recordar su intento de rapto tras mi primera boda.

Mientras tanto, Rancon y yo asumimos con facilidad nuestra condición de padre y madre. Ambos amábamos la domesticidad y adorábamos a partes iguales a nuestro encantador nuevo miembro. Guillermo resultó ser un bebé despierto y regordete que a los seis meses ya decía «¡Ra! ¡Ra!».

—No, cariño. Se llama Bernardo. Di Bernardo.

—¡Ra! —Alzaba los brazos sonriendo, con sus hoyuelos en las mejillas, para abrazar a Rancon, que estaba embelesado.

Al cabo de un mes recibí una carta de Enrique en la que decía que había nombrado a Guillermo heredero de Normandía, Anjou e Inglaterra. Todas aquellas herencias parecían pertenecer a un futuro muy lejano. Seguí leyendo: Enrique regresaba a Ruán. Debía reunirme con él en el plazo de una semana.

De repente nos embargó la desesperación. ¿Qué haríamos? ¿Cómo impedir tal desastre? ¿Existía la manera de que Rancon se llevara al bebé Guillermo a Aquitania, para ser declarado tal vez mi heredero? Pero aunque pudiéramos hacer tal cosa, yo tendría que encontrarme igualmente con Enrique.

Ni siquiera el amor era capaz de apaciguar la desesperación.

—Venid a Poitiers —suplicó Rancon.

—Todos los veranos, como hacía cuando estaba en Francia. —Percibí su estremecimiento, estábamos en septiembre—. Y para la corte navideña. No, más a menudo... es mi hogar; tengo que gobernar.

—¡Que no pase de este mes! ¡Prometedlo! Enrique regresará a Inglaterra, tiene que seguir presionando.

—Sí.

—¡No soporto imaginaros con ese cerdo!

Yo tampoco lo soportaba. Los poetas trovadores afirmaban que el amor adúltero es inevitable en una sociedad de matrimonios sin amor, y los poetas estaban en lo cierto, salvo que raras veces describen el fin de tales romances. ¿Qué sienten los amantes cuando deben retomar sus compromisos detestables? Rancon también debía regresar junto a su esposa. Pero ¿cómo iba a quejarme de una mujer moribunda?

Así pues, aunque ambos hervíamos de celos, mantuve un discreto silencio.

—Decidle a Enrique que quedasteis dañada en el parto, que no podéis...

—Eso haré.

Se levantó de mi lecho al amanecer y regresó a mi alcoba a media mañana para despedirse formalmente. Ataviado con su sombrero emplumado, la capa verde oscilante y con la *vièle* sobre el hombro, era la imagen del perfecto trovador, salvo que sus ojos eran los de un amante, y su cuerpo, sobre el caballo, el de un guerrero.

Se inclinó como si quisiera sujetar la brida.

—Enviad a Amaria a su lecho —susurró—. ¡Ese cabrón no notará la diferencia!

En el poema, Tristán hace que la sirvienta Brangien sustituya a Isolda en la cama del rey Marcos.

—Amaria no despide el perfume adecuado... Yo huelo a Aquitania.

Entré en la antigua capital de Ruán al mediodía sin fanfarria, por lo que Matilda estaba desprevenida. ¿Por qué no me había anunciado? Enrique estaba lejos, cazando, pero enviaría a un mensajero de inmediato para que volviera. Había estado esperándome todos los días, aquél era el primero que salía.

—En tal caso no le molestéis —declaré. El mensajero ya estaba saliendo por la puerta.

Matilda y yo nos escudriñamos la una a la otra, era nuestro primer encuentro sin Enrique. Físicamente era como la recordaba, alta e imponente, y su actitud cariñosa parecía genuina. De nuevo me escrutó con la mirada aunque su juicio era meramente político. ¿Era yo lo suficientemente implacable, lo suficientemente inteligente? ¿Tenía el aguante necesario para Enrique?

Se inclinó sobre Guillermo con exclamaciones de gozo, y pronto me rodeó una gran familia de hermanos y hermanas, aunque, gracias a Dios, Godofredo, el hermano de Enrique, no estaba presente, y me fijé especialmente en dos niños tímidos que me observaban desde una esquina.

—¿Son hijos de Enrique? —pregunté a Matilda.

—Sí, el joven Guillermo Longsword y Godofredo. —Hizo que los niños se acercaran—. Me hubiera gustado que llamarais Enrique a vuestro hijo, así se habrían evitado las confusiones.

Enrique irrumpió en la *salle*. Me agarró de los brazos, sudoroso, jadeando por la dura cabalgada.

—¡Santo cielo, estáis maravillosa! Incluso mejor de lo que recordaba. ¿La maternidad os ha dotado de ese brillo en la mirada?

—La maternidad no, el amor —repuse con recato.

—¡Gracia! —Acto seguido me encontré entre sus brazos, sus enormes dientes me aplastaron los labios. Aquello sería peor de lo que imaginaba.

Agarró al pequeño Guillermo, lo examinó detenidamente y lo lanzó al aire con un grito de euforia.

—¡Ra! ¡Ra! —gritó mi pobre hijo asustado.

—¿Qué dice?

—«Pa» —respondí al tiempo que le arrebataba el niño.

—Me ha reconocido —se vanaglorió Enrique—. ¿Habéis oído, madre? Sólo tiene seis meses y ya sabe cómo me llamo.

—Ocho meses —corregí.

Me acerqué el bebé asustado al pecho, protegiéndome al mismo tiempo de más abrazos. Pero el tiempo pasaba a toda prisa. Se ofició el servicio de vísperas, y la noche cayó como una losa. Me dirigí a regañadientes a la alcoba. Incluso el obtuso de Enrique advirtió mi retraimiento.

—No seáis tímida —murmuró—. Sé que fui un poco bruto la primera vez, pero ahora obraré con mayor delicadeza.

—¿Con la delicadeza suficiente como para darme unas semanas más? —Sonreí.

—¿Semanas para qué? No estáis amamantando, ¿verdad?

—Las Escrituras dicen que una mujer que acaba de ser madre debería...

Dejó de desabrochar los broches y el cinto.

—Habladme de vuestro trovador —dijo con frialdad.

Se me detuvo el corazón.

—¿Peire de Valeria? Un joven gascón agradable; promete mucho.

—Ventadorn, Gracia. ¿Dónde está?

—No lo sé. —Reí desconcertada—. Tuve que despedirle.

—¿Por qué?

—Me hizo insinuaciones —afirmé con audacia—. ¿Os lo podéis creer? Conozco su fama, pero conmigo...

—También tenéis una reputación —señaló—. El hecho de que seáis mi esposa debería disuadirles. Soy liberal en muchos aspectos, pero no con respecto a los hijos.

—¿Hijos? Me confundís, mi señor.

—¿Ah, sí? Entonces permitidme que hable claro. Como habéis visto abajo, soy generoso con mis hijos bastardos; cuidaré de ellos toda mi vida, pero nunca serán mis herederos.

Lo habitual en el caso de la mayor parte de los grandes señores feudales.

—Muy liberal.

—Porque son sangre de mi sangre; tengo pruebas más allá de la palabra de sus madres. Nunca aceptaría la simiente de otro hombre.

—¿Por qué me decís esto?

Los dientes le brillaban en la oscuridad.

—Sois una mujer astuta, Leonor; creo que me entendéis. Si alguna vez creyera que una mujer intenta engañarme a ese respecto, tanto la mujer como el bebé morirían.

—Espero no haberos entendido bien, de lo contrario me marcharía en este mismo instante. ¡Y me llevaría a vuestro hijo conmigo! ¡De hecho, creo que es lo que voy a hacer!

Rápidamente me agarró de las trenzas.

—¡No tan rápido! Decidme, ¿cómo os sentís desde el parto?

—Exactamente como estaba antes.

—¿Demasiado débil para el amor?

—¿Eso es lo que dije? —Me volví lentamente.

Durante el acto, encontré cierto solaz en la inmensidad de los cielos que se extendían al otro lado de la ventana. ¿Qué significaba mi pequeña agonía dentro del gran macrocosmos?

Enrique terminó.

—¿En qué estáis pensando?

—En la magnitud.

Siguió con el dedo el borde de mi oreja.

—Qué respuesta tan extraña, a no ser que os refiráis a mi... ¿Me estáis comparando?

¿Con quién? ¿Qué sospechaba? ¡Debía esmerarme!

—Sois incomparable, Enrique.

—Habladme de nuevo de vuestro trovador —dijo con indiferencia.

Recorrí con los dedos el pelo muy corto de Enrique.

—Habláis como Luis, mi señor.

—Porque ambos hemos tenido la misma esposa.

—Pero no sois el mismo marido. Luis me era fiel.

—¿Y yo no? —Le cambió la voz... ¿con deleite quizá?

—Hay pruebas abrumadoras de que no.

—Como por ejemplo...

—Godofredo y Guillermo están abajo, y otros veinte de los que he oído hablar.

Se echó a reír.

—Hablo en serio, Enrique. Debéis proteger a vuestro hijo legítimo.

—Por supuesto. —Rió de nuevo.

—Estáis advertido, haré lo que sea para proteger a mi hijo. Ya sabéis que mis hijas fueron desheredadas en Francia.

—Me lo escribisteis varias veces —dijo irónicamente—. No debería preocuparos que Guillermo corriera la misma suerte.

—Por lo menos Luis no tenía hijos bastardos.

—¿Me estáis pidiendo que sea célibe como ese petimetre? —Estaba asombrado... e intrigado—. ¿Queréis que os jure fidelidad eterna? ¡Cielo santo, lo haré!

—No, divertíos tanto como queráis. No soy mojigata ni posesiva —sin duda no con Enrique—, pero os exijo que no reconozcáis a más hijos bastardos. Si llegáis a ser rey...

—Cuando sea rey.

—Cuando seáis rey, todos los lores ambiciosos de Inglaterra os esperarán en la puerta con una hermosa hija de la mano. Y en esa situación es en la que exijo fidelidad.

—La señora de las polémicas. Muy bien, limitaré mi lascivia a las calles. Ninguna dama de padres ambiciosos ni nada por el estilo. ¿Eso os satisface?

—Para nuestro hijo, sí. ¿Creéis que podríais recuperar los derechos de mis hijas?

Alzó la cabeza.

—¡Cielo santo! ¡Con qué mujer tan exigente me he casado! ¿Queréis que invada Bizancio ya de paso?

Le cubrí los labios con la mano; él me mordió los dedos con dulzura.

—¿O me limito a tomaros a vos? —dijo con voz queda—. Sois una bruja bajo el claro de luna; estoy hechizado.

La segunda vez resultó menos agónico físicamente y empleé toda mi astucia para fingir pasión.

Enrique me acarició las mejillas.

—Realmente me conmovéis, Leonor. Es como hacer el amor con una melodía. Tan esquiva. ¿Sois feliz?

¿Acaso las lágrimas son señal de felicidad?

—Lo he sido. —Con Rancon.

—Habéis cambiado.

—¿Cómo? —Me mostré de nuevo alerta.

Me acarició el hombro con la barbilla.

—Sois más cariñosa, más receptiva.

Más experimentada. Más artera. Y casi me había descubierto. ¿Quién se lo habría contado?

—Con vos nunca tengo bastante.

Y lo demostró. Cuánto le odiaba.

Me quedé embarazada de nuevo, por supuesto. Maldije mi cuerpo de mujer, que no permitía secretos. No soportaba decírselo a Rancon, pero lo supo rápidamente. Aunque consideraba que no había podido evitarlo, me sentía infiel y asustada.

Un día una figura que me resultaba familiar entró a caballo en el patio. Se trataba del obispo de Lisieux.

—¡Obispo Arnulfo! —exclamé con sincera alegría.

Desmontó sonriente.

—Vengo a felicitaros por vuestro nuevo matrimonio, sin duda una mejora con respecto a Francia. —Enrique apareció corriendo desde el palacio—. Ah, Enrique, vos sois a quien debo felicitar. ¿Cómo os ganasteis a este lirio de Aquitania?

—En una justa —respondí yo—. Su espada era la más rápida.

Enrique sonrió.

—Lo de la espada es una metáfora.

Mandamos traer vino y pronto se reunió toda la familia alrededor del famoso obispo. Arnulfo me observaba subrepticiamente.

Sólo al término de la jornada pudimos hablar en privado en el jardín.

—Vuestro hijo es excepcional —declaró Arnulfo, lanzando una clara indirecta.

—¿Significa eso que Dios aprueba este matrimonio?

—No puedo hablar por boca de Dios, pero yo sí lo apruebo. Y veo que vos y Enrique también.

—¿Por qué lo decís?

—En el caso de Enrique resulta obvio. Se deja llevar por un meteorito que le conduce al poder y la felicidad, y el brillo de sus ojos, lo orgulloso que se siente cuando os mira... Oh, conozco bien a Enrique.

—¿Y a mí?

Se echó a reír.

—¿Me estáis pidiendo que os halague? Muy bien. Mi querida Gracia, siempre os he considerado la mujer más hermosa que he visto en mi vida, tal vez la más hermosa del mundo. No obstante hoy, ahora, tenéis una cualidad que trasciende la belleza. Despedís una luz... apenas soy capaz de miraros directamente, estoy cegado... y los ojos, las rosas de vuestras mejillas, incluso vuestra voz sigue una melodía que no recordaba. Oh, querida, me faltan palabras para describir lo que veo; sois una mujer plena.

—Halagar se os da bien. Gracias, obispo Arnulfo.

Comenzamos a andar en silencio.

«Debo ser más cuidadosa —pensé—, si incluso un obispo es capaz de percibir lo que ha hecho Rancon...»

—Decidme, ¿cómo conseguisteis finalmente el divorcio del rey Luis?

Me alegré de que cambiara de tema. Cuando le conté mi explotación deliberada del prejuicio y la vanidad del abad Bernardo, se echó a reír.

—Por supuesto, ya había oído la verdad sobre los rumores de incesto, así que me sorprendió que de repente se aceptaran como un hecho.

—Era demasiado obvio, ¿eh? De lo único que me arrepiento es de la pérdida de mis princesas, pero eso cambiará. Ya se me ocurrirá la manera.

Volvió a reírse.

—Creo que sois... incorregible. Bueno, contadme, ¿cómo conocisteis a Enrique? Todo el mundo se lo pregunta; la boda fue tan rápida...

—¡Enrique es la encarnación del diablo! —dije en tono agradable.

Su sonrisa se desvaneció.

—Entonces, ¿por qué os casasteis con él?

Se lo expliqué con todo lujo de detalles.

—Estoy verdaderamente sorprendido —dijo ahogando una exclamación de asombro—. Y lo siento, no lo habría pensado de Enrique.

Se produjo un largo silencio.

—Así pues, la extraordinaria transformación que se ha operado en vuestra persona no tiene nada que ver con Enrique —conjeturó con voz queda.

Respondí con rapidez.

—Me han dicho que es el cambio que sufro después de la maternidad. ¿Pero Enrique? No. —Me estremecí.

Me tomó de la mano.

—Escuchadme, Gracia. Os conozco casi tan bien como conozco a Enrique; vuestro enojo es evidente, pero id con cuidado. Enrique es el esposo perfecto para vos, creedme. Posee el brío, la masculinidad que tanto anhelabais en Luis. Y su inteligencia es equiparable a la vuestra; sois muy parecidos.

—¿Parecidos? —No sabía si enfurecerme o mostrarme incrédula.

—Sí, ambos nacisteis para gobernar. Él lo sabe, por si no erais consciente. Y no existe ningún prelado en el mundo al que pudierais manipular para libraros de él.

Así fue como sembró una idea. El obispo Arnulfo me había representado en mi petición de anulación del matrimonio con Luis y haría lo mismo con Enrique. Le había horrorizado la violación, ¿eh? Arnulfo quizás había querido a Enrique de niño, pero no conocía al Enrique adulto.

En aquel preciso instante Enrique se aproximó desde el otro extremo del jardín.

Seguimos paseando y yo me quedé callada, absorta en mis pensamientos. El obispo Arnulfo no era como Bernardo de Claraval, no era un hombre manipulable por su vanidad, pero tampoco emplearía yo esa táctica. Si conseguía acercar a Arnulfo al Enrique más maduro, dejarle que lo viera en acción como yo, como lo veía Francia y gran parte de Europa, encontraría sus propios motivos.

Bien, había plantado un grano de arena con el relato verdadero de mi violación; ahora lo dejaría crecer hasta que se transformara en una perla de gran valía...

19

Llegó el verano y Luis volvió a atacar. Fuera cual fuera su motivo,
me libró de la compañía de Enrique. Sin embargo, tuve que mentir a
Rancon sobre el motivo por el que no había ido a Aquitania, puesto
que no podía decirle que estaba embarazada de nuevo. Le escribí que
Guillermo tenía la varicela; iría a Poitiers poco después de comienzos
de año. La respuesta de Rancon estaba teñida de desesperación: debía
enviarle partes diarios sobre el estado de Guillermo. Como si el destino quisiera castigarme, Guillermo enfermó de verdad, aunque jamás
supe la causa y no fue grave.

Mientras, mi propia «enfermedad» hizo que pasara de parecer un
abedul a una pelota hinchada y, sin la afectuosa aprobación de Rancon,
me odié a mí misma. Juré que recuperaría la figura juvenil y, para no
ganar peso, hice régimen y ejercicio con el mismo rigor que Enrique,
que tenía cierta tendencia a la gordura.

Tres días después de que Enrique regresara de batallar contra Luis
supo que Eustaquio, el príncipe del rey Esteban, había fallecido de forma repentina. Se dijo que había muerto de causas naturales, aunque se
rumoreaba que se trataba de una venganza divina por haber atacado la
abadía de Saint-Albans.

—¡Ahora soy el heredero indiscutible! —se regocijó Enrique—.
Ojalá se muriera el rey Esteban.

Estaba de acuerdo; si Esteban moría, Enrique se marcharía. Recé
para que así fuera.

Para mi asombro, llegó otro mensajero y anunció que el rey Esteban había fallecido a consecuencia de una ingestión de anguilas. ¿Era
yo otro Bernardo de Claraval frustrado? Enrique mostró un júbilo sólo equiparable a su cólera en Poitiers: dio patadas en el suelo de la sala,
se golpeó el pecho y gritó que era el rey de Inglaterra. Fue el destino,

la Rueda de la Fortuna, *wyrd* y la reivindicación de los derechos de su madre. «No, fueron mis oraciones», pensé.

—Deberíamos agradecérselo a Dios —dijo Matilda piadosamente.

—Sí y... —me callé a tiempo de no decir «a mis oraciones»— a las anguilas —concluí sin convicción.

Aunque hacía un frío glacial, Enrique estaba impaciente por partir. ¿Y si los barones se rebelaban, o el hijo menor del rey Esteban reclamaba el trono? Le aseguré que estaba en lo cierto. ¿Le había contado alguna vez la precipitada marcha de Luis hacia París tras la muerte de su padre, cuando su hermano estuvo a punto de apoderarse del trono?

—Cuando el trono sea vuestro y las aguas se hayan calmado, partiré —dije.

Las pupilas le bailaron como agujas en los ojos.

—Vendréis conmigo ahora.

—¡No, no puedo! Daos cuenta de mi estado... podría perder el bebé.

—¿Perder el bebé? —Echó la cabeza hacia atrás—. Sois más estrecha que mi perra de caza.

—No puedo abandonar al pequeño Guillermo.

—Vendrá con nosotros.

—¿Por el mar en invierno? ¿Vuestro único heredero? ¡Os lo repito, Enrique, no iré!

—Iréis. Quiero que esos cabrones me vean junto a una mujer. Seréis coronada reina y gobernaréis conmigo.

—Me alegro por vos, Enrique fitzEmperatriz —dijo Matilda en voz alta detrás de él. Ella no vendría con nosotros y tal vez ése fuera el motivo por el que Enrique se mostraba tan insistente; yo sería su sustituta.

Escribí a Rancon, abatida. ¿Vendría a verme a Inglaterra en primavera? (No añadí «después de que nazca el bebé», ya que todavía no se lo había dicho.) Ya no soportaba más que estuviésemos separados.

A mediados de noviembre cabalgamos hasta Barfleur, donde Enrique se quedó en una posada con sus consejeros, su madre en otra y yo en una tercera en compañía de Amaria y mi hijo. El mar estaba embravecido y las olas rompían con fuerza en la costa, por lo que decidimos esperar hasta que el tiempo mejorara. Todas las mañanas me abría paso por entre los remolinos de aguanieve hasta la posada donde Enrique, su madre y sus consejeros se apiñaban para crear el nuevo gobierno y repasaban listas infinitas de nombres misteriosos.

—Ricardo de Luci debería ser vuestro justicia mayor —anunció Matilda con su voz grave y masculina.

—Es un plebeyo, madre —objetó Enrique.

—Reforzadlo con el conde de Leicester como vuestro segundo justicia mayor.

—Apoyó al rey Esteban —protestó Enrique.

—Pero es el conde más inteligente, y además es vuestro primo.

Enrique asintió.

—¿Qué es un justicia mayor? —pregunté.

—Una especie de senescal —explicó Matilda—, alguien que gobierne mientras Enrique fitzEmperatriz esté ausente de la isla, ya que pasará mucho tiempo en el continente.

La miré fijamente en busca de alguna señal de duplicidad, porque para mí «en el continente» significaba Aquitania. Las advertencias de Suger resonaron en mi cabeza. Matilda me devolvió la mirada sin ninguna intención especial y luego prosiguió con el recitado de nobles de Inglaterra.

Escuché sin articular palabra hasta que llegaron al canciller, y entonces me percaté de que hablaban del hombre que actuaría como persona de contacto entre la monarquía y la Iglesia. Tendría que ser un sacerdote, declaró Matilda o, preferiblemente, un monje, alguien de cuna noble que conociese las leyes, sí, un erudito.

—¡El obispo Arnulfo de Lisieux! —grité.

Todos se volvieron hacia mí.

—Debéis encontrar a alguien como el abad Suger —añadí entrecortadamente—, alguien de inclinaciones humanistas.

Enrique sonrió.

—¿Y consideráis que Arnulfo es como Suger?

—¡Tal vez! Os quiere, mi señor, ha estado en las cruzadas, conoce mucho mundo. —Algo que Enrique, con toda su inteligencia, no conocía. Leía, escuchaba, pero seguía siendo un hombre provinciano.

Por suerte, Matilda estaba de acuerdo.

—Os quiere como a un hijo. Será vuestro más fiel mediador entre la Iglesia y el Estado.

—Excelsa sugerencia. —Enrique me apretó la mano en señal de reconocimiento—. Será mi primer nombramiento.

—Mandadlo a buscar —dije—. Que venga con nosotros.

Enrique despachó a un mensajero de inmediato. Me sentía eufórica; Arnulfo me debería un favor, y mi intención era que me lo devolviera ayudándome a escapar de mi matrimonio. Le dije a Amaria que encontrara el modo de ponerse en contacto con Rancon.

Cuando hubimos agotado la lista de nombramientos, Matilda nos sermoneó sobre cuáles eran los preceptos básicos con los que deberíamos gobernar. Eran sencillos y cínicos.

—Emplead la táctica de la tentación —dijo—. Mostrad las recompensas como una incitación a la lealtad, mas no las entreguéis jamás porque en cuanto se hacen con la recompensa olvidan la lealtad. Utilizad tierras, títulos, poder cercano al trono; que vuestros barones no pierdan la esperanza. Haced que se abalancen sobre el señuelo. Tentad.

—Sí, madre, lo sé. —Era obvio que el hijo ya había oído ese precepto—. Tentar.

—Confiscad todas las propiedades y revocad todos los títulos.

—Eso es una forma de tiranía —protesté—. ¿No se supone que Enrique debe ser diferente al rey Esteban? ¿No provocará así otra insurrección?

—En absoluto. Eso le proporcionará los instrumentos para tentar. Creedme, la lealtad de los barones es veleidosa. Olvidarán que les ha arrebatado la dignidad, y sólo recordarán que le deben todo. Devolveréis los privilegios a su debido tiempo, hijo, cuando los barones hayan demostrado su lealtad. Entonces estarán en deuda con vos y no con el rey anterior.

—Sabio consejo, madre —convino Enrique con solemnidad.

Estaba en una escuela de *jobelins*: el ladrón regala los objetos robados al verdadero dueño y luego exige una recompensa.

—En el discurso de aceptación anunciad que reinstauraréis las leyes y costumbres de mi padre, el gran Enrique I.

—¿Cuáles son? —pregunté.

Matilda resopló.

—Gobernó en una época más sencilla, querida, cuando los reyes eran reyes y los nobles eran tan leales como nosotros a Dios.

Leales salvo que ese rey fuese reina, pensé. Matilda confiaba en que su hijo haría de sustituto, pero ¿estaba capacitado? Enrique la miró con humildad, casi de manera reverencial, pero todavía no era rey. Había visto a Luis, ese joven tan desconcertado, transformarse en un tirano en las cruzadas. ¿Acaso el trono corrompía siempre?

—Creía en las leyes, Gracia; estoy de acuerdo con su filosofía general y aprenderé los detalles en Inglaterra —me explicó Enrique.

Es decir, ninguno de los dos conocía las leyes de su padre.

Matilda sonrió con benevolencia.

—La nobleza os aplaudirá porque todo reino nuevo repudia el anterior y supone una vuelta a la edad dorada. Borraréis los excesos del rey Esteban y...

—¿Y? —interrumpió Enrique.

—Se darán cuenta demasiado tarde de que entre los excesos figuran sus propios privilegios. Gobernó durante mucho tiempo; todos están mancillados.

—¡Escoba nueva barre bien! —recitó Enrique como un niño, sin terminar de creerse su buena suerte.

Pensé en nuestra asociación poco definida de barones en Aquitania, donde mi familia había gobernado con éxito precisamente por no haber asumido derechos dictatoriales. Tal vez los ingleses fueran una raza distinta.

Arnulfo de Lisieux llegó al cabo de una semana y parecía sumamente agradecido por el honor concedido.

—Os lo merecéis —le aseguré—. Fuisteis un buen amigo en Jerusalén; permitidme que os muestre mi gratitud.

—¿Fue sugerencia vuestra? —preguntó arqueando las cejas socarronamente.

—Todos aceptaron, por supuesto —dije con dulzura.

Asintió lentamente.

—No lo olvidaré.

La semilla comenzaba a enraizarse.

Los vientos inclementes arreciaron y la niebla desdibujó el paisaje. Todas las mañanas andaba a trompicones envuelta en la oscuridad más impenetrable entre una posada y otra con un pañuelo sobre los ojos para protegerlos de la arena y el aguanieve. Tenía que inclinarme hacia delante como un arbusto retorcido para que el viento no me derribara... nada fácil dado mi estado.

Asimismo, todas las mañanas debía enfrentarme a los iracundos alaridos de mi hijo Guillermo.

—¿Por qué no puedo ir con vos?

—Son asuntos para adultos, querido. Sed un buen chico, y la tía Amaria os contará una historia.

—Quiero ir en el barco.

—E iréis.

—¿Cuándo?

—No lo sé, quizá mañana.

Amaria le acariciaba los rizos rubios.

—Nos acostaremos esta noche y cuando nos despertemos será mañana.

—¡No! —gritó Guillermo—. ¡Cuando nos despertemos será hoy! El mañana nunca llega.

—Digno de Abelardo —declaré no sin orgullo.

A Enrique le irritaba el retraso. El invierno se acercaba y los vendavales empeorarían, así que tomó una decisión.

—Zarparemos el día de San Nicolás porque es el santo patrón de los marineros.

Así que nos preparamos para partir el 6 de diciembre, aunque la idea no le gustaba a nadie. ¿Quién sabía cuántos barcos habrían zozobrado bajo el amparo del santo? Nos alineamos en la playa un amanecer arenoso y escuchamos el oleaje rompiendo en la costa. «Dios mío, esto es una locura —pensé—. ¿De qué sirve reclamar un trono desde el fondo del mar?»

Incluso Matilda la vikinga estaba nerviosa.

—Éste es el mes que mató a mi hermano —dijo con voz temblorosa.

Una historia famosa e impresionante, una salida navideña que había precedido a los acontecimientos del presente. El príncipe de Inglaterra había zarpado de Barfleur el día de Navidad con la mayoría de los nobles europeos. Los barcos habían zozobrado y se habían hundido en el puerto a la vista de personas todavía vivas que recordaban haber visto las barcas estrellándose contra las rocas y luego los botes salvavidas sobrecargados. La pérdida del príncipe había convertido a Matilda en heredera al trono de Inglaterra, y ahora a Enrique. También había sido el motivo por el que mi tío Raimundo había ido a Inglaterra y a Antioquía; así pues, la gran cadena nos une a los unos con los otros y con los muertos.

Enrique caminaba de un lado a otro, blandiendo el puño contra los elementos, pero incluso él estaba lo bastante sobrecogido como para aplazar la partida. Entonces, cuando el cielo volvía a oscurecerse y todos nosotros estábamos ateridos de frío, el viento amainó repentinamente.

—¡Ahora! —gritó Enrique.

Tomé a Guillermo entre mis brazos, recorrí la tabla resbaladiza y me acurruqué bajo el castillo de proa con mi hijo.

—Como en las cruzadas —dijo Amaria con sequedad.

—Salvo que no creo que nos topemos con campos de flores —repliqué.

—Me conformaré con la tierra firme. Nunca me ha atraído morir ahogada.

Durante unos instantes los vientos se disiparon y me fijé en la conmovedora figura de Matilda, que seguía saludando desde la orilla. «Debería estar en mi lugar —pensé—. No, en el lugar de Enrique, es la reina por derecho de nacimiento.» Entonces desapareció.

Se colgaron faroles en la proa, y la popa se desvaneció en la niebla. Los tambores comenzaron a retumbar en todos los barcos y luego los cuernos balaron tristemente sobre el mar.

—¿Qué es eso? —preguntó Guillermo.

—Los cisnes que nos conducen a Inglaterra —repliqué.

—El mañana ha llegado.

Cuatro días después llegamos a Londres. Un cielo color plata iluminaba un grupo de chapiteles deslumbrantes y casas pintadas de rojo y amarillo o verde y púrpura. Cientos de rostros resplandecientes y sonrientes nos dieron la bienvenida. Nuestros nuevos súbditos rubios, de ojos azules, nariz roja, ataviados con sencillas pieles y botas de oveja, pregonaban abiertamente su mercancía, productos del lugar mezclados con lana de Flandes, cerámica de Caen e incluso objetos de latón de Constantinopla. ¿Dónde estaban los vinos de Aquitania? Al igual que la emperatriz Irene, comencé a pensar en actividades que pudieran beneficiarme.

—Waes Hael! Waes Hael!

Sonreí y saludé.

—¡Mira, mamá, un hombre muerto! —Guillermo señaló un cadáver que colgaba de un cadalso—. ¿Dónde tiene los ojos?

—Mirad los patos, Guillermo —instó Amaria—. Qué marcas más divertidas dejan en la nieve.

Mugre animal, comercio, muerte y vida prometedora, el rostro de Londres.

Pesaba demasiado como para arrodillarme frente al altar de la abadía de Westminster, la primera iglesia sajona que vi. Amaria se quedó junto a mí para ayudarme a incorporarme.

Bajo unas bóvedas bajas, varios fieles de rostro demacrado me observaron, desviaron la mirada cuando les miré y volvieron a mirarme. ¿Es que nunca habían visto a una mujer embarazada, o es que les impresionaban las prendas de pieles y las alhajas que llevaba para disimular mi contorno? Me sentía como un imán gastado frente a un público de agujas.

Naturalmente, quien más les interesaba era Enrique; él también llevaba sus mejores galas. Ataviado con el rojo escarlata y el dorado inglés, colores desacertados para su tez rojo pardusca, era otro imán. Su energía era palpable, sus ojos penetrantes miraban en derredor, fijándose en todo; parecía como si estuviera a punto de estallar en llamas. Teobaldo, el arzobispo de Canterbury, celebró la ceremonia. Era un hombre que me gustaba por sus modales finos y corteses y su tierna sonrisa; había desempeñado un papel decisivo en el ascenso de Enrique. Me recordaba a Suger, salvo que no era tan prolijo, algo que le agradecía sobremanera. Puede que las coronas pesen sobre la frente pero no son nada comparadas con el peso de un bebé en la vejiga.

El discurso de Enrique fue tan breve que los nobles apenas tuvieron tiempo de tomar asiento antes de que acabara.

Sostuvo en alto un pergamino.

—Por esta cédula real confiero a mis condes, barones y a todos mis súbditos las concesiones, libertades y libertad de costumbres que mi abuelo el rey Enrique I les otorgó.

«Y, por lo tanto, arrebatándoos vuestras concesiones presentes —pensé—, perderéis mucho más de lo que ganaréis.»

—Del mismo modo, derogaré y prohibiré todas las costumbres funestas que él prohibió y derogó.

Es decir, todos los títulos e ingresos; Matilda se lo había enseñado muy bien a Enrique. Pero, a mi juicio, no lo suficientemente bien. Mientras observaba a los presentes, vi varios gestos sutiles de consternación y varios nobles susurraron entre sí. Reconocí aquellas expresiones, comunes entre mis barones, de resistencia y agresividad. ¿Quiénes eran? Sólo conocía de nombre a Hugo de Bigord y a Roberto, conde de Leicester, pero intuí lo que pensaban. Al igual que muchos otros soberanos brillantes, Enrique subestimaba la inteligencia de sus súbditos.

Dado que sólo faltaban cinco días para la Navidad, tenía que poner orden en la casa. Me senté en la gran sala de nuestra residencia temporal, en Bermondsey, para entrevistar a los aspirantes a los puestos reales. Me dolía la espalda, y las estancias frías y llenas de gente hacían que todos pareciesen unos incompetentes.

Aunque estaba sentada entre mi secretario, sir Mateo, y mi asesor inglés, sir Nigel —Amaria estaba al otro lado de la mesa—, faltaba la presencia más importante, mi tía Mahaut, quien tiempo ha me había enseñado las nociones básicas de administración. Recordaba sobre todo que insistía en que era esencial organizar al personal de servicio como si fuera reina. Ahora yo volvía a ser reina.

Oí su voz fantasmal: «Comenzad por los encargados y no os olvidéis de mirarles a los ojos mientras os hablan.» Tardé poco en reunir a los encargados del pan, de la costura, del vino y las velas, y de la despensa.

«Que el cocinero elija a sus propios ayudantes.» Mi chef de Aquitania, Rafael de Marchia, eligió al encargado de los utensilios, al marmitón, al encargado del asador, al de la despensa y el almacén y al de la cristalería.

Le pedí que se retirara y proseguí con los cornetas, los cazadores de felinos y lobos, los encargados de las perras de caza, los encargados de la chimenea, unos doscientos en total.

—Os agradezco vuestros servicios —dije dando a entender a sir Mateo y a sir Nigel que se retiraran.

Amaria me ayudó a incorporarme y a caminar por la pequeña sala.

—¿Quién falta? —preguntó.

—Un contador de historias.

Amaria dio un grito entrecortado de preocupación.

—Alguien que no conozcamos —le aseguré.

No era Rancon.

Una vez estuve recolocada de nuevo, Amaria abrió la puerta y entró un hombre cadavérico de cabellos blancos y penetrantes ojos negros. Vestía de verde y llevaba una pequeña arpa.

—¿Sois Wace de Jersey? —inquirí mientras extendía una muestra de sus versos—. ¿Estáis especializado en los relatos?

—Sí, reina Leonor. Soy un cuenta cuentos.

—¿Y deseáis escribir sobre el rey Arturo?

—Sí.

—¿Aunque Godofredo de Monmouth ya haya narrado su vida?

—En latín, no en francés.

—¿Y vos lo traduciréis?

Los ojos le centellearon.

—No, reescribiré las historias por completo.

—Ah —sonreí—, ¿cómo trataréis a la reina Ginebra?

Vaciló, intuyendo que se trataba de una trampa.

—La describiré de forma más favorable.

—Pero ¿adúltera?

—Tal vez no.

—Oh, creo que deberíais hacerlo. La madre de Arturo también fue adúltera. Tenemos que contar la verdad. —Ladeé la cabeza—. Todas las reinas son adúlteras, ¿no?

Me miró la barriga.

—Quizás entre los franceses, pero no en Inglaterra.

—Lo esencial es que su amante sea un hombre digno. No me gusta su aventura con Mordred. Bien, presentaos ante el maestro del *scriptorium* y decidle que os he contratado.

Se sonrojó.

—Gracias, milady. —Y se inclinó cuanto pudo.

—Jamás os he visto contratar a nadie con tal presteza —observó Amaria con sequedad una vez que se hubo cerrado la puerta—. ¿Por qué creéis que es el hombre correcto para el rey Arturo?

Desordené la pila de versos.

—Es dócil. Me gustaría que Ginebra estuviese tan bien considerada como Isolda. Ayudadme, querida. Hemos acabado.

Antes de que me incorporara, las puertas se abrieron de par en par y Enrique entró seguido de un desconocido alto.

—Gracia, ¿ya os habéis acostumbrado a ser la reina de Inglaterra? —Se inclinó para besarme la frente y me pasó la mano por la barriga—. ¿Y qué hay de vos, jovencito? ¿Estáis preparado para ser príncipe?

Le aparté la mano.

—Saludos, milord. —Su acompañante parecía avergonzado. Su palidez se transformó en un rojo intenso; sus ojos oscuros se movían a un lado y otro. Llevaba las vestiduras de un clérigo; quizá lo hubiera visto con el arzobispo Teobaldo de Canterbury—. ¿Nos conocemos, señor?

—N-n-no, milady. —La voz era cultivada, el tartamudeo encantador.

—Le veréis con frecuencia. —Enrique se sentó en el extremo de la mesa—. Es Tomás à Becket, archidiácono de Canterbury.

Estaba contenta. Lo había conocido con anterioridad —me enorgullezco de no olvidar jamás un rostro—, cuando llegamos por primera vez. Extraño que no me recordara.

—Acabo de nombrarlo mi canciller —explicó Enrique.

La sangre se me subió a la cabeza.

—¿Vuestro canciller? ¿Cómo es posible? ¡Arnulfo de Lisieux es vuestro canciller!

Aunque no sonreía, vi los grandes dientes de Enrique.

—Por recomendación expresa del arzobispo Teobaldo me decidí por el joven Becket.

¿Joven? Tenía al menos treinta y cinco años y Enrique sólo veintiuno. Y Arnulfo... mi esperanza de libertad.

—El obispo Arnulfo es un hombre d-d-digno —murmuró Becket.

Enrique rió.

—Quizá, ¡pero no sabe cazar! Gracia, este hombre encontraría el rastro de una espora seis meses después de caída.

—¡Lo cual es una aptitud esencial para un canciller! —espeté—. Estoy segura de que encontraréis enormes pilas de estiércol en la corte, Tomás. Empezad mirando bajo el trono.

Enrique se levantó de un salto, enfadado.

—¡Me refería a cazar en el bosque, como bien sabéis! Dimos una batida en New Forest en mi anterior visita a Inglaterra.

Me asaltaron varias sospechas.

—¿Cuándo os decidisteis por el joven Becket, mi señor?

Becket miró a Enrique con humildad.

—Mi señor Enrique sugirió el cargo poco después de que falleciera el rey Esteban. Aunque tal vez no sea digno del mismo, tuve que aceptar. Trabajar para el nuevo rey de Inglaterra es un v-v-erdadero honor. Él es una de las maravillas del mundo. Cabalgo con el viento a favor.

Se sabe mucho de un hombre por el modo en que responde a los halagos: los gélidos ojos de Enrique se derritieron; había sucumbido a la primera lengua meliflua que le había lamido el trasero. Mas su vanidad no justificaba su duplicidad. También se puede juzgar a un hombre por su palabra. En esa primera prueba crucial, Enrique había demostrado que era un mentiroso manipulador.

—Otra de las maravillas del mundo es una serpiente enroscada sobre una roca, y todos sabemos cómo condenó al mundo la lengua de la serpiente —señalé.

Enrique habló en el tono sepulcral que ya había escuchado con anterioridad.

—He elegido a Tomás, Leonor. ¿Lo comprendéis?

—Podríais haber informado de la decisión a vuestra madre y a mí, mi señor, cuando accedisteis a nombrar al obispo Arnulfo. —¿Era Enrique digno de la confianza de su madre?—. Escribidle y decidle que nunca mentís, a pesar de esta extraña contradicción. Pero ¿qué podéis decirle al obispo Arnulfo? ¿Que creíais que la gélida travesía por la ruta de las ballenas le ayudaría a mejorar la salud? ¿Que olvidasteis que el cargo ya estaba ocupado? ¿Que estabais experimentando con la «tentación»?

—Aguardaré fuera —dijo Tomás.

Enrique le detuvo con un gesto de la mano.

—Jamás volváis a decir que miento, Leonor.

—No volváis a mentir y no lo haré.

Observé el rostro de Tomás de nuevo.

—Bien, milord, si vais a ser nuestro contacto con la Iglesia, habladme de vos. ¿Cuándo recibisteis las órdenes sagradas?

Los ojos marrones de Becket miraron a Enrique.

—No las he recibido.

—Pero supongo que sois sacerdote, o al menos monje de alguna orden.

—No, comencé a trabajar como pasante.

Me quedé muda; un plebeyo laico, muy ordinario, muy laico. Sin embargo, Enrique no era idiota; ¿por qué lo habría nombrado?

—Dado que cazáis, seguramente participáis en las justas. ¿Cuándo fuisteis armado caballero?

—Me habría gustado ser caballero, pero no tenía patrón que me armara o me diera un caballo.

Es decir, carecía de contactos. Enrique se había quejado al nombrar a Ricardo de Luci porque era un plebeyo, aunque muy culto, y ahora nombraba canciller a un plebeyo no cualificado. ¡Inaudito!

—No erais caballero y, obviamente, no teníais vocación de pasante, por lo que deduzco que acudisteis a la Iglesia como último recurso.

—Intenté ser benévola; recordaba el ascenso de Suger en la jerarquía eclesiástica.

—No ha venido aquí para hacerse cargo de la despensa, Gracia —dijo Enrique con irritación.

—Pero estará a nuestro servicio. ¿Tenéis esposa, Tomás?

—N-no —tartamudeó.

—¿Habéis profesado el voto de celibato?

—No.

Aquello era un presagio terrible; había visto a otros como él con anterioridad.

—¿Y tenéis madre? ¿Hermanas?

Parecía afligido.

—Por supuesto, aunque ya no las veo.

—¿Por qué?

—Aunque no he profesado el voto, evito la contaminación de las mujeres.

—Estoy segura, milord Becket, de que os habréis percatado de que soy mujer y que estaremos en permanente contacto.

Enrique tomó a Becket del brazo.

—La inquisición proseguirá cuando volvamos, Gracia.

—¿Volváis de dónde?

—Durante el reinado del rey Esteban algunos rufianes construyeron castillos por toda Inglaterra y se hicieron llamar nobles. Aterrorizaron a los lu-lugareños y robaron cuanto pudieron. Vamos a arrasar esos c-c-castillos ilegales —respondió Becket.

—Con picos —añadió Enrique alegremente.

—Ahora veo con claridad vuestro razonamiento, Enrique: estoy segura de que el pobre obispo Arnulfo no sabe seguir el rastro de una espora ni dar hachazos, aunque conoce bastante bien la fauna. ¿Cuántas fortalezas ilegales hay, milord Becket?

—M-m-mil.

Mil castillos de piedra derruidos a hachazos, por lo menos mil meses.

—Arrasados en persona por el rey y su canciller. Una empresa imponente para dos hombres.

Enrique captó a la perfección lo que quería decir.

—Necesito el buen olfato de Tomás para descubrir el paradero de los bribones.

—Desprenden el hedor a azufre de los demonios —convino su nuevo canciller.

Golpeé la mesa.

—Incluso un pasante de banca, Tomás, sabe cuál es la diferencia entre la religión y la más absoluta superstición. ¡No toleraré argucias vulgares en mi corte! ¡Jamás volváis a hablar de demonios en mi presencia! ¿De acuerdo?

Becket se quedó boquiabierto.

—Tomás obedece mis órdenes, Gracia —terció Enrique enfadado.

—Podéis ordenarle que dispare una flecha contra un ciervo o que arremeta contra los cimientos de un castillo, pero en mi corte hará lo que la reina diga. ¡O le destituiré!

A Enrique se le salieron los ojos de las órbitas; respiró hondo y luego me dio golpecitos en la nariz.

—«Vuestra» corte, ¿mi bella reina? Muy bien, os dejaré que forméis el gobierno en «vuestra» corte mientras estoy fuera.

—¡Enrique, no sé nada de Inglaterra!

—Ni yo. Pero Becket sí. Enviaré mensajeros a diario con su asesoramiento.

—¡Inglaterra es responsabilidad vuestra!

—Sin duda alguna, me alegra que lo reconozcáis. Como rey principiante, pediré consejo a Becket y vos obedeceréis mis órdenes.

—Como rey principiante, mi señor, seréis observado detenidamente por vuestros súbditos. ¿Cómo creéis que juzgarán vuestra larga caza en New Forest? ¿Tendréis que demostrar vuestra valía por segunda vez? Y si así fuera, ¿creéis que podéis volver a agitar vuestra genealogía y que os acepten? ¿Es que no tenéis sentido del mandato real?

Mi tono le enfureció.

—¡Inglaterra no puede ser gobernada mientras existan esos nobles renegados! ¡Estoy cumpliendo con mi cometido! —dijo con voz más serena—. Mientras estemos fuera, el palacio de Westminster será renovado. Eso debería alegraros. —Se le encendieron los ojos—. Tomás ya ha delineado los diseños. Tendréis veinte hornos en la cocina, una enorme habitación infantil para nuestra familia, una arcada de mármol de Siena y un escenario en la gran sala para los trovadores.

Miré a Becket de hito en hito.

—Decidme, ¿sabéis cantar? No me vendría mal un trovador nuevo.

—¡Sois insufrible! —clamó Enrique.

—En absoluto. Estoy indignada.

—Tomás, si estáis listo...

—¡Aguardad! —le ordené—. Enrique, podéis delegar en Ricardo de Luci para que lleve a cabo vuestras órdenes. Me iré a Poitiers en cuanto nazca el niño.

Al igual que yo, Enrique golpeó la mesa.

—¡Os quedaréis en Inglaterra, os lo aseguro!

—¡Me marcharé a Poitiers! Gobernad Inglaterra y yo gobernaré Aquitania. No desatenderé mi ducado como vos hacéis con vuestro reino.

Enrique respiró hondo.

—Alcancemos un compromiso: id a Woodstock tras el parto. El joven Guillermo disfrutará de la colección de animales salvajes que reunió Esteban. —Se apartó de la mesa—. Es una orden, Gracia. Seréis muy feliz en Woodstock.

—¡Enrique, aguardad!

Enrique se detuvo.

—Nombrad heredero a Guillermo antes de partir.

—¡Ya lo he hecho!

—Nombradlo en la iglesia, ante un arzobispo.

Tenía el rostro tan rojo como sus vestiduras.

—Me estoy enfadando.

—Yo también.

Enrique se volvió con brusquedad. Los dos hombres abandonaron la cámara con pasos pesados.

Amaria me colocó la mano en el hombro.

—Por Dios, calmaos, querida. Daréis a luz en esta mesa.

—Excelente, cuanto antes mejor.

—Vamos, vamos, Gracia, quizá Becket no sea tan terrible como pensáis.

—He perdido a Arnulfo, Am. ¿Sabéis lo que eso significa? ¿Creéis que me liberará de este matrimonio cuando averigüe que Enrique le ha traicionado? ¡Estoy perdida!

—Diría que estáis confundida. ¿Acaso no me dijisteis que Arnulfo tendía a ensalzar a Enrique? Ahora tendrá motivos para darse cuenta de la realidad. ¡Deberíais estar agradecida!

Observé sus ojos color verde claro.

—¡Una mente muy política la vuestra, Am! Por supuesto, me beneficia. ¡Y de muchas maneras! Ayudadme a incorporarme.

Me tomó de los brazos y tiró hacia arriba.

—Escuchad, Am, Enrique es un adicto a la caza y Becket le suministrará la droga. Mientras el rey esté fuera, querida, convocaré a Rancon.

Mi segundo hijo nació en febrero y lo llamé Enrique, al que se conocería como Enrique el Joven para evitar confusiones. Se lo comuniqué de inmediato a Petra para que informara a la corte francesa del nacimiento del segundo hijo de la reina «estéril». Enrique rebosaba felicidad, estaba orgulloso como un gallo, desconsolado por haberse perdido tan importante acontecimiento, impaciente por saludar en persona al nuevo príncipe... pero esperó. Ordené a Ivo el Constructor que abandonase su trabajo en el Palacio de Westminster y fuera a Woodstock para iniciar un proyecto que yo había diseñado para el parque que allí había. Por fin estaba preparada para escribir a Rancon, aunque todavía no me atrevía a mencionar a Enrique el Joven.

La penumbra invernal de Inglaterra fue un preámbulo de la primavera más gloriosa que hubiera visto jamás. Coloqué al encantador príncipe Guillermo en una litera abierta junto a su hermano bebé, monté sobre mi corcel a la cabeza de mi creciente familia y salí cabalgando de Londres bajo una bóveda de manzanos en flor. Los cantos risueños inundaban los árboles repletos de brotes, el césped verde plata se inclinaba bajo la brisa y los arroyos entonaban su propia melodía. Me reí al ver corderos retozando con las patas rígidas en las praderas, cervatos asustados que se asomaban inocentemente por entre los arbustos y yeguas amamantando a sus potrillos en medio de nuestro camino, donde la hierba era más espesa. La mismísima tierra estaba dando a luz y yo formaba parte del fecundo círculo. Cabalgaba hasta el final de la comitiva una y otra vez para ver a mis dos pequeños príncipes.

No obstante, la primavera es una estación caprichosa. En el horizonte se formaron unas nubes hinchadas y enormes. Estaba nerviosa ante la perspectiva de ver a Rancon.

Al mediodía cruzamos el río Glyme, pasamos junto a una pequeña iglesia dedicada a santa Magdalena, y al poco comenzamos a serpentear por un bosque de olmos gigantes. La inclinación de la luz por entre los árboles me hizo pensar en Saint-Denis, y añoré a Suger. Cuánto había amado a aquel anciano.

Una muralla de empalizadas elevadas circundaba Woodstock y escuchamos el rugido de animales tras las mismas. Para entonces Guillermo iba en la montura, delante de mí.

—¿Eso era un león, mamá?

—No, no creo que haya bestias peligrosas.

—Pues lo parecía.

Tenía razón; recordaba el parque de animales de Constantinopla.

La verja se abrió de repente y entonces vi que Petronila ya había llegado; dado que era viuda, se alegraba de verme. Entonces, junto a las literas de Vermandois de mi hermana, vi un enorme corcel negro con tachones metálicos de Taillebourg con forma de cabeza de león en la silla de montar. El corazón se me desbocó; la respiración se me cortó.

—Vayamos a buscar a tía Petra, querido.

Guillermo observaba aterrorizado un animal que parecía tener los pelos de punta.

—Vamos. —Lo ayudé a descender—. Sólo es un puercoespín.

Entramos en la enorme estructura rústica con Amaria, las niñeras y los criados. Mi hermana y sus hijos bajaron corriendo por las escaleras para saludarnos.

—Oh, Gracia, no sabéis cuánto siento haberme perdido vuestra coronación.

—Estabais presente cuando me convertí en la reina de Francia, y esta vez ha sido similar. ¿Cómo está el pequeño Raúl?

Observé a su hijo, todavía de aspecto enfermizo, junto a Guillermo, quien miraba con los ojos entrecerrados a un hombre que estaba detrás de Petra.

—¿Ra? —dijo con aire vacilante.

Aunque todavía no le había mirado directamente, su presencia llenaba la habitación, me llenaba el corazón.

Se arrodilló junto a Guillermo.

—Así que me recordáis, ¿eh? Pero ya sois un hombrecito y deberías llamarme por mi nombre. Llamadme Ricardo. ¿Sabéis decir Ricardo?

—¿Ricardo de Luci?

Rancon sonrió.

—Es el mismo nombre, pero yo soy Ricardo a secas.

Alzó la vista y me miró.

—Ricardo —dije—. Rancon.

El pequeño Enrique gorjeó detrás de mí y los ojos de Rancon se apartaron rápidamente y luego volvieron a mirarme.

—Mi hijo pequeño —dije—. Nació en febrero. —Y aunque fuera de Enrique, me sentía orgullosa de él. Era el bebé más regordete y con más hoyuelos que había visto nunca.

—Sí, lo sé. Las campanas sonaron por toda Aquitania.

Paseamos por una alfombra de musgo repleta de pequeñas flores blancas. Las perfumadas flores de los castaños nos acariciaban el hombro.

Habíamos recorrido unos dos kilómetros sin articular palabra. Rancon daba patadas a grupos de campanillas.

—¿Estáis enfadado? —inquirí. Era una pregunta retórica porque sabía que lo estaba.

Alzó la vista.

—¿Sabéis adónde vamos? Estamos en lo más profundo del bosque.

—¿Habláis de forma poética?

Se detuvo.

—El hijo pequeño de Enrique es muy hermoso.

—Gracias. —Hice una mueca—. Quise escribiros, Rancon, pero tenía miedo.

Dos elefantes avanzaban lentamente a lo lejos. Agitaban las orejas y no miraban en nuestra dirección. No me moví hasta que no hubieron desaparecido entre los árboles.

—Las personas casadas tienen hijos —dijo sin expresión alguna.

—¡Me siento casada con vos!

—¿De veras?

—No pude evitarlo, Rancon.

Me observó como si fuera una bestia extraña, quizás uno de aquellos elefantes. El corazón me latía atenazado por el pavor.

Habíamos llegado a una pequeña cabaña de madera. Ivo había construido una maravilla, pensé, porque las proporciones eran perfectas.

—¡Oh, mirad! —grité.

—¿Son las dependencias del guardabosque? —preguntó Rancon.

—Entremos.

Me siguió y a duras penas pudo cerrar la puerta ya que las tablas verdes se habían alabeado. La luz del sol se colaba por una enorme ventana e iluminaba toda la estancia.

—¡Qué jardín tan hermoso! —exclamé. Han colocado una cerca para que los animales no pasen.

Rancon miraba sin interés alguno.

—Estamos en propiedad ajena, Gracia, esta casa no es nuestra.

Sin embargo, yo había comenzado a examinar las dependencias: una chimenea lo bastante grande para asar la caza menor, una cama, dos bancos, un arcón y una mesa de trabajo. Me volví hacia la ventana.

—Mirad, un arroyo serpenteando entre las flores.

Rancon miró por encima de mi hombro.

—¡Santo Dios, pasa casi por debajo de los cimientos! ¡Si hay una tormenta se llevará la cabaña!

—¡Escuchad, Rancon! Id al jardín, allí, en la parte trasera, en la arboleda de pinos. Quiero mostraros algo.

Para mi alivio, fue allí, se abrió paso por entre algunos árboles jóvenes y desapareció en la arboleda de pinos. Todavía no me había tocado, tan siquiera una vez.

—¡Arrojad una piña al arroyo! —grité.

Obedeció. La piña avanzó, se topó con un obstáculo, se liberó y danzó hacia la ventana.

—¡La tengo! —grité.

Rancon inició el camino de vuelta.

—¿Comprendéis la importancia? —le pregunté mientras entraba.

—No estoy seguro.

Salmodié:

Detrás del castillo de Tintagel
un bello huerto estaba cercado
con firmes y afiladas estacas;
bajo un robusto pino, un arroyo discurría.

Desde el jardín y la arboleda
hasta la cámara de la reina,
Tristán cortaba ramas y las arrojaba a las aguas cristalinas.
Cuando Isolda las vio llegar,
supo que con un amigo podía contar.

—¡«Tintagel»! —Rancon me agarró de los hombros—. ¿Estáis proponiendo que seamos Tristán e Isolda?

—Pensé que os divertiría.

—«Asombraría» es la palabra más acertada. —Enrojeció y habló en un tono cargado de ira—. ¿Cómo os atrevéis a pedirme que viva como un ratón que sale del agujero cuando el gato se ha marchado? ¿Qué ha sido de nuestros votos en Angers para que escaparais de vuestro matrimonio? ¿Acaso Enrique os sometió a base de golpes con una corona de oro?

—¡Si os referís a Enrique el Joven, tuve que someterme! —repliqué gritando—. Enrique averiguó la verdad de lo sucedido entre nosotros en Angers, quizá de boca de Juan de Salisbury. ¡Amenazó con matarme a mí y a Guillermo, Rancon! ¡No sólo tuve que someterme, sino convencerle de que estaba equivocado! ¡Creo que todavía sabe la verdad sobre lo nuestro!

—¿Matar a Guillermo? —Rancon se sentó en la cama dando un golpe—. ¡Si alguna vez intentara algo semejante, lo atravesaría con una lanza! Pero si lo sabe, ¿por qué no estáis muertos? ¿Y yo?

—Ojalá lo estuviera —respondí con amargura—. Prefiero la horca que la prisión de mi matrimonio.

Se produjo un silencio violento.

—Esto es el infierno —dijo.

—No para vos. ¡No vivís con Enrique! —Se trataba de una pulla desagradable y lo sabía. A mí también me consumían los celos.

Me miró con expresión de reproche.

—Bien —dije con un tono tan animoso como pude—, regresemos antes de que Guillermo se vaya a hacer la siesta. —El amor que sentía por su hijo, al menos, seguía siendo el mismo—. Es encantador, Rancon, y está muy dotado para las palabras.

Rancon se volvió, iracundo.

—Supongamos que explicáis por qué Guillermo no es el heredero de Aquitania tal y como prometisteis, el duque Guillermo. ¿Acaso también negociasteis eso con Enrique? ¡Decíais que lo amabais, demostradlo, por Dios, y desheredadlo!

—¡No lo desheredaré bajo ningún concepto! ¡Será rey de Inglaterra!

—Creo que acordamos que sería el duque Guillermo de Aquitania.

Argüí que el primogénito del rey debía ser su heredero y que el duque de Normandía y el duque de Aquitania no podían ser la misma persona y que mi hijo tendría que ser el duque de Normandía si deseaba sentarse en el trono de Inglaterra. A Rancon no le pareció convincente mi explicación.

—Faltasteis a vuestra palabra —dijo—. Él es aquitano.

Me incorporé y comencé a caminar de un lado para otro al tiempo que hablaba sobre mi vulnerabilidad, la resolución de Enrique, las esperanzas truncadas puestas en Arnulfo y qué sé yo qué más.

—Todo eso lo sabíamos hace tiempo, Gracia. Permitidme que os haga algunas preguntas directas. —Al ver que yo no replicaba, prosiguió con dureza—: Creo que me he ganado ese derecho.

Asentí.

—¿Qué sentís por Enrique?

Comencé a despotricar, pero me hizo callar de inmediato.

—Pensadlo detenidamente. No os comportáis del mismo modo que con Luis.

Pisaba un terreno muy pantanoso: jamás le perdonaría muchas cosas a Enrique, sobre todo la violación, pero debía ser justa. Comparado con Luis, Enrique salía ganando; era un hombre racional, indiferente a las supersticiones, no temía al Papa y no mostraba un odio moralista para con el sexo femenino. Aunque no compartía su poder, como había prometido, me designó para que llevase a cabo sus órdenes. Sabía que eso no le interesaba a Rancon; le dolía que hubiese tenido un hijo con Enrique.

—Debéis saber, Rancon, cuán fácilmente me torno grávida. En lo que va de matrimonio, Enrique y yo hemos estado separados la mayor parte del tiempo. Hemos sido marido y mujer muy poco tiempo, pero...

—¡Disfrutáis! ¡Decidme la verdad! Según los rumores es un rey lujurioso, y tan apegado a su hermosa reina como lo estuvo Luis.

Le miré de hito en hito.

—Muy bien, Enrique es lujurioso... ¿hablan también los rumores de sus muchas amantes? En cualquier caso, la lujuria no es amor, Rancon. Oh, es mejor que ser vilipendiado y amenazado de muerte. En cuanto a lo que siente por mí, ¿quién sabe? ¿Y qué importa? —Los ojos se me llenaron de lágrimas—. Vos me habéis enseñado el significado del amor. Cuando estoy con Enrique me siento sola.

—¿Y qué más? —insistió—. Aparte de la soledad tenéis otra reserva.

Cuánto conocía mi mente y mi corazón.

—Tal vez me aparte de vuestra pregunta, pero el canciller de Enrique me repele.

Parecía sorprendido.

—¿Thierry de Galeran en Inglaterra?

Me encogí de hombros.

—No un extremista como él, al menos eso espero. Los métodos de Becket no son tan toscos como parecen. Bernardo buscaba poder; no estoy segura...

Rancon le restó importancia con un gesto.

—No estáis segura y no me importa. Dejad de eludir la pregunta. Dormís con Enrique, no con Becket. Así que proseguid. Si no se trata de amor, ¿qué os retiene?

—Si os referís al matrimonio, creo que conocéis las reglas tan bien como yo. Si os referís a las emociones, no hay nada que me retenga. Ahora mismo estoy con vos, ¿no?

—¿Se trata de la corona? ¿Os habéis acostumbrado a ser reina de un país u otro?

—¡Jamás habría abandonado Francia si deseara ser reina!

—Entonces, ¿qué?

Intenté replicar.

—A pesar del divorcio con Luis, el matrimonio nunca desaparece del todo. En Francia tuve la buena suerte de contar con la ayuda de un prestigioso lunático para aprovecharme de mi «aventura diabólica» con el pobre tío Raimundo.

Continué hablando de Raimundo, cuya muerte me había beneficiado lo indecible, y al mismo tiempo traté de ser honesta conmigo misma en lo que a Enrique se refería: su estimulante intelecto combinado con un deseo insaciable por aprender, su sentido del humor, el cual, aun a expensas de los demás, siempre resultaba divertido. No valía la pena hacer hincapié en su lado negativo, que era más que obvio: su incansable ambición, su duplicidad, su brutalidad, cómo se aprovechaba de los demás, aunque los apreciara. Tampoco podía decirle a Rancon el motivo principal por el que aceptaba mi cargo: Enrique era el padre legal de mis hijos y mis hijos siempre serían lo primero.

—Insisto, estoy con vos —terminé diciendo.

—Y con vuestra fantasía sobre Tristán.

Le dije la verdad.

—¿Qué sugerís? ¿Qué puedo hacer? Escribo a María y a Alix todos los días, no soportaría perder a mis hijos.

—Entonces deberíais comprender cómo me siento. Guillermo es mi único hijo. Llevadlo a Aquitania, Gracia; dejadme conocer a mi hijo.

—Os dije que lo haría y lo haré.

—Pero os quedaréis con Enrique de todos modos.

No repliqué.

—Contestáis con circunloquios —prosiguió—, pero lo cierto es que le amáis, amáis la vida que os da. ¡Le amáis!

—¡No, no le amo! ¡Ni él tampoco a mí! *Dex aie*, Rancon, habláis del amor como si fuera algo común entre maridos y esposas. ¡Eso ocurre porque sois de Aquitania! Os educaron con poesía trovadoresca y creéis que a todas las parejas les une el cariño, pero os equivocáis. ¡Preguntad a cualquier noble de este país si ama a su esposa, y ni siquiera entenderá la pregunta! Los hombres «aman» a Dios; se casan por conveniencia; ¿es que acaso no lo sabíais? Si emplean la palabra «amor» para referirse a una mujer quieren decir «lujuria», y casi nunca por sus esposas. ¡Escuchadme bien! Os he dicho que me siento sola. Por vos, Rancon. Quizá no queráis escuchar que os amo.

—¿Estáis sugiriendo que nos inventamos el amor, o que sólo es un concepto poético? Me gustaría que os explicarais... no quiero albergar duda alguna.

Me esforcé por explicarme lo mejor posible.

—Muy bien, comenzando por los poemas de mi abuelo, los cuales consideraba auténticos, el amor es espontáneo. Empieza en los ojos, es repentino, abrumador y eterno. Puesto que, como he dicho, los matrimonios tienen fines dinásticos, el amor tiende a ser adúltero. Es apasionado y espiritual, terrenal y trascendente y su poderío es equiparable al de la lealtad a la familia o a la Iglesia, lo que lo convierte en algo antisocial. Los amantes son anárquicos y, muchas veces, destructivos.

—Las lágrimas me surcaban el rostro—. Es irresistible. Cuando estaba con vos en Angers, me sentía extasiada. Más allá de mi ser, en un estado etéreo que no sabría describir.

Sus ojos negros no expresaban emoción alguna.

—Palabras extrañas en vos. Es como si el amor fuera una religión.

—¡Sí! ¡Una religión de amor! Luis dijo algo parecido en una ocasión... que el amor es tan poderoso como la religión.

—Quizás Enrique os extasíe algún día.

—Estáis celoso.

—Por supuesto.

—Yo también.

Nos miramos de hito en hito.

—Salvo que vos no tenéis motivos para estarlo. Aparte de vos, soy un hombre abstinente y no tengo más hijos.

—Naturalmente, pero, al ser hombre, podéis elegir vuestro propio destino.

—Si pudiera, no os habría elegido.

—¿Y por qué lo hicisteis?

—No lo sé. Parece que fue hace una eternidad, durante la fiesta de Santa Radegunda, creo, vos no tendríais más de cinco años y...

—Iba con el abuelo en una carroza que tenía forma de barco. Miré hacia abajo y estabais brincando sobre un odre.

Nuestros ojos se cruzaron, al recordar.

—¿Es posible que comience a tan temprana edad? —inquirió.

—Sí.

Se acercó a la ventana.

—Debería regresar a Aquitania, y sin embargo...

El sol se había puesto; el arrebol bañaba la estancia con un púrpura rosado. Rancon alargó la mano hacia atrás y la tomé entre las mías. Permanecimos inmóviles durante varios minutos, como figuras preparadas para saltar al abismo, presas de una tensión del todo insoportable.

—Si supierais cuánto he sufrido —dijo en voz baja—. He estado en la cruz.

—Lo sé. Yo también.

—Eso también forma parte de vuestra maldita religión del amor. Acabaremos crucificados. —Se volvió—. Gracia, no puedo más —gimió—. ¡No puedo apartarme de vos!

Estaba entre sus brazos, en la cama.

Cuán irresponsable la voluntad del amor.

Trova de Amaria de Gascuña

La reina en su palafrén pasó a su lado,
más resplandeciente que el cielo dorado.
Tristán, observando desde la altura,
envió un silencioso mensaje de amor imperecedero.
Ella toca una hoja del avellano
y suspira: «Dejadme aquí.»
Los caballeros obedecen con presteza
y ella alza la vista, «¿Qué decíais?».

Él salta a su lado, «¡Sois mi enredadera de madreselva!».
Ella le rodea con los brazos, «Y vos el árbol que aferro».
«Soy vuestro, vos mía.»
Sobre la hierba gozan de un éxtasis especial.

Reubiqué la biblioteca de mi padre en Tintagel para justificar mi retiro en caso de que alguien inquiriera sobre mi ausencia. Necesitaba resolver sola los problemas administrativos, estudiar y escribir sola. A pesar del peligro, o a causa del mismo, nuestro placer se intensificó. No sufríamos las restricciones que habíamos padecido en Angers, ni la presión de la corte de Enrique que nos rodeaba, ni el bebé que crecía en mi seno. Nos sentíamos como los amantes libres que se exploran y se descubren en maravillosos estallidos de éxtasis.

Mayo dio paso a un junio más hermoso aún.

—Cuando Enrique se canse de derruir las torres y comience a comportarse como un rey responsable, podré ir a casa con vos —le dije.

Sin embargo, Enrique no parecía dispuesto a abandonar tan placentera caza. Rancon y yo nos hundimos en la misma falsa seguridad que habíamos sentido en Angers; no queríamos volver a separarnos.

Entonces Luis atacó el Vexin y un mensajero anunció que Enrique pasaría por Woodstock antes de partir hacia Francia.

Rancon se preparó para marcharse.

—¿Cuándo volveréis? —pregunté.

—¿Cuándo regresaréis a Aquitania? —replicó Rancon. Me di cuenta de que el guerrero que llevaba dentro se apoderaba de su mirada fija, de su mandíbula tensa. «Un verdadero aquitano que ama la guerra —pensé—, un verdadero aquitano que me ama.»

No cabía duda de ello, pero no sabíamos cuándo volveríamos a vernos.

Le vi fundirse con la bucólica vegetación.

—¡Maldito sea tu ex marido! —exclamó Enrique iracundo.

—¿No queréis ver a Enrique el Joven?

—¿Qué? ¡Oh, por Dios, sí! ¿Dónde está mi nuevo príncipe?

Enrique el Joven se estaba convirtiendo en un niñito realmente hermoso; todos lo decían e incluso Enrique estaba impresionado.

—¿Creéis que se parece a mí? —inquirió.

—Con el tiempo sí. —Resultaba obvio que sabía que era el padre del niño.

Enrique alzó al bebé sonrosado y lo apoyó con mucho cuidado sobre el hombro, con el resultado de siempre. Luego se lo devolvió a la niñera.

—Becket y yo debemos hablar con vos, Gracia.

Miré al canciller con desagrado, pero les seguí obedientemente hasta las dependencias de Enrique. Becket vestía como un dandi.

—Mil-l-ady —comenzó a decir—, debemos recurrir a vuestra mediación para gobernar Inglaterra mientras estemos fuera.

—¿Por qué partís, milord Tomás? —inquirí—. Dijisteis que no luchabais.

Becket explicó sus motivos y la estrategia general mientras Enrique miraba por la ventana en silencio. ¿Acaso Becket tomaba las decisiones por él?

Me dirigí a Enrique a través de Becket.

—Que gobiernen los justicias mayores. No he estado en Aquitania desde que zarpasteis hacia Inglaterra por primera vez. No puedo ausentarme otro verano.

—No os preocupéis. Pasaré por Aquitania —me aseguró Enrique.

—¡No es lo mismo!

Becket sonrió y dejó entrever varios dientes marrones.

—El rey hará todo cuanto vos haríais, os lo prometo.

¿Me lo prometía? ¿Acaso controlaba las decisiones de Enrique? ¿El canciller, cuya misión consistía en seguir el rastro de las esporas, golpear los cimientos de los castillos? Oh, sabía que Enrique afirmaba que Becket le enseñaría las leyes y costumbres de Inglaterra, para acelerar así la tan cacareada implantación del imperio de la ley en su reino isleño, pero las promesas de Becket se referían a Aquitania. Sin embargo, el misterio guardaba menos relación con la política que con la relación entre ambos hombres. Observé las facciones pálidas de Becket para atravesar su máscara. ¿Cómo había logrado ganar tanta autoridad en el transcurso de la primavera? Cavilé sobre los dos hombres, en especial en la diferencia de edad. Aunque me había mofado con toda razón de que Enrique nombrara canciller a Tomás, él había sido diácono de Canterbury y estudiaba Derecho. Becket explotaba con suma astucia la situación que Enrique había creado. Enrique, aunque con un estilo diferente, se parecía a Luis porque dependía demasiado del consejo de hombres más experimentados. Por supuesto, Luis se había dejado influir por los fanáticos religiosos y Enrique no, pero el tremendo peso de la corona obligaba a ambos hombres a buscar ayuda. Enrique, con apenas veinte años, había dependido de su padre, luego de su madre e incluso de mí. A pesar de su valentía y de una mente muy despierta, nunca había gobernado; necesitaba ayuda. Me imaginaba el susurro de Suger: «Llevadlo de la mano, Gracia; es un aprendiz con talento.»

Becket prosiguió.

—Nos ha impresionado el que hayáis logrado poner de acuerdo a los justicias mayores disconformes, una proeza digna de encomio. Por lo tanto, deseamos que recorráis el país y os reunáis con los justicias y los alcaldes locales.

—Es decir, que me vaya a hacer una *chevauchée*.

—Exacto, sólo que aquí se llama «progreso».

Mientras escuchaba, incrédula, me trazó la ruta a seguir, los nombres de los distintos funcionarios así como su importancia, los días de feria y mercado de las poblaciones, tal como mi padre había hecho años atrás.

Cuando hubo acabado me dirigí a Enrique.

—¿Creéis que los nobles ingleses, cuyos castillos acabáis de arrasar, apoyarán vuestras aventuras contra Luis?

Enrique miró a Becket.

—Tomás ha ideado un tributo, el escudaje. Emplearé el dinero para reclutar un ejército profesional y así no tendré que recurrir a los ingleses.

Se trataba de un plan ingenioso; Enrique no estaría limitado por los cuarenta días de servicio que un caballero debía, ni tendría que depender de la más que dudosa lealtad inglesa.

—Bien, vuestro verano está planeado y el mío también. Estaré en Aquitania.

Becket sonrió.

—Creo que no, reina Leonor, no si deseáis que vuestro hijo Guillermo sea reconocido como vuestro heredero.

Me volví hacia Enrique.

—¿Permitís que vuestro canciller me chantajee?

Enrique mostró los dientes.

—Quiero que os quedéis en Inglaterra, Gracia; incitasteis el chantaje, que es como lo llamáis, al mostrarnos vuestro lado más vulnerable.

—¿Insinuáis que mi hijo es mi lado vulnerable?

—Quiero que permanezcáis en Inglaterra.

Me retiré rápidamente, antes de que dijera más de lo que debía. Enrique se mostró más apasionado que nunca, y hasta tierno en ocasiones; llegué a creer que había guardado abstinencia durante nuestra separación. Sin embargo, yo no había sido fiel, y también podía ser apasionada y tierna. Los dos éramos unos actores excelentes.

Dos días antes de partir, Becket organizó una rápida ceremonia de reconocimiento en Wallingford. Enrique sostuvo al joven Guillermo de la mano mientras los nobles de Inglaterra se arrodillaban ante mi risueño niñito y lo aceptaban como su próximo rey. Intenté ocultar el júbilo que me embargaba cuando escribí a Rancon y le prometí que pronto presentaría a Guillermo como mi heredero al trono de Aquitania.

Recorrí Inglaterra con humildad porque era consciente de que el tiempo pasado en Aquitania y Francia no me había preparado para este reino isleño, con historia y convenciones propias. Por suerte, Ricardo de Luci se ofreció a acompañarme durante las primeras visitas.

Inglaterra era una sociedad de doble estamento: los normandos mandaban y las personas que habían conquistado hacía casi un siglo obedecían. No obstante, aunque la nobleza sajona ya no existía como fuerza presencial, la mayoría había sobrevivido y constituía la pequeña nobleza terrateniente e incluso la clase del campesinado. En cuanto abandonamos Londres, nos percatamos de que las ideas normandas pasaban por el tamiz sajón y se convertían en normando-sajonas. Un buen ejemplo era la lengua, que yo aprendía no sin esfuerzo pues fluctuaba continuamente, ya que era una mezcla de normando-francés, anglosajón y latín. Había una poesía que oía una y otra vez.

> *C'est ma volonté*
> *that I might be with thee*
> *ludenti.*
> *Votre amour en mon questre*
> *brendeth as the fire*
> *crescento.*

La misma mezcla se aplicaba a las leyes.

Los habitantes todavía respetaban «el tribunal de las propuestas» y «el tribunal de los cien», con sus muchos testigos. El derecho canónico, que había aprendido en Francia muy a mi pesar, era más endeble en Inglaterra. Los habitantes parecían devotos y sabía Dios que Londres estaba repleto de iglesias, aunque prevalecía el espíritu seglar. Sin embargo, mis audiencias gozaban de una enorme popularidad. ¿Era yo la atracción? ¿Mi condición de extranjera? No, a los ingleses les gustaban todas sus reinas. Matilda era una leyenda, y la esposa del rey Esteban, también llamada Matilda, seguía siendo un personaje querido por el pueblo.

La ley exigía que cada alma plañidera que me abordara debía presentar un mandato judicial; por consiguiente, me sorprendió el número de mujeres que hacía acto de presencia. La misma ley prohibía a las mujeres el derecho a presentar mandatos judiciales pero, al parecer, no les importaba; exigían justicia.

Mi primer caso fue en un pueblo llamado Chatteris, donde una partera se presentó como *dame* Ágata. Era una mujer de mediana edad autoritaria y seca, de pechos protuberantes y un lobanillo bajo la oreja derecha. Tras besarme el dobladillo se incorporó y me miró de hito en hito.

—El maestro Glottenball, de la herrería de Chatteris, le robó la virginidad a mi hermana Hincmar a plena luz del día, sí, lo hizo. Cinco mirones embobados le vieron sacudir la tripa desnuda sobre la pobre muchacha.

—¿Y queréis llevarlo a juicio? —pregunté con prudencia.

—Me gustaría meterle un atizador al rojo vivo por el ojo —espetó—, pero las dos sabemos que cuando le dan a una cabeza hueca, al mundo le resbala.

Impotente, me volví hacia Ricardo de Luci.

—Dice que a nadie le importa si una débil mental es agredida sexualmente.

—¿Cabeza hueca? —repetí a *dame* Ágata.

—Sí, nació con agua en lugar de cerebro, pero no le haría daño ni a una mosca. La cuestión es que la llevaron ante la asamblea de ciudadanos y le obligaron a pagar la *lerewita*.

—¿*Lerewita*? —le pregunté a Ricardo de Luci.

—La sanción que se paga a los señores por el delito de fornicación.

—¿Incluso después de haberla violado?

Ricardo de Luci frunció el ceño.

—Es la ley. Os aconsejo que no le quitéis la sanción. De lo contrario, os abrumarán con el mismo pretexto.

—¿Lo habéis comprendido? —pregunté con delicadeza a la mujer.

—Mi hermana tiene agua, no yo.

—Pagaré la *lerewita*. ¿Cuánto necesitáis?

—Seis angevinos.

Es decir, nada.

—Habría sido el doble —me explicó Ricardo de Luci— si hubiera estado embarazada.

Me estremecí. Al menos la pobre campesina se libraría del castigo. Por aquel entonces volvía a estar encinta y recé para que Enrique fuera el padre.

Después de la fornicadora, la mujer más común en las audiencias era la viuda reciente. La corte le asignaba un nuevo esposo, por lo que los hombres se agolpaban en la sala para solicitar a las novias; normalmente eran hombres jóvenes en busca de arpías desdentadas y sus lastimosos legados. Una ley contradictoria otorgaba a las viudas el derecho a quedarse con las herencias siempre y cuando no volvieran a casarse. Para mi indignación, los hijos de las viudas así como los hombres intentaban despojar a esas desventuradas viudas de su seguridad, pero las madres eran unas viejas brujas muy duras. Me pareció una buena ley.

Petra y sus hijos viajaron conmigo incluso cuando el verano dio paso al invierno y Enrique no había vuelto. Nos abrimos paso por caminos sin delimitar cubiertos de nieve, viajando de pueblo en pueblo, haciendo frente a lobos e incluso osos hambrientos, y en un día solíamos recorrer apenas tres kilómetros. Tras pasar la noche en varios tugurios con corrientes de aire, nos sentimos más que agradecidos cuando llegamos a la abadía de Reading. Las habitaciones eran celdas de monjes, el calor escaso, pero las paredes eran gruesas y la comida abundante, la última parada antes de retirarme para dar a luz.

Un domingo libre que no llovía ni nevaba, Petra y yo fuimos con los pequeños Guillermo y Raúl a visitar la tumba de Enrique I, el famoso abuelo de Enrique.

—¿Puedo tumbarme junto a él, mamá? Quiero tocarle la roca.

—¿Qué roca? —Raúl se inclinó sobre el pasamanos.

—Quiere decir «boca» —dije—. No, Guillermo, dejemos que los muertos descansen en paz.

—Observad las reliquias que están encima —indicó Petra a Raúl.

—Vos también, Guillermo —añadí—, porque en ese arcón está el brazo de san Jaime. Vuestra abuela Matilda viajó hasta Roma para conseguirlo.

—¿Se lo cortó al santo? —preguntó Raúl.

—¿Dónde está la sangre? —gritó Guillermo.

Un monje frunció el entrecejo.

—¡Escuchad! —me apresuré a decir—. En esa caja más pequeña está el glande de Cristo.

Guillermo miró la caja con expectación.

—¿Qué es lo que tenía grande?

—Se refiere a la polla, tonto —dijo Raúl con aire de superioridad.

Pero el miembro que yo veía era real. Colgado de la cabeza de la efigie, mi abuelo muerto, desnudo y robusto, con los ojos centelleantes y las piernas separadas en postura lasciva.

«Os echo de menos, Gracia.»

—¿Qué pasa? —Petra me tomó del brazo.

—¿Se parece la efigie a nuestro abuelo, Guillermo IX?

—No lo sé, querida; recordad que sólo tenía tres años cuando él murió. Sé que os quería, que erais su favorita.

> *El viento invernal el mérito reproduce*
> *y flores coloridas en la nieve mece*
> *que en alegres joyas convierte.*
> *¡Concededme sólo esto*
> *y marcharé presto!*

La imagen se desvaneció. Aunque nos pasamos el resto de la tarde observando las piedras, seguía embargada por la inquietud.

A la mañana siguiente me senté junto al escritorio que me habían preparado en la nave. Amaria me tocó el hombro.

—Gracia, venid, rápido.

—Ense...

—¡Ya! ¡Se trata de Guillermo!

Corrí bajo los arcos antes de que las palabras terminaran de pronunciarse, hacia la alcoba de los niños, donde las niñeras se apiñaban en torno a Guillermo.

—¡Apartaos! ¡Moveos, idiotas!

Lo alcé de la esterilla. Un carbón al rojo vivo en mis brazos. Olor fétido. Ojos vidriosos. Y su aliento, su aliento...

—¿Cuánto tiempo lleva respirando así? —chillé.

Las niñeras se encogieron de miedo.

Petra llegó corriendo.

—¿Qué ocurre?

—¡Retiraos! —grité—. ¡Am, id a por el sanguijolero! ¡Y el barbero! ¡Traedme el arcón! ¿Es que estáis sordas? ¡Tejas calientes! ¡He dicho que os retiréis!

Cubrí a mi príncipe con pieles. Lo abracé.

—Mamá está aquí, querido. Todo irá bien.

Era como si le hablara a la pared. Tosió y luego comenzó a asfixiarse. Me lo coloqué sobre el hombro y le di golpecitos.

Amaria regresó con las tejas calientes.

—¿Estáis loca? Está ardiendo... ¡preparad un baño frío!

Volvió a marcharse.

Dos mujeres trajeron un cubo de agua helada. Otra me dio varios paños. Coloqué a Guillermo en la cama y, lentamente, le mojé la piel con agua fría. Los paños humeaban, pero la piel seguía igual.

Lo envolví con mantas y dispuse las tejas calientes a su alrededor, como si estuviera en un horno.

—Pronto sudará —dije.

Varias siluetas se movieron junto a mí. Nadie replicó.

Llegó el sanguijolero. Con unas tenacillas largas extrajo unas sanguijuelas negras y las depositó agrupadas en la sien, bajo los brazos, en el interior de los muslos. Los diablillos succionaron y succionaron.

Llegó el barbero. Colocó una palangana con agua en la cama de Guillermo. Levantó el brazo del príncipe y le practicó un corte. La sangre brotó hacia la palangana.

—Para disminuir la fiebre —dijo.

Observé, angustiada.

Cuando llegó el boticario le olisqueó el aliento, las axilas, la entrepierna.

—Fiebre terciana.

—¡No me importa el nombre! —chillé—. ¡Curadle!

Aplicó varias hojas en la sien, junto a las sanguijuelas. Le puso menta en el labio superior.

Miré las sanguijuelas negras, las hojas, las vendas, las tejas, el agua roja.

—¡Fuera todos! —ordené.

Estaba a solas con mi niñito. Susurrando y cantando en voz suave. Le extendí una cataplasma de murajes en el pecho. Le froté la garganta con aceite de ditaína. Sustituí las sanguijuelas por bálsamo de limón.

Le pasé un dedo bajo la nariz. ¡Estaba húmedo! Hasta la frente le refulgía. Transpiraba.

Abrió los ojos.

—¿Mamá?

—Estoy aquí, mi vida.

—Sed.

Alargué la mano y alguien me dio una taza de caldo. Guillermo la sorbió lentamente.

—Bebed más —insté.

—Me duele.

—Pronto estaréis mejor.

—¿Cuándo?

—Mañana.

—El mañana nunca llega.

Cerró los ojos.

—Muy bien, cielo. Dormid.

Miré por encima del hombro hacia mi hermana y Amaria.

—Está mejor. ¿Oís? Ya no carraspea.

Petra se acercó a mí y me rodeó con el brazo.

—Gracia, oh, Gracia.

Amaria me abrazó por el otro lado.

—Valor, querida.

—¿Qué... por qué...?

Miré a mi príncipe durmiente. No carraspeaba. No respiraba.

—¡Guillermo! —Lo estreché entre mis brazos con todas mis fuerzas. Le volví a dar golpecitos. Rogué. Grité. Imploré. Recé.

Dos días después tenía la mirada clavada en mi hermoso hijo, que yacía en un ataúd junto a la efigie de Enrique I.

—Que la paz del amor os acompañe. Que la paz esté con vosotros en la gloria y el gozo del paraíso.

Palabras familiares, quizás un tanto cómicas. ¿Dónde las había oído con anterioridad? Ah, sí, en la ceremonia del matrimonio con Luis.

Ya no resultaban cómicas.

Levis insurgiit, Guillermo.

Tras una noche de oraciones volví a la alcoba de los niños. La nodriza de Enrique el Joven se volvió, asustada.

—¿Ocurre algo, milady?

Tenía unos pañales limpios en la mano. Mi hijo, completamente desnudo, se chupaba el pulgar y se acariciaba el pene. Aparté a la nodriza.

—Saludos, joven príncipe. —La voz me temblaba.

Su alegre rostro dibujó una sonrisa. Se sacó el pulgar de la boca y levantó los brazos.

—¡Mamá!

Le cubrí con sus ropas de raso y caminé a un lado y otro.

—¡Os quiero, amorcito!

Me babeó en el hombro.

—Cuatro hijos y sois cuanto me queda. Jamás me abandonéis. Prometédmelo. Creced y sed fuerte.

—Mamamamaá —canturreó.

20

Mi hija Matilda llegó berreando al mundo el día más caluroso del año. Le aplicamos paños húmedos en la piel cobriza para refrescarla hasta que caímos en la cuenta de que el rojo era su color natural, del mismo modo que la cólera su temperamento. Hija de Enrique, sin duda alguna. La coloqué en la cuna para que se calmase y dejase de agitar los brazos, aunque no había forma de evitar que chillara y, sosteniendo a Enrique el Joven, subimos a bordo de mi barco en Queenshithe. Zarparíamos rumbo a Poitiers.

Mis caballeros fueron a nuestro encuentro en Barfleur, y por fin me dirigí a mi hogar, donde no había estado desde mi aciago matrimonio hacía ya tres años. La tierra se elevaba y descendía con suavidad, los bosques florecían, las ciénagas rezumaban y las familiares tejas color plata relucían en los tejados de las casas, pero los habitantes me recibieron con una reserva adusta rayana en la hostilidad. Se habían acabado los ríos de lágrimas, los santiguamientos, los besos lanzados al viento. Entonces me di cuenta de que en Inglaterra me querían mucho más. Sentí escalofríos. ¿Qué sucedía?

En Poitiers, Petronila y yo nos separamos y ella se fue a Vermandois. Raúl había vuelto a manifestar síntomas inquietantes, la piel escamada y bultos en las articulaciones, y Petra pensaba hacer venir de París a un médico judío en quien confiaba. Mi querida abuela, Dangereuse, había fallecido durante mi prolongada ausencia, mis tías no habían estado en Poitiers hacía años y a mí sólo me quedaban recuerdos. Enrique escribió diciendo que aplazaría el viaje hasta septiembre o incluso más tarde, para ver a su hermosa hija; la batalla le había apartado de los asuntos de la corte, a los que tendría que dedicarse cuando su belicoso hermano se retirara finalmente, por no mencionar al fantasioso rey de Francia. Envié una misiva a Rancon.

Llegó cuatro días después.

Me llevó a la cueva vacía de un ermitaño en el extremo más apartado del Clain. Sin mediar palabra, nos abrazamos y sollozamos abiertamente. Nada nos detendría mientras tuviéramos fuerza para gritar, gemir, temblar. Sólo el agotamiento nos devolvía a la tranquilidad. Apoyados contra la fría pared de piedra, hablando sin acabar las frases, recordamos la concepción de Guillermo, su desarrollo en el útero, sus incomparables ocurrencias, sus cariñosos abrazos en Woodstock. Y, finalmente, hablé de su muerte.

—¿Usasteis el libro de Galeno?

—Por supuesto; había memorizado todas las páginas.

—¿Pareció recuperarse?

—¡Oh, Rancon, estaba convencida! Cuando dijo «El mañana nunca llega», yo...

Regresamos a la torre de Maubergeonne bajo la luz de la luna, recordando, sin acabar de creernos lo ocurrido. Esa noche, por primera vez, la única pasión que nos embargaba era la del dolor; hablamos toda la noche del niñito juguetón que habíamos perdido, porque era nuestra pérdida, la de nadie más.

Sin embargo, a la noche siguiente, en la oscuridad salvaje, silenciosos como animales, nuestros cuerpos comenzaron el proceso de curación y caí en la cuenta de que, a pesar de las enseñanzas de la Iglesia, el amor carnal posee una intensa dimensión espiritual. El solaz del amor adoptó un nuevo significado: ya no se trataba del amor y la muerte de Tristán; el amor había vencido a la muerte.

Poitiers era un lugar peligroso para disfrutar de la intimidad durante mucho tiempo, así que decidimos cabalgar hacia el sur. Dejamos a los niños con Amaria y partimos una soleada mañana de verano. Durante las semanas siguientes pasamos junto a casas de campo y abadías con jardines con espalderas, atravesamos ciénagas, cruzamos aldeas minúsculas, Charmignac-le-Rivière, Ladinac-le-Long y Ruines-Gallo-Romaines, cabalgamos por llanuras agostadas, nos internamos en territorios muy boscosos y vadeamos ríos peligrosos de profundidades abismales, siempre hacia el sur, hacia las regiones de la uva. Juntos, devoramos ostras de río saladas, *foie gras* y salchichas con sabor a leña. Bailamos con los pastores al son del resuello de las gaitas, hicimos el patizambo, bebimos al ritmo de las panderetas, palmadas, violas, campanas, salterios y trompetas.

Me sentía en mi hogar. Estaba junto a mi amado. Y, de forma casi invisible, comencé a curarme.

Apenas hablamos del amor; lo experimentamos. Cabalgamos en un único caballo por vegas y senderos verdeantes en un campiña que parecía irreal de tan perfecta como era. Y dormimos abrazados el uno al otro.

Y sin embargo, estaba angustiada. Me desperté gritando.

Entonces, en el sueño desolado,
Isolda tuvo una visión vívida;
estaba en un bosque y dos leones comenzaron a luchar
a muerte por el amor de la reina.
Con rugidos y gruñidos, zarpazos y rasguños,
compitieron por obtener sus placeres.
¡Ella gritó y se despertó!

—¡Oh, Rancon, tengo tanto miedo!

—Tranquila, querida, conmigo estáis a salvo. —Me acarició el cabello—. Nos tenemos el uno al otro. Nos quedan los recuerdos.

Me lancé a sus brazos, sin atreverme a contarle la importancia del sueño, pero el miedo no desapareció. Rancon intuyó mi aprensión; su amor se hizo más intenso, se volvió más protector. Si fue el dolor o el miedo o nuestra experiencia, cada vez más completa, no lo sé, pero nos amamos como nunca lo habíamos hecho. Estábamos pálidos y, aunque nos reíamos de nuestro estado, éramos incapaces de parar. Quizás el estar tan juntos supuso un cambio positivo ya que las personas con las que nos encontrábamos parecían más amables.

—La gente del sur no ha sufrido tanto —me confirmó Rancon tras preguntárselo.

—¿Por qué? ¿Sufrido de qué manera?

—Os lo dije. En los alrededores de Poitiers, hacia Angers, al norte, pero no al sur, los mercenarios de Enrique saquean los pueblos. ¿Por qué? La excusa es el rey Luis o los hermanos Lusignan o, sencillamente, no hay excusa alguna. —Parecía reacio a continuar—. Tal vez os culpen... por descuidar vuestro ducado.

—Creía que los enfrentamientos sólo eran entre Enrique y Luis.

—No. De hecho, es posible que Luis oculte el verdadero propósito de Enrique. —Hizo una mueca—. Los dos reyes quieren controlar Aquitania y, puesto que estáis fuera, muchos barones tienen la misma idea. Enrique está decidido a degradar a los hermanos Lusignan y a Aimar de Limoges, y ellos también están dispuestos a expulsarlo de Aquitania. Derruyó las murallas de Limoges, ¿lo sabíais?

No lo sabía, naturalmente. Estaba horrorizada.

—¡Estoy convencida de que los barones saben que no tengo nada que ver con las decisiones de Enrique!

De nuevo, tardó en replicar.

—Parecéis haber huido de Aquitania; vivís en Inglaterra.

—Pero mi tío Rafael y el arzobispo Godofredo, por no mencionaros...

—Gobiernan bien, os lo aseguro, pero lo que quieren es vuestra presencia, no vuestro gobierno.

—Enrique debe de saberlo —dije lentamente—. Me retiene en Inglaterra a propósito, ¿no es cierto? Se trata de una táctica política.

Rancon me miró.

—Eso es lo que creo, sí.

Y también me mantiene embarazada. Sonreí con amargura. Otra táctica política.

Septiembre llegó y se marchó, luego octubre; Enrique seguía en Normandía y yo en Aquitania. En noviembre, muy al sur, le pedí a Rancon que me llevara a ver unas antiguas ruinas romanas a la luz de la luna.

Desmontamos en el lecho de un río, entre dos escarpaduras, donde un oscuro acueducto se elevaba contra las nubes que se desplazaban rápidamente.

—No sabía que os gustaran las cosas antiguas, Gracia.

—Oh, sí, adoro a los antiguos.

—Y yo que creía saberlo todo de vos.

Le miré de hito en hito.

—No sabéis que estoy embarazada.

—Queréis decir... —dijo entrecortadamente—. Pero eso significa...

—Sí, Rancon, vuestro segundo hijo.

Le dio un violento acceso de tos.

—Lo siento. ¡Soy tan feliz! —La tos se transformó en risa—. ¡Oh, Dios, gracias! —Me abrazó con todas sus fuerzas—. Oh, Dios, soy tan feliz. —Arrojó una piedra al acueducto—. ¿Lo habéis oído, romanos? ¡Estoy a punto de ser padre! —Volvió a abrazarme, con más ternura—. ¿Estáis bien? ¿No son los primeros meses los más peligrosos? ¿Podéis montar a caballo?

—¡Escuchad! ¡Montaré a caballo y no me pasará nada! —Salvo... recordé el sueño—. Enrique es peligroso, Rancon.

—Enrique está luchando en el norte. Escribidle y...

—Enrique sabe contar. ¿Recordáis cómo me amenazó en Ruán?

—¡No os lo permitiré! —aulló al leerme el pensamiento.

—Si organizo una corte navideña en Burdeos, Enrique aceptará un nacimiento ligeramente prematuro.

Rancon cogió otra roca y la lanzó ferozmente contra el acueducto. Me estremecí. ¿Cómo acabaría todo aquello?

Enrique se alegraba de ir a Burdeos. Traería a la corte de Angers, a algunos de los nobles más importantes de Normandía y a su madre, por supuesto. Quería llorar en persona nuestra irreparable pérdida; todo un detalle.

Llegó, sufrí sus atenciones como debía, y se marchó a cazar. Al cabo de una hora, vino Rancon.

—Por Dios, Rancon —grité, asustada—. Enrique todavía está aquí. Acaba de...

Cerró de un portazo.

—¿Estáis bien?

Me encogí de hombros.

—He sobrevivido.

Tenía el rostro crispado por la ira.

—Enrique ha raptado a dos sobrinos míos.

Me sobresalté, preocupada.

—¿Significa eso que sospecha?

—No creo que tenga que ver con nosotros. Ha estado tomando a niños como rehenes por toda Aquitania. Raptó a los niños del coto de caza de mi tío Bric y le exige que jure homenaje y acepte a Enrique como duque de Aquitania.

—Haré que os los devuelva, lo prometo.

Los ojos le centellearon.

—Si os hace daño, si perdéis al bebé, por Dios que...

—Quedaos cerca, Rancon, y no hagáis nada. Hoy mismo haré correr la voz.

Le vi marcharse con menos confianza de la que yo esperaba.

Becket acudió a mi llamamiento.

—¿En qué puedo a-a-ayudaros, reina Leonor?

—Liberad a los niños de Angulema.

Sus ojos eran del color de la turba, sin brillo.

—Lo s-s-siento, pero tales órdenes deben proceder del rey.

—El señor de Angulema es mi vasallo, éste es mi ducado y vos sois tanto mi canciller como del rey. Que los liberen antes de una hora.

Enrique apareció en el momento justo.

—¡Regresaréis a Inglaterra de inmediato! —bramó.

—¡Asesino de niños! —Rompí a llorar presa de la furia—. ¡En una ocasión amenazasteis incluso a Guillermo!

Se paró en seco.

—¡Jamás!

—¡En Ruán nos amenazasteis a los dos! —despotriqué con amargura—. ¡Los niños no os importan lo más mínimo... las criaturas más vulnerables de la tierra!

—¡Jamás volváis a hablarme de este modo!

—Perdisteis un hijo y ahora aterrorizáis a los padres inocentes. ¿Es que no tenéis piedad ni vergüenza? ¡No os perdonaré nunca! —Salí corriendo de la estancia.

Ya en mi alcoba, me sequé las lágrimas y esperé.

Las campanas sonaron dos veces antes de que me llamara a la puerta.

—Están libres —me informó. Entonces, para mi sorpresa, los hombros comenzaron a temblarle—. Oh, Gracia, era un niño tan alegre. Nunca he visto nada parecido. ¿Qué puedo hacer para compensaros?

Agarré su cuerpo robusto y le acaricié la barba crecida.

—Hay algo que podéis hacer —dije en voz baja—. Necesito ayudar a Petronila.

Sonrió a través de las lágrimas.

—¿Otra vez? ¿Quién es ahora su amante?

—Raúl tiene la lepra.

Enrique dio un grito de asombro.

—¡Es incurable!

—No, hay que recluirle.

—Le construiré una leprosería en Caen. Os lo juro, un lugar privado donde su familia pueda visitarle.

—Gracias, Enrique. Sois muy generoso. —Esperaba que fuese lo bastante generoso como para pasar por alto el nacimiento prematuro de mi próximo hijo.

Le expliqué a Enrique que pensaba tener al bebé en Poitiers y, para variar, mostró su apoyo, pero sus sentimientos generosos duraron poco. Cuando Luis atacó junto con el hermano de Enrique después de Pascua, Enrique reaccionó con su furia habitual. Dado que sus obstinados enemigos le apartaban de su verdadero trabajo, me ordenó que regresara a Inglaterra.

—¡Pero me lo prometisteis, Enrique!

—¡Creo que deberíais comprender la situación en la que me encuentro! Por Dios, he intentado domar a ese salvaje que tengo por hermano. ¿Acaso no le he ofrecido unos territorios excelentes?

—¿Le habéis entregado Anjou?

Enrojeció.

—¡Anjou, jamás! Una propiedad, maldita sea, que es más de lo que se merece. ¿Por qué habría de desprenderme de mi herencia?

Se trataba de una polémica en la que no me apetecía participar; Godofredo aseguraba que su padre le había dejado Anjou para compensar el hecho de que Enrique heredase Normandía e Inglaterra, lo que parecía razonable. Por otro lado, Godofredo era un hombre perverso, y su asociación con Luis así lo confirmaba.

—Os necesito en Inglaterra, Gracia.

—¡Tenéis a Luci y a Leicester! ¡O enviad a Becket! Es imprescindible que me quede en Poitiers, Enrique. El bebé será mi heredero. ¡Creo que, de una vez por todas, deberíais comprenderlo! —insistí—. ¿Es que no respetáis mis deseos?

—Vuestro deseo primordial debería ser ayudarme. Comprendéis a los ingleses a la perfección.

Si Rancon estaba en lo cierto en lo que a mis súbditos se refería, aquello no era una frivolidad. Tendría que hacerle caso. Discutí con tal ardor que Enrique empezó a sospechar, de modo que cedí. Rancon había dicho que tanto Luis como Enrique codiciaban Aquitania, así que le pregunté a Enrique por qué creía que Luis era tan tenaz. Comenzó a despotricar con tal ferocidad sobre el amor frustrado de Luis hacia mí que temí que sufriera otro de sus ataques; sin embargo, había aprendido que recurría a las bravatas de manera calculada para cambiar de tema. Era probable que las sospechas de Rancon estuvieran fundadas. Al fin y al cabo, Luis se había casado ese año con Constancia de Castilla, quien sin duda se quedaría más que perpleja si supiera que la batalla se libraba a causa de una ex esposa. Tras el escándalo sentimental, Luis ocultaba que también anhelaba Aquitania, algo sobre lo que Suger y yo habíamos hablado años atrás.

Por supuesto, tras mi indignación política se ocultaba el verdadero motivo sentimental: deseaba quedarme con Rancon.

Tras la partida de Enrique permanecí en Poitiers el tiempo justo para que Rancon viniera. Su resolución me inquietaba: estaría conmigo cuando el bebé naciera, estuviera donde estuviera y fueran cuales fueran las circunstancias. No habría estratagemas ni capitularía a los planes de Enrique, ¿me quedaba claro?

Sin duda. Y comencé a calcular desesperadamente.

Nos despedimos, como siempre, sumidos en el dolor, y cabalgué rumbo a Barfleur. Una vez en Londres, trabajé con Leicester y Ricardo de Luci hasta junio. Con el verano de por medio y la temporada de batallas para distraer a Enrique, me sentía segura. Me retiré a Oxford y cité a Rancon.

Antes de que contestara, tuve noticias de Enrique: su hermano Godofredo estaba muerto; Luis se había retirado. Seguí leyendo, acongojada: «La temporada todavía no ha acabado y tengo tiempo para tomar Gales. Tomás y yo nos estamos preparando para zarpar hacia Southampton y reuniremos el ejército en Winchester, por lo que debéis ser mi regente.» Ninguna sospecha relativa al nuevo bebé. Ni tampoco el más mínimo interés.

Rancon llegó a finales de julio.

Era la segunda vez que me veía embarazada, aunque mi estado de gestación era mucho más avanzado que cuando había ido a verme a Angers. Me avergonzaba mi estado hasta que me puso las manos en la cintura.

—¡Bel Vezer, siempre deberíais estar embarazada!

Aquello me hizo reír. ¿Es que acaso no lo estaba siempre?

Se sucedieron luego cientos de preguntas sobre los síntomas, el apetito, las fuerzas... ¿había dejado de montar a caballo? ¿Podía sumergirme sola en el agua? Aquel aluvión de preguntas me hizo sentir mejor. Sabe Dios que había estado encinta las veces necesarias para conocer el estigma y la soledad de esa condición. Rancon lo transformó en un logro, una celebración.

—Limpiad este lugar —dijo tras ver mis aposentos—. No quiero que el bebé esté expuesto a la suciedad del suelo.

—Lo limpian todos los días, Rancon, y lo protegen contra el tifus. El bebé estará a salvo. —Estaba encantada.

—¿Habéis contratado a una nodriza?

—He entrevistado a varias. —Por el momento me había decidido por una que se llamaba Mincia.

Rancon cabalgó hasta los pueblos colindantes y regresó con Hodierna de Albans, que era una de esas poquísimas nodrizas que saben leer. Su hijo, Alejandro, ya había nacido. Ahora esperábamos juntas mi parto.

Por prudencia, Rancon no entró en la sala de parto, pero Amaria le mantuvo informado. Tres horas después di a luz a un niño. Rancon entró, demacrado por la angustia. Amaria sostuvo varias velas en alto para que viera bien al niño.

Rancon insistió en tumbarse en la cama y el bebé descansó entre nosotros. Era de la teoría que los dos latidos del corazón, el olor a sangre y las voces constituían el mundo de su nuevo hijo, y que no debía perturbarse. Estuvimos así una semana, durante la cual Hodierna venía a perturbar nuestra calma cada varias horas para alimentar a la hambrienta criatura. Si aquello le escandalizaba no lo dio a entender en momento alguno. Entonces, de repente, una vez que hube recuperado las fuerzas, el nuevo padre convino en que el bebé durmiera con Hodierna y Alejandro. El pobrecito tendría que valérselas por sí solo en un mundo extraño.

Rancon siguió durmiendo conmigo, aunque se despertaba a intervalos regulares, pero con un apetito muy distinto. El amor se abalanzaba como un animal escondido entre nosotros.

«¿Por qué Ricardo? —me escribió Enrique desde Chester—. ¿Por qué no Guillermo otra vez?»

«Soy supersticiosa al respecto —repliqué—. Ricardo por Ricardo de Luci. Es un nombre bonito, natural tanto de Inglaterra como de Aquitania.»

Enrique cambió de tema. Había dividido a los galeses al norte y al sur, pero aún no había logrado una victoria clara. Al poco recibí otra carta en la que anunciaba que pensaba recorrer Inglaterra en persona para examinar el sistema legal. Cabalgaría hacia el norte hasta la frontera escocesa, donde esperaba acallar las quejas del rey Guillermo, a quien le había prometido Northumberland. ¿Acaso los escoceses eran tan cortos que se tomaban en serio lo de la «tentación»?

¿Quería acompañarle?

No. Tras la pérdida de Guillermo, no estaba dispuesta a exponer al bebé al riguroso invierno inglés.

En ese caso, Enrique vendría a Oxford para ver al bebé antes de emprender el viaje. La estancia sería breve: Rancon se retiró a Tintagel.

Becket llegó ese mismo día por la noche. Le comenté que su aspecto era más bien inusual.

—Jamás había visto una piel naranja, Tomás. ¿Es de tigre?

Se echó a reír.

—Es un tinte de maese Guillermo. ¿Os gusta?

—Mucho, sobre todo combinada con el satén verde. Os habéis convertido en un auténtico dandi.

—Intento vestirme de acuerdo con mi c-c-condición.

—¿Y cuál es la condición de este encantador ejemplar?

En el hombro llevaba un pequeño mono de ojos centelleantes ataviado exactamente con el mismo traje.

—Vos tenéis un hijo nuevo y yo también —anunció—. *Rolfie*, os presento a la reina de Inglaterra.

—Una temporada muy fértil.

—Incluso en Francia, si los rumores son ciertos. Se dice que la esposa del rey Luis está encinta.

El corazón se me desbocó.

—Si tiene un hijo... ¡será rey de Francia!

—Quizá la reina tenga una monita.

—Os daré un cofre de diamantes, Tomás, si lográis que mi hija María ascienda al trono de Francia.

—Un incentivo más que tentador.

Enrique llegó al día siguiente repleto de vigor y autocomplacencia, como si hubiera acabado de conquistar el lecho de alguna dama, lo cual era bastante probable.

—¿Dónde está mi hijo recién nacido? —exclamó.

Alzó al bebé, que no cesaba de berrear.

—¡El mejor de todos, Gracia! ¡Jamás he contemplado a un niño tan hermoso! —gritó.

Le quité al bebé.

—Salvo que es el hermano de leche de Ricardo, el pequeño Alejandro Neckham.

En aquel momento Hodierna entró con mi pequeñín, lozano tras la sesión matinal. Y era el mejor de todos, cada vez que tenía un hijo pensaba lo mismo, salvo que en este caso era cierto. Ya veía con los ojos azul oscuro y daba fuertes patadas con las piernecitas regordetas. Incluso las manos robustas eran como las de Rancon. ¿Tocaría el laúd? ¿Sería un gran guerrero?

Enrique observó con atención a su hijo.

—Un niño bonito, ¿eh? Aunque sigo pensando que Ricardo es un nombre extraño. ¿Por qué no se lo cambiamos? Alejandro es más propio de un duque.

Le quité a Ricardo de las manos.

—Conde Ricardo de Poitou, duque Ricardo de Aquitania, suena bien.

Tres días después me levanté antes del alba para verles partir. Los hombres del séquito de Enrique, agotados por la campaña galesa, sólo transportaban lo necesario; esperaban que los recibieran con hospitalidad por el camino. En aquella compañía gris y abatida, Becket era como un loro volando entre gorriones.

—Le arrancaré algunas plumas chillonas para vuestra toca —susurró Enrique con un brillo malicioso en los ojos.

Cuando la última carreta desapareció en la curva dando bandazos, llegó Rancon.

Enrique estuvo fuera durante casi seis meses, un regalo maravilloso.

Semejante felicidad doméstica suele escasear en los grandes palacios ya que vivimos de forma agitada, siempre viajando para gobernar, siempre mostrándonos a los demás. Lo sabíamos; anhelábamos ese intervalo. Adorábamos a Ricardo a medida que aprendía a sonreír, a darse la vuelta y a sentarse erguido. Le protegíamos de Enrique el Joven, que ya tenía tres años y era un tonel de fuego griego que se arrojaba contra los bebés o sobre cuanto se cruzara en su camino. También me habría ocupado de su hermana, Matilda, salvo que ella echaba chispas por sí sola. Los dos amaban el mundo de los animales, él los pájaros y ella los insectos, aciaga combinación ya que los pájaros devoran insectos.

Naturalmente, seguimos ocupándonos de las labores administrativas. Estábamos en constante contacto con Aquitania, Rancon con el sector militar y yo con el comercio, los ingresos y los nombramientos políticos. Todos los días recibía además a mensajeros de Londres, pero uno de los beneficios de la ausencia continuada de Enrique era la independencia del gobierno inglés. En cierto modo me recordaba a Aquitania: los barones importantes eran prácticamente reyes en sus territorios. Por supuesto, como bien sabía, aquello tenía tanto un aspecto negativo como positivo.

Cuando Enrique pregonó a los cuatro vientos que regresaría a finales de marzo, Rancon se preparó para marcharse a Aquitania. Nuestra agonía era absoluta. ¿Cuándo volveríamos a estar juntos tanto tiempo? ¿Tener otro hijo? Nuestra tranquilidad se desvaneció súbitamente y se convirtió en la mayor de las incertidumbres.

—Encontrad un buen instructor para Ricardo —ordenó—. Que aprenda varios idiomas a la vez, latín, francés y lengua de oc.

Faltaban años para el instructor.

—¿Inglés?

—¡Nada de inglés!

—No estaría de más.

—No necesitará hablar inglés en Aquitania.

—Cierto, mi señor.

La seguridad de que nos volveríamos a ver hacía que nuestras despedidas no fueran trágicas sino más bien agridulces, pero ahora estaba Ricardo. Y yo no tenía planes confirmados. Los dos estábamos muy tensos.

El séquito de fantasmas diezmados de Enrique regresó como si hubiera estado en una cruzada en lugar de una simple *chevauchée*. Los rostros demacrados, las narices chorreantes y las expresiones angustiadas daban fe de un viaje terrible. Becket estaba peor aún. Aunque cubierto con el manto forrado de piel de Enrique, el canciller había contraído las fiebres palúdicas y tenía las mejillas tan hundidas como las de un ermitaño.

Organicé una fiesta espléndida para celebrar su regreso y satisfice con placer maternal su apetito voraz.

—Echo de menos los gusanos de la carne —dijo Pedro Smythe en tono burlón.

—O los gases de los nabos —dijo otro bromista—. Y el pescado de hace una semana.

—¿Dónde os sirvieron tales manjares? —inquirí.

—En todas partes —replicó Becket—. Los barones se desvivieron por ofrecernos una amplia variedad, es decir, carroña de los caminos.

—Sin embargo, no os veo comer, Tomás —indiqué.

—No me encuentro bien del estómago.

Pedí una naranja rociada con vinagre para aliviarle.

—¿Dónde está vuestro mono? —Lo echaba de menos.

—Tirado sobre una capa de hielo en un algún páramo dejado de la mano de Dios. —Se le llenaron los ojos de lágrimas—. Ni siquiera pude enterrarle.

—¿Por el frío?

—Porque no teníamos tiempo. Sólo dormíamos cuatro horas por las noches. —Comenzó a toser sin poder contenerse.

Las penurias, por supuesto, habían fortalecido a Enrique. Había establecido el ritmo de las matanzas y arrastrado a los terratenientes villanos hasta casuchas remotas para brindarles hospitalidad. Aquello le hacía sentirse de buen humor, pero sus hombres respondían cansinamente. Las múltiples bromas que había hecho a sus expensas se reflejaban con toda claridad en sus rostros, sobre todo en el de Becket. Resultaba obvio que era quien más había sufrido.

Al día siguiente Enrique me pidió que les atendiese en la gran sala; tenían que proponerme algo.

Becket sonrió cuando entré en la *salle.*

—¿Dónde está el cofre de diamantes, reina Leonor?

No sabía a qué se refería.

—Dijisteis que si vuestra hija ascendía al trono de Francia me recompensaríais.

Di un grito ahogado.

—¿Ha nacido el hijo de Luis?

—Una niña —replicó Enrique.

—¡Entonces María será su heredera!

—Me temo que no, Gracia. La han enviado a Champaña para que se despose con Enrique, el hijo del conde Teobaldo.

Fingí sorpresa, pero María ya me había escrito sobre Enrique, el gallardo caballero que yo había conocido en las cruzadas. María me había asegurado que Enrique no se parecía a su mojigato padre y que planeaba un gran encuentro de trovadores. Enrique sabía, por supuesto, que mantenía correspondencia con mis dos hijas, pero sentía curiosidad por sus planes, sobre todo después de que María confesara que tanto ella como su hermana hacía ya tiempo que habían perdido la esperanza de heredar el trono francés.

—Queda Alix —sostuve.

—La han enviado a Blois para desposarse. Y también la han desheredado, recordadlo. No, la nueva princesa de Luis ha sido nombrada heredera.

—Entonces, ¿me quedo con el cofre de diamantes?

Enrique apoyó una de sus ásperas manos en mi hombro.

—Me pedisteis que uno de vuestros hijos ascendiera al trono de Francia. Si no es una niña, ¿qué me decís de un niño?

—¿Qué hijo? ¿Cómo?

Becket sonrió.

—Proponemos que la nueva princesa sea la novia de Enrique el Joven.

Enrique el Joven sólo tenía tres años.

—Ha sido idea de Becket —dijo Enrique—. Yo no habría sido capaz de tal desfachatez.

Me imaginé el rostro intransigente de Luis.

—Sin embargo, deseo que seáis feliz. Ése es mi único propósito. ¿Se os ocurre cómo podríamos convencer al rey monástico? —Enrique esbozó la sonrisa de cazador.

Sus fríos ojos se cruzaron con los míos.

—Entonces supongo que estáis resuelto a declarar a Enrique el Joven como vuestro heredero.

Enrique enarcó las cejas.

—¿Es que acaso no estaba claro?

—Obligasteis a los barones a aceptar a Guillermo a la misma edad. ¿Por qué no hacéis otro tanto con Enrique el Joven?

—La sucesión está asegurada —replicó.

—Tenéis que convencer a Luis, señor mío. Supongamos que le decimos que, simbólicamente, apartaremos nuestras coronas por deferencia a Enrique el Joven y la princesa francesa.

—Margarita —dijo Becket—. Se llama Margarita.

—No habéis contestado, Enrique.

Alzó las manos burlonamente, como si se sometiera.

—Cumpliremos con las formalidades. Un par de maniobras y volveremos a asumir el poder. ¿Os satisfará eso?

Como si Enrique supiera satisfacerme.

Enrique eliminó mi nombre de las negociaciones porque estaba convencido de que Luis seguía obsesionado conmigo. En el mensaje se pedía humildemente si el canciller real, Tomás à Becket, podría visitar al rey francés. Luis aceptó recibir al buen amigo de Teobaldo, arzobispo de Canterbury.

—¡Luciré galas nunca vistas! —exclamó Becket.

Me estremecí.

—Luis odia la espectacularidad.

—Quizá para él —arguyó Enrique—, pero confío en el instinto de Tomás. Luis debe convencerse de que Inglaterra no es una provincia campestre pobre. Tiene que pensar en las ventajas que su princesita disfrutará cuando se convierta en la reina de Inglaterra más que en las que nuestro príncipe obtendrá con el trono francés.

Para cuando Tomás partió hacia Francia, habíamos acumulado todos los adornos disponibles en Inglaterra para que se los llevara. Los montones de regalos reunidos en Westminster eran asombrosos. ¿Cómo los transportaría?

—Usad si queréis el *Esnecca* real —le ofreció Enrique, dándose importancia.

—Gracias, milord. Mi flota de barcos bastará.

Estaba asombrada.

—¿Qué flota?

—Tengo seis navíos —dijo Becket modestamente.

Miré a Enrique de hito en hito.

—¿Y vos tenéis sólo uno?

Sonrió.

Fuimos hasta Sandwich para ver partir a Becket, y despues dirigimos nuestro séquito hacia Worcester, al norte, donde planeamos una ceremonia para apartar nuestras coronas.

Dado que volvía a estar embarazada, debíamos tomarnos las cosas con calma.

Becket llegó a París al cabo de una semana. La procesión iba encabezada por doscientos cincuenta lacayos que cantaban a voz en cuello madrigales galeses e ingleses, seguidos de ocho carros enormes cargados de cerveza inglesa. El líquido dorado se repartió entre las turbadas multitudes francesas. Tras los lacayos iban aves africanas nunca vistas, un ejército de mastines ensillados sobre los que montaban monos ataviados con escudos, yelmos y estandartes. Tras ellos, lobos furtivos y osos torpes y pesados originaban confusión entre los burgueses. Grupos de ochenta bueyes tiraban de carretas repletas de monedas de oro y plata, caballos de carga llenos de antigüedades de la época de Arturo, un escudero inglés sostenía la espada Excalibur y un tablón de la Mesa Redonda.

Becket iba precedido de doscientos sirvientes ataviados con túnicas que despedían destellos dorados y plateados. Y finalmente apareció Becket en persona, vestido con una larga túnica bordada con flores recubiertas de piedras preciosas. Arrojaba monedas de oro a la multitud impaciente. Becket era un rayo divino y toda Francia se había rendido ante aquel relámpago dorado. ¿Cómo podría resistirse Luis? Imposible.

A los pocos días la princesa Margarita, todavía bebé, fue prometida en matrimonio a Enrique bajo tutelaje. Se esperaba que el rey inglés fuera acto seguido en persona a recoger su dote.

—¿Cómo superaré a Becket? —gruñó Enrique.

—Deberíais preguntaros dónde ha obtenido Becket semejante fortuna. ¿Ha robado del erario?

—No, es honesto. Le he anticipado sus riquezas.

Sin embargo, Enrique era conocido por su mezquindad.

—¿Un anticipo de su estipendio? ¿Y seis barcos? ¡Jamás os lo devolverá!

Aunque sonrió, su mirada era fría.

—Lo que me otorga poder sobre mi ambicioso canciller, ¿eh? Los halcones creen que vuelan libres hasta que sienten un tirón en la pihuela. Cuando llegue el momento, abatiré mi ave colorida.

Enrique había expresado su generosidad utilizando a Becket, e iría a Francia como un penitente. Vestía de manera sobria y llevaba dinero sólo para la inauguración de una lista de abadías que le proporcioné. Una vez en París insistió en ir todos los días a Notre-Dame con Luis. Me escribió: «Si las lágrimas de Luis son el mejor indicativo, entonces debo considerarme afortunado. Entre lágrimas me dice que me quiere como a un hermano; entre lágrimas me cuenta que me adora como a un rey cofrade, entre lágrimas me asegura que estaremos tan unidos como una familia. Mis túnicas están teñidas del moho verde de su humedad.»

Interrumpí la lectura y recordé.

«La princesa francesa tiene los ojos negros y un mechón de pelo negro y ¡la dote del Vexin! ¿Significa eso que no tendré que batallar todos los veranos? ¿Acepta finalmente el rey Luis la pérdida de su bella esposa a favor de un hombre mejor? Llevaremos a Margarita a Ruán para dejarla bajo la custodia de Roberto de Newburgh hasta las nupcias. Vuestro ex marido exige que no os ocupéis de ella bajo ningún concepto.»

No pude evitar una carcajada.

—¿Qué sucede, querida? —Amaria me sujetó por los hombros—. ¿Luis ha cambiado de parecer?

Amaria creía que estaba llorando y, de hecho, algunas lágrimas me resbalaron por el rostro. Intenté hablar, mas no pude; señalé impotente el pergamino que yacía junto a mí.

Lo leyó, perpleja.

—No veo ningún problema.

Me sentía más que alborozada. La mera idea de imaginarme a aquellos dos pretendientes a mi cama, sentados en el monte Saint-Michel, que es donde estaban, mientras las mareas rugían y borboteaban a sus pies, discutiendo si estaba capacitada para ocuparme de un bebé, era una especie de tesoro intangible. ¿No me ocuparía de la pobre Margarita aunque su propia madre, al parecer, se la había entregado a un desconocido sin chistar, aunque su padre se deshacía de sus hijas lo más rápidamente posible? Y conseguir una promesa de Enrique, que era como pedirle a los lobos que no atacaran a las ovejas. Y haber vuelto a negociar el Vexin, el mismo territorio al que Enrique había renunciado en una ocasión por mí.

¿Estaba capacitada para cuidar de la pequeña Margarita? ¿A quién más tenía, salvo a mí? ¡Que un rayo parta a su padre por quitarme a mis hijas y arrojarme esa pobre niña abandonada al regazo, para luego intentar controlar su destino!

En cuanto a Enrique, su hipocresía no me sorprendía, pero su éxito como peregrino religioso se debía o a su extraordinario talento para la actuación o a la credulidad de mi ex marido, o quizás a ambas cosas. No importaba. Enrique el Joven ascendería al trono francés y, a partir de entonces, recuperaría a mis hijas.

El mérito era de Enrique. Por mucho que le despreciara, finalmente se estaba convirtiendo en un padre protector, al igual que lo había sido su padre, aunque tuviera que recordarle sus obligaciones.

21

Mientras esperaba el día del parto y el regreso de Enrique, Rancon me acosaba con mensajes. La mayoría tenía que ver con Ricardo, y le respondía con absoluta honestidad que el niño ceceaba algunas palabras en lengua de oc y latín, que poseía una sorprendente coordinación física y que la música le embelesaba. Las otras cartas eran más complicadas ya que me enviaba tantas notas de amor poético como mensajeros había.

El amor no puede matarse
cuando es mutuo;
el amor no puede desearse
a la ligera.

Una referencia obvia al modo en que Enrique me había apresado al principio, hacía ya mucho.

No rezaría a Dios
para escapar del embrujo de mi amor
aunque cada día me causase dolor.
Con fe y esperanza sería
su devoto señor.

Sí, era devoto en el sentido de que no cohabitaba con su esposa, o eso me contaban mis espías. No obstante, estaba celosa. ¿Qué barón aquitano no yerra cuando cabalga por los cálidos caminos en verano? Y aunque Rancon era dos años mayor que yo, todavía era un hombre joven, mientras que yo...

Aunque lejos de mi amada,
nada temo...
mientras sus deseos satisfaga...
Cada día parece Navidad,
sus ojos me brindan su amistad.

Y ése era el quid: ¿cuándo volverían mis ojos a brindarle mi amistad? ¿Cuántos hijos de Enrique toleraría?

Sin embargo, fiel a mi palabra, le escribí sobre el próximo niño. Me replicó, en prosa, que no debía desatender a Ricardo a pesar de mis nuevas responsabilidades. De hecho, quizás había llegado el momento de que Rancon asumiera la educación de Ricardo. ¿Sería tan amable de enviarle a Poitiers? Y luego añadió en lengua de oc:

Bele amie, si est de nus
ne vus sans mei, ne jos sans vu.

Aunque lloré, le escribí que Ricardo era demasiado pequeño para abandonar nuestro hogar.

Llamé Godofredo a mi tercer hijo, en honor al padre de Enrique. El bebé no se parecía nada a Enrique ni al padre de éste, y no cabía duda de que no era de Rancon. Arrugado y oscuro, pequeño y nervioso, era como un desconocido entre nosotros.

Escribí a Enrique, que todavía estaba en Europa continental, que llegaría a tiempo a Ruán para celebrar la corte navideña y así vería a su nuevo hijo. Ese mismo día también escribí a Rancon y le dije que nos reuniríamos en Poitiers después de la Natividad. Ricardo le saludaría en latín.

La respuesta de Enrique fue cortante: «Me place mucho que mi padre finalmente tenga el homónimo que se merece. Sin embargo, tendré que diferir el placer de ver a mi nuevo hijo hasta bien pasada la temporada navideña. Os ruego que sigáis haciendo vuestro excelente trabajo en Inglaterra.»

Escribí a Rancon: «*Asusée!* Enrique debe de estar enamorado de alguna desvergonzada normanda porque me está dando largas. Partiré presta hacia Barfleur y de allí a Poitiers.»

Al cabo de dos semanas recibí sendas cartas de ellos.

De Enrique: «Me limitaré a las observaciones más someras para así dedicarme por completo a los planes militares. Tengo un proyecto importante entre manos.»

De Rancon: «Quedaos donde estáis. Enrique planea dirigirse a Aquitania de nuevo. La amenaza es seria, tanto que incluso Hugo y sus hermanos han dejado de luchar contra los demás para participar en la defensa general.»

Furiosa, escribí a Enrique: «¡Mis espías me han informado que queréis invadir Aquitania! ¿Es que habéis perdido el juicio? Contestad de inmediato.»

Replicó: «Despedid a vuestros espías, señora mía; como siempre, os han informado mal. Estoy reuniendo un gran ejército con el propósito de invadir Tolosa para vos. Me dijisteis que es vuestra por derecho de vuestra abuela, la duquesa, que vuestro abuelo la perdió al participar en unas cruzadas insensatas y que vuestro padre quería recuperarla. Espero haber entendido bien vuestro pasado familiar porque pienso invadirla. Nuestra creciente familia necesita más territorios: Normandía e Inglaterra para Enrique el Joven, Aquitania para Ricardo y Tolosa para Godofredo.»

Mi respuesta fue mordaz: «¿Es que os habéis vuelto loco? Acabáis de calmar la ira de Luis al concertar un matrimonio entre nuestros dos hijos, con lo que Enrique el Joven será el rey consorte de Francia. No obstante, sabéis que Luis considera Tolosa uno de sus feudos y que si lo invadís es como si invadierais Francia. Es más, la hermana de Luis está casada con el conde de Tolosa. ¿Es que queréis poner en peligro el futuro de nuestro hijo? Al menos, pedidle permiso a Luis.»

Enrique tardó un mes en contestarme. «Estabais en lo cierto: a Luis le han indignado mis planes. ¿Os hace eso feliz? ¿Y por qué decís que Tolosa es su feudo? El conde de Tolosa, Raimundo, debería rendir homenaje a Aquitania, no a Francia. En cuanto a la hermana de Luis, creo que agradecería que matara a su esposo, de quien se dice que es el mayor libertino de Europa.»

Me preparé para zarpar de inmediato, pero Enrique supo de mis intenciones y me envió un severo mensaje en el que ordenaba que me quedara donde estaba: me necesitaba para mantener la paz en Inglaterra mientras él estaba ocupado en el extranjero; era su otro yo.

Su otro yo, me lamenté en voz alta al leer sus palabras, pero sabía perfectamente a qué se refería. Enrique era incapaz de escribir nada sentimental; hablaba de su yo real. Con el reino dividido en dos por el mar, necesitaba ser dos personas y, si bien yo carecía de verdadero poder en Inglaterra, me veían como a la otra mitad de Enrique, que era lo que importaba.

Durante los cuatro meses siguientes Enrique reunió el mayor ejército jamás visto en Europa, salvo los de las cruzadas, y no había peregrinos entre los hombres de Enrique. El rey Malcolm de Escocia necesitaba cuarenta y cinco barcos para transportar su tropa al otro lado del canal. Enrique recurrió de nuevo al detestado escudaje e impuso un tributo para cualquier hombre que estuviese en edad de ir a la guerra, incluso al clero, de modo que o pagaban el tributo o participaban en la batalla. En Inglaterra, los monjes y los sacerdotes lo vilipendiaron. Hizo caso omiso de las críticas y la ira y solicitó préstamos a los judíos, a los nobles y a cualquier familia de la que pudiera aprovecharse con tal de comprar el ejército que deseaba.

Los mercenarios comenzaron a marchar en junio y, como de costumbre, Enrique me envió partes diarios: habían tomado Cahors, luego Quercy; después arrasó castillos en los alrededores de Tolosa; luego silencio. El fragor de la batalla, pensé; imposible escribir. Transcurrió otro mes e intuí que algo andaba mal.

El uno de agosto tuve noticias de Rancon: ¡estaba en Woodstock! Era la primera vez que venía a Inglaterra sin previo aviso. Partí de Londres de inmediato.

Me esperaba en Tintagel, sentado en el escritorio.

—¿Habéis traído a Ricardo?

—Por supuesto. —Me incliné para besarle—. Qué sorpresa tan agradable.

Me miró con ojos fríos, triunfales.

—Enrique perdió Tolosa, Gracia.

Di un grito ahogado.

—¡Enrique nunca pierde!

Apretó los labios.

—Enrique el invencible. El terror del norte. Pues bien, el cometa rojo ha caído del cielo y ahora todos saben que sólo era una remolacha con un tallo más bien pequeño y que incluso sangra.

—¿Quiere eso decir que está herido?

Su mirada se tornó más fría aún.

—No os preocupéis, señora mía. Se encuentra en perfectas condiciones; hablaba, como decís, metafóricamente. Pero es cierto que perdió la batalla.

Me vine abajo.

—El conde de Tolosa debe de ser más poderoso de lo que imaginábamos.

Entonces Rancon me contó la historia más increíble que jamás había oído. Enrique había marchado con el enorme ejército de mercenarios hacia el sur y había tomado castillo tras castillo sin perder un solo hombre. Finalmente, vio las tejas rojas de Tolosa a lo lejos. Mientras, Luis había cabalgado como el viento desde París hasta Tolosa y había llegado apenas unas horas antes que Enrique. Así pues, cuando Enrique cargó contra las puertas de la ciudad, Luis le estaba esperando. Luis no quería luchar, sino parlamentar. Los dos reyes habían hablado con seriedad, si bien nadie sabía sobre qué, salvo que Enrique hizo retroceder a su ejército y cabalgó de vuelta sin arrojar una sola flecha.

—¿Luis convenció a Enrique para que no atacara? —dije sin dar crédito a lo que oía—. ¡Dios bendito! ¿Cómo?

Sus ojos brillaron.

—Ofreciéndole algo a cambio, un trato... no sé el qué.

Y había otra anomalía. Al marcharse, Enrique ordenó a su ejército que se retirase. Sin embargo, Becket, que cabalgaba alrededor de Tolosa con setecientos caballeros, se negó a obedecer. Continuó luchando y tomando castillo tras castillo.

—¿Becket desobedeció al rey? —Los dos sabíamos el significado de aquello.

Rancon se apartó del escritorio.

—¡Por Dios, es mi oportunidad!

—¿Para hacer qué?

—¡Para derrotar a Enrique, naturalmente! ¡Todos los agresores, desde César hasta el día de hoy, dependen de su reputación de generales infalibles! ¡La primera batalla perdida acaba con el mito! Ahora los barones aquitanos saben que Enrique puede perder, y perderá.

—El hecho de que podáis ganar apenas es excusa para que ataquéis, ¿no?

Sus ojos centellearon.

—¡En absoluto! No he atacado antes precisamente porque se suponía que Enrique era invencible.

—O porque todavía no ha justificado vuestras sospechas.

Arqueó las cejas.

—¡Cuán rápido habéis olvidado vuestro matrimonio impuesto!

—Ni lo he olvidado ni me refiero al mismo, sino a las tácticas de saqueo y destrucción que empleó contra los habitantes de Maine y, después, de Normandía. No quiero que mis súbditos sufran tales calamidades, y si atacamos primero o lo hace Enrique, sufrirán.

Se puso en pie de un salto y me agarró de los brazos.

—¡Por Dios! ¿Es que no lo entendéis? ¡La batalla se librará queráis o no! Y sugiero, más bien, exijo, que aprovechemos el tiempo.

—No podéis exigirle nada a vuestra duquesa. Ni tampoco podéis dar órdenes. Insisto en que esperaremos hasta que Enrique ataque, si es que lo hace, y será entonces cuando responderemos e, incluso entonces, sólo cuando dé la señal, nunca antes.

Dejó caer las manos, como dándose por vencido.

—Os pido disculpas; había olvidado el lugar que me corresponde. —Volvió al escritorio—. He redactado un informe de los hechos que acabo de describiros, así como la sugerencia de atacar de inmediato. Naturalmente, haréis lo que debáis. —No me miró.

—Rancon —imploré—, lo siento si os he ofendido. Estoy segura de que no deseáis que mis súbditos sufran. —Recordé el lejano comentario de Suger—. Nuestros barones no tienen par en la batalla, incluso contra Enrique, pero son desorganizados, impulsivos.

Me miró con frialdad.

—¿Otra crítica, mi señora? Como capitán tengo la responsabilidad de mantener vuestro ejército unido. Si he fracasado, quizá deberíais reemplazarme.

Aquello me dejó sin habla; las manos de Rancon parecieron ocupar todo mi campo de visión.

No apartó la mirada.

—Rancon, por favor.

Para mi dicha, se incorporó y me tomó en sus brazos.

Nuestro amor nunca había sido tan apasionado, quizá porque por primera vez había entre nosotros una diferencia real.

Enrique me escribió desde Ruán: «La reina francesa está embarazada. Si es niño, ¿qué será de Matilda? Venid de inmediato a Ruán para que hablemos.»

Refunfuñé.

—No vayáis —ordenó Rancon.

—Oh, por Dios, Rancon, regresaré dentro de dos semanas. Os lo prometo.

—Venid conmigo. —Lo decía en serio—. Ha llegado el momento, Gracia. Olvidad a Enrique de una vez por todas. Ha llegado el momento para Ricardo, el momento para vos y Aquitania. Tolosa distrajo nuestra atención de Aquitania, eso es todo. El próximo verano lucharemos juntos.

No le volví a recordar que era su señora. Quería ir, quería que Ricardo estuviera con su padre, pero ¿qué sería de mis otros hijos?

—En cuanto me haya ocupado de mis hijos. Enrique el Joven ya tiene quien vele por él, pero Matilda y Godofredo...

—No podéis quedaros más tiempo. —Arrancó uno de mis cabellos de la almohada y me rodeó la garganta con el mismo—. Sois mi prisionera, Gracia, y no os liberaré.

Me cantó en voz baja al oído:

> Como la alondra que hacia el sol se remonta,
> el amor hasta el infinito me encumbra;
> porque el amor a cantar me invita,
> y con las alas ardientes a volar,
> la amaré con mi último aliento,
> amaré la unión que me causa la muerte;
> adoraré su rostro ardoroso,
> su cuerpo y el abrazo eterno de esta suerte,
> donde nada perece,
> donde la naturaleza palidece
> por contemplar su don para amar.
> Una alondra consumida por el fuego del azar,
> olvidad a Tristán y a Isolda la justa,
> Antonio y Cleo,
> Eneas y Dido,
> que antes que nosotros
> vivieron.
> Juro que sus eróticas proclamas
> más que ascuas no fueron ante nuestras llamas.

—Es la mejor canción trovadoresca que he oído en toda mi vida —dije con sinceridad.

—Porque nunca antes había estado tan inspirado. Os amo, querida Leonor.

Me quedé allí tanto como me atreví. Zarpamos juntos desde Sandwich, luego nos separamos en Barfleur y Rancon se dirigió a Aquitania. Le vi sobre su enorme corcel negro hasta que la bruma lo engulló. Sentí el dolor de siempre, pero más intenso: a pesar de las relaciones sexuales y manifestaciones de sentimientos trascendentales, la situación política había abierto una brecha entre nosotros. Me costó lo indecible no llamarle o, lo que habría sido más persuasivo, seguirle.

Enrique me esperaba en el frío patio de Ruán con una mirada frívola forzada.

—¡Por san Jorge, sois como una fruta madura! ¿Cuál es vuestro secreto?

El corazón se me encogió durante unos instantes, pero entonces caí en la cuenta de que Enrique se refería a sí mismo. Parecía enfermo.

—Mi secreto es la castidad —dije con alegría.

—Le pondremos arreglo a eso. ¡Santo Dios, no sabéis bien cuánto os he echado de menos!

Miró a la prole.

—Todo un desafío, ¿no? Normandía e Inglaterra para Enrique el Joven, Aquitania para Ricardo y ahora tenemos a Godofredo. —Hizo una mueca—. Tolosa, había pensado servírselo en bandeja... quizá Bretaña. En cuanto a vos —tiró de las trenzas rojas de Matilda—, ¿qué os parece ser reina?

—Mamá es la reina.

—De Inglaterra, claro, pero hay otros países en el mundo.

Me tomó de la mano.

—Quiero quedarme con mamá.

—Yo también, pero no siempre tenemos lo que queremos.

Vi que Matilda tenía miedo.

—No os preocupéis, querida. Vuestro padre habla de un futuro muy lejano. Os prometo que jamás nos separaremos.

La madre de Enrique estaba presente, por supuesto, así como Becket. Observé al canciller con curiosidad. Llevaba, como siempre, sus mejores galas y no percibí síntomas de aflicción entre el rey y él. Me emocioné un tanto cuando le vi arrodillarse para hablar con Enrique el Joven, pero la emoción desapareció al caer en la cuenta de que ignoraba a mis otros hijos. Claro, Enrique el Joven era el heredero.

Enrique quería retirarse temprano, pero no por amor, como sabría después. Un caballo le había coceado y deseaba que le aconsejara el mejor tratamiento.

—Me han tratado el judío y el sanguijolero, pero confío en vos.

Coloqué el candelabro cerca y luego tomé una de las velas. Estaba herido en el ano.

—¿Gangrena?

—Creo que no. —Aunque parecía grave.

—Duele muchísimo. ¿Podréis curarme?

Ordené preparar un baño de sal caliente y, mientras Enrique descansaba en la tina de madera, preparé una cataplasma de trigo hervido en aceite, elementos que teníamos a mano. A la mañana siguiente añadí un poco de lejía, linaza y solano negro. Aunque al principio Enrique se resistió a beber el jarabe de raíces de hinojo, perejil, helenio, rábano y miel, finalmente cedió y se lo bebió. Comenzó a mejorar de inmediato. Todos aseguraron que lo había curado, aunque todavía no se había recuperado del todo y no podía montar a caballo. Yo sabía, y él también, que sobre todo le había levantado el ánimo.

Confiaba en mí, que Dios le asistiera.

Al cabo de seis semanas la reina Constancia de Francia se retiró a la sala de partos. Enrique, Becket, la emperatriz Matilda y yo nos apiñamos llenos de tensión en la torre de Ruán y esperamos que nuestro espía parisiense nos trajera noticias.

—¡Alguien está cruzando el f-f-foso! —gritó Becket desde la ventana.

El mensajero sudaba a pesar del frío.

—¡Una niña! ¡Se llama Alais!

Enrique bailó una giga.

—¡Cuatro hijas! ¡Cuatro jinetes del Apocalipsis! ¡Pobre rey estéril!

El mensajero apuró su taza.

—¡La reina falleció en el parto!

—De mortificación, seguro —bromeó Enrique.

Sentí un ligero escalofrío. Recé para no volver a quedarme embarazada.

El mensajero tendió la taza para que se la rellenaran.

—El rey Luis se desposa de nuevo.

Toda la frivolidad se desvaneció.

—¿Con quién? —inquirí con acritud.

—Con Adela de Champaña.

—¡Santo Dios! —dijo Enrique en voz baja.

Sabía exactamente a qué se refería. Suger siempre había aconsejado a Luis que se casase con mujeres sureñas para reducir el poder de los duques norteños, sobre todo Teobaldo de Champaña, y en dos ocasiones le había hecho caso, primero yo, luego Constancia de Castilla. Adela era hija de Teobaldo, lo que significaba que Luis se aliaba con su antiguo enemigo y, por lo tanto, sería una mayor amenaza en Europa. Aparte de las consecuencias políticas, también sabía que Adela era la hermana de Enrique de Champaña, el futuro esposo de mi María. Vaya enredo: Luis sería padre y cuñado de su propia hija. No intenté desentrañar qué sería Enrique el Joven cuando pasase a formar parte de la familia.

—¿Cuántas hijas se pueden tener antes de que nazca un niño? —preguntó Enrique a su madre en voz alta.

—Yo tuve dos hijos, y Leonor ha tenido cuatro. —Replicó, sin responder a la pregunta.

—Luis se está poniendo a prueba —dije—. Lo seguirá intentando tantas veces como haga falta.

Estábamos sometidos. El nombre de Champaña me trajo muchos recuerdos; María pronto tendría su propia corte. La próxima vez que Petra fuese a Francia, le pediría que le llevase a María copias de los poemas de mi abuelo. Que se impusiese cotas altas. ¿Incluiría la canción de la alondra de Rancon?

—Cuando Luis t-t-tenga un hijo —comenzó a decir Becket—, tal vez incumpla lo dispuesto para Enrique el Joven.

Enrique le miró de hito en hito.

—Así no tendrá que entregar el Vexin en concepto de dote —respondí en lugar de Becket—. Inglaterra no le interesa tanto, desde luego no tanto como para perder su preciado Vexin. De hecho, mi señor, es posible que se retracte por completo de nuestro acuerdo matrimonial.

—¡El Vexin me pertenece! —bramó Enrique—. Se lo cedí como gesto, pero no pensaba perderlo para siempre. ¡Por Dios, lo prometió como dote de Margarita!

—La reina Leonor está en lo cierto —terció Becket—. Tal vez no permita el matrimonio.

—¡Escuchad! —Agarré a Enrique del brazo—. Podríamos desposar a Enrique el Joven con Margarita ahora, mientras Luis está trastornado. ¡Entonces el Vexin será nuestro! ¡Hagámoslo de inmediato!

Enrique reaccionó presto.

—¡Santo Dios, me gusta vuestro temple, Leonor!

Becket frunció el cejo.

—Excelente sugerencia, salvo que debemos obtener la dispensa papal para permitir un matrimonio entre dos niños.

—El papa Alejandro es conocido por su mojigatería —señaló Enrique.

Becket sonrió de oreja a oreja.

—Mojigato o no, lo hará a nuestra manera.

Tres semanas después teníamos la dispensa.

Enrique y yo nos dispusimos a preparar a Enrique el Joven. Le encontramos jugando a la justa con Guillermo en la sala infantil.

Enrique acarició los rizos de su hijo.

—Enrique el Joven, ¿os gustaría desposaros?

—Ya lo creo, me gustaría mucho —replicó el niño con sorprendente convicción—, pero mi águila no me dejará.

Enrique me miró, perplejo.

—El águila es su consejero invisible.

Enrique se arrodilló.

—¡Escuchad! Os voy a contar un secreto muy importante, Enrique el Joven. Vuestra madre es el águila.

—¡No, no lo es! El águila tiene alas y garras.

—Vuestra madre también, pero sólo las muestra por la noche, una poderosa ave de Aquitania. ¿Os ha contado alguna vez que cazaba gacelas con águilas en la cruzada?

—¿De veras? —Mi hijo abrió los ojos de par en par—. ¿Qué es una gacela?

—Un ciervo muy pequeño.

—Y os casaréis con una niña muy guapa —dijo Enrique—. Se llama Margarita.

—Ma-garida —repitió Enrique el Joven—. ¿Cuándo será mía?

—Pronto. —Enrique se incorporó, satisfecho.

Ese mismo día, Roberto de Newburgh nos entregó a la princesa francesa para que nos hiciéramos cargo de ella. Con dos años, era una cautivadora niñita de ojos negros con pestañas largas y suaves. Sin embargo, a Enrique el Joven no le pareció encantadora.

—¡No es una gacela! ¡Y huele mal!

Le propinó un empujón, y Margarita se cayó al suelo y comenzó a llorar. La ayudé a incorporarse.

—¡Quiero casarme con una gacela! —gritó Enrique el Joven—. ¡Me lo prometisteis!

—Vuestro padre bromeaba. —Le di unas palmaditas a la princesita—. Mi cazador os encontrará un cervato que será vuestra mascota, pero os casaréis con Margarita. Será como vuestra hermana.

—Hermana. —Ricardo le tocó la bota.

Le besé la mejilla húmeda.

—Y yo soy vuestra mamá, querida.

Margarita retrocedió y me miró de hito en hito.

—Ma-má.

Me pregunté cómo habría reconocido la palabra, pues nunca había tenido madre.

El día que Luis partió de Francia hacia Troyes para desposarse, coloqué a mis hijos y a Margarita en una litera que recorrería la escasa distancia que separaba nuestro palacio de la catedral de Ruán, ya que era un frío y ventoso día invernal. Envueltos en pieles, Becket, Enrique y yo cruzamos la plaza de la Iglesia hasta el portal de Saint-Étienne. En el vestíbulo, Becket se despojó de la espada y las espuelas con sumo cuidado. Luego entramos en silencio en el enorme edificio gris, donde nos apiñamos bajo los elevados nervios de piedra. El estilo arquitectónico de Suger se había propagado por toda Europa, pero en Ruán, bajo la pálida luz plateada del invierno, un Dios glacial penetraba por las elevadas ventanas.

—¿Dónde están? —preguntó Enrique irritado; su voz resonó en aquel espacio grande y tenebroso.

—Allí —replicó Becket.

El arzobispo Rotrou de Ruán caminaba lentamente hacia el altar con los dos legados papales. Tras oír la campanilla de la Elevación, arrastramos los pies desde la puerta para ir a su encuentro. Yo llevaba a Margarita, y los otros niños marchaban detrás de mí. Enrique el Joven vestía una capa escarlata con tres leones dorados bordados y una pequeña cinta dorada también sobre los rizos resplandecientes. Era increíblemente hermoso, como un ángel dorado, y su dulce rostro cargaba tan cínica ocasión de dignidad.

Matilda le tuvo de la mano durante toda la ceremonia, y en una ocasión le besó los cabellos.

Con casi tres años, Ricardo tenía el pelo rubio como el mío, pero veía a Rancon en su perfil. Estaba completamente inmóvil, como el buen niño que era, y se acariciaba la espada.

Habíamos dejado al pequeño e incorregible Godofredo en la sala infantil porque, en ocasiones, se tornaba insoportable.

La ceremonia fue meticulosamente legal; Enrique respondió por Enrique el Joven; yo respondí por Margarita; los legados confirmaron que el Papa bendecía la unión entre los dos niños. Se presentaron los contratos que conferían las dotes y guiamos las manitas de los niños para que estampasen sus marcas. Todo salió bien hasta que coloqué a Margarita en el suelo para que se postrara ante su esposo. Chilló con todas sus fuerzas hasta que volví a alzarla, y luego se durmió.

Lo habíamos logrado, nuestro hijo mayor era príncipe de Francia y el Vexin era nuestro; casi, teníamos que tomar posesión rápidamente. Nos detuvimos de nuevo en el portal para que Becket se armase; dirigiría nuestro ejército en lugar de Enrique, que todavía no se había recuperado del todo.

Los setecientos caballeros de Becket abarrotaban la plaza de la Iglesia, y los mercenarios de Enrique le esperaban al otro lado de la puerta.

—¿Hay restricciones para el ataque? —preguntó Becket a Enrique.

—Tomad el Vexin, tomad todos sus castillos y luego cabalgad hasta París si os apetece. —Enrique le dio una palmada en el brazo.

—¡Yo también voy! —gritó Ricardo.

—No para luchar contra un rey ungido, querido —dije—. Vuestro padre jamás permitiría tamaña herejía.

Enrique soltó una carcajada.

Sí, estaba de muy buen humor. Mi hijo tendría el trono de Francia y yo estaba embarazada. A pesar de la herida, Enrique había cumplido con sus obligaciones.

Becket se abrió camino a través de Normandía dejando tras de sí un reguero de sangre que le hizo legendario; mataba salvajemente a cuanto se cruzara en su camino, tanto a campesinos como a su ganado, incluso a las gallinas en los gallineros, mientras que las mujeres huían al bosque con los niños. Sólo se detuvo al caer enfermo.

Enrique cabalgó hasta Saint-Gervais, donde Tomás guardaba cama. Por pura coincidencia, llegó el mismo día que Luis venía de Francia para visitar a Becket. Enrique escribió alborozado que Luis aceptaba perder el derecho al Vexin y a los castillos como parte de la dote de Margarita. Sin embargo, exigió que Enrique coronara de inmediato a Enrique el Joven y a su esposa como rey y reina de Inglaterra para asegurar la sucesión al trono.

De haber sido posible, habría besado a mi ex marido; había logrado lo que yo deseaba para mi hijo.

Para cuando mi hija Leonor nació en Domfront a comienzos de primavera, Enrique y yo habíamos compartido la misma casa durante siete meses, el período más largo que habíamos pasado juntos, aunque no tanto como el que Rancon y yo habíamos disfrutado en Angers. Naturalmente, informé a Rancon del nacimiento del nuevo bebé, pero no recibí respuesta alguna.

En vísperas de la temporada de batalla, Enrique anunció que había invitado a todos los nobles aquitanos de Domfront al bautizo de Leonor.

—¿Incluso a los hermanos Lusignan? —inquirí. Enrique odiaba a los Lusignan y yo recelaba de Hugo, pero ésa no era mi verdadera pregunta.

Recitó decenas de nombres desde La Marche hasta Gascuña, incluyendo a los Lusignan, pero no a Ricardo de Rancon. Sentí un malestar creciente, incluso culpa. Habría sospechado algún propósito oculto en la ceremonia que Enrique proponía para los nobles aquitanos, salvo que las grandes familias de Inglaterra y Anjou también estaban incluidas. Aun así, Enrique no se había dado cuenta cuando habían nacido sus otros hijos; los habíamos bautizado en privado.

—El futuro es una amplia cinta dorada —dijo con orgullo después de que le preguntara—, y quiero que todos nuestros súbditos disfruten del mismo con nosotros.

En la parte posterior de palacio trasplanté arbustos en flor y árboles en macetas de Anjou, luego los decoré con corazones rojos y brillantes para festejar el día de San Valentín de Roma y Santa Radegunda de Poitiers, santos dedicados al amor. Que mi homónima naciera rodeada de amor. No obstante, hice llamar al trovador más famoso del momento, al mordaz Marcabrú, quien detestaba el amor. Que la recién nacida Leonor conociera también a un gran cínico.

Los mismos legados papales que habían posibilitado el matrimonio de Enrique el Joven aceptaron oficiar la ceremonia; el obispo Arnulfo sostendría a la recién nacida. El día previo al bautizo llegaron los primeros invitados. De entre todas mis amigas, sólo pudo acudir Mamile. Los cuatro hermanos Lusignan llegaron con un enorme séquito, como preparados para atacar, y Hugo me saludó en nombre de todos. Estaba completamente calvo y, al igual que Mamile, el doble de gordo que antes.

—Os saludo, mi señora —dijo con frialdad—. No habéis cambiado, al menos en apariencia.

—Ni en mi corazón, don Hugo. Os he echado muchísimo de menos todos estos años.

—En tal caso, sabíais dónde estaba.

Asentí.

—Pienso ir a Aquitania este verano.

—¿Oh?

No era de extrañar que no fuese de fiar.

Cuando la campana anunció la nona, Enrique y yo encabezamos una solemne procesión hasta el altar del jardín, erigido con lirios y rosas. El obispo Arnulfo llevó a Leonor en la cuna hasta donde estaban los legados. Los presentes formaron un semicírculo frente a nosotros, y comenzó la santificación. Leonor abría y cerraba sus minúsculos puños mientras miraba con ojos entrecerrados a los hombres que estaban frente a ella.

Un laúd interpretó una melodía quejumbrosa y los asistentes empezaron a moverse y hablar. Enrique y yo dimos las gracias a los legados y a Arnulfo, quien con mucho gusto entregó su carga a la nodriza. Mientras se celebraba la ceremonia, Mamile me codeó ligeramente en la espalda.

—Gracia —me susurró al oído—. Ha venido Rancon.

22

Mientras Mamile pronunciaba tan fatídicas palabras, miles de estorninos ensombrecieron el cielo y descendieron en forma de nube ruidosa sobre los árboles en macetas, al tiempo que nos arrojaban su lluvia pegajosa.

—¡Socorro! —gritó Enrique, riendo—. ¡Que alguien nos cubra!

Nos retiramos rápidamente a palacio y ordenamos a los batidores que asustaran a los pájaros. Aproveché la confusión para hablar a solas con Mamile.

—¿Dónde está?

—En la caballeriza. Está aquí, Gracia. —Sus ojos negros resplandecían y su cuerpo de matrona temblaba como una hoja al viento.

—¿Piensa presentarse abiertamente?

—No lo sé.

Un cuerno de madera anunció desde el jardín que la paz se había restaurado. Los presentes, riendo y maravillados ante tan curioso suceso —¿se trataría de un presagio?—, regresaron al altar. Los cuernos con sordina dieron paso a las palmas, a las alegres panderetas, la señal para la *estampe*. Me coloqué en el estrado junto a Enrique y durante unos instantes observamos lo que sucedía a nuestro alrededor, pero Enrique saltó enseguida al suelo y desapareció entre los invitados. Regresó y se quedó conmigo unos instantes. Después volvió a marcharse, incansable. Cuando acabó el baile apareció Marcabrú.

—¿Quién es ese bellaco sarnoso? —inquirió Enrique.

—El hombre con más talento de Aquitania, o eso dicen. —Eso afirmaba Rancon, que había sido su mentor.

—Entonces deberíais proporcionarle unos harapos más dignos.

Marcabrú vestía una toga ingeniosamente harapienta. Rasgueó la lira y los presentes se sumieron en el silencio. Al fondo se oyó el gemido del rabel, y luego la viola disonante. Aquel ritmo familiar me emocionó. Tanta energía, tanta ira, tanta pasión.

Es abril y los arroyos corren claros;
los amantes ruedan abrazados sin temor
en profundas cunetas donde el verdor
les protege de ojos extraños.

Observad a la dama de los lirios y al semental en el lecho.
Su amante, aunque se dice que no su esposo de hecho.
Pero no es tan malvada como la serpiente,
porque su marido también folla y miente.

Y no la castigará con el cinturón
hasta que el infierno con sus pecados acabe.
¡Puaj! Disfrutad de vuestro ardid
mientras la lengua explora la hinchazón
donde se siente el dolor.

Tosí para disimular un grito ahogado. ¿Se trataba de algo deliberado? —¡Salisbury, viejo granuja! —gritó Enrique al ver a su amigo. Al parecer, no había escuchado la letra de la canción, aunque me percaté de que Juan de Salibsury se acercó esbozando una sonrisita de complicidad.

Marcabrú cantó otras tres estrofas insidiosas, pero ya no estaban relacionadas conmigo. Quizás era demasiado susceptible.

—Vamos, Gracia, nada nos impide bailar. —Enrique me tendió la mano—. ¡El lirio de Aquitania! ¡No, maldita sea, el lirio del mundo!

Descendí del estrado. Los músicos adoptaron un ritmo de una cadencia más majestuosa y los otros bailarines se apartaron. Para mi sorpresa, Enrique comenzó a cantar con una especie de gruñido quedo:

Quienquiera que contemple a Gracia
mientras baila al ritmo de la música
debe admitir que se merece su nombre
como reina del Romance.
Si todas las tierras fueran mías,
desde el Elba hasta el Rin,
poco me importaría
si la reina de Inglaterra
entre mis brazos estuviera.

Las violas intensificaron el ritmo; los presentes suspiraron.

—¿Cuándo será eso? —preguntó Enrique en voz baja.

—Pronto, muy pronto.

—¿Esta noche? Tengo una pata de palo.

—Sois incorregible, mi señor. —Me reí alegremente.

Continué bailando con mis amigos aquitanos. Estaba con Hugo, el adusto Hugo con su calva resplandeciente, dando vueltas en círculos cerca de los hibiscos, donde nos separamos. Volvió a tomarme de la mano, me condujo hasta las sombras, donde me topé con Rancon. Nos besamos como si la vida nos fuera en ello.

—Creía que no vendríais —dije jadeando.

—Cuando vi a ese rapaz macho cabrío gimiéndoos, deseé no haberlo hecho.

—Estáis loco.

—Sin duda.

—Gracia, ¿estáis ahí? —gritó Enrique.

Deshicimos el abrazo cuando los arbustos se separaban.

—¡Ah! Acaba de comenzar un baile real para nosotros y... ¿quién está con vos?

—Rancon de Taillebourg —dijo Rancon, omitiendo su nombre de pila—. Capitán de la duquesa de Aquitania. A vuestro servicio, milord. —Se inclinó ligeramente.

—Taillebourg —repitió Enrique lentamente—. Parte de la dinastía de Angulema.

—Sí, milord.

—He oído hablar de vos.

—Rancon encabezó mi ejército en las cruzadas —me apresuré a decir, al tiempo que tomaba a Enrique del brazo—. Somos como hermanos.

Enrique se deshizo de mi brazo.

—Pensaba que no vendríais.

—Cambié de planes. Espero que no os importe.

—En absoluto. ¿He interrumpido una conversación?

—No habíamos comenzado a hablar —replicó Rancon—. Sólo le había dado el beso de paz.

—¿Cómo es posible —preguntó Enrique un tanto contrariado—, si tales besos se dispensan sólo entre guerreros?

Rancon no se inmutó.

—Y entre vasallos y señores; Leonor es mi duquesa, la soberana de Aquitania.

Antes de que Enrique replicara, me interpuse entre los dos.

—Ya me habéis saludado, Rancon, ¿os apetece uniros a nuestra frivolidad?

—Sí, pero primero querría pedirle algo al rey.

Enrique se detuvo.

—Adelante.

—Solicito la mano de vuestra nueva hija en matrimonio.

Me puse tensa.

—¡Rancon!

Adoptó una expresión inocente bajo la luz titilante.

—¿Soy demasiado mayor? Cabalgué tan presto como pude... supongo que todavía estará libre.

—Si se trata de una broma, señor, me parece de muy mal gusto —dijo Enrique con suma frialdad.

—Os aseguro que hablo en serio. Por supuesto, no lo consumaremos hasta que la damisela tenga al menos tres años; y, como dote, os ofreceré buena parte de Aquitania y así no tendréis que conquistarla.

—¡Ya basta, Rancon! —le espeté—. Conozco vuestro extraño humor, pero Enrique piensa que habláis en serio.

—Hablo en serio, completamente en serio. Se debe actuar con rapidez en vuestra familia.

Enrique me soltó el brazo.

—Gracia, os espero en el baile. Despachad a este capitán como os venga en gana. —Se marchó.

—Rancon, habéis perdido el juicio. ¿Por qué le habéis provocado de esa manera?

—Mañana os explicaré mis motivos. Encontrad el lugar y el momento; comunicádselo a Mamile.

Estaba muy dolida.

—Supongo que no decíais en serio lo del matrimonio con la recién nacida Leonor.

Se rió dulcemente.

—Por supuesto que sí. ¿Es que no conocéis el mito de Edipo, que se enamoró de su propia madre? Si soy vuestro hijo estaré junto a vos siempre que quiera, ¿no?

Dicho lo cual, desapareció.

Enrique hablaba con Patricio de Salisbury, quien no guardaba relación alguna con Juan, y parecía haber olvidado la invitación a bailar. Tomé de la mano a uno de sus caballeros y continué bailando hasta que él último músico guardó su instrumento. Cuando las antorchas no eran más que brasas, regresé a palacio con Mamile bajo la luz de la luna.

Enrique me llamó desde la sala principal, donde estaba sentado con Juan de Salisbury, Becket y el obispo Arnulfo.

—Entrad, Gracia. Acabamos de recibir malas nuevas. Necesito vuestro consejo.

Se me hizo un nudo en el estómago.

Estaba convencida de que Salisbury no sólo le había contado rumores sobre mí hacía ya tiempo en Angers sino que le había sugerido a Marcabrú aquellas letras tan insidiosas. Desesperada, intenté encontrar una justificación en mi interior. Quizás hubiera presenciado el «beso de paz» entre Rancon y yo.

Enrique dio un golpecito en el banco situado junto a él.

—El arzobispo Teobaldo se está muriendo en Canterbury y nos ha llamado a Becket y a mí para que nos despidamos de él. ¿Creéis que deberíamos ir?

Me sentí tan aliviada que tardé más de lo normal en asimilar aquellas noticias inesperadas.

—¡Debéis ir!

—Pero ¿qué puedo hacer? —arguyó Enrique—. No soy médico.

—¡Él tampoco os ha hecho llamar porque seáis médico! ¡Sois su amigo, mi señor! Os lo ha pedido, y eso debería bastar. ¡Por Dios, Enrique, le debéis tanto! Se podría decir que os colocó en el trono.

Enrique chasqueó los dedos debajo de mi nariz.

—Yo me gané el trono.

Arnulfo cambió de postura en el banco.

—Merecéis todos los honores por vuestro meteórico ascenso, majestad, pero las estrellas no brillan solas en el firmamento. El arzobispo Teobaldo fue un amigo excelente. —Se volvió hacia Becket—. Estoy seguro que convendréis que así es.

Becket miró a Enrique.

—El arzobispo Teobaldo respaldó al gobierno del rey Enrique del mismo modo que cualquier buen inglés; no encabezó ejército alguno.

—Entonces consideráis que no debo ir a verle —dijo Enrique.

—No, majestad, no. Cuando os hicisteis con el trono se mostró como vuestro enemigo más implacable. ¿Acaso no se negó Canterbury a renunciar a la jurisdicción eclesiástica? ¿No se opone esa postura a las leyes de vuestro abuelo? Los sacerdotes asesinan y roban a placer y lo único que ofrecen a cambio es el arrepentimiento. ¿Y qué decís de los arriendos de Canterbury, que legalmente os pertenecen?

— 343 —

—Es vergonzoso, Tomás —le reproché—, que habléis de política en un momento así. Se está muriendo. Se merece estar rodeado de sus mejores amigos cuando exhale su último suspiro.

—Que demuestre su amistad a cambio; que entregue al rey las rentas que le pertenecen —replicó Becket, como si no me hubiera oído.

Miré a Arnulfo.

—Ya sabéis lo que pienso. Ahora, con vuestro permiso... —Me incorporé para retirarme.

Enrique también se puso en pie.

—Os acompañaré, querida.

Me rodeó la cintura mientras bajábamos por la escalera.

—Decid «sí», querida Gracia, os a-m-m-o mucho.

Me solté.

—Vaya, Enrique, Becket os ha contagiado la enfermedad del tartamudeo.

—No, estoy enfermo de amor, como un niño llorón. ¿Es que debo rogaros?

—Pronto, querido. El día de hoy ha sido muy largo y todavía no me he recuperado.

Enrique retrocedió.

—Decid que me amáis.

Empecé a inquietarme. Enrique nunca hablaba de amor salvo en broma.

—Por supuesto, sois mi esposo, el padre de...

—Amor, maldita sea, entre un hombre y una mujer.

Lujuria, maldita sea, de un hombre por una joven.

—Sabéis que así es.

—Eso espero. —Enterró el rostro entre mis pechos—. Me alegro que viniera ese barón del sur, el de Taillebourg. Así os haréis una idea de la hostilidad con la que me topo todos los días por vuestra culpa. Vuestro ex marido y todos los condes de Europa quieren vuestras tierras y a vos, y a mí desean verme muerto. Mañana debo hablaros.

Dicho esto, bajó corriendo por las escaleras y se dirigió hacia la sala.

Me quieren por mis tierras, pero no en el caso de Rancon. Me senté en un escalón, agotada. Enrique debía de sospechar... La alusión a Taillebourg no había sido fortuita. ¿Cómo era posible que Rancon hubiera sido tan indiscreto?

Al alba me reuní con Rancon junto a un matorral bañado por el rocío detrás de la abadía benedictina. Sin mediar palabra, me condujo por un sendero inclinado hacia el río Varenne, donde había escondido una barca. Sin hablar ni mirarme, se inclinó sobre los remos y avanzó sobre las sombras de los árboles reflejadas en el agua. Los peces daban saltos sorprendentes; los pájaros graznaban en las alturas. Llegamos a una cala, a casi media milla de palacio, y Rancon saltó al río. El agua le llegaba a la altura de la rodilla. Le seguí.

Amarró la barca, miró río arriba y se internó en el bosque hasta llegar a un escondite.

—Aquí —susurró, y nos dejamos caer detrás de unas estacas.

Entonces me miró a los ojos.

—Gracia, Enrique ha llegado a un acuerdo con el conde de Tolosa.

Era lo último que deseaba escuchar. ¡Siempre política!

—¿Sí?

—Eso es lo que consiguió de Luis: Tolosa rendirá homenaje a Aquitania en lugar de a Francia.

—Como debería ser —dije irritada—. Siempre fue así hasta que mi abuelo la perdió.

Sus ojos brillaron como los de un fanático.

—¡Escuchad! No sólo a Aquitania, sino también a Enrique, el duque de Aquitania.

Le escuché.

—¡Os referís a Enrique, el duque consorte!

—Ya no, no a los ojos de Tolosa. Cuando Enrique se marchó de Tolosa, os dije que habría llegado a un acuerdo.

—Recuerdo lo que dijisteis —admití lentamente. Era cierto, aunque las palabras no se me habían quedado grabadas—. ¡Dios mío! ¿Qué clase de trato?

—¿Qué más da? Enrique no cumplirá su parte del trato ni dependerá del mismo, y el duque de Tolosa tampoco es digno de confianza. Pero al menos sabemos que ha reconocido a Enrique como duque. ¿En qué os convierte eso, mi señora?

Le miré de hito en hito mientras me asaltaban varios recuerdos: Suger en el valle del Chevreuse, desvelando que Francia había ocupado Aquitania. Pero sin derramamiento de sangre, y Suger se había mostrado dispuesto a atender a razones, a protegerme. Huelga decir que probablemente Luis nunca lo había sabido y, como habíamos comprobado en muchas ocasiones, Luis no era Enrique.

Rancon se rió cínicamente de mi silencio.

—Me alegro de que por fin lo entendáis. Este verano lucharemos contra Enrique en vuestro nombre. Y ahora no podréis recordarme que sois la duquesa, ya que tal título ha perdido su utilidad.

Como era de esperar, hice un gesto de dolor.

—Detesto pensar que lucharéis contra Enrique.

—¿Por qué? ¿Queréis que se haga con vuestro título? ¡Si así es, decídmelo de inmediato!

No podía responder. Si no sabía lo mucho que temía perderle, las palabras sobraban.

—¿Y bien? Estoy esperando.

Me estremecí. Por supuesto que quería conservar Aquitania, mi título, la fuente de mis ingresos, mi relación con el pasado, yo misma. Pero ¿luchar? Recordé la descripción que Rancon había hecho de Enrique en Normandía. O, mejor, en Tolosa. ¿Acaso no podría también yo llegar a un acuerdo?

—No, pero... —Estaba trastornada, y los sentimientos más poderosos batallaban contra la razón. Rancon me trataba como si yo fuera otro hombre. Por supuesto, mi situación establecía que debía actuar como un hombre, pero no con Rancon, no después de tanto tiempo. ¿Estaba perdiendo mi belleza? No nos habíamos visto en dos años, cuando me había cantado el poema de la alondra que ascendía hacia el sol. ¿Había cambiado tanto? ¿Había olvidado Rancon sus cartas de amor? ¿Qué es lo que había cambiado?

Rancon prosiguió.

—Estoy perdiendo el tiempo. Gracia, debéis partir con nosotros hacia Poitiers ahora, de inmediato. No tenéis elección. Contamos con un ejército lo bastante poderoso como para protegeros... Hugo trajo más de cien hombres.

—¿Qué le diré a Enrique?

—¿Por qué debéis decírselo? Está al corriente de los hechos; sabrá que vos también. Si queréis ocultar la verdad, decidle que vais a visitar a vuestra familia. No puede impedíroslo.

—No, supongo que no.

—O decidle que queréis que Ricardo comience a recibir instrucción. Seré su maestro de armas. —Por primera vez, suavizó las facciones—. Habladme de él. ¿Está aquí con vos?

—Por supuesto, en las dependencias de los niños, con Hodierna, su niñera.

Mientras describía las aptitudes de Ricardo, me descorazonó la perspectiva de atacar a Enrique. ¿Y si perdíamos? ¿Vivirían mis súbditos bajo un talón de hierro, que era como Rancon describía a los normandos? Y si yo no fuera duquesa, si Rancon ya no fuera mi capitán... Me estremecí al recordar el consejo de Suger: «compromiso». Enrique me había repetido en numerosas ocasiones lo mucho que detestaba luchar y que nunca mataba a nadie en la batalla; estaba segura de que le podría convencer para que no invadiese Aquitania... ¿a cambio de...?

Quizá debería invocar el espíritu familiar. Enrique había sido amable con el hijo leproso de mi hermana; era amable con sus hermanos y hermanas (salvo el impetuoso Godofredo; todavía no sabía cómo había muerto exactamente), con su madre; de hecho, con toda su familia, incluyendo sus hijos bastardos. Entonces vi la verdad con claridad: Enrique controlaba el destino de Godofredo, de Matilda, de la pequeña Leonor, sí, de Enrique el Joven e incluso de Ricardo. ¿Me convenía que fuese mi enemigo? ¿No sería mejor jugar con su amabilidad? Rancon quería proteger a Ricardo, pero lo cierto es que el más indicado para hacerlo era Enrique. Y también para causarle daño.

—Me reuniré con vos antes de un mes —dije.

Frunció el ceño.

—¡Cabalgaréis con nosotros mañana! ¡Por todos los santos, Gracia, os está robando el ducado! No debéis ponerlo en peligro quedándoos aquí un día más.

Le toqué el brazo.

—Esta tarde tengo una reunión con Enrique... hablaré con él.

De repente me tomó entre sus brazos de manera extraña. Nos dejamos caer en la tierra fría y húmeda.

—Perdonadme, no debería hacerlo, me prometí que no lo haría, ¡pero no puedo evitarlo! ¡Oh, Dios, si supieseis cuánto sufro!

Rebosaba de felicidad. Oh, cuánto le amaba. Haría lo que me pidiera. ¡Lo que fuera!

Y, no obstante... quizá Rancon también tuviese un motivo oculto. Si no podía convencerme con palabras, ¿estaría entonces recurriendo a otra estratagema?

—¡Santo cielo, tenéis la túnica llena de hojas húmedas! —Enrique me sacudió el trasero con vigor—. ¿Os habéis caído?

—S-s-í. —Me aclaré la garganta. El corazón me latía con fuerza... ¿lo oiría Enrique?

—¿Dónde? ¿Junto al río? Un momento, estáis cubierta de lodo.

Busqué una excusa en mi interior.

—Salí a primera hora de la mañana para dar un paseo y el caballo se encabritó. Lo siento; debería haberme cambiado.

Me tomó del brazo. Entonces caí en la cuenta de que el olor de Rancon había impregnado mi cuerpo, no sólo su fragancia masculina sino también el aroma del sexo. Enrique no pareció percatarse ni tampoco intuir la huella invisible del amor en mi cuerpo. Todavía tenía los sentidos embriagados.

Los sirvientes estaban plegando los caballetes y quitando las cenizas de las antorchas mientras Enrique me conducía hacia un promontorio rocoso próximo al río.

—Feliz ocasión, ¿no? —Me guió la mano hacia sus labios—. Disfruto mucho de la vida doméstica —prosiguió—. Todos los días son de una increíble tranquilidad. —Me volteó la mano y me pasó la lengua por la línea de la vida—. Me estáis haciendo enloquecer, bien lo sabéis.

—Espero estar completamente recuperada antes de que comience la temporada de guerra.

Me soltó la mano.

—Este verano no lucharé. Quiero quedarme aquí con vos.

—Pero Luis...

—¿No os lo he dicho? Cuando Becket enfermó en el Vexin fui a verle, y Luis llegó al mismo tiempo y acordamos una tregua.

—No, no me lo habíais dicho. —Qué extraño—. Sin embargo, siempre queda Gales o Irlanda. —Mis ojos inquirieron: «¿O Aquitania?»

—He hecho todo cuanto he podido en Gales e Irlanda tendrá que esperar.

Sonreí.

—Ya que estáis libre de responsabilidades, id a Canterbury a ver a Teobaldo, os lo ruego. El pobre me da lástima.

—Ahorraos la lástima. Ha sido mi enemigo, como ha señalado Becket; no toleraré a un arzobispo que desafía las leyes del rey, incluso aunque se esté muriendo. Ahora tengo la misión de encontrar a alguien que le sustituya, alguien que de una vez por todas haga lo que quiero. Quizá podáis ayudarme; valoro vuestra opinión.

¿Como en el caso de Arnulfo?

—Alguien que corone a Enrique el Joven y a Margarita —repliqué de forma automática—. No obstante, id a Canterbury; despedíos de él, Enrique.

—Ya le he mandado un mensaje y le he presentado mis excusas. Me quedaré aquí.

—¿No pensáis cabalgar rumbo al sur?

Me miró de hito en hito.

—¿Es que queréis deshaceros de mí?

—Todo lo contrario, esperaba que pudiésemos ir juntos. Quiero que los niños vean Aquitania. Y tengo asuntos allí.

—¿Qué asuntos?

—Mi tío Rafael me ha dicho que las minas de sal cerca de New Rochelle necesitan ser reconstruidas.

Hizo crujir los nudillos.

—Entonces enviad a los mensajeros para las consultas; que vayan dos veces al día si así lo deseáis. No quiero que volváis a quedar a merced de esos barones locos.

Observamos a un grupo de gaviotas descendiendo en picado hacia el río. Se levantó un poco de brisa y se llevó el olor de Rancon de mi cuerpo, aunque todavía sentía la pasión fluyendo por la sangre.

De repente, Enrique me quitó la redecilla del pelo.

—Giraos... me encanta veros de perfil. ¿Me creeríais si os dijera que adoro vuestra nariz?

¿Bromeaba? Nunca me había fijado en mi nariz, pero las narices no suelen ser objeto de adoración. Le miré a los ojos, sonriendo.

—Sois un auténtico trovador, mi señor. —Aunque una nariz no era, desde luego, una alondra en ascenso.

—Sí, tendremos un idilio doméstico. Nos divertiremos con los niños, nos divertiremos el uno con el otro. —Se lamió los labios—. ¿Cuándo dijisteis que estaríais preparada?

—Quizá dentro de dos semanas, tiempo suficiente para una visita rápida a Poitiers...

Enrojeció.

—Acabo de deciros...

—Pero soy la duquesa de Aquitania y me tomo en serio mis responsabilidades como tal. Una de ellas es que realice apariciones públicas de tanto en tanto, algo fuera del alcance de los mensajeros. —Le miré a los ojos.

—Os eximo de tal responsabilidad.

—¡Entonces os eximo de Inglaterra!

—Inglaterra no está sumida en un caos constante. Y allí os conferí autonomía.

—Autonomía para llevar a cabo vuestras órdenes porque, por supuesto, no soy reina de nacimiento.

Entrecerró los ojos.

—Hablad con claridad.

—Soy duquesa, mi señor. El caos de Aquitania tal vez se deba a mi ausencia.

—¿Según quién? Habéis estado consultando a alguien.

Enrique era un adivino... tendría que ser cuidadosa.

—Hugo de Lusignan me pidió que volviera... y que llevara a Ricardo. —El pobre Hugo había sustituido a Rancon en las cruzadas; que volviera a hacerlo.

—¿Ricardo? —Enrique frunció el ceño—. ¿Por qué Ricardo?

—Para instruirlo de cara al futuro. Apenas conoce el idioma. Le buscaría un maestro.

Enrique me acarició los rizos alborotados.

—Quiero pasar el verano con vos. Nos merecemos un poco de tranquilidad doméstica, Gracia.

Agité la cabeza, juguetonamente. Por supuesto, si Enrique pasaba el verano conmigo no causaría estragos en Aquitania, hecho que aplacaría a Rancon. Enrique no deseaba exactamente un poco de tranquilidad doméstica; el día anterior le había oído preguntar al maestro cazador sobre la caza, y estaba segura de que buscaría placeres carnales en las tabernas locales. Sin embargo, a pesar de su hipocresía, reconocí cuán sagaz era, ya que debía de intuir que yo estaba harta de la falsedad de la corte, cansada de la intromisión de la política en los sentimientos personales. Además, Enrique me había recordado que era la reina de Inglaterra, un cargo nada insignificante, y me enorgullecía de lo que había logrado en Inglaterra. ¿No lo entendería Rancon? Al fin y al cabo, en más de una ocasión me había dicho que no deseaba enfrentarse a Enrique en el campo de batalla, y que si tenía a Ricardo...

—Entonces lo enviaré allí. Está impaciente por comenzar la preparación... Conozco al maestro perfecto.

—¿Quién?

—Mi capitán, Rancon. Mi padre le entrenó.

—¿El hombre de los arbustos? Vuestro padre podría haberse ahorrado la gentileza. No me gustaría que Ricardo confundiese el sarcasmo con la cortesía.

—No conocéis a Rancon. Os lo aseguro...

—En lo concerniente a la educación de mis hijos seré yo quien tome las decisiones, mi señora, que es el motivo por el que quería hablaros. Lo he dispuesto todo para que Enrique el Joven se eduque en otro hogar.

—¿Con Luis?

Los ojos se le salieron de las órbitas.

—¡Luis!

—Al fin y al cabo es su suegro y señor.

—¡Por todos los santos, quiero que el chico aprenda algo de Inglaterra! ¿Qué le enseñaría un eunuco francés salvo a ser monje? No, se irá con Becket.

—¡Becket! —Entonces fui yo quien soltó un grito ahogado—. ¿Ese adulador frío y codicioso?

—¿Es eso lo que pensáis de Becket? —Parecía divertirle—. Quizá lo sea, pero no podréis negar que es inteligente. Y conoce las leyes inglesas mejor que yo. Becket es la elección perfecta.

—Accederé si permitís que Ricardo regrese a Aquitania.

—¿Me tomáis por el mojigato de Luis o por vuestro queridísimo padre? ¡Con mis decisiones no se juega! No sabéis convivir con un hombre de carácter fuerte, mi señora. Soy esclavo de vuestros encantos, como le ocurriría a cualquier otro hombre, pero tomo las decisiones para mis hijos, para cada uno de ellos. ¿Queda claro?

—¡No, no queda claro! Acepté que supervisarais la educación de Enrique el Joven porque será el rey de Inglaterra, pero Ricardo...

—Bien, entonces asunto zanjado.

Todo lo contrario.

—¿Irá a Inglaterra con Becket? —inquirí, cambiando de tema.

—Lo dudo.

—Antes de morir, el arzobispo Teobaldo podría coronar a Enrique el Joven y a Margarita.

—Cuando el próximo arzobispo ocupe su lugar, ésa será su primera tarea; tendrá que hacerlo si desea el cargo. —Me rodeó la cintura con el brazo—. Siento haberos gritado. Sin duda alguna desempeñaréis un papel importante en el futuro de nuestros hijos, pero me habéis ofendido al sugerir a ese grosero patán de Taillebourg. ¿Me perdonáis?

Tendría que hacerlo... o desvelaría demasiado. Acepté su beso al mismo tiempo que caía en la cuenta de que se había burlado de mí. Con tanta palabrería sobre el «idilio doméstico» lo que Enrique quería decir es que estaba esperando a que el arzobispo Teobaldo falleciese para iniciar su estratagema.

Ya no confiaba en nadie, así que remé sola hasta el boscoso lugar de encuentro en el que esperaría a Rancon, pero él había llegado antes.

—No digáis nada. Veo en vuestros ojos que no vendréis. —No me abrazó.

—¡Escuchad! Tengo buenas nuevas: ¡No tendréis que luchar en Aquitania! Enrique piensa quedarse todo el verano en Domfront. ¡Me ha dicho que no batallará! ¡Luis y él han acordado una tregua!

—¿Por qué? Decidme la verdad, Leonor.

—¿Por qué qué? —Me enfurecí—. ¿Por qué os iba a mentir?

—¿Quedarse en Domfront para hacer qué? ¿Cuál es su motivo?

—Dice que quiere estar con su familia... desea disfrutar de la vida doméstica.

—Queréis decir que desea disfrutar de la vida sexual.

—¡Rancon!

—¡Y vos también, mi señora! ¡Admitidlo!

Le toqué.

—Si creéis eso, ¿por qué me dejáis?

—Este verano podríamos ganar. ¡Ha llegado nuestro momento! ¡Sobre todo ahora que Enrique prefiere distraer a su bella reina con amor! ¡Pero no podremos ganar sin vuestra ayuda! ¿Qué es, pues, lo que queréis hacer o destruir?

—¡Nunca le he pedido que me amase! —exclamé acalorada.

—¡Por Dios, Gracia, cuánto os conoce!

—No, ¡soy yo quien le conoce a él! Su motivo no es la lujuria; pasará el verano aquí porque está esperando que el arzobispo de Canterbury se muera.

—Una buena excusa. ¿Cuál es la vuestra?

Dicho esto, desapareció en el bosque.

Becket y Enrique el Joven partieron dos días después para vivir en la residencia de Becket en Bayeux. Aunque mi hijo lloró al despedirse, se sentía muy unido a Becket.

Enrique y yo iniciamos nuestro «idilio». Como de costumbre, se ocupaba de los asuntos de la corte, cazaba y esperaba a que Teobaldo falleciera. No parecía pensar en Aquitania.

No obstante, las misivas que mi tío me enviaba a diario de Poitiers indicaban que mi situación era buena y seguí de cerca el estado de mi ducado, tal como había hecho cuando estaba en Francia. Amaria fue a Aquitania para ver a sus hermanas y le hice varios encargos para satisfacer mi curiosidad. A su regreso me informó que los barones recorrían los caminos con el mismo brío de siempre y que los enfrentamientos habían sido escasos. Rancon se había enclaustrado en Taillebourg; se rumoreaba que su esposa estaba moribunda.

23

Tal como había previsto, la muerte del arzobispo Teobaldo de Canterbury puso un fin repentino al interés de Enrique por la vida doméstica. Pidió a Becket que regresara de París, donde estaba pasando una temporada con Enrique el Joven, para encontrar a un sustituto.

Enrique el Joven, que había cumplido seis años, hermoso como un ángel en la silla de montar, de complexión fornida, iba sentado con la cabeza ladeada; daba órdenes a los sirvientes como un déspota en miniatura.

Bajé corriendo por la escalera.

—¿Os habéis divertido en París, querido?

—Oh, sí, mamá. Padre me llevó a cantar con el coro de Notre-Dame.

«Padre» era Luis.

—¿Y visteis a vuestras hermanas?

Frunció el ceño, perplejo.

—¿Os referís a la princesa Alais? Es la hermana de Magarida, no la mía.

—Margarita —corregí—. Me refería a María y Alix, vuestras hermanas mayores.

—No son mis hermanas.

—Más que la princesa Alais, ya que soy su madre.

Aquello no le interesaba. Miró a Ricardo.

—Ahora soy duque y vos no. ¡Rendí homenaje a Padre en nombre de Normandía!

Rodeé los hombros de Ricardo con el brazo.

—También sois mayor, Enrique el Joven; Ricardo pronto será duque de Aquitania.

Intenté recordar si a la edad de Enrique el Joven también yo era tan arrogante.

Enrique hizo caso omiso de los dos niños.

—El arzobispo de Canterbury es el nombramiento más importante que jamás he realizado, Tomás, y necesito vuestro consejo. No quiero otro Teobaldo que se muestre intransigente con las leyes y costumbres de mi abuelo. ¡Nunca más un arzobispo que ponga la Iglesia por encima de mí!

—Absolutamente cierto, milord. Canterbury debe respetar las prerrogativas reales y no las de Roma; ya conocéis mi postura al respecto. ¿Habéis p-p-pensado en alguien?

—No necesitamos apresurarnos —replicó Enrique—. Mientras la sede no tenga arzobispo, la corona podrá recaudar los arriendos.

—E insistir en la ley secular —convino Becket sonriendo—. Acostumbrar a los monjes al gobierno del rey.

Acaricié los cabellos de Enrique el Joven.

—¡El nuevo arzobispo debe coronar a nuestro príncipe de inmediato! Luis está inquieto al respecto y, francamente, yo también.

Becket sonrió.

—Comparto vuestra preocupación por el chico y tengo una idea. Aunque tradicionalmente el arzobispo de Canterbury corona al rey, ¿no podríamos enviar un emisario al Papa solicitándole permiso para recurrir a otro arzobispo *in extremis*? Luego tendríamos toda la libertad que quisiéramos para designar al nuevo arzobispo.

—¡Hacedlo, Enrique! —grité—. ¡Que nuestro príncipe sea coronado!

Enrique me apretó el brazo.

—Hoy mismo enviaré un emisario al papa Alejandro. ¿Os hará eso feliz?

—Oh, sí, gracias. —Por primera vez en mucho tiempo, le besé la mejilla voluntariamente.

—El arzobispo de York podría hacerlo —me aseguró Becket—. Quizás el rey debería escribirle.

El papa Alejandro dio su conformidad de inmediato, aunque esperaba que su amado rey acelerara cuanto pudiera el nombramiento de Canterbury.

Por otro lado, escribió, Enrique debía recordar que la elección del arzobispo recaía en los monjes, aunque era libre de sugerir sus preferencias.

—Me encargaré de que voten a mi hombre —prometió Enrique con aire risueño y despreocupado.

Becket regresó a Bayeux con Enrique el Joven; Enrique llevó a nuestra familia a Falaise para pasar allí el invierno con su madre. Nos estábamos convirtiendo en una unidad doméstica fija.

No sabía nada de Rancon.

No es fácil enviar mensajeros durante las ventiscas invernales, pero en cuanto llegó el deshielo primaveral, envié un correo: «Para Rancon, barón de Taillebourg, saludos. Espero que todo vaya bien, mi señor, y que sigáis desempeñando vuestras funciones como mi capitán en Aquitania. Os ruego que enviéis vuestra respuesta con mi mensajero, quien esperará cuanto sea necesario.»

La respuesta fue rápida: «Leonor, duquesa de Aquitania y reina de los ingleses, os presento mis respetos: hasta que me indiquéis lo contrario, seguiré ocupándome de vuestros asuntos militares así como del comercio. Tal como comprobaréis en los informes adjuntos, la cosecha de vino ha sido excelente, al igual que la producción de queso y sal. El tiempo ha sido benévolo; no ha tenido lugar ninguna batalla importante.» Había varias páginas de informes, la mayoría de los cuales ya había recibido de mano de mi tío, en Châtellerault, y del arzobispo de Burdeos. No había ningún mensaje personal ni pregunta alguna sobre Ricardo. Intenté que no me afectara.

Pasamos esa primavera en Falaise. Llevaba muchos años casada con Enrique, pero era la primera vez que le consideraba parte de mi vida, aunque mis sentimientos hacia él seguían siendo los mismos. En cambio la actitud de Rancon para conmigo sí que había cambiado. Me esforcé, y lo conseguí en cierta medida, para no pensar al respecto. Posiblemente Enrique no fuera peor que la mayoría de los maridos y mejor que muchos: su idea de la vida doméstica consistía en cazar desde el alba hasta el crepúsculo y, aunque mataba muchos animales, solía regalar gran parte de la caza. Leía a la luz de las velas de sebo hasta bien entrada la noche, traía a eruditos de todas partes de Europa para que le instruyeran, y consultaba a los mensajeros de su vasto imperio. Abandonó todo atisbo del sentimentalismo que había mostrado en Domfront y visitó mi lecho las noches que no estudiaba o, probablemente, no compartía la cama con su amante Belle-Belle, que se había instalado en la aldea. Aunque era un padre alegre con nuestros hijos y la emperatriz Matilda nos adoraba a todos, era muy diferente de la vida familiar en Poitiers, con mi padre y mi madre, mis numerosas tías y primas; recordaba juegos y fiestas casi a diario, canciones y alegría.

En una de esas raras ocasiones en que la familia estaba junta, holgazaneando junto al río, Enrique se tumbó sobre la hierba y nos informó que tenía que decirnos algo importante. Me inquieté; la política era el único tema sobre el que hablábamos.

—Voy a nombrar a Tomás arzobispo de Canterbury —dijo.

Los chillidos de las gaviotas se entremezclaban con los gritos de los niños.

—¿Se supone que debo reírme? —inquirió la emperatriz Matilda con incredulidad—. ¡No me hace ninguna gracia, Enrique fitzEmperatriz!

—No me convenceréis de lo contrario, madre.

—Dado que recuerdo que nombrasteis a ese presumido en una ocasión a pesar de nuestras protestas y, vistas vuestras falsas promesas, ni siquiera lo intentaré. Pero francamente os diré que sois un idiota, Enrique fitzEmperatriz.

Enrique habló con voz sepulcral.

—Quizá sea un idiota, pero también soy rey.

La piel me escocía por el calor del verano.

—No será la primera vez que un idiota lleve la corona. Becket no es sacerdote ni monje y, por lo tanto, no está cualificado para tal cargo. Los monjes de Canterbury no le aceptarán.

—¿Qué pensáis, Gracia?

—¿Por qué no le dejáis aquí, donde cumple bien con sus funciones? Aunque yo tampoco estuve de acuerdo con su nombramiento como canciller, ha demostrado ser competente.

—¿Quién ha dicho que dejará de ser canciller?

—¡Pero debe ser así! —respondí—. ¿Cómo es posible que represente a la corona y a la Iglesia a la vez?

—Sabe solucionar las contradicciones. Canterbury acatará las leyes de mi abuelo al igual que el resto de los súbditos. —Se sentó con la espalda erguida—. Deberíais alegraros... coronará a Enrique el Joven.

De repente me puse en guardia. ¿Me «tentaba» con la coronación de mi hijo para ganarse mi consentimiento? Estaba segura de que Enrique había estado urdiendo la estratagema desde que anunciaron la inminente muerte de Teobaldo.

—¡Ricardo, no vayáis tan lejos! —Estaba cerca de la corriente. Entonces vislumbré la verdad: ¿Me había «tentado» Enrique con la vida doméstica y el amor para esperar este momento? Como Rancon había dicho, me conocía demasiado bien y me sentí avergonzada. ¿Cómo podía haber sido tan vulnerable?

—Me entregará los arriendos, hará respetar las leyes de vuestro padre, madre, y me protegerá de los dictados de Roma. —Ésa era la «tentación» que le ofrecía a su madre.

Mientras la emperatriz Matilda discutía el asunto, pues a ella no era fácil convencerla, Enrique me observaba.

—No habéis respondido, Gracia.

Sonreí con picardía.

—Yo diría que es un nombramiento perfecto, Enrique. No importa si no es sacerdote o monje ni si cree o no cree en Dios. Tiene un olfato excelente y sabe husmear a los demonios, que es lo que siempre habéis querido.

Enrique soltó una carcajada.

—¡Cuán bien me comprendéis!

Desafortunadamente, apenas había comenzado a comprender su postura. A Dios gracias, Aquitania todavía estaba intacta... ¿por qué no había hecho caso a Rancon?

Una semana después Enrique se lo comunicó a Becket, a quien nunca había visto tan entusiasmado, aunque ofreció los mismos motivos que la madre de Enrique en contra de su propio nombramiento; le preocupaba el hecho de que los monjes de Canterbury no le aceptaran.

—¡Tonterías! —gritó Enrique—. Teobaldo ha condicionado a los monjes para ponerlos en mi contra... Jamás permitiré que elijan al nuevo arzobispo de entre los suyos.

Becket me llevó a un lado.

—¿Sabe lo que me está of-f-freciendo?

—¿Sois consciente de lo que os está pidiendo? —repliqué.

—S-sí, jamás le fallaré.

—Siempre y cuando su oferta y vuestra comprensión de la misma sean lo mismo.

—Sois demasiado sutil, milady.

«No, no lo soy», pensé. Por suerte, Canterbury no entraba dentro de mis preocupaciones; lo más probable es que vería menos a Becket, un aspecto positivo. Y lo que era más importante, una vez coronados Enrique el Joven y Margarita, podría disponer lo necesario para que Ricardo tomase el juramento de duque. ¿Debería escribir a Rancon?

Becket se preparó para marchar a Inglaterra de inmediato con Enrique el Joven. Planeamos presentar el niño a los barones para que dieran su consentimiento; luego enviaríamos a Margarita y después llegaría la coronación.

Enrique el Joven explicó tal honor a su esposa.

—Voy a Inglaterra para convertirme en rey, Margarita.

—Creía que vuestro padre era el rey.

—Mi padre me hará rey.

—¿Cómo?

—Pidiendo a los barones que me acepten.

Su «padre» era Becket.

—¿Y qué será del rey Enrique? —inquirió Margarita con toda razón.

—Gobernará Aquitania.

Se me heló el corazón.

Gracias a los preparativos de nuestro justicia mayor, Ricardo de Luci, todos los planes salieron bien en Inglaterra. Los barones aceptaron a Enrique el Joven, y los monjes de Canterbury aceptaron a Becket a regañadientes, porque vieron con claridad la estratagema de Enrique. Enrique el Joven, como rey electo, también dio su consentimiento para que Tomás fuera nombrado arzobispo.

El sábado previo a Pentecostés, Tomás Becket se ordenó sacerdote, a pesar de que nunca había estudiado las órdenes sagradas; dos días después fue consagrado arzobispo de Canterbury.

En Falaise, Enrique y yo brindamos por motivos distintos, él por el nombramiento y yo por nuestro hijo, y entonces pensé que había llegado el momento de partir hacia Aquitania.

Estaba resuelta a ver a Rancon.

Escasas horas antes de la partida llegó un mensajero de Inglaterra con dos misivas. Enrique abrió primero la de Becket: devolvía a Enrique el Gran Sello de Inglaterra y dimitía como canciller: no podía servir a dos señores a la vez.

—¿Quién es el otro señor? —gritó Enrique, desconcertado.

—¿Os acordáis de Dios?

—¡Pero no como el señor supremo de Becket!

—Abrid el otro paquete.

Era de Ricardo de Luci y venía repleto de alarmas: el duque de Clare informaba que Becket había reclamado arriendos y tierras que el rey había entregado a Clare a cambio de varios favores especiales.

—¿Qué favores? —inquirí, perpleja.

—Esperad, hay más. —Becket había tomado el castillo de Enrique en Rochester y había despedido a cientos de empleados que trabajaban para el rey; había confiscado tierras en Kent para obtener más arriendos para las arcas de la sede.

—Y no dice nada de la coronación de Enrique el Joven —grité—. Debéis llamarle la atención, Enrique. ¡Esto es muy grave!

—Preparad a los niños; partiremos hacia Inglaterra.

Mis preocupaciones por Aquitania se desvanecieron; proteger los intereses de mis hijos me inquietaba mucho más. Zarpamos al día siguiente.

Southampton estaba envuelta en niebla. Enrique fue a buscar a Becket abajo, mientras yo protegía a mis hijos y a los miembros del séquito para no caer sobre la resbaladiza tablazón de cubierta. Cuando logramos avanzar un poco, Enrique ya estaba en el muelle, hablando con Becket.

—¡Veo a mi esposo! —exclamó Margarita.

Enrique el Joven estaba acurrucado entre los pliegues de la resplendente capa de piel de Becket. Bajamos con mucho cuidado por los tablones.

Me incliné para abrazar a mi hijo.

—Saludos, hijo. Estáis hecho un hombrecito.

Me sonrió y dejó entrever unos dientes nuevos en el rostro demacrado.

—Saludos, mamá; voy a ser rey.

—Seguro.

—Mirad, Enrique el Joven, tengo una espada nueva y es de acero de verdad. —Ricardo le dio una palmadita en el hombro a su hermano.

—Tengo diez espadas de acero más grandes que ésa —replicó Enrique el Joven con desdén.

Me erguí.

—Os saludo, arzobispo Tomás.

—Milady. —Me besó la mano con frialdad; su rostro refulgente daba a entender que ya no me necesitaba en su nuevo mundo; yo era el enemigo, una mujer. Se trataba de una actitud que conocía de sobra.

Esa misma noche, en Winchester, le pregunté a Enrique:

—¿Cómo se justifica?

—¿De qué delito?

Comencé a irritarme.

—De no coronar a Enrique el Joven, por supuesto.

—Ésa es una pequeña porción de un asunto mucho más grande, es decir, de su dimisión como canciller. Asegura que el cargo ya no es necesario.

—¿Y es cierto?

—No es necesario a diario —admitió—. Naturalmente, necesito a un canciller que represente mis intereses seculares.

—Quizá Becket ya no se considere secular.

Me miró de hito en hito.

—¿Cómo lo sabíais? No hace más que hablar de tonterías beatas sobre su devoción hacia Dios y sus eminentes representantes en Roma.

Aquello me recordaba a Bernardo de Claraval.

—Cuidado, Enrique, Becket ansía el poder absoluto.

—¿Estáis sugiriendo que quiere ser el Papa?

—Por cuanto ha hecho hasta ahora, yo diría que desea controlar Inglaterra. ¡Creedme!

Enrique nunca se había interesado mucho por mis experiencias en Francia con Suger y Claraval, pero ahora me escuchaba atentamente.

—Entiendo. Y Enrique el Joven es su rehén.

—Si no fuera así, ¿por qué iba a perder el tiempo? Os cree impotente por el niño.

—Por la mañana le ordenaré que corone al niño de una vez por todas. Si se opone le habré desenmascarado. ¡Maldito traidor!

Sin embargo, por la mañana Becket había regresado a Canterbury con Enrique el Joven.

—¡Por Dios, le demostraré quién es el rey! ¡Ensillad los caballos! —bramó Enrique.

—No le sigáis —le advertí—. Sed astuto, Enrique. Hacedle llamar; forzadle a que os desobedezca abiertamente.

Enrique se calmó de inmediato.

—Debería nombraros mi canciller; vuestros consejos son excelentes.

Excelentes para Enrique, quizá, pero contrarios a mis deseos porque quería poner fin a esa lucha y regresar a Aquitania. Escribí a Rancon que el hecho de que a Enrique le preocupara el arzobispo nos permitiría un encuentro fugaz en Tintagel, donde hablaríamos sobre nuestras diferencias, si es que podía venir a Inglaterra; sin embargo, antes de que enviara la carta, Enrique anunció que nos estableceríamos en Clarendon.

Una vez allí, Enrique convocó a los eruditos para que le enseñaran las leyes inglesas, las recopiló por escrito y las llamó las Constituciones de Clarendon. De este modo, Enrique se acurrucaba bajo un arbusto y esperaba el mejor momento para atacar. Mientras urdía tal plan, cabalgué con los niños por los senderos elevados de los bosques, con vistas a la antigua torre del homenaje sajona llamada Old Sarum.

Entonces recibí una carta de Rancon y me olvidé de Enrique y de Becket. Comprendía que el protocolo me obligara a darle más importancia a Enrique el Joven que a Ricardo, pero que debía hacer caso omiso de la jerarquía y regresar de inmediato a Aquitania con Ricardo. Aquitania ardía, y ni siquiera mi presencia apagaría las brasas si no actuaba con rapidez. ¿Ardía? ¿Dónde? ¿Quién era el responsable? Enrique no, desde luego, estaba conmigo. Releí la misiva, mas en vano. No había palabra alguna que denotara afecto.

¿Cómo podría reaccionar con rapidez? Mis mensajeros ni siquiera podían entregar la respuesta rápidamente, la cual era negativa, pues no iría a Aquitania. Odiaba a Becket por obligarme a permanecer en Inglaterra. También estaba enfadada con Enrique. Lo que con anterioridad había interpretado como prudencia deliberada por su parte, ahora me parecía vacilación pasiva. ¿Por qué debía presenciar todos sus movimientos? ¡La vida no era una partida de ajedrez!

—Comprendo vuestra estrategia, Enrique, pero, por Dios, sacad a vuestro hijo del tablero de juego. Coronad a Enrique el Joven.

—Intentad ver el cuadro completo.

—No hay nada más importante que la sucesión —le recordé mordazmente—, como bien deberíais saber.

Ese mismo día logré una alianza del todo inesperada. La emperatriz Matilda me escribió desde Normandía:

> Leonor, reina de los ingleses y apreciada hija, os saludo: debéis obligar al rey Enrique a que corone a su hijo sin más demora. Decidle que si no lo hace cometerá una locura peligrosa, tal como debería saber por experiencia propia. El asunto es igual de apremiante para vos, querida hija, por motivos diferentes. Sois una excelsa soberana, tanto como yo, pero ambas padecemos la lacra del sexo femenino. Sólo podemos gobernar en este mundo de hombres a través de nuestros hijos. Hacedme caso, Leonor, relacionaos con vuestros hijos; ocupaos de su educación, de su lealtad para con el país y su madre. Haced lo que os digo y seréis reina mientras viváis.

Excelente consejo, y un reflejo de lo que había observado entre ella y Enrique. No es que yo necesitase que me incitasen ni pensase en mi gobierno. Presionaba a Enrique a diario, jugaba con su irascibilidad y le obligaba a pensar en Enrique el Joven constantemente, pero era tan terco como Becket. Insistía en que lo que importaba eran las leyes, no la aplicación de las mismas, y se reunía con Becket en foros públicos muy a menudo, donde Becket prometía retractarse de su rígida postura. Becket pareció ceder hasta que añadió la exasperante advertencia de que obedecería «salvo en mi orden», es decir, en todas partes excepto en la diócesis de Canterbury, que incluía gran parte de Inglaterra.

—Os estáis ganando el desprecio de toda Europa —advertí a Enrique—. Ni siquiera Bernardo de Claraval se mostró tan desafiante abiertamente.

—Europa no me importa lo más mínimo, y supongo que os referís al pusilánime rey de Francia. Becket ha desobedecido las leyes del país y casi ha cometido traición. Si logro que caiga en una trampa legal, demostraré que ni siquiera un arzobispo está por encima de la ley.

—¿Demostrárselo a quién? ¡Sed valiente, Enrique!

Luchó por controlarse.

—Muy bien. He concertado otra reunión con Becket en Londres, donde ha prometido que acatará las leyes de mi abuelo. Si se niega esta vez, os prometo que actuaré.

Volví a escribir a Rancon ese mismo día que regresaría a Aquitania antes de lo que le había dicho. Luego me tragué mi orgullo, o mi cordura, y añadí: «Iré porque debo, no porque Aquitania esté en llamas. A mí me consume otro fuego.» Al mismo tiempo, me maldije por ser tan débil. ¿Es que acaso no había expresado con claridad cuál era su elección? Y es de todos sabido que el fuego del amor no se reaviva a partir de las cenizas. ¿Cuántas veces me humillaría a mí misma? ¿Durante cuánto tiempo sufriría esa pasión no correspondida a larga distancia? ¿Y a qué precio?

Preguntas para las que no tenía respuesta.

Enrique y yo acudimos a la reunión de Londres; una vez que se hubiera enfrentado a Becket partiría directamente hacia Aquitania con mis hijos. Al parecer, los monjes se negaban a que una mujer asistiese a una reunión eclesiástica y, en esta ocasión, Enrique accedió a sus deseos. Durante la reunión me senté con Ricardo y Matilda junto a la chimenea para enseñarles a jugar al ajedrez. Se retiraron y me quedé sola.

En cuanto Enrique entró en la sala, supe que Becket había vuelto a desafiarle.

—Que venga sir Joscelin —ordenó con brusquedad al paje.

Se sentó en silencio junto a mí e hizo crujir los nudillos. Enrique se incorporó de un salto al ver llegar al joven caballero.

—¿Sabéis cuál es el paradero del arzobispo Tomás de Canterbury?

—Sí, milord. Está en palacio, aquí en Londres.

—Id a palacio de inmediato. Decidle al arzobispo que me traiga a mi hijo Enrique el Joven.

Sir Joscelin vaciló.

—¿Traerlo cuándo, milord? ¿Por la mañana?

—Ahora mismo, y no toleraré demora alguna. —Cuando el caballero se hubo marchado, Enrique me miró a los ojos por primera vez—. He llegado al límite, Gracia.

—¿Os vais a servir cicuta?

—Voy a tirar de la pihuela. Nuestro amigo de altos vuelos ha olvidado que hay un halconero al cargo.

Mientras esperaba, me contó con todo lujo de detalles las transgresiones de Becket; con anterioridad, Becket había cuestionado cuáles podían ser las leyes del abuelo de Enrique, pero esta vez Enrique había presentado un documento escrito, las Constituciones de Clarendon, donde aparecían enumeradas todas las leyes y los precedentes.

—Las leyó; escribió que las aceptaría —me dijo Enrique—. «Acepto las Constituciones de Clarendon», afirmó frente a los monjes y añadió, «salvo en mi diócesis», ¡que es una buena parte de Inglaterra!

Cuando oímos la llegada de los caballos, ya había despuntado el alba. Becket entró con talante agresivo.

—¿Puedo preguntaros por qué motivo os atrevéis a sacarme de la cama, milord?

—¿Dónde está mi hijo? —replicó Enrique.

—Estoy aquí —dijo lloriqueando Enrique el Joven detrás de Becket—. Tengo sueño.

—Está asustado —añadió Becket.

—Os eximo del cuidado de Enrique el Joven.

—¡Mi hijo! —exclamó Becket—. P-p-pero no podéis hacerlo.

—Enrique el Joven no es hijo vuestro, Tomás —dije—. Os lo aseguro.

—Soy su padre espiritual. Lo p-p-pusisteis a mi cuidado para que le enseñase y quisiese.

—¡Le queréis de rehén! —le acusé.

—¿Rehén? ¿Rehén para qué? Juro que sólo velo por sus intereses.

—Entonces, ¿por qué no lo habéis coronado?

—Lo haré... ésa es mi intención.

—Quizá cuando tenga barba cana —dijo Enrique—. Habéis demostrado que vuestras intenciones se las lleva el viento.

Becket se arrodilló junto al niño.

—Decidles lo que queréis, Enrique el Joven. No temáis... sed honesto.

—Quiero quedarme con padre Becket —anunció mi hijo.

Enrique sujetó al niño por los hombros.

—Estaréis con vuestro verdadero padre.

A Enrique el Joven le dio una pataleta propia de su padre verdadero.

—¡Dejadme! ¡Os odio! ¡Os odio! ¡Hacéis daño a padre Becket! —Le dio una patada a Enrique en la bota y le mordió la mano.

Con idéntica rapidez, Enrique le abofeteó con fuerza y luego le empujó hacia donde estaba yo.

—¿Es ésa la idea que tenéis de guía espiritual? —le gritó a Becket—. ¿Cómo os atrevéis a poner al príncipe en mi contra?

—¡Que el Señor os perdone! —bramó Becket.

—¡Mejor será que pidáis perdón para vos, hipócrita! Ahora marchaos, antes de que también os golpee a vos.

Becket, pálido como un fantasma, se arrodilló junto al príncipe.

—Calmaos, querido; el Señor siempre está con vos, y yo también en espíritu. Nadie puede separarnos.

—Yo sí —le recordó Enrique—. ¿Es necesario que avise a la guardia?

—Me marcho. —Becket se incorporó—. Rezaré a Dios para que os perdone por apartarme del niño. —Para mi sorpresa, vi que los ojos se le llenaban de lágrimas. Se volvió hacia mí—. Sed misericordiosa con él, milady Leonor. Vos tenéis buen corazón.

—Oh, Tomás —terció Enrique con su familiar tono jocoso—, será mejor que busquéis refugio en la residencia del arzobispo. Os revoco todos los privilegios que teníais como canciller. El palacio de Londres, las propiedades de Eye y Berkhampstead, la flota, la armadura y los caballos, la bodega y el guardarropa serán restituidos a la corona.

Quizá Becket amara a Enrique el Joven, aunque yo lo dudaba, pero esas pérdidas le desgarraron por dentro. Pensé que se iba a desmayar.

—E-Enrique, milord, esas propiedades me fueron entregadas a perpetuidad y yo...

—Las sacrificasteis cuando decidisteis que no seríais mi canciller perpetuo. Estoy esperando a que os marchéis.

Becket volvió a mirar con ternura a Enrique el Joven y luego salió de la sala. Enrique cerró la puerta.

—¿Podéis prepararlo todo para que partamos antes de una hora? —me preguntó.

—Por supuesto. ¿Adónde vamos?

Se rió durante unos instantes.

—¿Qué os parece pasar la Navidad en nuestras nuevas propiedades de Berkhampstead? ¿Creéis que podemos permitirnos semejante lujo?

Avanzamos lentamente bajo la intensa lluvia invernal y llegamos a Berkhampstead al anochecer. Los niños más pequeños y Margarita habían ido en un carro protegido con barriles engrasados, pero Enrique el Joven, Ricardo y Matilda habían trotado sobre los ponis a mi lado. Todos estaban empapados hasta los huesos y helados, pero no se quejaban. Aunque Berkhampstead se consideraba una casa solariega, nos pareció tan grande como una catedral bajo la intensa lluvia.

Los caballeros aporrearon la enorme puerta de roble.

—¡En el nombre del rey, abrid!

Al poco, los portales se abrieron lentamente y Enrique entró montado en el caballo empapado. Desmonté de inmediato y le seguí.

—Una casucha digna del hijo de un pasante de banca —dijo, y acto seguido fue a mi encuentro, sobre una gruesa alfombra oriental—. Hoy nos hemos hecho ricos, Gracia.

Los sirvientes, atemorizados, aparecieron en la penumbra.

—¡Traed antorchas! —ordenó Amaria.

—¡El administrador! —grité.

Un hombre bajo y gordo se inclinó ante mí.

—Preparadnos una cena caliente y mostradme las alcobas de la planta de arriba.

Le dije a los niños y a los sirvientes que me siguieran escaleras arriba, donde prepararíamos la sala de los niños.

—No dormiré en la sala de los niños —anunció una voz débil e imperiosa a mis espaldas.

Me volví.

—¿Debo llevaros como si fuerais un bebé, Enrique el Joven?

—¡No soy un bebé! Dormiré en las dependencias de mi padre, como corresponde a mi condición.

Enrique lo alzó en peso y subió corriendo las escaleras. Lo dejó en lo alto.

—En lo sucesivo obedeceréis a vuestra madre. Es más, los barones os habrán aceptado, mas yo no. Un príncipe debe ganarse la sucesión. Lo digo en serio, Enrique el Joven.

—¡Os odio! —refunfuñó el niño.

Cenamos taciturnos en compañía de nuestros caballeros, Amaria y mis ayudantes, Matilda, Enrique el Joven, Margarita y Ricardo. Los niños más pequeños y las niñeras ya estaban en la planta superior. La mesa estaba bajo un tejado emplomado, y el repiqueteo de la lluvia imposibilitaba la conversación. Enrique el Joven jugueteó con el plato y se negó a comer. Su padre sorbió la sopa con gravedad. Al cabo de un rato excusé a los niños; los demás nos retiramos a la sala principal, donde escuché cuál sería la táctica a seguir con Becket. Una hora después subí las escaleras en silencio y me detuve en la puerta para observar a los niños.

El pequeño Godofredo estaba despatarrado sobre una silla y parecía un dragón esculpido; Margarita, todavía vestida, dormitaba en una de las camas; la pequeña Leonor dormitaba en una cuna; Ricardo y Matilda estaban en cuclillas sobre la alfombra, donde habían vaciado varias cajas de caracoles que Matilda llevaba siempre consigo. Enrique el Joven, sujetándose del pilar de la cama, les observaba.

—Este cuadro rojo será el principado de Antioquía, donde luchó nuestro tío abuelo Raimundo —le explicó Ricardo a Matilda—. Mi ejército vendrá por el mar.

Colocó una hilera de caracoles a lo largo de una irregular cenefa verde esmeralda.

—El caracol grande será Raimundo. —Matilda vació otra caja en la alfombra.

—¡Qué juego más estúpido! —se burló Enrique el Joven—. Los caracoles están muertos.

Matilda alzó la mirada.

—¡No es verdad! Sólo están fríos.

Enrique el Joven pisoteó la hilera de caracoles.

—¡Ahora sí que están muertos!

—¡Sois malo! —Matilda se incorporó e intentó pegarle.

Enrique el Joven recogió los caracoles restantes y se los colocó sobre las yemas de los dedos.

—¡Mirad qué uñas más grandes tengo!

Matilda empezó a llorar.

—¡Parad!

—¡No podéis conmigo! —Agitó las manos frente a ella.

—¡Yo sí que puedo con vos! —Ricardo golpeó a su hermano en la nariz.

Enrique el Joven se tambaleó, pero Ricardo no podía competir con alguien que le sacaba una cabeza. Al cabo de unos instantes, Enrique el Joven le había tumbado en el suelo.

—¡Haréis lo que os diga!

—¡Jamás!

—¡Ya veremos!

Mientras le retorcía el brazo, Enrique el Joven se apartó la túnica y mostró su miembro desnudo.

—Chupadme la polla, Ricardo. ¡Vamos, chupádmela! —Le retorció el brazo con más fuerza y le acercó la cabeza—. Estoy esperando. ¡Chupádmela!

Derribé a mi hijo mayor de un solo golpe.

Me miró ultrajado desde el suelo.

—¿Cómo os atrevéis a pegarme? ¡No sois más que una mujer!

Le pateé en las costillas con la bota.

—Disculpaos.

—¡Mujer! ¡Mujer!

Le pateé una y otra vez.

—¡Disculpaos!

Intentó zafarse, pero le pisé los rizos rubios.

—¡Disculpaos!

—¡Me hacéis daño!

Levanté la bota.

—¡Lo siento! —chilló.

—Ahora a Ricardo. ¡Decidle que lo sentís!

—¡No os molestéis! —gritó Ricardo—. ¡Nunca le perdonaré! ¡Es malvado!

Para cuando Enrique el Joven hubo pedido disculpas, el dolor ya le había debilitado.

Esa misma noche le conté a Enrique lo sucedido.

—¡Ya me encargaré de acabar con esa arrogancia! ¡Maldito sea Becket!

Ninguno de los dos trató temas más preocupantes.

—Dejadme que me ocupe de él, Enrique; le haré entrar en razón.

Después de la peor Navidad que recuerdo nos marchamos siguiendo caminos diferentes: Enrique hacia Woodstock y los niños y yo hacia Northampton, un castillo remoto.

Para mis hijos, la inhóspita aproximación sobre inmensas planicies y ríos helados era como una aventura. Les gritaban a las ovejas, que tenían la lana recubierta de hielo, saludaban a los pastores y aseguraban que oían lobos por la noche. El castillo les asombró incluso a lo lejos por lo enorme que parecía perfilado contra el horizonte; luego, mientras dejábamos atrás la muralla circular, les deslumbró por el parque de ciervos. Northampton, construida con piedra de sillería, era nuestra mejor fortaleza; también era nuestra residencia más cómoda y acogedora. La casa, rodeada de un agradable robledal, estaba formada por una antigua estructura de estancias pequeñas de techo bajo, perfectas para mantener el calor, sobre todo desde que habían añadido chimeneas modernas.

Cada niño tenía su propio gabinete, lo que aislaba a Enrique el Joven. Pronto establecí una rutina: Enrique el Joven acompañaría todos los días al maestro de caza, hiciera el tiempo que hiciera, mientras yo enseñaba a los otros niños. Cuando el príncipe regresaba por la tarde, con los ojos brillantes y las mejillas rojas, cantábamos y recitábamos poemas. Tras la cena, si todavía estaban despiertos, jugábamos.

A medida que crecían, los niños olvidaron las diferencias de rango y se desvanecieron las rivalidades entre ellos. Enrique el Joven volvió a ser el niño cariñoso que yo quería y me sentí aliviada al ver que se mostraba muy amable con su joven y bella esposa, Margarita. Se tornaron inseparables. En cuanto a mí, a pesar de las responsabilidades como madre y maestra, pasaba mucho tiempo sola. Independientemente de las presiones políticas y del distanciamiento personal, el silencio de Rancon era del todo inexplicable. Nunca se había apartado de mí. Me reproché el que cada vez más me pareciera a Luis, pero no pude evitar preguntarme si Rancon habría encontrado a otra mujer. Al fin y al cabo era viudo, atractivo... Y cuando no sufría por la pérdida personal, me preocupaba por Aquitania. ¿Acaso Rancon estaría tan inmerso en la batalla que no tenía tiempo para escribirme?

Entonces recibí una exultante carta de Enrique: finalmente había logrado atrapar a Becket en una infracción legal. Un hombre llamado Juan el Mariscal había citado a Becket para un juicio civil sobre arriendos, y el arzobispo no se había presentado. Había cometido desacato al tribunal, lo que otorgaba a Enrique el derecho a juzgarlo ante un concilio de obispos. Convocó el concilio en Northampton.

Arrojé la carta al suelo. Santo Dios, después de todo el tiempo empleado en reformar a Enrique el Joven no comprendía por qué Becket debía aparecer de nuevo en su vida, sobre todo tratándose de otro enfrentamiento con Enrique. Estaba confusa.

24

Enrique me saludó afectuosamente. Luego saludó a los niños, pero con cierta indiferencia —pensé que quizá no recordara sus nombres, aunque se sabía los de sus setenta perros de caza—, salvo a Enrique el Joven. Miró al niño con frialdad.

—Os sentaréis a mi lado durante el juicio de Becket —le informó.

—No —repliqué—. Desconoce el caso. ¿Por qué recurrir a la crueldad?

Enrique arqueó las cejas.

—¿Crueldad? Llamó «padre» a Becket y pateó a su verdadero progenitor. Que sepa con todo lujo de detalles quién es ese arzobispo criminal.

Rodeé el hombro del príncipe con el brazo.

—Entonces me sentaré junto a él.

Enrique sonrió con desenfado.

—Os habéis anticipado; necesito vuestro apoyo.

Cuando Becket llegó con un séquito de cuarenta personas, Enrique le envió fuera del castillo para que se albergase en el monasterio cluniacense, apenas habitable, lo que suponía un duro golpe para su dignidad. Excelente comienzo.

La mañana de la vista, Enrique el Joven y yo nos abrigamos con pieles para soportar el frío húmedo de la capilla donde nos congregaríamos. A diferencia del salón principal, la sala estaba expuesta a los vendavales del norte, y el suelo de piedra solía estar repleto de charcos de nieve derretida. Cuando Enrique el Joven y yo nos sentamos en el estrado de cara a los monjes, nos enfrentamos a una multitud de rostros azules, narices rojas y pies que daban patadas en el suelo. Tras una espera interminable, se oyó un susurro en la parte posterior y luego un grito ahogado.

Becket se arrastraba lentamente por el pasillo con una mitra enjoyada, un paño mortuorio episcopal de terciopelo y la pesada cruz de plata de Canterbury. Entonces el grito ahogado se hizo sonoro. ¡A pesar de todo el esplendor, Becket caminaba descalzo!

—¡Pan! —gritó alguien.

Era cierto, Tomás se había sujetado un mendrugo de pan en la manga, un símbolo para conjurar la muerte repentina, como si Enrique le hubiera colocado en una situación de peligro mortal.

—¡Por las pelotas de Cristo! —murmuró Enrique—. Ha olvidado los simios.

Exactamente lo mismo que había pensado yo.

Sin embargo, Enrique el Joven empalideció al ver aproximarse a su «padre espiritual», quien se sentó justo debajo de nosotros. Becket alzó la mirada, siniestra e hipnótica, y la clavó en el niño. Tomé a Enrique el Joven de la mano.

Tras las oraciones se incorporó un actuario para presentar el caso de Juan el Mariscal, que no había acudido. Cuando hubo acabado, Enrique intervino con un tono agradable: Becket había sido negligente al hacer caso omiso de la citación, pero no se le condenaría por tal infracción. Un suspiro de alivio recorrió la capilla cuando los obispos consideraron que el rey sería indulgente.

Enrique prosiguió, si bien en tono mucho más severo.

—Sin embargo, debo tratar otro asunto de suma importancia, milord arzobispo. Según los informes de las cuentas reales, gastasteis más de trescientas libras en vuestras antiguas propiedades de Eye y Berkhampstead cuando erais canciller. ¿Es eso cierto?

—No me habéis citado para justificar gastos. N-n-no lo recuerdo —tartamudeó Becket.

—Tengo las cifras exactas aquí. Que conste en acta que debe dicha cantidad a la corona y que exijo su pago. Pero eso no es todo. —Leyó de un rollo el coste de los setecientos caballeros de Becket durante la campaña de Tolosa y en la batalla contra el rey Luis en el Vexin, y dinero solicitado a los judíos en nombre del rey, una suma superior a los mil marcos.

—¡Ese dinero fue un regalo! —gritó Becket—. ¿Cómo podéis exigir que se devuelva lo que se ha regalado?

—Jamás dije que fuera un regalo —replicó Enrique—. Proseguiré: la diócesis de Canterbury careció de arzobispo durante más de un año, período durante el cual recaudasteis todos los arriendos y rentas públicas, cantidad que asciende a cuarenta mil marcos. Me debéis ese dinero.

Becket se puso en pie, con el rostro bañado en sudor.

—Ningún hombre podría restituir semejante suma.

—Yo sí —dijo Enrique.

—Pero yo no soy el rey.

—Me alegra que lo admitáis.

Se miraban de hito en hito.

—Necesito tiempo para preparar mi réplica —murmuró Becket.

—Y os lo daría si hubierais aceptado las Constituciones de Clarendon, puesto que mi padre concedía el tiempo que solicitáis, pero rechazasteis sus leyes. Por lo tanto, procederé según la costumbre actual; que decidan los obispos.

Becket se volvió abruptamente hacia los presentes, que se apiñaban a su alrededor.

—¿Estáis bien? —pregunté a Enrique el Joven.

Tenía los ojos húmedos, pero no lloró.

Le apreté la mano.

De repente, el obispo de Worcester se apartó del grupo.

—Mi señor rey, no podemos juzgarle con imparcialidad. El arzobispo ha amenazado con excomulgarnos si votamos en su contra.

El obispo de Londres se sumó a la protesta.

—¡Quiere excomulgar a los hombres de Dios cuando ni siquiera ha administrado la Eucaristía!

—¡Y ha pedido ayuda al Papa! —gritó otro.

Enrique se incorporó de un salto.

—¿Al Papa? ¡Eso es traición! ¡Las Constituciones prohíben la coacción! ¡No por excomunión ni por acudir al Papa sin consultar al rey!

—¡Traición! —Gritaron al unísono.

Becket parecía angustiado.

—¡Mañana! ¡Dadme hasta mañana para presentar mi réplica!

Enrique volvió a sentarse.

—Mañana. Soy un hombre justo.

La reunión se disolvió. Llevé a Enrique el Joven por el patio y luego hasta los aposentos de la planta superior, donde los otros niños miraban lo que ocurría por la ventana.

—Están arrojando estiércol de caballo a vuestro padre —le dijo Ricardo a Enrique el Joven.

—¿Dónde? ¡Dejadme ver!

Observé desconcertada a Ricardo y me coloqué detrás de ellos para mirar hacia el patio.

Becket, con la cruz en alto, avanzaba lentamente sobre los adoquines. Los obispos, enfurecidos, le arrojaban juncos y, sí, era cierto, estiércol de caballo.

—¡Traidor! ¡Mentiroso!

Becket se volvió, pálido.

—¡Si tuviera una espada os enseñaría quién miente!

—¡Catamita!

Enrique el Joven se apoyó en la pared, como si estuviera a punto de desmayarse. Le sujeté de los hombros; temblaba como una hoja.

—Respirad hondo —ordené.

Me miró con ojos siniestros.

—El rey le quiere muerto, ¿no?

—¡Por supuesto que no! Es una cuestión de leyes, pero...

Corrió hacia su gabinete.

A la mañana siguiente todos estábamos preparados para presenciar el desenlace de aquel drama. Pasó una hora tensa, luego otra. De repente, Enrique se incorporó de un salto.

—¡Enviad un guarda al monasterio!

El guarda regresó al poco.

—No he podido encontrarle, milord; él...

—¡Cerrad los puertos! —Enrique bajó del estrado de un salto—. ¡A por él! ¡Recompensaré a quien le atrape!

Durante el tumulto subsiguiente volví a llevarme a Enrique el Joven. En esa ocasión no nos apiñamos junto a la ventana porque una intensa lluvia impedía la visión. Siguió lloviendo durante tres semanas, como si Dios hubiera dispuesto otro diluvio para ayudar a escapar a Becket. A la cuarta semana supimos que el arzobispo había llegado a la Europa continental; tanto el rey Luis como el Papa le respaldaban. Y no eran los únicos. Nobles de Francia, Flandes e incluso Anjou y Maine se unieron para apoyar a Becket y desafiar a Enrique.

—Así que el tiburón se ha introducido en la red del atún —comentó Enrique—. ¡Adiós y hasta nunca!

—Salvo para la coronación de Enrique el Joven.

—Ah, sí, eso. Tendrá que aplazarse. En cuanto a mí, partiré hacia Gales para luchar contra los hombres de blanco que viven en los árboles, unas vacaciones después de todo por lo que he pasado. —Se volvió al llegar a la puerta—. Lo que me recuerda que os enviaré a Angers para que veléis por nuestras propiedades. No quiero estar en Europa con Becket.

Y Rancon. Habría besado al arzobispo por haberme concedido esa oportunidad.

—Partiré de inmediato con los niños.

—Llevaos sólo a los mayores. No será una estancia prolongada; quiero que regreséis en primavera.

—Dejaré a los bebés con mi hermana, en Winchester.

—Dejadle también a Enrique el Joven. Quiero ocuparme de él personalmente.

Comencé a protestar, pero luego me lo pensé mejor. Petronila era amable con todos los niños y tal vez fuera prudente que Enrique el Joven no estuviera en compañía de Ricardo. El príncipe todavía odiaba a su hermano; no sabía qué sentía Ricardo, pero percibía cierto recelo.

Sin embargo, cuando se lo expliqué a Enrique el Joven, empezó a lloriquear amargamente.

—Queréis a Ricardo y a mí no.

—¡Eso no es cierto! Sabéis que os quiero, lo sabéis. Por Dios, Enrique el Joven, cuando vuestro hermano mayor Guillermo falleció y sólo os tenía a vos...

—Lo sé, mamá, pero odio tener que estar lejos de vos. Me queréis, pero el rey no.

—Sí que os quiere.

Se secó los ojos en la túnica.

—No, no es verdad, ni tampoco quiere verme coronado.

—¿Por qué lo decís?

Su rostro de nueve años resultaba casi trágico.

—Vos siempre lo decís... él no. Padre Becket me dijo que me tenía celos.

Me quedé atónita.

—¿Cómo se atreve Becket a hablaros así?

—Se lo pregunté y me lo dijo. No lo hizo con malas intenciones, y me quería.

—Debéis olvidarle.

—Amo a padre Becket; siempre lo amaré.

—¿Y qué hay de vuestro padre verdadero, Enrique el Joven? ¿Lo amáis?

Otra vez el rostro de la tragedia.

—Sé que debo obedecer; mi futuro depende de él. ¡Ojalá estuviera muerto!

No repliqué. Por supuesto, hablaba con la hipérbole propia de los niños, y tanto Enrique como Becket habían cometido un grave error al incluirle como parte central de sus disputas. Recé para que nuestra estancia juntos le hubiese fortalecido.

Llegado el momento me di cuenta de que tenía sentimientos encontrados sobre el regreso a Europa después de tantos meses. Ansiaba partir, mas... ¿Debería informar a Rancon de mi llegada? Sin embargo, a quien escribí fue a mi tío Rafael.

Antes de partir, Enrique habló conmigo.

—Sé que es inútil que os pida que no vayáis a Aquitania.

—Efectivamente, es inútil.

—Pues cuando vayáis, haced llamar al conde Patricio de Salisbury y a su joven protegido, Guillermo Marshal, para que os acompañen. No cabalguéis jamás sin ellos; es una orden.

—Muy bien, si insistís...

—Insisto.

Antes de partir, Enrique prohibió la permanencia en Inglaterra a todos los parientes de Becket, sin importar el parentesco ni la edad. Tenían una semana para marcharse o, de lo contrario, morirían. Cuatrocientas personas hicieron frente a las tormentas que azotaban el Canal; nunca supimos cuántas sobrevivieron.

Enrique partió de Northampton con Enrique el Joven y los niños más pequeños, quienes se quedarían en Winchester; yo cabalgué hacia Southampton con Matilda y Ricardo. Una vez a bordo del *Esnecca*, permanecí junto a la borda, con la mirada perdida hacia el este; estaba impaciente por volver a casa.

Me guardaba un secreto: volvía a estar embarazada.

Me quedé en Angers apenas el tiempo necesario para cambiar de caballo, y luego partí hacia Aquitania acompañada de mis escoltas, tal como Enrique me había ordenado, pero nada acabaría con mi dicha. El conde era un hombre agradable y paternal que se tomaba muy en serio la misión de protegerme, al igual que el joven caballero Guillermo Marshal. Dado que habíamos partido tarde, decidimos pasar la noche en el castillo de los Lusignan antes de proseguir hacia Poitiers, por lo que no teníamos prisa alguna. Guillermo Marshal cantaba como el mejor de los trovadores mientras cabalgábamos por los senderos floridos. En cuanto cruzamos la frontera entre Anjou y Aquitania, se me levantaron los ánimos. El conde Patricio observó que el paisaje le parecía muy bello y que le recordaba a Sussex.

Los hermanos Lusignan no estaban en el castillo, pero su madre viuda nos dio la bienvenida. Todavía era de día; en el aire flotaba el aroma de la primavera y no pude resistir la tentación de dar un paseo. Patricio y Marshal aceptaron acompañarme hasta las colinas colindantes antes de la cena. Seguidos de algunos sirvientes, elegimos un estrecho sendero cercado de setos que conducía a un mirador con vistas al paisaje.

De repente, a nuestra derecha, dos caballeros de aspecto amenazante cargaron contra nosotros espada en mano. El conde Patricio y Marshal me cubrieron rápidamente.

—¿Quién va? —gritó el conde Patricio.

—¡Exigimos de rehén a la reina de Inglaterra!

Reconocí la voz.

—¡Hugo! —exclamé—. ¡Por Dios, me habéis asustado! Creía que hablabais en serio.

Hugo y su hermano Guido me miraron con frialdad.

Sonreí, contenta de verles.

—¿Os dijo vuestra madre dónde estábamos? Venid, cabalgad con nosotros.

¡Cómo había cambiado Hugo! Salvo por la calva, no hubiera reconocido el rostro enjuto, con arrugas y de nariz aguileña.

—¡Desmontad! —ordenó al conde Patricio.

—¡En el nombre del rey, envainad las espadas! —replicó Patricio sin moverse.

—Queremos a la duquesa.

—Tonterías, Hugo —dije con acritud—. ¿Qué os sucede? ¿Qué ganaríais con un plan tan absurdo?

Me miró con sus ojos oscuros y maliciosos.

—Venid por las buenas o tal vez acabéis malherida —amenazó Guido.

—Regresad conmigo al castillo —repliqué— y olvidaré este incidente.

Hugo amenazó al conde Patricio con la espada.

—Desmontad.

Me interpuse entre los dos.

—No os mováis, sir Patricio. Hugo, esto es traición.

—¿Traición? Ahora rindo homenaje al rey de Francia.

—Por lo tanto me rendís homenaje, ya que es mi señor supremo.

Avanzó con el corcel y presionó la punta de la espada contra el vientre del conde.

—¡Desmontad!

—¿Qué queréis, Hugo? —inquirí.

—Le diré a vuestro esposo lo que quiero —dijo.

—Permitid que me ocupe de esto, reina Leonor —interrumpió Patricio—. No vamos armados, señor. Debéis darnos la oportunidad de defender a la reina en las mismas condiciones. El código de caballería así lo exige.

Guido soltó una carcajada.

—Respetamos la caballería, ¿verdad, hermano? Que vayan al castillo a buscaros las armas.

El conde Patricio sujetó mi brida.

—La reina Leonor vendrá con nosotros; si perdemos en justa batalla, vuestra será. Os doy mi palabra de caballero.

Hugo volvió a tirar de mis riendas.

—La duquesa se quedará aquí y vos también. Que vuestros hombres vayan a buscar las armas.

La mirada del conde Patricio me advirtió del peligro.

—Como gustéis.

Los sirvientes, aterrorizados, se alejaron al galope.

—Hugo —supliqué—. Os ruego que reconsideréis lo que estáis haciendo. Sé que habéis perdido el apoyo de los vuestros, pero pensad en el futuro. ¿Por qué creéis que he vuelto a Aquitania? Os lo ruego, por los buenos tiempos que hemos pasado juntos, no cometáis esta tontería.

—¡Dejad de lamentaros!

Retrocedí al escuchar el tono teñido de odio de su voz. En el cielo, el sol quedó oculto por una nube y luego emergió de nuevo; las moscas mortificaban a los caballos, que agitaban las colas. Otra nube, una sombra. Finalmente llegaron los sirvientes, seguidos de monturas cargadas de armaduras. Iban en fila india entre los setos y, cuando llegaron, el conde Patricio y Marshal desmontaron.

—¡Ahí está! —dijo el conde Patricio con gran alivio—. Mi armadura va en el primer caballo.

Alzó los brazos para tomar la malla y, al poco, estaba armado, a excepción del yelmo. Hugo y Guido observaban en silencio. El conde Patricio, demasiado pesado como para montar con facilidad, se dirigió hacia Marshal para que le ayudara.

Entonces oí un golpe. Sentí una punzada en la mejilla.

—¿Qué...? —Una astilla ensangrentada me goteaba en el dedo.

Parecía increíble, pero la cabeza del conde Patricio le colgaba sobre el pecho. Un trozo de piel la sostenía, y sus ojos muertos me miraban.

Marshal alzó la espada.

—¡Cabalgad! —me gritó.

Antes de que me moviera, Guido le clavó una daga en el muslo.

—¡Cabalgad! —gritó de nuevo el caballero herido.

¡Golpeé el rostro de Hugo y huí! Me persiguió a caballo. Le clavé las espuelas al corcel.

—¡Corre! ¡Corre!

Estaba dentro del patio.

—¡Cerrad la poterna! —grité a los guardas—. ¡Detened a lady Lusignan!

Envié a mis mejores caballeros para que ayudaran a Marshal, pero tanto él como los Lusignan habían desaparecido sin dejar rastro. Lo único que encontraron fue el cadáver del conde Patricio.

Le escribí un mensaje a Rancon y le ordené que viniese de inmediato.

Esperé, nerviosa, sin saber qué era lo que más me preocupaba: Aquitania, el joven Marshal o la perspectiva de ver a Rancon. Al poco llegó un mensajero de Taillebourg; Rancon estaba en contacto con los renegados, quienes liberarían a Marshal a cambio de una recompensa. Si se la entregaba al mensajero, el propio Rancon realizaría el intercambio. Formé una guardia con soldados de mi tío y partí de inmediato hacia Poitiers, donde encontraría el dinero necesario.

A los pocos días Marshal regresó, muy débil puesto que no le habían curado la herida. Era tan cortés que le pregunté por su pasado: descendía de caballeros, no de la nobleza, y había ascendido gracias a las justas. Ya le había recompensado con un buen caballo y una armadura, pero se me había ocurrido otra idea.

—Si os place, Marshal, quisiera que fuerais el instructor militar de mi hijo mayor, Enrique el Joven.

Los ojos parecieron salírsele de las órbitas.

—¿El futuro rey de Inglaterra?

—El mismo.

Se mostró sumamente agradecido. Marshal estaba por tanto feliz y a buen recaudo, pero ¿qué era de Aquitania? El informe de mi tío Rafael fue más bien sombrío. Los enfrentamientos entre los barones, que al principio sólo habían sido agradables distracciones veraniegas, se habían tornado mortales ante la ausencia de un señor supremo. Los hermanos Lusignan estaban resueltos a hacerse con todo el ducado. Enrique se aprovechó de las batallas como excusa para someter a su voluntad a todos ellos, sirviéndose de métodos brutales.

—¿Cómo es posible? —inquirí—. Enrique nunca está aquí.

—Tiene mercenarios. Y les ha dado carta blanca.

—¿Serviría de algo que yo volviese?

Tardó mucho en contestar.

—Creo que aún os tienen un poco de afecto, pero vuestro matrimonio os compromete. Los barones no entienden por qué permitís que Enrique arrase vuestras tierras. Vuestra principal obligación debería ser vuestros súbditos.

Acepté su opinión con aparente estoicismo, pero en realidad estaba dolida. ¿Cómo era posible que alguien creyera que yo deseaba hacer daño en Aquitania? Ahora sabía por qué Rancon se había alejado de mí. Al menos eso creía.

No regresé a Inglaterra en primavera, que era lo planeado. Me quedé en Angers y me ocupé del ducado mediante los mensajeros, al tiempo que esperaba el nacimiento del bebé en octubre. Enrique todavía estaba en Gales y seguía enzarzado en la guerra política en Europa contra Becket a través de sus representantes. El arzobispo fraudulento todavía estaba resuelto a volver a Canterbury. Yo estaba en guerra contra todo, sobre todo con mi barriga, que me restringía la libertad. Al menos, el embarazo era una excusa perfecta para evitar un enfrentamiento con Rancon.

Entonces Enrique envió un mensajero con nuevas increíbles: ¡Luis había tenido por fin un hijo! Un hijo. Margarita nunca subiría al trono, ni tampoco mi hijo Enrique el Joven. Incliné la cabeza durante un buen rato. Al menos el Vexin seguía siendo nuestro.

La niña nació al fin, otra pequeña baya de acebo, y Ricardo y Matilda la llamaron Juana. Con Amaria realicé los ejercicios de siempre para recuperar la silueta al tiempo que preparaba la corte navideña. La fiesta de Natividad acababa de terminar y me había retirado a mi alcoba con Ricardo y Matilda para jugar al parchís junto a la chimenea.

De repente, Ricardo alzó la vista alborozado.

—¡Rancon está aquí!

—¿Dónde? —Me incorporé.

—Aquí —dijo Rancon desde la puerta.

—¡Rancon! —exclamé a duras penas.

—¿Habéis cenado? —Ricardo fue corriendo hacia él.

—Sí, ¿y vos? —pregunté.

—No, me había olvidado de la comida.

—Qué terrible perderse el ágape del día de Navidad —dije entrecortadamente—. Estoy segura de que nos quedan dulces y pasteles.

—Os traeré algo —se ofreció Ricardo, con aire desenvuelto.

—¡Yo también! —dijo Matilda con timidez.

Salieron corriendo y me quedé sola con Rancon. La última vez que lo había visto había sido en Domfront, cuando había desaparecido en el bosque.

—Tenéis otro hijo.

—Sí, una niña, Juana.

—Felicidades.

—¿No os apetece descansar junto al fuego? Debéis de tener frío.

—Gracias. —Se apoyó contra la chimenea.

Estaba tan cohibida como una jovencita. A Dios gracias, Ricardo y Matilda regresaron enseguida. Mientras Rancon comía, Matilda se abrazó a él y Ricardo se sentó a sus pies.

Rancon acarició la abundante cabellera de Ricardo.

—Os he echado de menos, Ricardo. Contadme vuestras aventuras.

Ricardo describió su conquista del mundo entero, ya que todavía era Alejandro Magno. Rancon le formuló preguntas intencionadas sobre las campañas; los dos estaban entusiasmados.

—¿No queréis saber nada de mí? —preguntó preocupada Matilda.

—Sois una hermosa mujercita.

Ella ladeó la cabeza.

—Tengo un pretendiente.

—No me sorprende. ¿Os gusta?

—Todavía no lo he conocido. Es mayor, pero muy amable.

—¿Quién es?

—Leo, duque de Sajonia.

—Ah, sabia elección. Tiene una biblioteca famosa.

Mientras Rancon escuchaba las proezas que le contaban los niños, mi entusiasmo dio paso a una terrible depresión. Había estado con Rancon desde la infancia; no necesitaba ser adivina para saber que ocurría algo. No se trataba de un distanciamiento fortuito.

Tras una eternidad, los niños se retiraron.

—Os he traído un regalo de Navidad. —Buscó a tientas dentro del morral.

Acepté un rollo grueso.

—¿Canciones trovadorescas?

—Una copia de vuestra genealogía junto a la de Enrique. Sois primos terceros, un parentesco más cercano que el que os unía a Luis.

—Conozco nuestro parentesco.

—Vuestros barones tienen la intención de disolver vuestro matrimonio.

—¿Mis barones?

—Con vuestra firma, por supuesto. Le enviaremos esto al Papa.

—¿Y si no firmo?

—Lo enviarán sin vuestra firma. —A la luz titilante del fuego, sus ojos negros eran impenetrables.

—¿Ha sido idea vuestra?

—Sí.

No me atrevía a formularle más preguntas... ¿Se trataba también de un intento por reanudar nuestra relación? ¿Sería capaz? Había tomado la decisión mental de quedarme con Enrique, y no obstante... ¡Oh, Dios, cuánto amaba a Rancon!

—Siempre habéis dicho que deseabais ser libre... ha llegado vuestra oportunidad —prosiguió en tono indiferente—. Oh, sé que una vez dijimos que Enrique os había raptado, os había forzado... pero los indicios se han vuelto poco convincentes en vista de... —Señaló hacia Juana.

Parecía que la cabeza me iba a estallar.

—Lo mismo podría decirse de la consanguinidad —repliqué—. Habría sido un excelente razonamiento legal contra Luis, pero gané el caso porque era estéril. ¿Creéis que el Papa lo aceptaría en el caso de Enrique?

—¡Ganasteis porque permitisteis que os considerasen un demonio! ¡Una pena que Becket no esté disponible para hacer otro tanto!

—Permití la calumnia porque...

—¡Enrique está destruyendo vuestro ducado! ¿Es que existe causa mayor que ésa? —Se había emocionado—. ¿Acaso Luis invadió Aquitania?

—¡La invasión no se opone al derecho canónico! —imploré—. Los barones no saben lo que están haciendo, Rancon. Por Dios, tardé años en escapar de Luis. ¡Conozco las leyes!

—Nosotros también. Es vuestra última oportunidad, Gracia.

—¿Mi última oportunidad para qué?

—Para salvar vuestro título.

—¿Ya habéis pensado en otro soberano? —inquirí lentamente.

—Nadie salvo Enrique. Si no lucháis contra él, cumplid con vuestra obligación. Encontraremos a alguien.

Estaba perpleja. Rancon parecía un desconocido.

—Tengo cinco hijos de Enrique. ¿Qué sería de ellos?

—No estamos luchando contra vuestros hijos.

—Sin embargo, si conceden la anulación, mis hijos pasarán a ser bastardos.

—Vuestras hijas francesas todavía son legítimas.

—Y desheredadas —añadí con amargura—. Y luché por su legitimidad durante el divorcio.

—Estoy seguro de que Enrique nunca ilegitimaría a sus hijos.

—¿Podéis garantizarlo? ¿Y qué me decís de las hijas? No replicó.

—No conocéis a Enrique —dije al tiempo que recordaba cómo había luchado por Enrique el Joven, lo que significaba que Enrique quería a sus hijos tanto como yo, algo de lo que prefería no hablar. Si exigía el divorcio, privaría a mis hijos de legitimidad, sucesiones futuras y la devoción de su padre.

—¡Mejor que vos! —replicó irritado.

—¿Cómo?

—¿Cuántas veces tengo que repetiros que le he visto en el campo de batalla?

—¿Y cuántas veces habré de contestaros que unos cuantos barones aquitanos jamás derrotarán al ejército más poderoso de Europa?

—No estamos solos; tenemos aliados.

—Nombradlos.

—Uníos a nosotros primero.

—Antes de unirme.

—Bien, tres: Felipe de Flandes, el rey Guillermo de Escocia y Luis de Francia.

Me quedé muda.

—¡Regresad a Aquitania!

—Sed franco, mi señor. ¿Qué sucederá si no lo hago?

—¡Aquitania estallará!

—Y ése es el motivo de vuestra visita... ¿salvar Aquitania?

—¿No os basta?

A pesar de mis esfuerzos, la voz me temblaba.

—Una táctica política.

—Todavía sois nuestra duquesa, señora mía.

—Y eso es todo.

Arqueó las cejas.

—¿Nuestra reina? —Se rió—. No aceptamos al rey de Inglaterra, ni a su reina. Rendimos homenaje a Francia, ¿lo recordáis?

—Vuestra aliada, Francia.

—Exacto.

—Aunque Francia es enemiga de Inglaterra.

—Siempre. Por favor, no finjáis que no sabéis nada. Sobre todo después de lo sucedido con Becket. ¿Puedo ser franco?

¿Acaso no lo había sido?

—Adelante, explicaos.

—Muy bien, no debería sorprenderos cuanto os he dicho. Sabe Dios que os he escrito a menudo. Pero me parece obvio, y a otros también, que comprendéis lo que ocurre y recurrís a las excusas deliberadamente.

—¿Y sabéis cuáles son mis motivos verdaderos?

—Eso creo. —Por primera vez, vaciló—. Os ruego que no os lo toméis a mal; hablo como amigo.

A continuación comenzó a bosquejar mi personalidad desde su punto de vista. Aunque yo aseguraba que mi lealtad para con Enrique se debía a los votos matrimoniales y a la devoción hacia mis hijos, en realidad mis motivos eran menos elevados. Enrique podía ofrecerme el trono de Inglaterra, algo nada desdeñable para una mujer tan amante del poder; además, me había dado los mencionados niños y ése era el proceso que me había hechizado. Deseaba tener a un hombre viril en la cama.

¿Cómo se atrevía a decirme algo así?

Prosiguió diciendo que Enrique sabía aprovecharse de mi debilidad. Me adulaba, se aseguraba de que siempre estuviera embarazada, aunque no se interesaba por los niños, y me engañaba como hacía con todos los demás.

—¡Jamás le pedí que fuese fiel!

—No me refiero a la fidelidad. Enrique es sumamente inteligente, «astuto» sería la palabra más adecuada. Nadie, absolutamente nadie, confía en él. Ofrece premios, pero no da nada.

«Tentación», pensé.

—Se vuelve contra sus mejores amigos sin previo aviso. Como hizo con Becket.

—¡Becket le traicionó! —Pero recordé que Enrique había traicionado a Arnulfo.

—Es hipócrita incluso con sus tan cacareadas leyes. Si cree en el imperio de la ley, ¿por qué no acepta las costumbres de Aquitania? ¿Por qué nos invade? Es muy selectivo con las leyes que respeta. ¡En Aquitania se cree Alejandro Magno!

Respiré hondo.

—Habláis de él sólo en términos políticos.

—Porque eso es lo que es, nada más.

—Y salvo por mis preocupaciones carnales, soy igual.

—Enrique comparte tal preocupación, pero, sí, los últimos años parecen indicar eso, sí.

Intenté no montar en cólera. ¿Acaso había olvidado todo el tiempo que habíamos pasado juntos?

—Entonces permitidme que me dirija a vos del mismo modo, como una entidad política. Dais a entender que respondéis al modelo inmaculado de caballería, *sans* ambición, *sans* engaño. Pero os preguntaré algo: ¿no os alegrasteis inmensamente cuando, hace ya años, mi padre os propuso que fueseis mi futuro esposo? ¿No estaba yo con vos cuando él señaló las torres de Tolosa y sugirió que algún día me entregaríais el ducado? ¡Seríais el duque de Aquitania!

—El duque consorte, sí.

—¿Y qué perdisteis cuando me casé con Luis o con Enrique? Aunque estabais a punto de desposaros con doña Arabela, os aferrasteis a vuestro sueño, ¿no es así?

—¡Basta, Gracia!

—¡No, no basta! Decís que Enrique se aprovecha de mi «debilidad», que yo llamo necesidad de amor. ¿Qué hay de vos? ¿Acaso no me habéis follado durante años al tiempo que lo justificabais con poesía sentimental? ¡Al menos Enrique no es hipócrita en ese sentido! ¡Si sucumbo a vuestros deseos habréis conseguido vuestro propósito! ¿Qué hay de mí? ¿Cuáles son mis motivos ocultos?

—Oh, Dios, basta ya, Gracia. —Me atrajo hacia su pecho—. ¡Santo Dios, Gracia, toda la vida he suspirado por vos como un niño llorón! Os deseo; os merezco. Nos merecemos el uno al otro. ¿No he sufrido bastante por amor?

—No lo sé —dije—. ¿Dónde están los límites?

—Me llamáis Tristán... ¡Mostradme a otro mortal que interprete ese papel! ¡Mostradme a un amante que permite que su amada tenga hijos y más hijos con otro hombre! ¡Ni tan siquiera la Isolda del poema fue madre!

Me aparté.

—Utilizáis a los niños como excusa —prosiguió—. ¡Podríamos tener hijos! ¡Quiero un heredero! Regresad a Aquitania.

Aquello sonaba a amenaza.

—¿O?

Me besó con pasión.

—¿No os basta esto? —murmuró, rozándome los labios.

Mi cuerpo accedió, pero mi mente no. Habíamos hablado demasiado.

—Mi esposa falleció, Gracia.

—Sí, lo sé. Mi más sentido pésame.

—Estoy libre.

—¿Me estáis pidiendo...?

—¡No quiero ser Tristán, no! Escuchad, Gracia, conocéis bien el poema. Incluso a Tristán le desilusionó su situación y...

Se casó con otra mujer, Isolda de las Manos Blancas.

—¿Quién es, Rancon?

—Vos. Regresad a Aquitania, anulad vuestro matrimonio con Enrique y nos casaremos.

—¿A pesar del análisis de mi personalidad?

—¡Por Dios, bien sabéis lo que siento por vos!

—Lo sabía. Hace años que no os veía.

—¡Regresad, Gracia!

—¿Quién es? —repetí.

Se calló durante unos instantes.

—Hay una mujer en Guyenne...

De no haber sido porque me estaba sosteniendo, me habría venido abajo. Esperé hasta que el dolor dio paso a la furia.

—¿También es una fanática religiosa?

Se apartó.

—¿A qué os referís?

—Vuestra esposa fallecida, Arabela, la que pasaba hambre a propósito. Oh, sé todo sobre los Perfecti, un nuevo culto religioso que reniega del cuerpo. ¿Es por eso por lo que estabais disponible?

—¡Estaba «disponible» porque os amaba!

—Y vuestra esposa rehusó vuestro consuelo.

—¡Al igual que Luis con vos, como bien recordaréis! ¿Es por eso por lo que me buscasteis?

—¡Luis quería matarme!

—¡Y a mí!

Respiré hondo.

—¡Y ahora aseguráis que Enrique está haciendo lo mismo!

—¡Sí, así es! Quiere destruir Aquitania. Espero que todavía la consideréis vuestra tierra.

—¡Y ofrecéis vuestro cuerpo para salvar Aquitania! —La voz me temblaba—. ¡Si fuerais mujer, tendríamos un nombre para vos!

—¿Qué me decís de vos? ¿Acaso no vendéis vuestro cuerpo por una corona? ¿O es que acaso os consume la pasión por Enrique?

Le abofeteé.

—¡Enrique me violó! ¿Qué os ha hecho la mujer de Guyenne?

Se rió.

—¡Santo Dios, estáis celosa! ¡Magnífico! ¡Ahora sabéis lo que siento cuando os veo bailando con ese gusano asesino!

—¡Prefiero bailar con Enrique que sola! ¡Os he escrito una y otra vez, mas en vano! ¿Es que debo humillarme?

—¡Dejadle!

—Oh, Rancon, sabéis muy bien que no puedo. Hemos ido demasiado lejos como para anular el matrimonio. ¡No me torturéis!

Aflojó las manos y me besó con suavidad.

—Es mi despedida.

—Decidme, ¿me am...?

—Os amo, mujer de muchos amores.

—¡Y yo también!

—¿Más que a vuestros hijos?

—No puedo sacrificarlos por vos.

—Entonces sacrificáis a todos.

Dicho lo cual se marchó.

25

A la mañana siguiente, un sirviente anunció una visita.

—¿Quién es?

—Un desconocido, milady.

Se me paralizó el corazón... ¡Rancon había vuelto!

Estaba tan nerviosa que apenas podía hablar.

—Que entre.

Una figura delgada y harapienta se apoyó en la puerta.

—¡Tomás!

—Éramos buenos amigos, milady Leonor. ¿Puedo hablar con vos en privado?

Ordené al sirviente que no permitiese el paso a nadie y que trajese una taza de caldo para el invitado. Observé a Becket sorbiendo lentamente y recordé su terrible aspecto al regresar de la batalla con Enrique.

—Me conocéis b-bien, milady.

—Creo que os conocía bien. —Apenas un cumplido—. No estoy segura de conoceros bien ahora.

Mis palabras me recordaron las de Rancon.

Me echó un sermón sobre Dios digno de Luis, pero no era más que pura palabrería. Estaba esperando el favor que sin duda me iba a pedir.

—¿Hablaríais con milord Enrique en mi nombre?

—¿Qué deseáis que le diga, arzobispo?

—Que le q-q-quiero como a un hermano, que siempre le he q-q-querido. Que le r-ruego que me permita regresar a Canterbury.

—No tengo nada que ver con vuestras diferencias, milord Tomás, pero creo que debéis aceptar las Constituciones de Clarendon.

Los ojos se le llenaron de lágrimas.

—¡No puedo vivir sin su amor!

Me estremecí. ¿Acaso no sentía yo lo mismo por Rancon? Aun así, le había rechazado.

—Me temo que confundís los sentimientos con la política. Un rey no puede renunciar a su poder.

—¡Ningún rey está por encima de Dios!

Lo que en nuestro mundo quería decir el Papa. Y era cierto, los soberanos debían sucumbir a los deseos de Roma. Sin embargo, nos resistíamos y, en ese caso, yo apoyaba a Enrique.

—Vos mismo lo habéis dicho en más de una ocasión, Tomás. Enrique ve las cosas de otra manera y con la misma determinación que vos. Os aconsejo que respetéis las leyes y luego resolváis vuestras diferencias.

Aunque insistió durante el resto de la mañana, sabía que no le ayudaría. Antes de marcharse me pidió que mantuviese en secreto su visita. Acepté.

Una vez que hubo partido, cavilé sobre la comparación que Rancon había establecido entre Becket y yo, pero a mi entender yo perdía a Rancon, no a Enrique. Al igual que Becket, rompí a llorar. Pasé el resto del día sumida en la más profunda de las melancolías y ni siquiera pude jugar con los niños.

Sin embargo, poco a poco fui recuperando el optimismo. Al cabo de una semana comencé a superar el abandono. Pedí a Chartres una copia de *Pensamientos*, de Marco Aurelio; quería ser estoica. Me sumergí de lleno en la maternidad, en la administración, en numerosas cartas en las que me preocupaba por Enrique el Joven. Averigüé que era posible vivir sin felicidad, sin esperanzas.

Enrique llegó poco antes de Pascua, a la caza de Becket. Se quedó sólo una semana y, aunque estaba de mal humor y preocupado por los futuros encuentros con Becket, volví a quedarme embarazada. «Ésta es mi vida —pensé—, la abeja reina. Que así sea. Seré una reina maravillosa y una madre maravillosa de unos hijos maravillosos.» Decidí regresar a Inglaterra para el nacimiento; le escribí a Enrique que pasaría la Navidad con mi familia en Winchester. ¿Vendría a visitarnos?

Enrique volvía de la refriega galesa y me ordenó que me quedara en Angers. Le repliqué que no había visto a Enrique el Joven, Margarita, Godofredo ni la pequeña Leonor desde hacía más de un año. ¿Tendría la amabilidad de permitir que vinieran a verme? No hubo respuesta alguna; estaba en alguna batalla.

Enseñé alemán a Matilda como parte de los preparativos de las nupcias, lengua de oc a Ricardo para su iniciación como duque, y a Juana a batir las palmas, y todos los días escribía a mis hijos que residían en Winchester.

Becket no logró que excomulgaran a Enrique debido al futuro matrimonio de Matilda con el duque de Sajonia, quien tenía influencia sobre el Papa. Tras la campaña galesa, Enrique escribió que añoraba volver a Woodstock, donde establecería su corte inglesa, pero se vio obligado a llevar el ejército a Aquitania. Se había producido una revuelta en Angulema.

Angulema, donde gobernaba la familia de Rancon.

Asimismo, le molestaba, a mi juicio con cierto retraso, el nacimiento del hijo de Luis. Eso suponía el fin de las esperanzas que habíamos puesto en que Enrique el Joven fuera el rey consorte de Francia.

Repliqué que el hecho de que Enrique el Joven estuviera casado con la hija de Luis aseguraba su ascensión al trono inglés; era algo que tanto Enrique como Luis querían. Sin embargo, y eso no lo puse por escrito, lo que más me preocupaba era el embarazo. Se había acortado el otoño y anticipado el invierno, y comencé a prepararme para mi segunda corte navideña en Angers. Según mis cálculos, era posible que el bebé naciera el día de Navidad.

Otra carta de Enrique volvió a frustrar mis planes.

Leonor, reina de los ingleses, etcétera, yo os saludo: durante años me habéis advertido de la inestabilidad de Aquitania y admito que fui negligente al no tener en cuenta vuestro consejo. Ahora que estoy aquí me he percatado de que todo el ducado se halla dividido en facciones tribales, sin nada que se parezca a una autoridad central. Por lo tanto, propongo celebrar la corte navideña en Poitiers, donde combinaré las festividades con una ceremonia política. Traeré a Enrique el Joven y exigiré a los barones que le juren lealtad de inmediato, lo que le convertirá en un nexo de unión en esas tierras agitadas.

Respondí enseguida: «Me alegra muchísimo la perspectiva de pasar la Navidad en Poitiers y tengo ganas de volver a ver a Enrique el Joven. Sin embargo, Enrique el Joven no puede ser el centro del gobierno de Aquitania; exigid a los barones que juren lealtad a Ricardo, su futuro duque. No conocen a Enrique el Joven ni tienen motivo alguno para obedecerle.» No añadí que Rancon sería quien más respaldaría a Ricardo, su propio hijo.

Enrique replicó. ¿Acaso había olvidado que Ricardo tendría que rendir homenaje a Enrique el Joven puesto que sería su señor supremo cuando fuera coronado? Seguramente comprendía el apremio por establecer la posición futura de Enrique el Joven con mis nobles, sobre todo porque Becket seguía aplazando la coronación; se trataba de una buena táctica para establecer a Enrique el Joven como el heredero forzoso en lugar de una coronación.

No entendía del todo el razonamiento, pero olvidé ese asunto en cuanto proseguí la lectura: yo no acudiría a la corte navideña ni enviaría a Ricardo. Si Ricardo y yo estábamos presentes, el plan se vendría abajo; Enrique el Joven debía ser el centro de la ceremonia, sin competencia alguna, ni de Ricardo ni mía. De hecho, lo idóneo sería que yo no estuviese en la Europa continental. Debía partir de inmediato rumbo a Inglaterra; finalmente podría reunirme con mi familia en Winchester.

El bebé me dio una patada. Me presioné el vientre con las manos y respiré hondo hasta que desapareció el espasmo. Sí, Inglaterra era el lugar donde quería estar, no Poitiers, donde Rancon se hallaría presente; él ni siquiera sabía que yo estaba de nuevo encinta. Quizá su nueva esposa también lo estuviera. Informé a Ricardo y a Matilda que regresábamos a Inglaterra.

El Canal estaba agitado, y el barco era como una hoja azotada por los vientos invernales. Llegamos a Inglaterra de milagro, pero el camino para Winchester estaba intransitable.

Ricardo y Matilda estaban sumamente desilusionados. Los dos odiaban a muerte el palacio de Westminster, enorme y con corrientes de aire, que Becket había construido para nosotros.

—¿No podríamos al menos ir hasta Woodstock? —imploró Matilda—. No está muy lejos.

—Recogería acebo en el bosque —agregó Ricardo.

—¡Mi mono está allí! Por favor, mamá, ésta será la última Navidad que paso con vos.

Le besé los cabellos pelirrojos.

—Nunca digas «la última vez», querida; pero estáis en lo cierto, será diferente cuando estéis casada.

Los exploradores me informaron que el camino hasta Woodstock era seguro, por lo que partimos a la mañana siguiente. Llegamos por la tarde y enseguida supe que habíamos tomado la decisión correcta. El sol, ya bajo, arrojaba listas doradas por entre las nubes grises. Un viento constante del norte azotaba las ramas cubiertas de hielo y daba forma a las cimas nevadas. El servicio parecía muy cordial y afectuoso. Amaria llevaba a la pequeña Juana para admiración de todos, mientras que Ricardo y Matilda corrían en círculos. Respiré hondo. Sí, había sido la mejor decisión.

—¿Podéis ocuparos del equipaje, Am? —dije—. Quiero pasear un poco. Se me ha acalambrado una pierna.

Me miró preocupada.

—Esperad, os acompañaré.

—No hace falta, tendré cuidado.

Me fui antes de que me lo impidiera. Lejos del pabellón, el bosque era más oscuro y el viento soplaba con más fuerza. Santo Dios, cuánto deseaba que llegara el día del parto. Cuán engañosa la hierba bajo la superficie refulgente, cuán pesadas mis piernas, me era imposible levantar los pies de la nieve; giré un tobillo, luego el otro y avancé tambaleándome. Despacio, despacio. Si alzaba el pie demasiado, me quedaba sin aliento. Me tambaleé, perdí el equilibrio y me caí de costado. Me golpeé la cabeza contra un árbol.

Debí de perder la conciencia durante unos instantes; las sombras se habían alargado. Me apoyé en el árbol y volví a desplomarme pues las piernas no me respondían.

Cerré los ojos. Un murmullo constante gemía en los olmos. Después oí una especie de repiqueteo similar a unos badajos enormes anunciando una canción. ¿Un presagio? ¿Una celebración cósmica?

—¡Ricardo! ¡Ricardo! —grité sin fuerzas. Había dicho que recogería acebo.

No hubo respuesta.

El repiqueteo se intensificó a mi alrededor, un traqueteo mortal. Me asolaron los recuerdos; no lo soportaba. Las lágrimas se me helaron en el rostro; la mejilla se pegó al tronco. En una ocasión escuché una historia sobre dos gemelos que, aunque separados por una gran distancia, enfermaron y murieron a la vez. Yo era como uno de los gemelos. Sin Rancon, mi existencia era nula. Rancon, Rancon. ¿Acaso sufriría también él? Cuán bellos los rayos opalinos sobre la nieve.

Un hombre desnudo galopaba sobre un caballo blanco bajo las ramas oscuras. Se aproximó en silencio, sonriendo.

—¡Dadme la mano, querida! Esta noche las ramas crujirán bajo el hielo y mañana nos despertaremos con el sol.

—Todavía no, abuelo.

Se rió quedamente y galopó hacia una mujer envuelta en plumas, a lo lejos. La mujer se elevó como un pájaro hasta la montura. «¡Amor! ¡Amor!», cantaron al unísono, y luego desaparecieron en la blancura. Un niño pasó caminando con las manos sobre la nieve ensombrecida. Aunque llevaba una máscara creí saber quién era.

—El mañana ha llegado, mamá.

—¡Guillermo, esperad!

—La oscuridad se avecina —dijo desde las sombras.

El bebé me dio otra patada. Grité de dolor. Una madre de niños maravillosos, niños vivos, no muertos. Debía resistir. Me volví hasta quedar de cara al árbol, me quité los guantes para sujetarme bien en la corteza y me incorporé a duras penas. Jadeando por el esfuerzo, intenté ubicarme. Estaba más cerca de Tintagel que de la casa solariega.

Avancé cojeando, lentamente, hasta que vi la cabaña. Amaria me buscaría allí. Me sujeté en la barandilla y subí los escalones helados. Abrí la puerta sin apenas empujar. ¿Qué sucedía? Ardía un fuego; había velas encendidas en los arcones y alféizares. ¿Quién había puesto cristales en las ventanas? ¿Acaso todavía sufría alucinaciones?

Una figura se incorporó de la cama.

—¿Quién va? —preguntó una voz de mujer.

—Leonor, sólo Leonor. —Qué alivio. Estaba a salvo.

La figura caminó como un pato hacia la chimenea que yo había construido. La silueta de la mujer parecía desproporcionada.

—¡Leonor! —Incrédula. ¿Asustada?—. ¿La reina?

—Sí, os escribí desde Londres. ¿No...?

—¡No! —Se abrazó a sí misma.

Me detuve, desconcertada. Nunca la había visto entre mi personal. ¿Era una intrusa? Una joven envuelta en pieles. «Mis» pieles, «mi» armiño, regalos de Enrique. ¡Y estaba embarazada! La cabeza comenzó a darme vueltas. ¿No acababa de pensar en gemelos? Allí estaba mi otro yo, materializado a partir de la nada. Debía de tratarse de otra visión. ¿Me habría desmayado de nuevo? ¿Estaba todavía tumbada al pie del árbol?

—Lo siento —dijo entrecortadamente—. Nunca habría... No debería haber... salvo que Enrique, el rey, me aseguró que iríais a Winchester...

¿Enrique se lo había dicho? ¿Enrique? Retrocedí rápidamente en el tiempo y, a diferencia de mis esposos, calculé con precisión: estaba embarazada de Enrique, y el niño había sido concebido una semana después que el mío.

—Enrique estaba en lo cierto; me dirigía a Winchester —dije afablemente—, pero los caminos estaban cortados. —Sonreí con naturalidad—. No sé vuestro nombre.

—Lady Rosamunda de Clifford —anunció con orgullo infantil—. ¿No habéis oído hablar de mí?

—¿Debería?

—Sí... quiero decir, Enri... el rey dijo que os había hablado de mí. Quizá no mencionara mi nombre. Cuando me quedé en el palacio de Westminster todos me conocían bien.

¡Westminster! Me erguí; el bebé se movió y tensé los músculos para que no siguiera haciéndolo. Que aprendiese a comportarse con realeza.

—¿Cuándo estuvisteis en Westminster, lady Rosamunda?

—La mayor parte del año pasado, e incluso después de que En...

—Llamadle Enrique, querida. No me importa. —Llamadle el Diablo. No me importa.

—Después de que Enrique se marchase vine aquí, porque sabía que estabais en Londres.

—Muy considerada. —¿Muy considerada? La cabeza me ardía—. ¿Os importa si nos sentamos? Estoy muy cansada tras la cabalgada.

Nos sentamos en el borde de la cama, la cama en la que las dos nos habíamos entregado a la pasión. Las tablas crujieron bajo nuestro peso. Me senté de modo que pudiera ver su rostro iluminado por la luz. Por separado, los rasgos eran de lo más normal: ojos y cabellos pardos, nariz recta, boca corriente, pero el conjunto creaba una belleza etérea cargada de inocencia y dulzura. El blanco de mi cólera era obvio: Enrique.

—¿Cuántos años tenéis, lady Rosamunda?

—Quince, milady.

—¿Desde cuándo conocéis a Enrique?

Podría haberme compadecido de ella, salvo que había estado en Westminster con Ricardo de Luci, con Roberto de Leicester.

Parecía radiante de felicidad.

—Le conocí a los trece años, y Cupido nos hirió de amor a la vez... fue un milagro. Él volvía de Gales; soy galesa, él estaba a un lado del arroyo y yo al otro. Ni siquiera hablamos; estábamos encandilados.

—¡Qué hermoso! —Un rey libidinoso de más de treinta años y una virgen de trece.

—Me dijo que era el amor de su vida y que había soñado con alguien como yo desde que era niño. Me llamó «la rosa del mundo».

La rosa del mundo contra el lirio de Aquitania; no sabía que Enrique fuese horticultor. Pero aquello no me divertía lo más mínimo. La niña era ingenua. ¿Cuál era mi excusa? Enrojecí de vergüenza; cuando Enrique me recitó su hechizo floreado en Domfront me sentí culpable por la cita con Rancon.

—Por eso me sorprende que no os lo contara; me dijo que lo haría porque...

—¿Porque? —La codeé ligeramente.

Bajó la mirada.

—Porque quiere casarse conmigo —susurró.

—¡Casarse! —No pude ocultar la sorpresa. ¿Casarse? Tenía esposa y familia... ¿qué pensaba hacer con nosotros?

—Oh, me habló de sus amantes —balbució al intuir mi desconcierto—. Mujerzuelas aquí y allá, aunque también algunas damas. Isabel de Clare, le construyó una casita, y Avisa de Stamford. Pero no me importa porque...

—¿Porque? —le estimulé de nuevo.

Su mirada reflejaba inseguridad.

—¿Creéis que debo decíroslo? Quizás Enrique prefiera...

—Pero no está aquí, y vos estáis embarazada. No debemos esperar. —Mi lógica era incoherente, pero ella asintió.

—Sí, el bebé. Enrique es muy joven para tener hijos tan mayores como los vuestros. Naturalmente, vos sois mayor y quizá no sepáis que...

—¿El qué? —Se trataba de algo serio... no quería perderme ni una palabra.

—Que no está dispuesto a renunciar a su poder. Aún no ha disfrutado lo bastante de los títulos ganados con esfuerzo como para sacrificarlos y abdicar en sus sucesores. Además, están malcriados y son débiles, muy distintos a como era él a su edad.

Ése era Enrique.

—Habéis sido muy clara, lady Rosamunda.

—No quiero que os parezca cruel... dijo que vuestros hijos tendrían ingresos suficientes... creo que eso es lo que dijo, aunque poco entiendo de tales asuntos... de modo que todos ellos serían independientes llegado el momento, pero que mi... nuestro... hijo sería rey de todos. De esto estoy segura.

Una sonrisita petulante.

—Sí, vuestro hijo será mucho más joven que los míos —convine, y luego esperé las palabras que estaba convencida que diría a continuación.

—Salvo el que tenéis ahora en el vientre. —Su bello rostro parecía turbado—. También dijo que ya no... que no podíais...

—¿Tener más hijos?

Asintió.

Mi hijo sería de la misma edad que el suyo. Pero el suyo contaría con la bendición de Enrique, mientras que era obvio que rechazaba a los míos. De eso no me cabía la menor duda. Rancon lo había insinuado, pero me lo había dicho otra persona... ah, sí, Enrique el Joven había asegurado que su padre no quería verlo coronado. ¿Sería cierto? ¿Acaso Becket sabía más que yo? Estaba helada, y no por el frío.

—Os digo que éste será mi último hijo. —El último, sin duda alguna—. Sin embargo, Enrique no hizo bien en engañaros.

Una lágrima le cayó por el rostro; se la secó con la manga de mi armiño.

—Mi madre me advirtió... pero mi padre estaba seguro de que era honorable.

Porque Enrique había encontrado su recompensa.

—Entonces, cuando en Westminster todos sabían... —prosiguió.

Sí, aquello era muy grave. No se desharía de mí hasta que tuviese Aquitania... mi seguro. No obstante, Enrique debía de haberle mentido porque en esos momentos se estaba asegurando de que Enrique el Joven fuese el señor supremo de Aquitania. Mis barones le estaban jurando lealtad...

Las ideas se me agolparon en la cabeza. Recordaba textualmente la carta de Enrique sobre Enrique el Joven, el razonamiento, que tanto me había desconcertado, sobre por qué no debía asistir. Los barones de Aquitania reconocerían a Enrique el Joven como señor supremo de Ricardo. ¡Pero el señor supremo de Ricardo tenía que ser el rey de Francia! Santo Dios, ¿en qué estaría pensando? Si los barones aceptaban a Enrique el Joven ahora porque un día sería el rey de Inglaterra, entonces reconocían a Enrique, el rey actual, como a su señor supremo en lugar de a Luis. En cuanto lo hubieran reconocido, Aquitania sería de Enrique. ¡Ni mía, ni de Ricardo, sino de Enrique!

Miles de fragmentos resplandecientes y cortantes cayeron a mi alrededor... mis ilusiones hechas añicos.

—... dijo que queríais retiraros a Fontevrault —proseguía la voz condenatoria y petulante.

—Debo regresar al pabellón. —Me incorporé con rigidez.

Ella también cambió de postura.

—¿Preferís que me marche?

¿Marcharse a los brazos de su padre? Además, no pensaba volver a Tintagel.

—No, querida. No planeaba quedarme aquí. Iré a Oxford para el parto. Allí me cuidarán bien; es donde nació mi hijo Ricardo.

Seguía sujetándome.

—¿Le diréis a En... Enrique lo que os he dicho?

—Jamás. De hecho, nunca nos hemos visto, ¿eh?

Me soltó la capa.

—Sois mucho más joven y hermosa de lo que pensaba. No sé por qué quiere dejaros.

Pero yo sí: porque finalmente se había apoderado de mis tierras.

Me costaba moverme, pero se trataba de una cuestión física. Mi espíritu se había revitalizado.

Me arrastré por mi antiguo nido de amor y salí. La luna apenas iluminaba los escalones. Alargué la mano para sujetarme de la barandilla en el preciso instante en que una forma emergió de las sombras.

—Amaria me dijo que os buscara —explicó Ricardo en un tono que daba a entender que lo sabía todo.

—¿Habéis escuchado? —inquirí.

Asintió.

—Luego hablaremos. —Le rodeé el hombro.

Mis hijos y yo observábamos bajo los aleros de la caballeriza a los sirvientes, que se deslizaban sobre el hielo con nuestros arcones para cargarlos en los carros.

Amaria me rodeó la cintura con el brazo.

—¿No pensáis recapacitar, Gracia? Es una locura.

—No.

—¿Me diréis al menos por qué?

—No.

—¡Listo! —cantó el cochero.

Ricardo y yo subimos a un carro mientras que Amaria, Matilda y Juana y las niñeras subieron a otro. Me acomodé en el asiento de madera, con las piernas apretadas contra las de Ricardo. Los criados nos envolvieron en pieles; los portadores de las antorchas montaron en los caballos y se colocaron delante, detrás y a los lados de nuestro carro; los caballeros se unieron a ellos cuando comenzamos a avanzar pesadamente en la penumbra por el camino nevado.

El peculiar sonido de las ramas rotas fue en aumento. El carro se desviaba hacia los barrancos; las ruedas giraban. Hombres y caballos, resoplando, empujaban desde atrás.

Ricardo rodeó mi enorme mole con sus brazos.

—¡Os quiero, mamá! —exclamó entre sollozos con su voz juvenil—. ¡Siempre le odiaré! ¡Yo cuidaré de vos!

Le acaricié el sombrero de piel.

—Tranquilo, cariño. Estoy bien.

—¡Llevaba vuestra capa! ¿Cómo se atrevía? ¿Cómo es posible que pensara que ocuparía vuestro lugar? ¡Le mataré!

—Sólo sois un niño, Ricardo.

—Seré un gran guerrero.

—Entonces ahora le hablo al guerrero, no al niño. ¿Comprendéis a la perfección lo que escuchasteis?

—Por supuesto. Nos está robando Aquitania. Su b-bebé será el heredero.

—Buen chico. Ahora debemos ser astutos. Y reservados.

Ricardo se irguió.

—¿Tenéis un plan?

—En estado embrionario. —Sonreí forzadamente ante tan apropiada imagen—. Lo que quiero de vos es silencio, y vuestra vida será la garantía. ¿Prometido?

—Sí.

—Confiaré en vos, pero confiad en mí... y no digáis nada. ¿Lo juraréis?

Lo juró por mi alma.

Con la mano libre me palpé la entrepierna. Estaba sangrando.

Al amanecer me tuvieron que sacar a peso del carro para entrar en la casa solariega de Oxford. Hodierna, la niñera de Ricardo, se ocupó rápidamente de todo. Transcurrió el día, luego la noche, amaneció de nuevo. El dolor me estaba matando; oía mis gritos. Me dormí y ronqué profundamente.

Al tercer día comencé a delirar, perdía y recobraba el conocimiento, escuchaba voces pero era incapaz de responder. El feto se aferraba como una araña a mi «entrada al Infierno». Estábamos atrapados en una telaraña de hierro.

Desapareció la partera, Ulviva, y llegó una mujer llamada Ángela.

—Ángela es experta en partos difíciles —me dijo Amaria.

—¡Yo también!

Me ataron un cinturón de piel de serpiente en la cintura, me colocaron una piedra de águila entre los dientes y me introdujeron una magnetita en la vagina... no sin dolor.

—Tendremos que usar el gancho o no... —escuché que decían.

Oí el llanto del bebé. Cuando me desperté era de noche.

—¿Hay alguien?

—Estoy junto a vos, Gracia —dijo Amaria.

—Traed un antorcha. Quiero levantarme.

—Por la mañana. Estáis demasiado débil.

—¿Es que tendré que levantarme a oscuras?

Me senté en el borde la cama.

—Habéis tenido un niño —me informó Amaria—, en el día de Navidad.

—¿Me convierte eso en una virgen?

—¿Cómo queréis llamarle?

—Niño.

—¿Os gusta Juan? Eso es lo que han sugerido los niños.

—Sí. —No es que fueran muy imaginativos... primero Juana, ahora Juan—. Traedme caldo de buey. Nos marchamos a Londres.

—¿Ahora?

—Al alba.

Examiné al bebé detenidamente, pequeño pero perfecto. Qué extraño, cuando estaba en el útero me había parecido una tarántula. Subimos a las literas y nos dirigimos hacia Londres.

Escribí a Petronila: «Mi querida hermana, condesa de Vermandois, os saludo: Por favor, embalad todas mis pertenencias y enviadlas de inmediato a Poitiers. Incluid el guardarropa y también los sabuesos así como objetos más nobles, y aseguraos de que son enviados lo antes posible. En cuanto lo hayáis enviado todo, los niños y vos debéis reuniros conmigo en Londres.»

Los caminos seguían siendo peligrosos, pero le pagué el triple a un mensajero para que entregara el correo.

Luego envié cartas similares a las residencias de Northampton, Woodstock, todas las casas solariegas en las que habíamos residido en Inglaterra —incluso Eye y Berkhampstead— y al guarda de mi muelle del Támesis para que preparara los barcos. El embalaje llevaría meses y el transporte no podría efectuarse hasta el verano, pero el proceso ya estaba en marcha.

Necesité seis borradores para que la última carta me satisficiera.

Para Luis, rey de Francia, de Leonor, reina de los ingleses y duquesa de Aquitania, saludos: Tras tan largo silencio entre nosotros me abruma lo mucho que os contaría, pero me limitaré a lo que más me apremia. Vos y yo tenemos intereses mutuos en el futuro de nuestros hijos casados, Enrique el Joven y Margarita. De forma indirecta, nos preocupan Ricardo y Godofredo, quienes serán vuestros vasallos en Aquitania y Bretaña, respectivamente. Milord, acabo de averiguar de la mejor de las fuentes que el rey Enrique tiene intención de ocupar vuestro lugar como señor supremo de esos ducados; lo que es peor, piensa desheredar a Enrique el Joven. Planea instaurar un imperio angevino en el que gobernará como emperador único, *sans* herederos ni cualquier otra amenaza a su autoridad. El método que emplea consiste en convencer a vuestros vasallos para que juren lealtad a sus hijos; luego reclamará ese homenaje como su derecho.

Como vuestra leal súbdita, como madre preocupada y como vuestra antigua amiga, por la presente os ofrezco mis servicios, armas y riquezas para ayudar a derrocar al rey inglés del modo que sea posible. El rey Enrique interpretaría esta carta como una traición, pero debo una mayor lealtad a mis antepasados, a las promesas que realicé en mi ducado, a mis queridos hijos y a vos como mi respetado señor supremo.

Ahora ya sabéis cuáles son mis intenciones. A partir de ahora residiré en Aquitania, donde aguardaré vuestras órdenes. Podéis poneros en contacto conmigo a través de mi hermana, la condesa Petronila, quien llevará esta carta.

Que Dios ampare a vos y a vuestra familia. Vuestra leal súbdita, etcétera.

Sellé la carta.

REBELIÓN

1173

26

Para mi alivio infinito, la corte navideña de Poitiers no llegó a celebrarse. Supuse que Rancon había intuido la estratagema y la había cancelado, pero nunca lo supe con certeza.

Por primera vez desde que nos casáramos, Enrique ya no controlaba mis actos. Me pidió que fuera a Ruán cuando su madre falleció; le hice llegar mi pésame. Me pidió que fuera a Angers en verano; estaba ocupada en Inglaterra, lo sentía mucho. Cuando me pidió que acudiera a la corte navideña de Argentan, usó de cebo a Enrique el Joven; acepté.

A diferencia de la Navidad pasada en Woodstock, había poca nieve cuando empezamos a subir desde la confluencia de los ríos Argentan y Orne hasta la cumbre de la que colgaba nuestro castillo. Los niños y yo habíamos cantado al son del caramillo mientras cruzábamos la llanura de la Vendée, pero ahora avanzábamos en silencio. Los más pequeños estaban cansados y Ricardo parecía tenso.

—Me lo prometisteis —le recordé.

—No diré nada.

—Con esa cara no hace falta. Los vikingos, según cuentan, sonreían antes de atacar.

No sonrió.

—Vuestro padre se lo imaginará.

Curvó los labios hacia arriba.

—No importa.

La fortaleza estaba en un peñasco elevado y azotado por el viento; el ascenso era empinado, como en Taillebourg. Apenas habíamos desmontado en el pequeño patio cuando vimos a Enrique corriendo escaleras abajo.

Me abrazó, envuelto en pieles.

—Por Dios, ¿qué os ha retrasado tanto? Estaba a punto de enviar un regimiento.

—Saludos, milord. —Giré la cabeza para evitar su beso.

—¡Mamá! —Enrique el Joven me rodeó con sus brazos—. ¡Os he echado tanto de menos!

—¡Enrique el Joven, cuán hermoso! —Mi ángel, tan perfecto como una estatua griega. Intenté estar a la altura de su dignidad—. Decidme, ¿os gusta Guillermo Marshal?

—¡Es el mejor caballero de todos los tiempos! Dice que tengo talento para las armas.

—¡Por supuesto! —Nos miramos de hito en hito, embelesados. Tenía la misma sonrisa que de bebé.

—Saludos, mamá.

—¡Ah, Margarita! ¡Otra beldad, y qué mayor! —La princesa francesa se ruborizó y miró con picardía a Enrique el Joven. Nos abrazamos; sentí sus pechos núbiles bajo la túnica.

Enrique se puso en cuclillas frente a una aterrorizada Leonor. Disgustado, se volvió hacia la pequeña Juana, quien se deshizo de su abrazo descaradamente. Godofredo le tiró de la túnica, pero Enrique no se dio cuenta... un gran error porque Godofredo no perdonaba desaire alguno.

—Godofredo, enseñad a vuestro padre el bebé Juan, por favor —sugerí.

—¡Por Dios, sí! —exclamó Enrique.

Mientras Enrique y Godofredo se inclinaban sobre la cuna, tomé a Ricardo del brazo.

—Hablad con vuestro padre —le dije en voz baja—. Durante las fiestas, vigilad a Godofredo.

Saludé a las hermanas de Enrique y les di el pésame por la pérdida de la emperatriz Matilda.

Cenamos, bailamos. Leonor lloraba, el bebé Juan lloraba, Ricardo y Godofredo tenían el ceño fruncido; sólo Enrique el Joven y Margarita parecían ajenos a la tensión. La música sonaba, los trovadores cantaban, Enrique sonreía demasiado, hablada demasiado alto y se tocaba la entrepierna distraídamente.

—Que vuestras acompañantes duerman esta noche en el pasillo —me susurró.

—Tengo que hablar con vos, Enrique.

—En la cama.

—No, en la sala.

Sonrió de manera forzada.

—¿Por qué motivo?

—Junto a la chimenea, cuando la campana anuncie los maitines.

—Que así sea.

Me detuve en las escaleras para observarle. Perfilado contra las llamas, avivaba el fuego. Empleando los puños como contrapeso, tiró de un taburete para sentarse en lugar de ponerse en cuclillas, como era su costumbre. ¿Se trataba de la vieja herida? ¿El inevitable entumecimiento tras tantos años en la silla de montar? No era de extrañar que hubiese llamado a la joven Rosamunda «el amor de su vida»; ella habría reforzado la imagen que tenía de sí mismo como el joven prodigio de Europa, el perpetuo joven que no quería ser padre de sus hijos, ¿no? Agradecía a la encantadora jovencita galesa que hubiese compartido su punto de vista. Su hijo jamás amenazaría a su padre; el pobre chiquitín había fallecido poco después del parto, y Rosamunda estaba en un convento, casi olvidada.

—Saludos, milord.

Enrique se incorporó de un salto.

—¡Por Dios, creía que os habíais quedado dormida! ¿Qué os ha retenido?

Me desplomé en el faldistorio que colocó ante mí.

—Sois demasiado impaciente... acaban de sonar los maitines.

—Sí, estoy impaciente, ¿y por qué no iba estarlo? ¡Me abruma la belleza de mi mujer! ¡No me extraña que los trovadores os dediquen los poemas de amor! ¡Nunca he visto nada igual a vos!

Y continuó alabándome del mismo modo que había hecho en el pasado.

Finalmente levanté la mano.

—¿Me permitís que os recuerde que favorezco a esos trovadores? Sería una grosería y una indiscreción que no me dedicaran los poemas. —Al ver que estaba a punto de intervenir, me apresuré a añadir—: Pero no habéis venido aquí a hablar de mi belleza.

Intentó ser cortés.

—No, simplemente me sentía abrumado. Y pensaba deciros lo mucho que os he echado de menos, Gracia, que necesito vuestra amistad. —Y añadió con voz más apagada—: ¡Santo Dios, cuánto os necesito!

Parecía hablar en serio.

—¿Por algún motivo especial, Enrique?

—Estoy seguro de que estáis al tanto de lo ocurrido. Ha sido un período de lo más duro, Gracia, el año más terrible de cuantos recuerdo. También había sido terrible para mí... ¿estábamos pensando en los mismos hechos?

Me miró, me leyó el pensamiento y entonces inició una larga diatriba contra Becket, Luis y el Papa, los monjes de Canterbury y el rey de Escocia, quien todavía exigía Northumberland. Yo escuché pacientemente. Pasaron las horas, tuvimos que avivar el fuego en dos ocasiones y Enrique seguía con la misma perorata. No abrí la boca en ningún momento.

—¿Por qué estáis trasladando todas vuestras pertenencias a Aquitania? —inquirió de repente.

Ah, aquello le interesaba... le preocupaba Rosamunda. Admiraba su descaro y sonreí con dulzura.

—He dejado la maternidad atrás, Enrique; el último parto acabó conmigo. Puesto que ya no os soy de utilidad en ese sentido, pienso llevar una vida doméstica de tranquilidad y sosiego en Poitiers. Los niños serán felices allí y me encargaré personalmente de su educación.

Los niños, mi excusa para con Rancon. Aunque resultaba una ironía, no me divirtió.

Enrique me clavaba la mirada, como la serpiente de la proa del *Esnecca*.

—¿Qué queréis decir con «dejar la maternidad atrás»?

—Me sorprendéis, Enrique. Estoy segura de que sabéis que las mujeres atraviesan un período de cambio durante el cual tienen ideas delirantes y tras el cual son estériles. Me estoy haciendo mayor, milord.

Dio un golpe con el puño.

—¡No me toméis por un idiota! Sé cuántos años tenéis. ¡Sé cuál es vuestro estado! ¡Evitáis mi cama y exijo saber por qué!

Quizá supiese cuántos años tenía y cuál era mi estado, pero subestimaba mi ingenio. ¡Como si fuera a sollozar sobre su hombro por haberme engañado con la rosa galesa!

—No quería que os sintieseis culpable. —Se ruborizó—. Pero el último parto me destrozó. La partera usó tenazas... ¡una auténtica carnicería! —Me cubrí el rostro—. Si supierais cómo me abrió... ¡quizá no me recupere nunca!

Me dio unas palmaditas.

—Tranquila, Gracia. Santo Dios, nunca os había visto llorar. Decidme cómo se llama y os juro que le haré pasar las de Caín.

Sonreí sin dejar de llorar.

—He traído el libro de Galeno... me curaré, os lo prometo.

Me rodeó con los brazos y me habló al oído.

—¡Necesito vuestro amor, maldita sea! Si soy cuidadoso, ¿compartiréis mi cama?

—No.

—¿Incluso si os juro que no... hasta que me lo digáis?

—No.

Me separé. Nuestras miradas se encontraron durante unos tensos instantes. Enrique fue el primero en apartarla.

—Las heridas internas son las que más tardan en cicatrizar —murmuré, y cuán cierto era.

Enrique no era idiota; era como darle a entender lo de Rosamunda, y él ya se había dado cuenta. Se puso hecho una furia.

—¿Por qué no me lo dijisteis cuando sucedió? Habría sido considerado. No tenéis que esconderos en Poitiers como si fuerais una monja. Maldita sea, Gracia, os necesito como esposa, como amiga. Mi madre no dejó de gobernar cuando no pudo tener más hijos.

—Yo tampoco. Gobernaré Aquitania.

—Ah.

Nuestras miradas volvieron a cruzarse, pero esta vez las pupilas le bailaron movidas por la especulación. Diría que las mías también; aquél era el quid. ¿Cuánto sabía yo, y no sólo sobre Rosamunda? ¿Sería Aquitania mi verdadero motivo? Enrique era inteligente; peor aún, artero. No le volví a subestimar.

Finalmente estalló.

—¿Aquitania? ¿Después de que os intentaran raptar esos locos de los Lusignan? ¡No puedo permitiros que arriesguéis vuestra vida!

Incliné la cabeza.

—Teníais razón, milord, y todos los días enciendo una vela por el pobre Patricio de Salisbury. Sin embargo, el incidente sirvió de advertencia, ¿no? Os aseguro que tendré cuidado.

—¿Habéis olvidado que sois mi esposa? ¡Os lo prohíbo, maldita sea!

Por primera vez, dejé entrever los colmillos.

—Enrique, creo que más bien sois vos quien ha olvidado algo: soy la duquesa de Aquitania. Un título que tuve muchos años antes de que nos casáramos. He tomado una decisión; fin de la disputa.

—Seré yo quien establezca las normas de la negociación, milady. Vuestro título ha quedado relegado a un segundo puesto por el hecho de que sois reina de Inglaterra. ¡Os necesito allí!

—Espero haberos servido bien en Inglaterra y amo el país, pero no es mi tierra natal ni tampoco nací reina.

La discusión prosiguió; Enrique alabó mis aptitudes y yo le recordé que Ricardo de Luci y Leicester eran senescales más que cualificados. Además, si tan bien lo hacía en Inglaterra, ¿por qué no podía gobernar en Aquitania?

—¡Por Dios, no digáis necedades! Sabéis que Inglaterra es una isla pacífica y que respeta las leyes. ¡No hay barones rebeldes merodeando por los caminos en busca de víctimas!

—Gracias a vuestro severo reinado, Enrique. El mérito es vuestro.

Cambió de táctica.

—No me abandonéis, Gracia, no puedo sobrevivir sin vos. —La frialdad de sus ojos dio paso a un brillo sospechoso.

Por Dios, que no llore.

—Olvidáis, Enrique, que durante los quince años de matrimonio sólo hemos estado juntos tres. Sobrevivisteis a la perfección durante los doce años restantes.

Así que estaba celosa, parecían decir sus ojos. ¿Qué más habría revelado la idiota de la zorra galesa?

Planeáis desheredar a mis hijos, respondió mi mirada.

—¡Nunca os dejé sola por capricho! Vuestro ex marido atacó a las pocas horas de que nos desposáramos, y a partir de entonces todos los veranos. ¿Creéis que deseaba separarme de vos? ¿De mis hijos?

Eso era exactamente lo que había deseado. Cuán obvio resultaba, dados los hechos.

—Debéis acostumbraros a la separación, Enrique, igual que yo. No cambiará nada, salvo que estaré en Aquitania.

—Y ya no compartiréis mi cama.

Nos miramos de hito en hito a la luz del fuego; la verdad hablaba por sí sola.

—Eso también —admití.

—¿Para siempre?

—Oh, no para siempre. —Yo también sabía tentarle.

—Mis oficiales os protegerán.

Se había dado por vencido.

—Como gustéis.

Suspiró.

—No comprendo por qué queréis pasaros los días balbuceando en el cuarto de los niños.

—Os anticipáis —dije con alegría—. Tengo un proyecto fascinante entre manos, milord. He planeado convocar a jóvenes de toda Aquitania para que acudan a la corte.

Se ocultó en las sombras.

—¿Pensáis fundar una escuela?

—*Oc*, ¡una escuela para el amor!

—¿Qué? —El rostro perplejo resultaba cómico y revelador. Era obvio que creía que no sabía nada al respecto—. Supongo que enseñaréis las repugnantes canciones de vuestro abuelo e invitaréis a vuestros trovadores protegidos.

—Oh, sin duda, participarán los trovadores y los romanceristas. ¿No os parece curioso, Enrique? Nuestras vidas están compuestas de amor, salvo cuando los hombres están en guerra, por supuesto, y sin embargo nuestra sociedad nunca habla del amor, ni siquiera lo define.

—La mayoría de la gente discreparía. Estoy seguro de que os amo.

—Apuesto que todos los miembros de mi corte tendrán una definición diferente de lo que eso significa.

Sus ojos volvieron a reflejar su recelo.

—¿De quién habláis en concreto? ¿A quién habéis invitado?

Me apresuré a responder.

—Sobre todo a mujeres, por supuesto, la condesa de Flandes, la baronesa de Maine, damas de Inglaterra, y serán ellas quienes presentarán los casos ante la corte como si fuera un tribunal.

—Leonor, ¿queréis convertirme en el hazmerreír de Europa? ¿Cómo os atrevéis a perder el tiempo con las quejas banales de esposas insatisfechas? ¡Insultaréis a todos los nobles del país! ¡Os lo prohíbo!

Aunque era el momento idóneo para luchar abiertamente, me contuve.

—¿Se lo prohibiréis a María, duquesa de Champaña? ¿A Alix, duquesa de Blois? ¡Cuentan con el beneplácito del rey de Francia!

Su rostro volvió a adoptar una expresión cómica.

—¿Vuestras hijas? ¿Luis ha permitido crear una escuela del amor? ¡No me lo creo!

—Calmaos, milord, no es escuela destinada a enseñar el acto físico. Si bien somos conscientes del papel de la lujuria en el amor, nuestra preocupación es más política.

—¿Política? ¿Cómo? ¿Qué tiene que ver el amor con la política?

—En teoría nada, pero debéis admitir, Enrique, que la mayoría de los matrimonios están políticamente pensados para beneficio del hombre.

Me percaté de que se había enfurecido y proseguí antes de que me interrumpiera.

—¿Recordáis que vuestro hermano intentó raptarme? Imaginaos cómo habría sido ese matrimonio. Maridos y esposas son «amantes» y enemigos mortales. —Le coloqué la mano sobre los dedos repletos de costras—. Que no os confunda nuestra unión ideal, lo que digo es cierto. Queremos enseñar a los jóvenes los aspectos más positivos de la relación carnal y encontrar pautas que garanticen esa felicidad.

—¿Como Ovidio?

—Sí, en la medida en que trataremos el amor; no, en la medida en que él sólo se dirigía a los hombres y les enseñaba cómo aprovecharse de las mujeres; nuestra esperanza no es otra que cambiar la sociedad.

—En resumen, queréis empezar una revolución.

Sonreí.

—Ésa es una palabra demasiado provocadora para nuestras intenciones. Recordad que viví en Francia, visité el imperio bizantino, conocí los recovecos de sus distintas sociedades. Quisiera que el mundo se pareciese más a Aquitania en lo que se refiere a su postura para con el amor. ¿Es algo revolucionario? No emplearemos flechas ni catapultas, sólo música y relatos. María traerá a su famoso romancerista, Chrétien de Troyes. Yo ofreceré los trovadores.

Hizo crujir los nudillos.

—Gracia, tal vez debáis agradecerme que vengan María y Alix.

—¿Y eso?

—Sospecho que Luis les permitió que vinieran gracias a mí.

—¿Se lo pedisteis?

—No directamente; se trata de algo más sutil. Permití que Enrique el Joven le atendiese en París; Luis estaba tan agradecido que le nombró senescal de Francia. Toda una proeza, ¿no?

Sí, «mi» proeza, «mi» carta; Luis había replicado que honraría a mi hijo para sellar su participación en la conspiración.

—Es más —prosiguió Enrique—, nos reuniremos dentro de unas semanas en Montmirail para otorgar a mis otros hijos los ducados por los que tanto luché. Rendirán homenaje a Luis por los mismos, ¡un auténtico golpe maestro! ¡En un solo día ganaré lo que he deseado durante años!

Salvo que Enrique había querido que sus hijos rindieran homenaje a Inglaterra, no a Francia... y seguramente se percataría a tiempo del error. Un hombre inteligente, pero no lo bastante.

Se rió.

—¡Sí, podría decirse que soy el mecenas de vuestros tribunales de amor!

—Sin duda lo sois, querido. Mecenas y maestro, me habéis enseñado cuanto sé sobre el amor.

Error. Entrecerró los ojos.

—Decís que las mujeres se quejarán del trato de sus esposos. ¿Cuál será vuestra queja?

Me eché a reír.

—Ninguna. Seré la jueza, no la demandante. Son mujeres a quienes les han enseñado a odiarse a sí mismas.

La explicación no pareció satisfacerle del todo.

—¿Os he enseñado a odiaros?

Por primera vez dije la verdad.

—No, milord, siempre habéis alabado mi persona y mis aptitudes, como en el día de hoy. Sin embargo, admito que me he odiado a consecuencia de mis defectos. Por qué los tengo, no lo sé, pero intento superarlos.

—¿Superarlos?

—¿He dicho eso? Quería decir «descubrirlos».

Me tomó de la mano.

—Os doy mi palabra, Gracia, no tenéis defectos. Sin embargo, quizá tengáis razón sobre lo del período en que las mujeres pierden confianza y se odian, como decís. No olvidéis que tuve una madre. No soy insensible.

—Gracias, Enrique.

Retomó entonces el asunto de la reunión en Montmirail. Luis estaba dispuesto a forjar nuevos vínculos con Enrique; no sólo reconocería a nuestros hijos, sino que los condicionaría todavía más con dotes matrimoniales. Lo mejor de todo es que había invitado a Becket, quien por fin había decidido aceptar las Constituciones de Clarendon. ¡Una ocasión excepcional! ¡Ya no habría excusas para retrasar la coronación de Enrique el Joven! Todo eso ocurriría dentro de dos semanas, el día de Epifanía.

—¿No os sentís liberada, vencedora, Gracia?

—Es vuestra victoria, no la mía.

—¡No seáis modesta! ¡Compartís todas y cada una de mis victorias! Acompañadme a Montmirail, Gracia; quedaos conmigo. La cama puede esperar, sólo os necesito a vos. Y quiero que presenciéis el ascenso de vuestros hijos. Os gustaría, ¿no es cierto?

—Sabéis que es lo que más deseo en el mundo, que mis hijos obtengan lo que se merecen. Bien, si estáis seguro, iré.

No pensaba perdérmelo.

Me incorporé para retirarme, pero no me soltó la mano.

—Esperad, Gracia, no os marchéis. Sois una criatura de lo más astuta... ¿cuál es la verdadera razón por la que vais a Poitiers? La verdad, por favor.

La prueba final, para ver si mencionaba a Rosamunda.

—Os he dicho la verdad. Para enseñar el amor, para demostrar que el amor es el mejor maestro.

Me miró con una mezcla de pena y perplejidad.

—Desperdiciáis vuestro talento. Sin embargo, admito que sois una experta. Sabe Dios que me habéis enseñado... Os amo, Gracia, no sabéis cuánto os amo.

Antes de que pudiera evitarlo, me besó apasionadamente. Intenté responder.

Como otro beso hacía ya mucho en Beaugency, cuando me había despedido de Luis.

La reunión en Montmirail se celebró cerca de la ciudad, en un campo bajo donde se colocaron bancos para acomodar a los invitados. La neblina de enero enfriaba el ambiente, lo que obligó a todos a apiñarse y formar una especie de amistad forzada. Envuelta en pieles de marta, me senté en la primera fila para ver con claridad el estrado en el que los dignatarios despacharían sus asuntos.

El silencio se apoderó de la multitud; el abad de Saint-Michel subió los escalones, seguido de Luis de Francia y el pequeño príncipe. Subieron más personas, pero sólo observé a Luis. ¿Había sido amiga íntima de ese desconocido? ¿Cuándo se había dejado crecer esa larga barba? ¿Dónde estaba el muchacho tímido que se había avergonzado la noche de bodas? El abad comenzó la oración, y todos inclinamos la cabeza. No pude resistirlo... alcé la mirada y me topé con los ojos de paloma de Luis. La mirada era intensa, y allí estaba el mismo muchacho, la misma mezcla de deseo y pánico. Sin embargo, los años pasados sobre la silla de montar le habían otorgado una nueva confianza. Luis se había convertido en un guerrero, quizá no muy brillante en el campo de batalla, pero de una gran entereza. Además, era valiente. Su imperceptible sonrisa indicaba nuestra nueva alianza.

Desvié la mirada hacia Enrique; era la primera vez que lo veía junto a Luis desde aquella fatídica negociación, cuando había venido con su padre. A los treinta y cuatro años, Enrique se encontraba en la etapa de máxima insolencia del hombre adulto. La sonrisa oblicua y los ojos brillantes irradiaban una sensualidad que embelesaba incluso al grupo de célibes y eunucos. Durante unos instantes también él me miró y me hizo llegar un mensaje bien claro: «¿Lo veis? Ganaré la paz del mismo modo que gané la guerra.»

La tercera persona más interesante era el joven príncipe, Felipe, un chico cetrino y más pequeño de lo normal con un ojo un tanto blanquecino. Me enorgullezco de entender a los niños, y aquel chico era inquietante. Aunque su cuerpo fuera frágil percibí que su personalidad estaba marcada por la determinación. Pero ¿hacia qué? Entonces miró a Enrique y lo supe; odiaba a Enrique con el mismo fanatismo exaltado con el que Luis había mostrado su amor hacia Dios. Aquello me heló la sangre.

Comenzaron las negociaciones de paz. Enrique juró solemnemente que no volvería a luchar en Aquitania, Bretaña ni ninguno de los dominios continentales que se hallaran bajo la soberanía de Luis.

Así transcurrió la mañana.

Al mediodía un sol apagado y amarillento despuntó por entre las nubes. Enrique, mirando a Luis con aire de gravedad, pidió que se permitiese a sus hijos rendir homenaje a aquellas tierras que él, Enrique, les había concedido.

—Mis príncipes os ofrecerán su lealtad del mismo modo que los tres reyes trajeron regalos al Rey de Reyes el día de Epifanía.

Sentí vergüenza ajena. Enrique debía evitar las imágenes religiosas. Luis sonrió con dulzura.

—Puesto que Jesucristo ha inspirado vuestras palabras, que vuestros hijos reciban sus tierras en presencia del Señor.

Una réplica acertada que jugaba con la analogía equivocada de Enrique, que equiparaba a Luis con Jesucristo. Asimismo, la negociación resultaría inviolable a los ojos de Dios. Inteligente postura la de Luis.

Enrique el Joven avanzó unos pasos y luego se arrodilló ante su suegro, el rey francés. Palma contra palma, se miraron con amor mutuo. Durante unos instantes, me inquietó ver a mi hijo reconociendo tan abiertamente a Luis como su padre. Con solemnidad, el joven recibió Maine, Turena, Anjou y Normandía, y juró lealtad a Luis por sus nuevos dominios. Luis volvió a nombrarlo senescal de Francia.

Enrique me miró de soslayo. Mi hijo estaba en el trono de Francia.

A continuación subió Ricardo. Luis le observó con interés. Viéndolo a través de los ojos de Luis, percibí la gravedad, la determinación y la resistencia al magnetismo de Ricardo. Enrique el Joven era encantador; Ricardo, peligroso. Rindió homenaje a Aquitania.

—Como gesto especial de amistad entre las dos casas, príncipe Ricardo, os ofrezco a mi hija la princesa Alais como vuestra futura esposa. Su dote será el condado de Berry.

Enrique volvió a mirarme con expresión de satisfacción; hacía tiempo que codiciaba Berry. Todos los demás observábamos a una jovencita sumamente hermosa acercándose a Ricardo. Se asemejaba a su hermana Margarita, salvo que Alais parecía mucho más vulnerable y tímida. Ricardo la miró con recelo, luego con interés y finalmente con fascinación. Por primera vez, sonrió.

Sentí un nudo en la garganta. «Unidos como libélulas», pensé.

El último en subir fue Godofredo, cuya situación era menos clara. A los cinco años había sido prometido en matrimonio a la condesa de Bretaña, pero el conde de ese territorio todavía luchaba contra Enrique. En ese momento Luis le entregaba el territorio al niño enjuto y nervudo sin batallas de por medio.

Enrique tenía el imperio que tanto ambicionaba... salvo que pertenecía a sus hijos.

Se ocultó el sol y reapareció la neblina, y los sacerdotes descendieron desde la ciudad, encabezados por Tomás à Becket. Llegaba el momento cumbre del día.

De todos cuantos estaban en el estrado, Becket era quien más había cambiado. Delgado como un ermitaño, me recordaba a Luis en la época que llevaba arpillera. Se arrodilló ante Enrique.

Enrique le ayudó a reincorporarse y le abrazó con el rostro surcado de lágrimas. Enrique, por supuesto, lloraba con la misma facilidad que Luis.

Tomás volvió a arrodillarse. Se dirigió a Enrique en latín, en voz baja: se arrepentía de haber abandonado la diócesis, de haberse separado de Enrique, el hombre a quien más amaba en el mundo, y suplicó perdón.

Al acabar, miró a Enrique con expresión implorante.

—Dejo el caso en vuestras manos.

—Contad con mi clemencia —declaró Enrique, emocionado, al tiempo que le tendía la mano.

—Salvo el honor de Dios y mi orden —añadió Becket en voz alta.

Enrique se quedó helado. Los presentes observaban desconcertados y horrorizados. ¿Se trataba de la misma táctica? ¿Cuál era el motivo de la reunión? ¿No había prometido a Francia y a los monjes que reconocería a Enrique?

Enrique perdió el control. Se volvió hacia Luis y gritó que aquello era un «acto depravado y herético».

El arrebato de cólera fue en aumento. ¿Acaso era posible que el famoso rey de Inglaterra despotricara como un niño consentido? De repente, Enrique dejó de bramar.

—Decidle al arzobispo —pidió— que examinaré las leyes inglesas para comprobar si infringen el derecho canónico.

Luis y los legados rodearon a Becket y discutieron acaloradamente.

Becket obedecería las leyes divinas, y su orden tampoco reconocería a Enrique.

—¿Quién define las leyes divinas? —gritó Enrique—. ¿Tomás à Becket? ¡Decidle que me otorgue el poder del rey menos poderoso que Inglaterra haya tenido jamás y aceptaré!

Becket se negó.

Al hacerlo, perdió al rey de Francia, perdió a los abades y prelados, perdió a todos los presentes. De repente, Enrique se convirtió en un héroe. Por primera vez, todos supieron las tribulaciones que había sufrido a causa de ese arzobispo sediento de poder.

Reuní a mis hijos, sin estar segura de cuál era su situación, y proseguí la travesía hacia Poitiers. Ricardo estaba en una esquina con la princesa francesa, explicándole la estrategia de Alejandro Magno.

Por supuesto, Enrique ya había olvidado sus promesas. ¡Hizo un llamamiento a las armas! Atacaría Bretaña de inmediato.

Aunque disponía de mi propia guardia de caballeros, tuve que aceptar la escolta de Enrique. Cabalgamos a buen ritmo, aunque ligeramente obstaculizados por las densas neblinas y una nevada, y no se produjo percance alguno hasta que llegamos a una colina sobre Mirebeau, cerca de Poitiers. Allí detuve la comitiva; creí haber oído un grito humano.

Avancé con prudencia por un bosquecillo con un único escolta, y al mirar hacia abajo vi una escena de lo más confusa en una pradera. La nieve, la niebla y el viento permitían entrever el caos a intervalos. Caballos y ganado moviéndose en círculo, sin duda agitados. Entonces oí, más que ver, el zumbido de una flecha, y en el extremo del campo un arquero alzó la cabeza. Otra vez lo mismo hasta que una vaca cayó al suelo. ¿Desde cuándo los humanos luchaban contra las vacas? Entonces vi que los caballos iban ensillados y, sí, había un caballero inmóvil en la montura. ¿Aquitano? No se veía bien, pero parecía llevar nuestros colores, el azul y el blanco. El ejército, más bien un grupo de rufianes, atacó. ¿Eran los mercenarios locales saqueando la campiña?

¿Qué querían? Entonces, a lo lejos, se elevó humo; una mujer y tres niños corrieron gritando hacia el claro. Fueron ensartados y cesaron los gritos.

—Santo cielo, ¿quiénes son esos canallas? —grité al caballero que estaba más cerca, uno de los hombres de Enrique.

—Silencio, milady, o nos oirán. Será mejor que sigamos antes de que nos descubran.

Descendimos por la colina hasta un lugar seguro, aunque caí en la cuenta de que nuestra seguridad era un espejismo. Canallas, rufianes, así los llamaban y había muchos por doquier, pero sospechaba que eran mercenarios. Nuestros caballeros no luchan contra los ladrones. Y, por lo general, no combaten durante los meses invernales. Bien, yo había venido para cambiar eso, ¿no?

Entré decidida en el palacio de Poitiers, resuelta a tomar las armas yo misma. No obstante, subí los escalones que llevaban a la alcoba de mi abuelo, en la torre de Maubergeonne, que no había sido modificada desde la muerte de mi abuela.

«Una torre encantada», pensé mientras tocaba la cama donde los amantes ilícitos habían entrelazado sus cuerpos. Al volverme, me vi reflejada en el espejo de las cruzadas.

El sol me iluminaba el rostro por la derecha; todavía tenía la piel suave como la de una manzana; las trenzas retenían el rubio oscuro oriental, sin canas, gracias a Dios. Los labios se curvaban de esa forma tan misteriosa que Enrique solía comentar, y los ojos, espejo del alma, emitían una confusión azulada. Dios mío, no deseaba ser conocida.

Busqué la pluma.

«Ricardo de Rancon, barón de Taillebourg, recibid mis saludos: Resido de nuevo en Poitiers. Mi hijo Ricardo necesita ser instruido en las artes militares como parte de la preparación para ser duque. Por la presente os nombro su maestro y mentor. Os ruego que contestéis de inmediato. Leonor, reina de los ingleses, duquesa de Aquitania, condesa de Poitou.»

Estampé el sello, mi propia imagen sosteniendo un halcón en alto, diseñado a petición mía tras cazar con Rancon en las cruzadas. Qué talle tan fino tenía entonces... ¿todavía era tan pequeña? Retrocedí para verme la cintura en el espejo.

Plana por delante, rellenita por detrás, todo firme al tacto. Juventud en estado puro a los cuarenta y cuatro años.

De acuerdo, cuarenta y cinco.

Volví a sentarme. ¿Qué era aquel brillo que se veía en el espejo? Me froté la mejilla con la base de la palma y me acerqué. El brillo desapareció; durante unos instantes, una lágrima se estremeció sobre el dedo, luego cayó.

Transcurrieron dos semanas y no recibí respuesta alguna. Entonces, el Miércoles de Ceniza, llegó cabalgando.

Ricardo fue el primero en verle.

—¡Eh, Rancon! —gritó el niño.

Les vi saludarse desde la entrada. Todavía tenía el cabello oscuro y la figura esbelta, pero su porte transmitía una dignidad propia del hombre maduro, del hombre casado.

Subió los escalones con tranquilidad.

—Reina Leonor, os presento mis respetos.

No hubo manos entrelazadas ni besos de paz.

—Rancon, os agradezco que hayáis venido.

—Obedezco a mi señor supremo.

—No os obligo, Rancon —dije con frialdad—. Si lo preferís, buscaré a otra persona.

Entrecerró los ojos.

—Obediencia y placer son lo mismo en este caso. —Saludó a Amaria, a mi hermana, y a los pequeños Godofredo y Leonor. Luego le presenté a Juana, la princesa Margarita y Alais. Enrique el Joven estaba con su padre, y a Juan lo había dejado unas semanas con las monjas en Fontevrault.

Tras infinidad de cumplidos, sugerí a Rancon que hablásemos en un lugar seguro donde no fuéramos observados.

—Id vos primero —ordené—. A la cueva que está junto al río... ya sabéis dónde.

La cueva del ermitaño en la que habíamos sollozado abrazados toda la noche.

En su rostro se reflejaron recuerdos, confusión y renuncia.

—Haré cuanto digáis, mi señora, pero os recuerdo que está lloviendo, casi nevando, y la sala principal es un lugar bastante tranquilo.

—Os ruego que hagáis lo que os he dicho.

Se inclinó, se puso la capa forrada de armiño y, tras ofrecer como excusa que se iba a ocupar de los caballos, se marchó. Indiqué a Amaria que se llevara a los niños a las dependencias de las mujeres, escaleras arriba, y también yo me enfundé una capa de marta.

No había nadie. Era un día helado y húmedo, y el barro resultaba peligroso para hombres y bestias por igual. Al principio pensé que Rancon no estaba en la cueva, hasta que le oí llamarme desde las sombras.

—Estoy aquí, mi señora.

Entré.

—Gracias por responder a mi llamamiento.

—Os he repetido en numerosas ocasiones que quiero enseñar a Ricardo. —Guardó un momento de silencio y prosiguió—. Sin embargo, todo este secretismo me parece curioso. ¿Acaso enseñar a Ricardo es una empresa peligrosa?

—Vuestro trabajo con Ricardo no será más que una tapadera para vuestra verdadera misión, Rancon.

—Es decir...

El tono frío de sus palabras me indujo a responder lo que había confiado en no decir.

—Os preguntaréis qué hago en Poitiers.

—En absoluto. Es por el bien de vuestros hijos, ésa ha sido vuestra motivación, siempre la ha sido. En el caso de Ricardo, es obvio; no estoy tan seguro de los demás.

—Sí, estáis en lo cierto, pero se trata de algo más complejo que un descanso bucólico. ¿Me permitís que os lo explique?

—Os lo ruego.

—Durante nuestro último encuentro establecimos comparaciones dolorosas y crueles entre la política y nuestras vidas personales.

—Lo recuerdo vívidamente. Me comparasteis con una meretriz.

—Una hipérbole producto de la ira —dije sin alterarme—. Dijisteis, y acabáis de repetirlo, que para mí los hijos son lo más importante de todo, más que vos, más que Aquitania. —Esperé, pero no dijo nada al respecto—. También me acusasteis de... estar físicamente obsesionada con Enrique.

—Una hipérbole producto de la ira —replicó con sequedad.

—Os equivocasteis sólo en parte —admití—. Sin embargo, sólo me obsesionaba un aspecto de Enrique: su capacidad para ayudar a mis hijos, o su capacidad para destruirlos.

—Antes de que prosigáis, quizá deba deciros que toda Aquitania cotillea sobre la bella Rosamunda y que vuestro señor planea deshacerse de vos.

¿Toda Aquitania? Me quedé sin habla durante unos instantes. Cuando me hube recuperado, le conté en un tono monótono y desapasionado mi encuentro con Rosamunda.

Rancon se anticipó.

—¡Pensaba desheredar a Ricardo!

—Como mi heredero, sí. En realidad me desheredaba a mí, ya que todavía estoy en posesión del título.

—¿Y Ricardo lo escuchó?

—Peor que eso, lo entendió.

—No debería deciros que os lo había advertido.

—Mea culpa por no haber actuado antes. ¡Pero escuchad! He hecho todo lo que pedisteis: he regresado a Aquitania para siempre; he abandonado mi matrimonio.

Tardó una eternidad en responder. Por fin respiró hondo y dijo:

—Doña Leonor, ¿puedo hablar con franqueza? Vuestra mea culpa deberíais confesársela a un sacerdote, no a mí. Vuestro matrimonio, aunque quizá distanciado a nivel personal, todavía tiene validez. Vamos, os acompañaré hasta la sala.

—¡No, esperad, os lo ruego! —Le tomé del brazo—. ¡Escuchadme hasta el final! ¡Me he sumado a la rebelión, Rancon!

Se apartó.

—¿Qué rebelión?

—La rebelión contra el reinado de Enrique en mi ducado. ¿Acaso hay otra? Me he unido a Luis; lo planeamos juntos.

Por fin había logrado que me prestara atención. Rápidamente y en voz baja le expliqué la carta que le había escrito a Luis, su respuesta, las negociaciones en Montmirail. A Rancon le sorprendía que hubiera recurrido a Luis, pero no estaba del todo convencido.

—¿Por qué me contáis todo esto?

—¡Porque también estáis en contacto con Francia! Luis me lo dijo... ¡lo sé!

—Todos rendimos homenaje a Francia. Naturalmente que estoy en contacto.

—¡No finjáis! ¡Conspiráis contra Enrique! ¡Estoy de vuestra parte, necesito vuestra ayuda, Rancon! ¡Y vos necesitáis la mía... lo dijisteis! ¡Escuchad! Tengo un plan... pienso establecer un tribunal del amor aquí en Poitiers.

Pareció casi tan consternado como Enrique.

—¿Amor? ¿Se trata de otro plan como el de Tristán?

Me sentí como si me hubieran abofeteado.

—En absoluto. —Me froté la frente con el mitón—. Tal vez deba aclarar cualquier malentendido. La última vez que nos reunimos disteis por zanjada nuestra relación personal. No recurro a una estrategia retorcida para renovar nuestra amistad.

—Pero... ¿tribunales del amor?

—¡Como entretenimiento! Sabe Dios que tengo fama de entregarme al amor ilícito... si me permites la expresión. Escuchad los nombres de las damas que asistirán al tribunal. —Leí una larga lista de nombres—. ¿No os sorprende nada?

Vaciló unos instantes.

—¿Os referís a las nobles de Inglaterra o a las de Escocia?

—*Oc!* ¡Son las esposas de los nobles que se han sumado a nuestra causa! Sus señores también acudirán, mas disfrazados, y se ocultarán en lugares que les facilitaremos. Por la noche urdiremos los planes. ¡El amor será la tapadera perfecta!

Antes de que pudiera impedírselo, me arrastró fuera de la cueva, bajo la lluvia helada.

—¡Os prohíbo terminantemente que sigáis adelante con ese plan peligroso y *mesclatz*! ¿Cómo es posible que os planteéis la posibilidad de traer a desconocidos ingleses e involucrarlos en nuestros problemas locales?

—Serían locales si hubiera actuado cuando me lo pedisteis. Ahora Enrique es enemigo de Inglaterra y de gran parte de Europa. Su imperio angevino ha fracasado, ¿no? Pero os pondré varios ejemplos: traicionó al rey de Escocia y tentó con recompensas a la aristocracia, promesas que nunca cumplió. Al mismo tiempo, desangró a los nobles escoceses e ingleses para financiar las batallas en Europa. Del mismo modo que le cuesta gobernar con un pie en cada orilla, le costará defenderse en dos frentes —concluí en tono triunfal.

—Es una locura peligrosa, Leonor. Por Dios, ¡estáis pidiendo la pena de muerte!

—¿Me estabais ofreciendo la pena de muerte cuando me pedisteis que participara en la conspiración?

—¡Jamás! ¡Debíais anular vuestro matrimonio antes de uniros a nosotros! ¡La reina de Inglaterra no puede rebelarse contra su esposo, el rey de Inglaterra! ¿Acaso habéis olvidado las leyes?

La lluvia le resbalaba por las mejillas y le goteaba de la nariz. Al fondo, detrás de él, se veía la silueta recortada del monte Cadmos. Dios, que no fuera presagio de nada.

—¿Sospecha lo que planeáis? —insistió—. ¿Por qué habéis venido a Poitiers?

—Al igual que la mayor parte de Aquitania, cree que estoy celosa de lady Rosamunda.

—Y si os descubren, eso es lo que Aquitania, de hecho Europa, seguirá creyendo. Salvo Enrique. Seguramente sabe el motivo real de vuestra partida y quizá tenga espías. ¡Nunca subestiméis al muy cabrón!

—Luis parece haberse salido con la suya.

—No os engañéis. Enrique está jugando con él.

—Sacrificaré entonces mi vida por el futuro de mis hijos; acepto las consecuencias.

—¿Les ayudaréis con vuestra muerte?

—No moriré, Rancon; ganaré... con vuestra ayuda. Os lo ruego, por mi padre, ¡tenemos que luchar!

—Debería protegeros en honor a vuestro padre. ¡Os prohíbo que sigáis adelante con este plan mortal!

—¡Prohibid cuanto queráis!

Como guerreros en el campo de batalla, nos miramos de hito en hito.

—Decís que los nobles ingleses están de nuestra parte... ¿cómo sé que es eso cierto?

—Os doy mi palabra. —Mis palabras me recordaron al abad Suger, aunque las decía en serio—. Enrique ha permitido que los nobles ingleses se valgan por sí solos. No le necesitan.

—En resumen, son desleales y peligrosos. ¡Esos nobles también podrían utilizaros!

—¿Cómo? ¡Sólo para acabar con Enrique! —Me volví—. Haced lo que gustéis, pero ahora ya sabéis cuál es mi postura. En cierta ocasión me pedisteis que luchara por Aquitania, pero temía perjudicar a mis hijos. Ahora lo haré para protegerlos. Qué ironía, ¿no?

Me sujetó del brazo.

—¡Veré a Ricardo nombrado duque de Aquitania, maldita sea!

—No antes de que Enrique el Joven sea coronado. Enrique nunca lo permitiría.

—¿Y Becket todavía controla la coronación de Enrique el Joven? Asentí.

—¡Santo Dios! —Tomó un puñado de barro y lo arrojó al río—. ¡Maldito Becket! ¡Maldita sea la discrepancia!

—Becket me visitó cuando estaba en Angers, confiando en que le ayudara. Es manipulador e intransigente, y la coronación es la mejor arma para convencer a Enrique.

—¡Rosamunda os dijo que Enrique no quiere heredero alguno! Si estaba en lo cierto, entonces Becket es la excusa perfecta para evitar lo que, de todos modos, no quiere hacer.

—Pero nombró expresamente a Becket para coronar a Enrique el Joven.

—Poned a prueba a Enrique —dijo Rancon apasionadamente.

—¿Cómo?

—Sugeridle que sea otro arzobispo quien celebre la ceremonia de coronación. Si se niega, tendréis la seguridad de que no quiere coronarlo.

—Canterbury siempre corona a los reyes ingleses.

—¿Qué me decís de las excepciones?

Le miré de hito en hito.

—¡Santo Dios!

—¡Decidme!

—Tras la muerte del arzobispo Teobaldo y antes del nombramiento de Becket, el propio Becket escribió al Papa solicitándole una dispensa para coronar a Enrique el Joven, y el Papa se la concedió. ¡Cualquier arzobispo podría coronarle! Me pregunto si la dispensa todavía es válida... ¡escribiré a Enrique!

—¿Y si Enrique se niega?

—No lo hará. Aunque Enrique no quiera la coronación, hará lo posible por acabar con Becket.

—Un juego peligroso, Gracia.

—No, un juego interminable. Los dos obtienen un placer perverso en su lucha por el poder.

—No es interminable. Enrique ganará. Observad el destino de Becket y vigilad el vuestro.

—Apostaría por el triunfo de Becket.

—Becket es hombre muerto, si a eso se le llama triunfar.

—¡Escribiré a Enrique de inmediato!

Chapoteamos por el barro tan aprisa como pudimos, ansiosos por disfrutar de un burdeos templado y una sala seca. No me engañé al pensar en mis sentimientos... ¿No me había emocionado cuando me llamó Gracia? ¿No me había consolado el hecho de que no quisiera verme muerta? Pero me alegraba de haber conservado la dignidad. Esa lágrima solitaria sería la única que derramaría.

Al cabo de una semana recibí una respuesta triunfal a mi carta: no, la dispensa del Papa no había perdido validez. Enrique escribiría a Luis de inmediato para enviar a Enrique el Joven a Calais; debía acudir allí con la princesa Margarita. Ya había escrito a Roger, el arzobispo de

York, para pedirle que coronase a la joven pareja como rey y reina de Inglaterra. El arzobispo Roger de York había aceptado; la mayoría de los nobles ingleses había aprobado la decisión.

Escribí a Luis que habíamos dado el primer paso de nuestro plan. También informé a Rancon, que al menos en ese asunto se había equivocado en cuanto a Enrique.

Luego, tras anunciar que debía visitar una nueva abadía en Caen, partí con Margarita hacia allí, desde donde nos dirigiríamos a Inglaterra. Sólo Rancon estaba al tanto de mi verdadero propósito.

Enrique el Joven estaba tan eufórico ante la perspectiva de la coronación que tuvimos que encerrarle para que no cacarease su triunfo y lo estropease todo. Margarita fue a verle a la alcoba secreta y sospeché que compartieron cama por primera vez, una doble celebración.

Llegó Enrique. Ordené que se bordase rápidamente el vestido de Margarita para la coronación. La agitación iba en aumento a medida que se aproximaba el momento en que iban a zarpar. Yo me quedaría para proteger los puertos de Becket y sus espías. Nos trasladamos de Calais a Barfleur, donde esperaba el *Esnecca*.

Le di un beso de despedida a Enrique el Joven.

—El último beso que os daré como príncipe —dije alegremente.

Luego abracé a Margarita, que parecía mi hija de verdad.

—Inglaterra es afortunada y Enrique el Joven más aún —le susurré.

Enrique nos interrumpió.

—Gracia, la princesa se quedará aquí con vos.

—¿Qué?

—La coronaremos más adelante.

—¿Cómo os atrevéis a traicionar a Francia? —Estaba furiosa.

—¡Haré lo que me plazca! —replicó indignado—. ¡Se quedará con vos!

—¡Entonces yo también me quedaré! —gritó Enrique el Joven—. ¡No permitiré que se degrade a mi esposa!

—Subid a bordo o jamás llevaréis la corona —le ordenó Enrique.

A continuación se produjo una escena de inaudita acritud mientras Margarita lloraba amargamente y yo perdía las esperanzas de verlos coronados.

Tiré de la túnica de Enrique.

—¿Por qué? —inquirí.

—¡No os debo ninguna explicación!

—Decídmelo, Enrique, o no irá nadie.

Me desarmó con su sonrisa.

—Tengo que jugar con Becket, decirle que no me quedaba ninguna otra alternativa para la coronación, pero que todavía deseo que dé su bendición a Enrique el Joven.

—¿Planeáis una segunda coronación?

—Digamos que le tentaré con una segunda coronación, con la princesa incluida. Así matamos dos pájaros de un flechazo, ¿no?

—Sois demasiado sagaz, Enrique. —Demasiado artero.

El barco zarpó finalmente. Me quedé con la princesa y luego hice venir a Humet, el representante de la corona, para que vigilase los puertos en mi ausencia.

Llegó un mensajero de París exigiendo que Margarita regresase de inmediato junto a su padre. Aquella injuria había encolerizado a Luis. Otra traición de los ingleses... ¿es que nunca aprendería? Di por perdida nuestra reciente asociación, que ya de por sí tenía demasiado peso histórico que superar, pero Margarita me aseguró que le diría a su padre que Enrique era el verdadero villano y que yo había intentado defenderla. Mi única esperanza era que Margarita convenciese a Luis. Y yo debía admitir que, al menos en parte, había sido injusta con Rancon.

Cuatro días después entré en la sala principal de Poitiers y me detuve, confundida; estaba Rancon conversando con una hermosa joven. ¿Su nueva esposa? Y junto a ella había un niño. Los tres se incorporaron.

—Lo siento si interrumpo —dije con voz queda— . ¿Sois la señora de Rancon? ¿Y vuestra hija?

—¿No me reconocéis? —La mujer se acercó a mí, con los brazos extendidos. Acto seguido reconocí las trenzas rubias, la piel lustrosa y los intensos ojos azules, mi yo más joven.

—¿María? ¿María? ¡Si sois toda una mujercita!

—¡Mamá, no habéis cambiado! —Me rodeó con los brazos.

Abrazadas, recordé la fragancia de mi pequeña, el tacto de su piel de pétalo. Nos balanceamos y cantamos con voz suave fragmentos de canciones mientras la verdadera niña nos observaba.

Me arrodillé.

—¿Y quién es esta niña?

—Soy Escolástica, abuela —respondió claramente.

—Un nombre de lo más apropiado, estoy segura.

—Escolástica, id con Amaria. Quiero hablar con madre a solas.

—Yo también me retiraré —dijo Rancon con mucho tacto.

—Esperad, Rancon, debo contaros algo sobre la coronación. Tenemos problemas.

María sonrió.

—No sabía, mamá, que este famoso trovador fuese vuestro capitán.

—Y vos no me informasteis que María os ayudaría en los tribunales del amor, doña Leonor —dijo Rancon—. Dice que cambiaréis la fisonomía social de Europa.

—Éste es el año de mis cambios —repliqué.

—Y todos para mejor. —Un comentario cruel dada nuestra nueva relación.

—Sin embargo, no necesitamos separarnos. María también forma parte de la conspiración. —Los ojos le brillaron; Rancon apartó la mirada. No habíamos vuelto a hablar de la rebelión desde la primera cita en la cueva. No sabía si se había retirado o si simplemente quería excluirme.

Por el momento nos sentamos formando un estrecho círculo de complicidad y les describí lo sucedido en el puerto.

—¿Por qué lo ha hecho? —inquirió María, desconcertada—. ¿Es que no le gusta Margarita?

Rancon me miró.

—Tiene que ver con Becket.

—Cierto. —Y les expliqué todo cuanto sabía.

—Tentación —comentó Rancon.

—Sí —convine.

Rancon insistió en dejarnos solas.

María volvió a abrazarme.

—¡Oh, mamá, cuánto os quiero! ¡Es como si nunca nos hubiéramos separado! ¡Vuestras cartas me han enseñado tanto sobre la música! ¡Y el amor!

Se refería a las pautas sociales del amor, no a su relación con su esposo, Enrique.

Perdimos la noción del tiempo mientras comparábamos nuestras incursiones en la poesía y el romance. Entonces me dijo algo que me inquietó.

—¿Quién es Rancon, mamá?

—Os lo he dicho, un trovador, mi capitán en Aquitania...

—¿Un amigo especial? —me preguntó, interrumpiéndome.

—¿Por qué lo preguntáis?

—Tengo la intuición... —Vio mi expresión—. No pretendía inmiscuirme.

—Habladme de Luis —dije alegremente—. ¿Se encuentra bien?

María le consideraba un padre atento pero distante. Sin embargo, estaba más que entusiasmado con su hijo Felipe.

—Parecía enfermizo —comenté.

—No os dejéis engañar por su escasa estatura o su expresión dolorida. Carece de carácter, pero se vuelca por completo cuando algo le interesa, como un sabueso siguiendo un rastro. Odia al rey Enrique.

La pregunta era si también odiaba a los hijos de Enrique.

Intentamos contarnos lo ocurrido durante los años que habíamos estado separadas y cuándo llegaría Alix. Los sirvientes iban y venían, servían y retiraban comida, oscureció y seguíamos hablando.

Entonces retomó el tema de Rancon.

—Parecía reacio a hablar de la rebelión.

—¿Le preguntasteis al respecto?

—¿No debería haberlo hecho? Dado que es vuestro capitán...

—No importa.

—¿No forma parte de nuestro plan?

—Aún no. Por el momento, nuestro movimiento se divide en dos facciones.

—¿Inglaterra y Europa?

—Sí, también, pero hay otro grupo al sur de Aquitania, cerca de Angulema, que lleva mucho años luchando. Temen perder la autonomía. Pero bueno, ¡basta de política!

Retomamos nuestras vidas el día que nos separamos en Beaugency.

En cuanto supe que Roger, el arzobispo de York, había coronado a Enrique el Joven, inicié los preparativos para nombrar duque a Ricardo. Para apaciguar a Aimar de Limoges, quien todavía estaba enfurecido por el hecho de que Enrique hubiera derruido sus murallas, decidí celebrar la ceremonia en su ciudad, presidida por el arzobispo, e invoqué a la santa de Limousin, una virgen poco conocida llamada santa Valeria. Por pura coincidencia, los monjes de Sainte-Martial descubrieron una biografía de santa Valeria en sus archivos, que todos interpretaron como un buen augurio. También me aseguré de incluir a la princesa Alais en todas las fases de la ceremonia. Ricardo y ella todavía no estaban casados, por supuesto, por lo que su presencia no tenía la misma importancia que la de Margarita para Enrique el Joven, pero tenía que apaciguar a Luis.

Enrique pidió que le excusáramos del ritual, estaba instruyendo a Enrique el Joven en Winchester; mejor para nosotros. Hasta un ciego se habría dado cuenta de que a Rancon le interesaba especialmente Ricardo; no apartaba la mirada ni las manos del apuesto mozalbete, y

Ricardo no ocultaba su aprecio. Aguardaba ansiosa el día en que le diría la verdad a Ricardo, pero no ahora, no cuando nos adentrábamos en terrenos tan peligrosos.

No obstante, mientras cabalgaba junto a Ricardo y Rancon por las estrechas calles de Limoges, fingí que éramos una familia unida por la sangre y el amor. Bajo la atenta mirada de Rancon, conduje a nuestro hijo por la nave lateral hasta la mampara ornamentada que separaba el coro de la nave, donde nos arrodillamos, cara a cara. Interpretando el papel de santa Valeria, le puse un anillo en el dedo en señal del sacramento del matrimonio; prometió que siempre me amaría y respetaría, y se postró ante mí. Así, simbólicamente, Ricardo se desposó con el pueblo de Aquitania. Sin pretenderlo, me topé con los ojos de Rancon, y durante unos instantes dichosos fuimos nosotros mismos.

Desde Poitiers iniciamos una *chevauchée* para presentar al nuevo duque a sus súbditos. La euforia disminuyó; Rancon, que nos acompañaba, presentó a Ricardo a los barones como su futuro dirigente militar, y entonces recordé cuando mi padre me había presentado de similar guisa. La sensación de pérdida me asoló: deberíamos ser una familia; resultaba insoportable estar tan separados. Tan solos.

Me sentí mucho mejor cuando regresamos a Poitiers.

Enrique regresó de improviso a Normandía para solucionar de una vez por todas los problemas con Becket. Para sorpresa de todos, aceptó las exigencias de Becket: canceló sus deudas, le indemnizó por los ingresos perdidos en el exilio y se ofreció a acompañarle en persona a Canterbury en el *Esnecca* real. Pero lo más importante era que Enrique había planeado una segunda coronación para Enrique el Joven, esta vez con Tomás de arzobispo y con Margarita en el lugar que le correspondía.

—¡La rebelión podrá seguir adelante! —exclamé.

—Enrique ha averiguado algo —dijo Rancon preocupado—. Se trata de una táctica premeditada para desanimar a los rebeldes. Una forma de tentación.

—¿Creéis que los rebeldes son tan idiotas? ¿Creéis que estarán dispuestos a perdonar todos los años de agravios sólo porque Enrique parece conciliador?

—La gente es veleidosa, doña Leonor. Suele juzgar a los soberanos por sus actos más recientes.

—¿Qué creéis que ha averiguado?

—No lo sé.

Rancon volvería a Taillebourg, dado que había terminado el período de instrucción con Ricardo. Recordaba vívidamente otras despedidas, cuando nos habíamos abrazado con desesperación, susurrándonos promesas sobre el futuro cercano. En esta ocasión se limitó a decir que estaría en contacto y luego se alejó cabalgando.

Salvo por el desliz que cometí al verle con María, no había mencionado su nueva familia y él tampoco contó nada.

Rancon estaba en lo cierto sobre la reacción que se produciría por la generosidad de Enrique: toda Europa estaba impresionada, menos dos personas, Becket y yo. Tomás se negó a aceptar los obsequios reales, hasta que le presionaron para que cambiara de actitud. Se dirigió a Barfleur para reunirse con Enrique.

Entonces emergió el verdadero propósito de Enrique. En lugar de acudir en persona a la cita de Barfleur se desvió a Auvernia para participar en una batalla imaginaria; en vez de pagar a Becket o entregarle el *Esnecca*, dejó a su viejo amigo abandonado, el cual tuvo que suplicar un pasaje de vuelta a Inglaterra. Finalmente, alguien le prestó varias monedas para embarcarse en un mercante poco antes de Navidad; ni siquiera los monjes de Canterbury sabían de su llegada.

No obstante, Enrique había logrado su propósito. Quizá faltase a sus promesas, pero no por ello Becket se ganó la estima de los demás. Estaban hartos de sus incesantes gimoteos, de que les pidiese dinero, de su postura implacable.

En cuanto Becket hubo abandonado Europa, Enrique invitó a todos los nobles a Bures para celebrar su año más propicio en la corte navideña. ¿Acaso no había coronado a su hijo (aunque no a su esposa)? ¿Acaso no se había deshecho de Becket finalmente? Existían muchos motivos por los que debía sentirse agradecido.

A regañadientes, acepté acudir a la celebración.

Mi séquito se extendía casi media milla en el camino. No sólo estaban seis de mis hijos, todos menos Enrique el Joven, con sus cortesanos, así como las dos jóvenes princesas francesas, doña Constancia de Bretaña, a quien recientemente habían prometido en matrimonio a Godofredo, Amaria y una docena de mis cortesanos, sino también el cocinero y su personal, el vinatero, ollas, braseros, mi cama, sábanas, gallinas y cerdos vivos listos para sacrificar, dos grupos de músicos, mi trovador personal y una numerosa guardia de caballeros para asegurarnos que llegaríamos sanos y salvos. Partimos de Poitiers al son de las campanas y los caramillos, pero al poco se levantó un fuerte viento con ráfagas de nieve. Con las capuchas bajadas y las bufandas cubriendo la nariz, avanzamos lenta y pesadamente y en silencio por el sendero.

Ya había nevado bastante para cuando el hombre que encabezaba la comitiva gritó:

—¡Bures! ¡En el horizonte!

Gracias a Dios. Cruzamos el estrecho puente que cubría el foso; aunque había intentado llegar antes que los invitados, el patio estaba repleto de caballos y mozos de cuadra. En el interior, la oscura sala principal se encontraba abarrotada de hombres y algunas mujeres. Helaba y, sin embargo, el agujero para el fuego del centro de la sala no era más que un enorme hueco gris sin leña; el orificio del techo para el humo estaba abierto a la tormenta, si bien en vez de humo lo único que se elevaba era el aliento gélido. No vi a Enrique.

—¡Abrid paso! ¡Abrid paso a la reina! —gritaron mis pajes.

Llamé a mi ayudante, al encargado del fuego, al leñador y a una docena de caballeros fornidos para que ayudasen. Los sirvientes salieron corriendo al exterior, subieron las escaleras hasta el patio de la cocina, luego hasta el almacén y en menos de una hora las llamas rugían, las chispas salían disparadas hacia las pieles húmedas, donde chisporroteaban durante unos instantes, la abertura del techo estaba bien cerrada —el humo parecía una neblina asfixiante, pero daba igual— y la mayoría de los invitados sostenía cuencos de madera llenos de ponche caliente. La fiesta había comenzado.

Enrique me agarró por detrás.

—¡Santo Dios, me preocupaba que os sucediera algo en la tormenta! Podría haber perdido a toda mi familia.

Iba envuelto en pieles de marta y los ojos grises y la nariz roja le brillaban a modo de bienvenida.

—Habría sido una tragedia —comenté con sequedad—. Jamás podríais reemplazar a vuestros hijos.

Se había vuelto, y no me escuchó.

Aunque era de noche, seguían llegando invitados y fui a comprobar el estado de los suministros. La Navidad solía ser una época feliz en Poitiers y seguía siéndolo aunque estuviera sola con mis hijos, pero esas cortes multitudinarias exigían las mismas aptitudes administrativas que las de César al mando de su ejército. Apenas había llegado y ya estaba contando los días que faltaban para marcharme.

Por la mañana vi a todos los invitados. Estaban, como siempre, los nobles y el clero de Anjou, Maine, Turena y Normandía, algunos de los Países Bajos, pero me sorprendió que hubiera tantos de Inglaterra. Más sorprendente aún resultaba que muchos de los ingleses presentes se habían mostrado dispuestos a rebelarse: Roberto de Leicester, Hugo de Chester, Hugo Bigord de Norfolk y Guillermo de Gloucester. ¿Estaría Rancon en lo cierto? ¿Acaso el buen trato y los regalos que Enrique había dispensado a Becket habían apaciguado el fervor de esos exaltados? No tenía tiempo ni ganas de analizar las distintas posibilidades; ese día serví capón asado y pasteles picantes, e hice adornar la sala con acebo y pino. Tras el coro retumbante de gritos, la música sonaba con dulzura y los trovadores entonaban las canciones de mi abuelo.

Aunque los sirvientes se ocuparon de mis hijos, vi que Ricardo, al menos, disfrutaba de su primera Navidad con la hermosa Alais, y Juana era el centro de atención de las damas, quienes batían palmas mientras ella bailaba. Enrique llevaba al pequeño Juan a hombros mientras se abría paso con su alegre encanto por entre sus antiguos amigos y enemigos. Hasta el tiempo se convirtió en uno de los atractivos de la fiesta; la nieve y el aguanieve azotaban las murallas y los vientos bramaban en contraste con la ebria calidez del interior.

Al tercer día estaba agotada, sobre todo de sonreír, y todavía era Nochebuena. Había que cambiar constantemente las ramas de pino para que no se quemaran; una de las cenas había sido un desastre mayúsculo porque las aves se habían echado a perder; doña Constancia de Bretaña, una niña huraña con bolsas bajo los ojos, torturaba a Juana; a mi trovador le dolía la garganta.

Quizá se tratara de mi exasperación, pero tenía la intuición de que a Enrique le ocurría algo. Recordé la celebración navideña en Argentan, cuando la fiesta había salido mal; ahora estaba tenso, demasiado bullicioso, como si tentase al desastre.

El día había llegado a su fin y ya se habían retirado varios invitados cuando oímos un golpeteo lejano a nuestra izquierda.

—¡Silencio! —ordenó Humet, el representante de la corona—. ¡Silencio todos!

—¡Silencio! —bramó Enrique, y la sala enmudeció salvo por los niños.

El golpeteo se oía con más claridad y escuchamos también unos gritos apagados.

—¡Por Dios, dejadnos entrar!

—¿Quién va? —preguntó Humet a quien estuviera al otro lado de los tablones de roble. Miró a su alrededor, sorprendido—. Dice que es Roger, arzobispo de York.

Los presentes comenzaron a murmurar. ¿De York? ¿Cómo había cruzado el Canal con semejante temporal? ¿Por qué los guardas no le habían detenido en el muro de cerramiento? ¿Por qué no habían levantado el puente del foso?

Enrique abrió la puerta de par en par. Un hombre muy gordo ataviado con una piel de marta negra se arrodilló ante Enrique.

—Majestad, Dios me ha escogido para que os traiga nuevas el día de Nochebuena.

—Traed ponche caliente —ordené a un sirviente. Dos obispos que acompañaban al arzobispo parecían estar a punto de desplomarse.

—Tomaos vuestro tiempo —le dijo Enrique a York—. Satisfaced vuestras necesidades primero.

Los obispos eran de Salisbury y Londres, la flor y nata del clero inglés. Con delicadeza, varios caballeros les acompañaron hasta unos taburetes situados junto al fuego.

—Llevad a los niños a sus aposentos —le dije a Am.

—Yo no —protestó Ricardo.

No, ya era duque de Aquitania. Asentí.

Finalmente, el arzobispo de York comenzó a hablar.

—Os traigo noticias relativas a Becket, milord.

Enrique se puso en cuclillas, muy cerca de York.

—¿Becket? ¿No está en Canterbury?

—Quizá ya haya llegado. Le hicimos regresar con la guardia de Enrique el Joven.

Se me encogió el estómago.

—Comenzad por el principio —ordenó Enrique.

Becket había llegado a Sandwich el 1 de diciembre, a unas cinco leguas de Canterbury; recorrió esa distancia rodeado de multitudes que le adoraban, y luego desmontó para entrar descalzo en la abadía. Allí, York y los obispos se reunieron con él para pedirle que les retirase las excomuniones por haber participado en la coronación de Enrique el Joven. Se negó y les dijo que les había excomulgado el Papa, no él. Asimismo censuró a los monjes de Canterbury, quienes también se mostraron contrariados. Tras una semana de celebraciones y piadosas distribuciones de limosnas, Becket había mostrado su verdadera personalidad.

—Anuló las Constituciones de Clarendon —conjeturó Enrique.

—Peor, majestad. —La voz de York, que hablaba en voz baja, resonaba en la sala como un tambor—. Reunió a cien caballeros armados y cabalgó hacia Winchester; declaró que Enrique el Joven no tenía derecho a estar en el trono ya que su coronación no era válida. ¡Por el camino intentó incitar a la muchedumbre a la insurrección!

Al igual que los presentes, di un grito ahogado.

Enrique se incorporó de un salto.

—¿He oído bien? ¿Él, que ha recibido todos los honores que he podido conferirle, me traiciona? ¿Un ejército, decís? ¿Insurrección? York asintió.

Con un alarido penetrante, Enrique arrancó una rama de acebo y la agitó como una cuerda ante los invitados atónitos.

—¡Vos, sí, vos! ¿Es que no sois leal? ¿No os avergonzáis? ¿Cómo podéis quedaros como un pasmarote cuando atacan a vuestro rey? ¡A las armas! ¡A por el traidor! ¿Es que nadie me ayudará a deshacerme de ese sacerdote turbulento?

Había presenciado los arrebatos de Enrique en numerosas ocasiones, pero nunca había visto nada igual. Le quitó la espada a un caballero y la agitó como un loco, rechinó los dientes, pataleó e imitó sonidos animales. Gracias a Dios, los niños se habían retirado. Entonces Ricardo me tiró de la túnica.

Miré hacia donde señalaba; lejos del alboroto, cuatro hombres se armaban con calma. Rodeamos al rey poseso y nos encaminamos hacia los cuatro caballeros. Reconocí a dos de los tíos bastardos de Enrique, Tracy y fitzUrze, y dos barones, Morville y Bret. Hablaban en voz baja, sin prestar atención al monarca iracundo. Ya armados, se cubrieron con pieles pesadas, rodearon a la multitud y se dirigieron hacia la puerta. ¿Adónde irían una noche como ésa? Ricardo y yo les seguimos, envueltos en las sombras. Al llegar a la puerta, se detuvieron y volvieron la vista; nos agachamos tras un puñado de angevinos y observamos.

FitzUrze alzó la mano. Seguí su mirada y vi que Enrique interrumpía su arrebato y le miraba de hito en hito. Alzó también la mano y asintió con brusquedad, una pausa en su ataque demente. Se abrió la puerta y bajo el temporal de nieve vimos varios corceles esperando, ensillados y listos para partir.

Le apreté la mano a Ricardo, que me devolvió el apretón. Regresamos juntos al bullicio de la multitud. Lentamente, Enrique volvió a ser el de siempre. Pidió una mesa, pergamino y un secretario para redactar un mensaje.

«A Su Santidad, Alejandro, Papa de los cristianos, de su fiel servidor Enrique, rey de los ingleses: acabamos de saber que Tomás à Becket ha cometido actos de alta traición contra nuestra persona y la de nuestro hijo, el rey Enrique el Joven. Con engaños fraudulentos ha despojado a nuestro clero de sus legítimas prerrogativas y ha atacado a nuestro príncipe con huestes armadas. Os imploramos que detengáis al agresor de estos actos ilegales.»

Firmó la carta y llamó a los mensajeros, dos ducados extra para el hombre que hiciera frente a la tormenta. Muchos se ofrecieron voluntarios; los mensajeros partieron hacia Roma en menos de una hora.

Enrique ordenó un consejo de seglares. Un oficial llamado Mandeville quedó al cargo de un segundo contingente, que partiría hacia Canterbury en cuanto el tiempo lo permitiese.

Pero cuatro hombres ya estaban de camino. ¿Con qué propósito? Mandeville y sus hombres le darían un ultimátum a Becket: o cesaban los actos hostiles contra el joven rey y su padre o le arrestarían. Siguieron discutiendo, pero ya había escuchado bastante. Ricardo y yo nos retiramos.

Ricardo se detuvo en lo alto de la escalera.

—¿Qué creéis que harán esos cuatro caballeros?

—Tenían órdenes de enfrentarse a Becket antes de que llegaran los oficiales legítimos.

—Sí.

No pude leerle los ojos en la oscuridad, pero pensábamos lo mismo. Recordábamos otra Navidad con lady Rosamunda en Tintagel; el contexto de la perfidia quizá fuese distinto, pero la fuente era la misma. ¿Quién sabe cuán bajo caería?

El día de Navidad fue sombrío; los invitados estaban apagados. El arzobispo Roger ofició la adoración de Natividad, luego bendijo a los miembros del consejo de Mandeville, seis en total. Con o sin nieve, estaban resueltos a partir ese mismo día. Las lágrimas corrieron por las mejillas sin afeitar de Enrique.

—Os ruego que aguardéis otro día, hasta que sea seguro —dijo con la voz rota—. Becket no tomará las armas durante estas festividades.

Mandeville, también con ojos llorosos, juró que amaba a su rey por encima de la seguridad personal. Mientras la puerta del foso se cerraba con gran estruendo, Ricardo y yo nos miramos en silencio. Sus ojos gris azulado reflejaron mis pensamientos: ¿Por qué no había llorado Enrique al enviar a los cuatro caballeros la noche anterior? ¿O los mensajeros al Papa? ¿Dónde había estado su compasión entonces?

Pasó la Navidad, luego otro día, y otro más. Debía quedarme mientras ardiese el tronco de Navidad, pero muchos de los invitados se marcharon. Enrique, que ya no hacía de anfitrión, trabajaba con el representante de la corona, Ricardo de Humet; desde el saludo inicial, apenas habíamos intercambiado una palabra.

El 29 de diciembre ordené que trajeran mis arcones a la sala principal para comenzar los preparativos de partida. Se habían acabado los cerdos, las gallinas, los frutos secos y los pasteles, pero todavía quedaban muchos productos. Mientras trabajaba con Amaria, nos interrumpió otro golpe en la puerta.

—Dejadme entrar, por Dios. ¡Abrid la puerta! ¡En nombre del rey, abrid!

Am y yo nos incorporamos, aterradas. ¿Es que acaso podía haber más problemas? ¿Estaba Enrique el Joven...?

Abrí el portal. Un caballero joven, medio muerto por el frío y la fatiga, se habría desplomado en el suelo si Amaria y yo no le hubiésemos sostenido.

—¡El rey! —dijo sin fuerzas—. ¡Debo ver al rey!

Am corrió escaleras arriba. Acerqué al caballero al fuego.

Enrique bajó rápidamente.

—Bien, sir... sir Balliol, ¿no es cierto...? ¿qué os trae en semejante estado?

Sir Balliol intentó ponerse en pie pero no pudo.

—Majestad, rey Enrique, os comunico... ¡el arzobispo de Canterbury está muerto!

El rostro rubicundo de Enrique empalideció como la nieve.

—¿Tomás está muerto? Pero ¿cómo? Tenía problemas de estómago...

—Asesinado, milord, acuchillado en el altar mientras rezaba. —Costaba seguir sus palabras porque había empezado a sollozar—. A sangre fría, a manos de cuatro caballeros. Le atravesaron con las espadas. Dicen que el cuero cabelludo le colgaba como un aro.

Las rodillas me temblaban; tuve que sentarme.

—¿Tomás muerto? —En esta ocasión no derramó lágrimas, pero la impresión parecía auténtica. Sin embargo, nadie sabía fingir mejor que Enrique. Colocó la manos sobre el hombro del caballero—. Reposad.

Se volvió hacia las escaleras, ascendió por ellas lentamente y se detuvo en lo alto, con la cabeza gacha. Entonces dejó escapar un grito animal de tal intensidad que me estremecí. El aullido siguió resonando mucho después de que Enrique hubiera desaparecido.

Sir Balliol me miró con temor.

—Parece afectado.

—Sí.

—Pero dicen... dicen... que los hombres vinieron de aquí. Dicen que el rey asesinó a Becket.

¿Era posible que aquello me asombrara? Ciertamente. Enrique había cometido muchos delitos, pero jamás un asesinato. Además, era la primera vez que se le imputaba la responsabilidad de algo. Antes de que formulara más preguntas, Enrique reapareció.

—Gracia, ¿seríais tan amable de subir a mi alcoba? Debo hablaros.

27

La puerta de la habitación de Enrique estaba cerrada cuando subí las escaleras. Entonces, de repente, Ricardo de Humet salió con brusquedad y pasó rápidamente junto a mí.

—Gracia, ¿estáis ahí? —me llamó Enrique desde el interior.

—Voy.

Aunque había recobrado el color de la tez, estaba tenso.

—He enviado a Humet para que tome la delantera a los mensajeros que van a Roma. Antes de que le comuniquen la muerte de Becket, el papa Alejandro debe saber que el arzobispo atacó Winchester.

—Para justificar su asesinato —repliqué.

Me miró con dureza; luego se incorporó y comenzó a caminar de un lado a otro.

—Por Dios, cuán terrible destino. Asesinarle ante el altar... no me lo puedo creer.

—¿Quién lo hizo, Enrique?

—Santo Dios, ¿por qué iba a saberlo?

—El caballero me ha dicho que los asesinos venían de aquí.

—Mandeville todavía no habrá llegado a Canterbury.

—¿Qué me decís de los cuatro caballeros que partieron el día de Nochebuena? —pregunté sin tapujos. Estaba segura de que quería hablar conmigo de ese asunto para saber quién había observado sus señales.

—¿Qué cuatro hombres?

Se los describí y los llamé por su nombre.

Me miró de hito en hito.

—¿Se lo habéis dicho a alguien?

—¿Por qué iba a hacerlo? Sin embargo, quizá no fuera la única que los viera. Deberíais prepararos.

—¿Para qué? —me retó.

—Para negar vuestra participación.

Se acercó.

—Mi participación fue nula —dijo entre dientes—. ¿Lo comprendéis?

—No tenéis que convencerme, Enrique. —Y no habría podido si lo hubiera intentado.

—No a vos —convino—, pero vuestro ex marido me atacará.

Le acaricié la mejilla.

—Os habéis mostrado muy paciente con Becket durante todos estos años. ¿Por qué ibais a cambiar ahora? Además, un acto tan brutal no es propio de vos.

Relajó los músculos del rostro.

—No, por Dios, no lo es. Casi nunca mato en el campo de batalla, nunca si puedo evitarlo, y soy poco severo con los prisioneros. Los hechos dan fe de ello. Sin embargo, nos hallamos ante un dilema complicado. Ojalá mi madre estuviera viva para ayudarme a calmar las aguas.

Su madre era la mujer menos propensa a calmar las aguas que había conocido en toda mi vida.

—Por suerte —prosiguió—, os tengo a vos. Necesito vuestra ayuda, Gracia; nunca os había necesitado tanto. —Vi con horror que me rodeaba con sus brazos y enterraba el rostro en mi pecho. Estuve a punto de gritar—. ¿Recordáis que en una ocasión os dije que todo hombre necesita un amigo íntimo en quien confiar? Vos sois ese amigo, Gracia. Pongo a Dios por testigo que no saldré de ésta sin vos.

Becket también había sido su amigo íntimo. Rancon estaba en lo cierto: si intentabas arrebatarle poder a Enrique acababas en un charco de sangre.

—¿Qué sucede? —Enrique se apartó—. ¿Por qué tembláis?

Esperé que interpretase la voz entrecortada como un síntoma de ira.

—Becket propició la tragedia, ¿no? Ofendió a esos caballeros al atacar Winchester, y os convirtió en culpable cuando se vengaron. Decidme qué debo hacer, ¡lo que sea!

Mostró los dientes, pero sus ojos no sonreían.

—Convertíos en mis ojos y oídos; mantenedme informado de los rumores, quién es leal y quién no. Mientras, me retiraré a Argentan para llorar la muerte de Tomás; no estaré en contacto con nadie, salvo con vos.

—Os informaré con regularidad.

Los ojos enrojecidos se le llenaron de lágrimas mientras las pupilas danzaban frenéticamente intentando comprobar mi sinceridad.

Mis espías me informaron.

Los monjes de Canterbury, que no apreciaban a Becket, dejaron el cadáver sobre su propio charco de sangre junto al altar durante dos días para que los habitantes lo vieran. Un vecino emprendedor recogió cuanta sangre pudo en una taza y esperó a que llegara el momento oportuno. Cuando el cuerpo comenzó a pudrirse, los monjes lo llevaron a un ataúd, le cosieron la herida de la cabeza (en forma de aro) y le quitaron la toga. Para su asombro, vieron un cilicio repleto de gusanos y bichos. ¿Acaso había sido un verdadero devoto? ¿Acaso los votos, aunque profesados con una diligencia más bien indecorosa, habían sido sinceros?

Si así fuera, escribieron mis informantes, habría sido vilmente asesinado (admito que no seguía el razonamiento: había sido vilmente asesinado, fuera devoto o no).

Al día siguiente, el tercero después del asesinato, Becket se sentaba erguido en su tumba bendiciendo a los monjes. Se hablaba abiertamente de martirio.

El caballero emprendedor puso a la venta la sangre de Becket. Al cabo de una semana, un trapo empapado en sangre curó la ceguera de una mujer llamada Britheva; un sacerdote con la lengua paralizada recuperó el habla; a Godiva le desapareció la hinchazón de las piernas. Los peregrinos acudieron en masa a Canterbury y por todas partes se oía la palabra «santo».

Informé a Enrique.

¡Vaya ironía! Que Tomás à Becket, un adulador vanidoso, ambicioso y egoísta cuya única virtud era la inteligencia rápida y superficial fuera el «santo» de otra fase de nuestra rebelión, o que simplemente fuera santo. Salvo por provocar a Enrique, no había hecho nada digno de ser recordado; no había agradado a nadie, su familia le había rechazado y, lo peor de todo, las mujeres le tenían tanta aversión como a Bernardo de Claraval. Tampoco le perdonaba que le hubiera hecho daño a Enrique el Joven.

¿Cuáles eran los criterios de la Iglesia para la santidad? Por desgracia se planeaba canonizar a Bernardo de Claraval, y ahora Becket también estaba en perspectiva. En cambio el abad Suger quedaba relegado al olvido y sólo se le recordaría por haber inventado un nuevo estilo arquitectónico. En cualquier caso, si yo tenía razón sobre la importancia de la literatura y el arte, Suger ocuparía el lugar que se merecía en siglos venideros.

Oculté a Enrique la reacción pública que, además, no le interesaba. Desde el Papa hasta el más humilde mozo de cuadra, la gente veía a Enrique II, rey de Inglaterra, como una combinación de Poncio Pilato y Judas Iscariote; al igual que ellos, había puesto a un santo desarmado en manos de sus asesinos; al igual que ellos, había delegado el acto criminal en otros, se había «lavado las manos» de tan abyecto crimen.

Le comuniqué que los clérigos estaban enfurecidos.

Obviamente, le oculté la reacción de nuestros rebeldes, desde Escocia hasta Guyenne, quienes decían estar listos para marchar, aunque Becket no les importaba lo más mínimo. Para ellos, había llegado el momento oportuno. Teníamos al rey acorralado, atrapado por su propia locura asesina.

Luis me exhortó a que inaugurara de inmediato el tribunal del amor... estaba preparando un encuentro de jefes de Estado que se celebraría en Poitiers ese verano.

Enrique, aislado en Argentan, no era consciente del alcance de las llamas que lamían la base de su torre y todavía creía que podía capear el temporal. En todos los foros clamaba que era inocente de asesinato, connivencia e incluso el más mínimo deseo de que Becket muriera. Había querido a Tomás como a un hermano y le había otorgado cuantos favores le había sido posible como rey. Quienes le visitaron quedaban impresionados por sus lágrimas de angustia, pero, por supuesto, no recibía muchas visitas. Mis cartas, aunque certeras, eran calificadas de histéricas.

Sin embargo, ni para mis hijos ni para mí era fácil seguir adelante. Incluso en la cordial ciudad de Poitiers vilipendiaban a los míos y los llamaban hijos de Satanás. Se decía que Juana volaba en una escoba las noches de luna llena, que todos ellos participaban en los aquelarres que había en nuestros jardines. Renacieron los rumores sobre Melusina, la bruja antepasada de Enrique, sobre su abuelo Fulco el Malo, sobre Ermengarde de Anjou, la loca, sobre la conocida propensión de los angevinos a la demencia diabólica.

Esperé con inquietud a María para preparar el tribunal, y confiaba en que distrajera a mis pobres hijos. Habría llorado de alivio el día que corrieron al patio para saludarla, pero no era ella, sino Rancon. Al verle desmontar uno de sus magníficos corceles andaluces sentí la dicha de siempre, pero la controlé de inmediato. Sin duda alguna, la muerte de Becket le habría hecho venir para darme otro sermón sobre el peligro que corría.

—Saludos, mi señor —dije con cautela.

Asintió sin mirarme, luego entró en la sala principal rodeando a Ricardo con un brazo y a Godofredo con el otro al tiempo que las niñas bailaban frente a él.

Lo mejor sería desarmarle antes de que comenzara, desviar su ataque.

—Cuán amable por pensar en nosotros, Rancon. Estamos sufriendo mucho... ¡Lo de Becket ha sido un auténtico castigo, sobre todo para los niños!

—¡Dicen que soy una bruja! —gritó Juana.

Rancon me miró con acritud.

—¿Becket? ¿Qué sucede con Becket?

Aparté el vino con incredulidad. Los niños farfullaron la sangrienta historia con deleite mientras Rancon expresaba horror y asombro a partes iguales. Mientras hablaban, Juan se sentó en su regazo, Ricardo y Godofredo juguetearon con la espada que había colocado en el suelo, y las niñas le tocaban con timidez los cabellos y el cuerpo, una escena extraña y conmovedora. Comprendía la desesperada necesidad de atención de los niños, pero ¿cuál era el motivo de Rancon? ¿Por qué había venido si no sabía lo de Becket? ¿Dónde había estado? En Europa no se hablaba de otra cosa. Se reía, adoptaba expresiones exageradas de asombro, acariciaba los cabellos de las niñas, desempeñaba a la perfección el papel paternal y amistoso. Sin embargo, no me miraba.

Oscureció, el encargado del fuego trajo más leña y Amaria llevó a los niños con sus respectivos sirvientes. Me senté frente a Rancon.

—¡No malgastéis vuestra saliva! —le ordené, como si ya hubiera hablado—. ¡No pienso retirarme de la rebelión!

Su respuesta fue tan apagada que apenas la oí.

—¡Santo Dios, Becket está muerto!

—Lo predijisteis. ¿Por qué os sorprendéis?

—Creía que Enrique sería más sutil.

—La ejecución en el altar fue un error, sin duda. En cuanto a los milagros...

No parecía escucharme.

—Al menos Enrique es más vulnerable —repetí por segunda vez.

—¡Olvidad la rebelión! ¡Por Dios, pensad en vuestros hijos! ¡Os necesitan!

—Extraño consejo, viniendo de vos.

Me tocó el hombro.

—Gracia, no he venido a discutir.

—¿No? Entonces, ¿a qué habéis venido? Los caminos están cortados; el tribunal del amor comenzará en verano.

—¿Me creeríais si os dijera que he salido a cabalgar? —Intentó sonreír.

—Difícilmente.

—Pues es cierto. Al menos en parte. Supongo que habrá una estancia para mí.

—Sabéis que sois bienvenido. No hay nadie en las dependencias militares; haré que os preparen una cama.

—¡Aguardad! —Me tomó de la mano mientras me incorporaba—. Quiero hablaros.

Volví a sentarme.

Comenzó a contarme lo que había hecho a finales del verano pasado, tras nuestra *chevauchée*; había vuelto a Taillebourg y se había sumido en un profundo estado de melancolía. Su matrimonio tendría lugar en Navidad y se había dado cuenta de que no podría seguir adelante con sus planes. No mostré la gran dicha que sentía. ¡Fueran cuales fueran los motivos, no estaba casado! Se había puesto en contacto con la mujer de Gascuña y se había retractado de la manera más honorable posible, alegando mal del alma. Cuando faltaba poco para el otoño, había decidido peregrinar a Compostela.

Le interrumpí por primera vez.

—¡Eso es más increíble que la muerte de Becket, Rancon! ¿Vos... un peregrino?

Cerró la boca y no replicó. Me arrepentí del comentario de inmediato. ¿Estaría todavía sumido en la melancolía? ¿Habría sucumbido, de entre toda la gente, a la bilis negra? Rancon, siempre tan vivaz, optimista, incluso colérico, pero nunca triste.

—Soy un hombre religioso, Gracia. Y seguí el ejemplo de vuestro padre, que acudió al santo en busca de ayuda.

Mi padre, un hombre nada religioso, había ido en busca de ayuda porque Bernardo de Claraval le había echado una maldición y había enfermado de gravedad. Oh, Dios, ¿me estaría ocultando algo? ¿Habría regresado porque temía por su salud?

Prosiguió con la historia.

—Ya sabéis que hay un largo camino hasta Compostela, pasando por los enormes bosques de pino de Guyenne, la tierra roja, el olor a trementina, las agujas verde plata bajo el sol, el espacio infinito de los cielos... me sentía aturdido, como si estuviese en otro mundo. De repente, recordé con claridad la leyenda del rey Arturo... ¿Os acordáis de cuando Enrique me encargó que escribiese sobre Arturo?

Y yo había propuesto a Wace de Jersey, quien nunca compuso una versión convincente.

—Se trata de Ginebra. Engañaba a Arturo con Mordred, el malvado sobrino de Arturo... una aventura amorosa que degrada a la gran reina.

Cuánto nos parecíamos.

—Era un amante que no estaba a su altura.

—Así que sustituí al villano por un héroe.

—¿Quién?

—Lanzarote.

Por supuesto, el mejor de los caballeros.

—Continuad.

Con su habitual tono convincente, Rancon narró su trama. Un día, sentados en torno a la Mesa Redonda, el rey Arturo supo que el malvado Melegant había raptado a la reina. Arturo pidió que un caballero la rescatase y sir Kay se ofreció voluntario. Sin embargo, sir Kay no superó ninguna de las terribles pruebas y, en secreto y sin revelar su nombre, otro caballero se encargó de la búsqueda. Se arrastró por un torrente rugiente sobre el afilado borde de un cuchillo; se resistió a la tentación de una hermosa seductora sin vacilar en momento alguno. Luego, para su disgusto, se le acercó un enano en un carro de estiércol, la más baja de las criaturas y el medio de transporte más humilde. El enano prometió a Lanzarote que le conduciría hasta la reina, pero tendría que ocultarse bajo la pila de estiércol. Lanzarote vaciló unos instantes, no sólo porque el estiércol fuera una protección de lo más desagradable, sino porque era impropio de un gran caballero ir en un carro... ¡y con un enano! Pero finalmente, venció sus propios escrúpulos y se sumergió en la inmundicia.

Lejos, en el castillo donde la retenían prisionera, la reina Ginebra observó a su amante en un espejo mágico y le vio vacilar. Se encolerizó. ¿Acaso no la amaba? ¿Era su orgullo más importante que la vida de ella?

Lanzarote llegó al castillo, se enfrentó a Melegant y perdió. Malherido, hambriento y desangrándose, lo arrojaron a los pies de Ginebra. Lanzarote, moribundo, le imploró que le curase.

—¿Lo hizo? —inquirí.

Rancon me miró de hito en hito.

—No lo sé... ¿qué creéis que hizo?

—Es vuestra historia, Rancon. Contadme el final.

—La curación consistía en ofrecerle el consuelo del amor.

Me incorporé, agitada.

—Por el amor de Dios, decidme la verdad. ¿Estáis enfermo?

—Sí, enfermo de amor.

Me invadió un júbilo inmenso. Me sentía tan débil que tuve que volver a sentarme.

—¿Es vuestra historia una metáfora, Rancon?

Se puso en pie.

—Os amo, Gracia. Por eso estoy aquí, por eso sigo con vida, porque espero... Si me equivoco...

—¡No os equivocáis!

Me abrazó con todas sus fuerzas; la melancolía había desaparecido.

Horas después, en la oscuridad de mi cámara, retomé la leyenda del rey Arturo según Rancon. Si de veras se inspiraba en nuestras circunstancias personales, y estaba segura de que así era, ¿quién era entonces el enano en nuestras vidas?

—¿Acaso no es obvio? —replicó—. Un hombre pequeño... un niño.

—¿Ricardo?

—Para llegar hasta la reina debo aceptar a todos sus hijos.

—¿Incluso los de Enrique?

—Todos son vuestros, ¿no? —dijo en tono alegre—. Y, probablemente, tres de ellos son míos.

¿Tres? Guillermo, Ricardo y... ah, sí... seguramente Matilda.

Mis hijos, nuestros hijos, hijos... los amaba, y él también. Si hubieran podido elegir padre, le habrían elegido.

—Pero Rancon, quizá no soy Ginebra.

Se echó a reír.

—¿Queréis callaros? El cuento se ha acabado.

—Ginebra fue prisionera de un mago malvado. Y el rey Arturo no era su Némesis. Podría haber dejado a Enrique, me lo suplicasteis, debería haberlo hecho el primer mes, embarazada o no, independientemente del posible escándalo. ¡Soy culpable, Rancon! Soy yo la que os hizo ocultar bajo una pila de estiércol, no mis hijos. ¿Me perdonáis?

—¿Acaso no estoy aquí? Y no lo olvidéis, me acusasteis de querer ascender de rango al amaros. Necesitaba aceptar mi rango degradado, pasar por todas las etapas para ser armado caballero.

—Hipérbole, ¿lo recordáis?

—Tuve que superar la prueba. ¿Sabéis lo que pienso? El único pecado verdadero es traicionar al amor... Creo que ninguno de los dos ha llegado tan lejos.

Cuán cálida su voz, sus brazos, su carne presionada contra la mía. Una chispa chisporroteó en el hogar y nos iluminó.

—Ah, Rancon, qué hermoso el vello negro de vuestro pecho.

Se acercó más aún.

—Me he encontrado una cana en el pelo... ¿os importa?

El humo del fuego ascendía hacia las vigas del techo y trazaba dibujos fugaces en el aire.

Tristán e Isolda, el Amor y la Muerte, ahora Lanzarote y Ginebra, él falleció y ella acabó en prisión.

Apoyé la cabeza en el pecho palpitante de Rancon.

—Os amo —susurró.

28

Rancon residió en la torre de Maubergeonne, nuestra torre del amor, donde iba a verle todas las noches. Intentamos ser discretos, pero éramos francos. Nadie hablaba de nuestro grado de intimidad y todos se beneficiaban de nuestra dicha. Mi vida se convirtió en un acorde múltiple, como una de las armonías polifónicas de Constantinopla: el cuidado de los niños, la administración doméstica, el gobierno de Aquitania, los mensajes a Inglaterra, para Luis, para Enrique, para los nobles conspiradores del continente y Gran Bretaña, pero la melodía del amor puro recorría todas las complejidades del contrapunto.

Enrique abandonó su retiro y descubrió la verdad sobre su reputación. Zarpó hacia los mares de Irlanda, donde nadie le seguiría, con la intención de atacar. Sin pretenderlo, dejó de saber cuanto estábamos haciendo.

Regresó mi hija María, en esta ocasión acompañada de Alix, que se parecía a su padre, aunque la voz ronca y grave era mía, el eterno misterio de la mezcla de sangres, y poseía su propia e increíble inteligencia. Había alcanzado mi momento de mayor felicidad y era consciente de ello. Una y otra vez me detenía bajo un sauce, en un puente o en una escalera, y exclamaba: «¡Soy feliz!»

Los soldados de Rancon avanzaban, entonando sus *sirventés*:

¡En marzo y junio
haré lo que quiera!
¡La guerra es mi himno
y mi trova la escaramuza!
Vivo para la batalla...
¡Ese credo es mi estrella!

Los barones se enfrentaron como todos los veranos, La Marche contra Angulema, Limoges contra Poitou, bramando, gritando y rugiendo. Valiéndose de esas batallas simuladas, los líderes de la rebelión llegaron a Poitiers sin llamar la atención. Otros nobles de Escocia, Inglaterra, Maine, Normandía, Francia y Anjou recorrieron los caminos silenciosos al amparo de la oscuridad y entraron en la ciudad disfrazados de monjes, juglares, comerciantes y granjeros. También acudieron a Poitiers sus mujeres, con el pretexto de asistir a los tribunales del amor.

El día de San Juan, las jóvenes se congregaron en nuestro jardín bajo el sol resplandeciente para hablar del amor, mientras que los conspiradores aguardaban la caída de la noche. Una vez reunidas las jóvenes estudiantes, caminé hasta el centro del círculo cubierto de hierba. Enmudecieron nada más verme, en parte por mi rango y en parte por mi atuendo. Llevaba el verde de trovador con una larga capa de seda estilo bizantino bordada con corazones rojo escarlata; perlas de incalculable valor colgaban de hebras triples hasta las rodillas, y la pequeña corona era de oro y rubíes.

—¡Bienvenidas, jóvenes amantes! —dije en voz baja al tiempo que extendía las manos—. Bienvenidas a nuestro tribunal del amor, donde intentaremos cambiar nuestras vidas... *oc*, cambiar la historia. Somos las Noé de nuestros días, a bordo de un arca con la misión de conservar la vida, de renegar de la brutalidad que está desintegrando nuestra existencia. —Alcé las manos fingiendo desconcierto—. *Dex aie!* ¿Acaso es demasiado tarde? ¿Qué significan esas ojeras? Decidme la verdad... ¿están arrugadas vuestras sábanas? ¿Sufristeis insomnio anoche? ¿Había bestias ardientes bajo vuestras mantas? ¿Atisbos de pasión? —Cada vez que formulaba una pregunta, tocaba la mejilla ruborizada de alguna joven avergonzada y esperaba a que las risas se apagaran—. ¿Os reunís por la noche para salir de caza? ¿Teméis que nuestra corte dome las palomas de Cupido mientras se elevan hacia el éxtasis? ¿También que recomendemos el celibato? Todo lo contrario, defendemos los corazones apasionados, pero tendrán que latir siguiendo nuestras órdenes. Sin embargo, hasta que no haya tenido lugar la domesticación, aconsejo a las jóvenes vírgenes aquí presentes que no duerman... pues sabemos lo que sucede con las partes pudendas de las doncellas incautas. —Gritos de placer contenido.

Paseé lentamente entre las jóvenes repletas de granos, enrollé rizos, di palmaditas en las mejillas y hablé con descaro de la lujuria, mientras Rancon cantaba dulcemente de fondo:

Recuerdo ahora el sufrimiento
de nuestra separación:
recuerdo
el desconsuelo de mi corazón,
recuerdo luego
la tersura al poner
las manos bajo su capa.
Recuerdo eso y ruego a Dios
que no vuelva a separarnos.

Levanté la mano para llamar la atención.

—Ah, nuestro señor Rancon ha vuelto a recordarme que estamos aquí para enseñaros el amor, no para alentar vuestra lujuria animal, que no necesita instructor alguno.

Me volví para ver a Rancon y proseguí:

—Se trata de una revolución, queridas, una rebelión contra Ovidio y el caos que ha provocado en nuestras vidas a lo largo de los siglos. Los hombres no son violadores por naturaleza ni las mujeres meras presas de caza; somos dos partes de la misma especie y ansiamos la unión. Todos sentimos ese deseo en la juventud, pero la cultura embrutece nuestra naturaleza y nos convertimos en cazadores y presas, y siempre tenemos la sensación de haber traicionado el verdadero significado de la vida. Sólo los artistas permanecen fieles a nuestros sentimientos instintivos, aunque me temo que sólo algunos, como los de Aquitania. Os invito a que escuchéis de nuevo la canción de Rancon y os percatéis del deseo que anida en todo corazón humano.

Incliné la cabeza mientras él interpretaba la canción.

—Gracias, mi señor. Muy bien, dado que el amor como aspecto central de la vida es tan extraño en estos tiempos voraces, hemos codificado varias normas que os ayudarán a desafiar vuestra cultura. Estas pautas sobre el amor se encuentran en este pequeño volumen —sostuve en alto un libro encuadernado— que hemos copiado en hojas manuscritas para que las leáis. Las normas reciben el nombre de Constitución del duque Guillermo IX, en honor al gran trovador que era mi abuelo. Nos regiremos por estas normas cuando examinemos los casos en el tribunal del amor, y el primer caso se basa en la primera ley: «El matrimonio no es excusa para el desamor.» ¡Adelantaos, doña María, duquesa de Champaña, y presidid como jueza!

Me retiré y María ocupó mi lugar.

En cuanto me hube alejado, me quité la corona y me dirigí rápidamente hacia la torre de Maubergeonne para reunirme con Rancon. Él ya había llegado y estudiaba minuciosamente un mapa que había extendido bajo el espejo.

Apoyé la mano en su hombro.

—Antes de comenzar, mi señor, os agradezco la canción. La letra era perfecta... aunque estuvo a punto de hacerme desmayar. —Le besé suavemente.

Me cubrió la mano con la suya.

—Deberíamos atacar Normandía y Suffolk a la vez para obligar a Enrique a dividir a su tropa.

Aunque lo habíamos repasado todo mil veces, repetíamos la estrategia paso por paso.

—Ojalá Enrique el Joven hubiera sido armado caballero —dije irritada, y me puse a caminar de un lado a otro.

—No cambiaría nada.

No estábamos de acuerdo en lo que a Enrique el Joven se refería: yo creía, al igual que Luis, que Enrique el Joven debía estar preparado para asumir la responsabilidad de la corona inglesa cuando empezáramos a batallar. No podíamos derrocar a Enrique y dejar un vacío de poder tanto en Inglaterra como en Normandía, una auténtica tentación para cualquier bribón europeo. Rancon reconocía la necesidad de liderazgo, pero recelaba de Enrique el Joven. Prefería que se nombrase a un senescal en lugar de a mi príncipe. De cualquier modo, no atacaríamos hasta pasado un año. Es lo que tardaríamos en preparar nuestros ejércitos.

En el exterior se oían risas y música. El tribunal del amor parecía ir bien bajo la orientación de María. ¿Y por qué no? Había traído muchos artistas excelentes de su corte en Champaña para que la ayudaran. Comenzaba a oscurecer, las antorchas brillaban en enormes círculos luminosos y el tribunal del amor se adentraba en la noche.

Una vez que hubo oscurecido por completo, Rancon y yo descendimos por la escalera de la torre, rodeamos el jardín y nos escabullimos por el huerto hasta el río Clain, donde nos estaban esperando mis hijos Ricardo y Godofredo. Sin mediar palabra, seguimos un sendero enlodado junto a la orilla del río hasta la capilla de Santa Radegunda, cerca del puente. La antigua iglesia parecía estar a oscuras, pero en el interior de la estrecha nave nos esperaba una docena de hombres a la luz de las velas. Se trataba de la primera reunión oficial.

El duque Felipe de Flandes presentó a todos los nobles con la deferencia apropiada; los temas a tratar eran el reparto de responsabilidades, el liderazgo y, lo más importante, cuándo y cómo atacaríamos. En general, estábamos de acuerdo en las decisiones más obvias: lucharíamos a ambos lados del Canal para desequilibrar a Enrique; esperaríamos a que Luis hubiese conferido a Enrique el Joven el Gran Sello de Inglaterra (Rancon discrepó al respecto). A continuación pedimos a los caballeros que se fuesen.

De repente, un mensajero desconocido irrumpió en la capilla. Alguien apagó las velas y nos sumimos en la oscuridad.

—¡Vengo de París! —susurró el mensajero—. ¡El rey Luis me ha enviado para que os avise!

—Identificaos —ordenó Rancon.

—«*Vivo para la batalla*» —replicó el hombre con voz ronca.

—¡El mensaje!

—¡El rey Enrique está en Chinon! ¡Llegará aquí mañana por la mañana! ¡Y viene con Enrique el Joven!

Se oyeron gritos ahogados. ¿Cuándo había regresado de Irlanda? ¿Por qué vendría a Poitiers? ¿Le habrían informado? Y, me pregunté desesperada, ¿sabía cuál era el papel de Enrique el Joven?

Rancon se hizo cargo de la situación rápidamente. Los presentes deberían volver a sus aposentos y ponerse el disfraz que habían empleado para viajar. No debían hacer nada... Con suerte, Enrique se detendría por poco tiempo y seguiría su camino. Que la reina le preguntara con discreción cuál era su propósito.

Desfilamos a tientas por debajo del arco; las sombras desaparecieron rápidamente en la oscuridad. De vuelta a palacio, el tribunal del amor había concluido su primera jornada y María y Alix esperaban impacientes nuestro informe. Les comunicamos las nuevas, y luego Rancon las acompañó por las praderas oscuras hasta la abadía de Fontevrault, tras lo cual siguió su propio criterio y desapareció.

—¿Es que habéis perdido el juicio por completo? —bramó Enrique.

—Bajad la voz, las ventanas están abiertas. —Estábamos sentados en la sala principal con los niños.

—¿Por qué debo bajar la voz cuando vos cacareáis vuestros escándalos al mundo entero?

—¿Qué escándalos? ¿Por qué os ofendéis?

—¿Creéis que no he oído hablar de vuestra Constitución del Amor? ¿No se trata de algo íntimo, señora mía? ¿Acaso me tomáis por un campesino analfabeto incapaz de captar la alusión? ¡Escuchad! ¡Escuchadme bien! ¡No toleraré burla alguna! Las Constituciones de Clarendon son sagradas, sí, al igual que mi abuelo y sus leyes.

—Mi abuelo también fue famoso —repliqué—. ¡Inventó el concepto que tenemos del amor! ¿Acaso Enrique I hizo algo más importante?

—Padre os ataca para olvidar la humillación de Avranches —dijo Enrique el Joven con sorna—. Allí no respetan mucho su Constitución.

—¿Qué sucedió en Avranches? —me apresuré a preguntar.

—Un mero espectáculo público para apaciguar al Papa, nada más —espetó Enrique.

Enrique el Joven le clavó una mirada maliciosa.

—Mi padre renegó de las Constituciones de Clarendon, por mucho que ahora proteste. Luego se descubrió la espalda para que lo flagelaran los monjes y confesó haber asesinado a Tomás à Becket.

El puño de Enrique salió disparado.

Enrique el Joven se llevó la mano a la oreja.

—Pegadme cuanto queráis, pero es la verdad.

Enrique volvió a levantar el puño, pero le sujeté la muñeca.

—¡Basta!

Enrique se soltó.

—¿Ha dicho Enrique el Joven la verdad? —inquirí—. ¿Confesasteis?

—Sí, acepté la responsabilidad de la muerte de Tomás. ¡No, no confesé ser culpable directo porque no soy culpable! Sin embargo, un rey siempre es responsable de los actos realizados en su nombre; dije lo que debía. Tenía que olvidar ese asunto. —A continuación inició el amargo relato del regreso de Irlanda, donde había derrotado a los numerosos reyes irlandeses sin el menor esfuerzo. En lugar de recibirle como a un héroe, fue blanco del más terrible de los odios.

—Si hubierais procesado a los cuatro caballeros responsables, el pueblo os creería —comenté—. Puesto que los recompensasteis, os consideran culpable.

—¿Desde cuándo sois jueza, señora mía? Estabais en Bures; sabéis de sobra que no ordené el asesinato de Becket. Sí, estaba enfadado, lo reconozco, ¿por qué no? ¿Acaso no dirigió un ejército contra mi hijo en Winchester? Esos caballeros exaltados creyeron que me estaban haciendo un favor; actuaron a favor de mi bienestar, mas no por orden mía. Una pena que no tenga que ver con el amor, porque quizás así captaríais la diferencia.

—No obstante, asesinaron a un hombre mientras rezaba. ¿No se basaba vuestra disputa con Becket en el derecho del tribunal del rey a castigar los crímenes civiles? ¿No debería un rey procesar a los criminales?

—¡Jamás discutí con Becket! —Miró a Enrique el Joven—. Tomás se negó a obedecer mis órdenes, y eso no se lo toleraré a nadie. ¿Me oís?

Enrique el Joven parecía irritado.

—¿Cuándo os he desobedecido?

—Al igual que Becket, queréis más poder, más autonomía. Olvidáis quién es el rey.

Mi hijo se puso en pie.

—Sois vos quien lo olvidáis, milord. He sido coronado en dos ocasiones. Sólo pido que se me arme caballero y se me permita participar en los consejos.

—Os permitiré ocuparos del criadero de perros. Cuando sepáis contener a los sabuesos, hablaremos de nuevo.

Tomé rápidamente a Enrique el Joven de la mano, antes de que volviera a criticar a su padre.

—Contadme más cosas de Irlanda.

Mientras Enrique hablaba, observé a Enrique el Joven. Físicamente parecía más maduro, aunque demasiado proclive a la ira. Me pregunté si me atrevería a presentárselo a los hombres que habían venido a Poitiers para la rebelión.

Enrique hizo una pausa.

—Tenéis buen aspecto, Ricardo. ¿Habéis estado estudiando las artes militares?

—Sí, señor.

Otro hijo del que preocuparse; no miraba a su padre a los ojos.

Enrique miró a la adorable Alais.

—¿Pensáis desposaros con este bombón francés?

Ricardo no se tomaría a la ligera ninguna mofa sobre su amada.

—Sí, señor.

—Bien, me alegro. —Enrique me clavó una mirada fulminante—. Aseguraos de que aprenda bien vuestros códigos del amor. La princesa es demasiado dulce como para vivir con un bribón libidinoso.

Sonreí alegremente.

—¿Cuánto tiempo os quedaréis aquí, Enrique?

—Más del que deseáis. Varios días.

¿Qué querría decir?

—Todo lo contrario, estoy encantada. Podéis asistir a nuestras sesiones.

—Pienso hacerlo. El amor es mi única preocupación.

Se quedó siete días, una de las semanas más agotadoras de toda mi vida. El tribunal del amor fue un éxito, gracias al tema irresistible y a la edad del público, pero tuvimos que cancelar las reuniones nocturnas. Rancon no se presentó ninún día, pero Ricardo me hizo saber que recelaba de Enrique. Rancon quería saber cómo había averiguado nuestros planes. Mis preguntas fueron discretas y la respuesta provisional fue que Enrique no sabía nada; su visita respondía a otros motivos... ¿quizás el tribunal del amor?

Partió repentinamente para visitar al conde de Maurienne, el mismo Maurienne que había ido a las cruzadas, con la intención de proponer en matrimonio a Juan con su hija, todavía niña. Anunció que se marcharía diez días, pero que pasaría por Poitiers de camino a Inglaterra.

—Dejaré aquí una pequeña guardia para que os proteja —dijo.

—¿Protegerme de quién? No necesito protección.

—Sois mi reina, y mis hijos están aquí. No quiero arriesgarme.

—Como gustéis. —Pero el corazón me dio un vuelco. Rancon estaba en lo cierto; sospechaba algo... nos vigilaba.

La primera noche tras la marcha de Enrique no nos arriesgamos a reunirnos en la capilla. Uno de mis caballeros llevó a los hombres de Enrique al burdel local, donde habíamos apostado una espía entre las rameras. Nos informó que eran mercenarios brabantes con órdenes de mantener los ojos bien abiertos, pero no estaban interesados por la política. Por supuesto, para averiguar la verdad se necesita algo más que una espía entregada.

La segunda noche invitamos a los mismos soldados a asistir al tribunal del amor, que se prolongó hasta bien entrada la noche, y les servimos vino poitevino adulterado con drogas. Mientras se divertían, conduje a Enrique el Joven ante sus futuros súbditos.

Rancon salió a nuestro encuentro junto al río.

—¿Os han visto?

—No —replicó Ricardo—. Alais los vigilaba.

El ambiente en la nave estaba cargado de aprensión y entusiasmo. Todos ansiaban saludar al nuevo rey. La vela iluminaba sus rostros turbados mientras se arrodillaban.

Enrique el Joven aceptó la adulación con gentileza.

—Mis señores y futuros súbditos, me alegra conoceros.

—Igualmente —replicó una figura oscura—. Muchas son nuestras quejas.

—No es el momento de pedir favores —replicó Rancon.

Enrique el Joven agitó la mano.

—El señor tiene razón. Deseo tener constancia de cuanto sucede. No veo muy bien... sois Mateo, conde de Boulogne, ¿cierto? Cuando sea rey os restituiré vuestra legítima dote, que mi padre os arrebató, el condado de Mortain y el honor de Hay.

—Oh, gracias, mi señor.

Enrique el Joven pasó con soltura al siguiente demandante, Felipe de Flandes, hermano de Mateo, a quien prometió el condado de Kent; luego el castillo de Amboise al conde Teobaldo de Blois; Northumbria sur hasta el río Tyne a Guillermo, rey de los escoceses (a quien representaba el obispo Hugo de Durham). A continuación se dirigió a los representantes ingleses, Norfolk, Leicester, Chester y Derby; después a los de Anjou, Bretaña y Maine, donde había nacido Enrique. Me asombró el conocimiento que tenía de sus quejas... no me extrañaba que Enrique intentara mantenerlo alejado del poder.

Hugo de Bigord expresó el sentimiento general con la voz quebrada por la emoción.

—Jamás creí que viviría para ver la cortesía reinstaurada en nuestras tierras después de que vuestro padre nos robara los castillos, los rangos e incluso los corazones.

—¡Bravo! ¡Muy bien! —exclamaron otros.

Roberto, señor de Leicester, se volvió hacia mí.

—¿Por qué creéis que el rey vino aquí, milady? ¿Y por qué ha dejado una guardia?

—Porque estoy aquí —intervino Enrique el Joven.

Leicester no parecía convencido.

—¿Sospecha que os reunís con nosotros?

—No, no sabe nada de vuestra presencia, de eso estoy seguro. Sin embargo, sabe que soy más popular que él. Comenzó a vigilarme cuando todavía estábamos en Inglaterra.

El conde Roberto le observó.

—No puedo evitar sentirme preocupado.

—No hay tiempo para las preocupaciones. Nos hemos reunido para prepararnos —dijo irritado el obispo de Durham.

Retomamos las cuestiones de estrategia y coyuntura. Cuando los ejércitos estuvieran listos para atacar, y sólo entonces, Enrique el Joven cabalgaría directamente hasta París, fuera del alcance de Enrique.

Una vez que Luis hubiera armado caballero a Enrique el Joven y le hubiera entregado el Gran Sello de Inglaterra, Enrique sabría que había sido traicionado. Entonces, y sólo entonces, comenzaría la rebelión.

Hablamos toda la noche, luego la siguiente y la siguiente, intentando concretar cuanto nos fuera posible antes de que regresara Enrique. Había dicho que se marcharía diez días, pero al cabo de una semana uno de mis espías llegó corriendo a palacio.

—¡Está en la puerta! —dijo jadeando—. ¡El rey! ¡Está aquí!

—Avisad a Rancon. —Empujé a Ricardo fuera de la sala—. Decidle que distraeré a Enrique con el tribunal del amor para que así nuestros invitados puedan huir. ¡Id, de inmediato!

Enrique entró cabalgando, y todo resentimiento parecía haberse desvanecido. Saludaba desde el caballo y sonreía. Dio golpecitos en la espalda a sus hijos, besó a las niñas y luego me rodeó con sus brazos.

—Felicitadme, Gracia. Nuestro Juan Sin Tierra acaba de convertirse en Juan Con Tierra. Maurienne cedió encantado el condado como dote... Por cierto, os desea lo mejor.

Nos costaba creernos el cambio de humor de Enrique; de hecho, casi nunca le había visto tan timorato. Accedió a asistir al tribunal del amor esa misma tarde, en cuanto se hubiera refrescado. Preparé el programa más escandaloso que se me ocurrió... lo que fuera con tal de posibilitar la huida de los rebeldes.

Los juglares y los perros retozaban en la hierba cuando Enrique se sentó a mi lado en el tribunal del amor. El rey sonrió a los rostros que le miraban con respeto reverencial y alzó la copa a los alegres músicos que rasgueaban sus instrumentos bajo los árboles.

A mi señal, Marcabrú se adelantó, ataviado con un túnica de plata con una abertura hasta las caderas y una corona dorada de espinas sobre su abundante melena.

—Santo Dios, ¿quién es ese anciano? —preguntó Enrique.

Me estremecí; Marcabrú era de mi edad. Por supuesto, tenía muchas canas prematuras.

—Cantó en el bautizo de Leonor. ¿No lo recordáis?

—Oh, sí, un pobre representante del amor, a mi juicio.

Mamile ocupó el lugar que los juglares habían dejado libre; llevaba las vestiduras oscuras de un juez y un pesado libro.

Ignoró a Enrique y se dirigió a los jóvenes invitados.

—Damas y caballeros, jurado de nuestro tribunal del amor, el caso que nos ocupa es tan desconcertante que hemos decidido representarlo con una pantomima. Nuestros aspirantes prefieren conservar el anonimato, por lo que recitaré sus palabras mientras las jóvenes danzan.

Mientras Marcabrú punteaba al ritmo del *trotto*, Godofredo se acercó al centro del tribunal simulando los movimientos de una ola. Enmascarado y ataviado de rojo oscuro, parecía tener más de trece años. Sus movimientos eran seguros y sincronizados.

—Éste es el joven marido que acaba de desposarse con una bellísima damisela del sur, una doncella henchida de pasión y dicha —anunció Mamile.

La esposa prometida en matrimonio a Godofredo, Constancia de Bretaña, corrió a su lado. Con su expresión huraña encajaba a la perfección en el papel, y además también sabía bailar. Se movían al unísono, aunque sin tocarse, imitando el acto carnal.

—¡Santo Dios! —susurró Enrique.

Marcabrú comenzó a cantar:

> *Me desvanezco de placer lascivo*
> *aunque sé que ilusoria es su belleza...*
> *Oc, pinta, cose, el brocado de seda entrelaza.*
> *¡Mas Dios! ¡Moriré si todo es esquivo!*

Con cada verso, Godofredo rozaba a Constancia en el rostro, la cintura, el pecho.

> *¡Señor!*
> *¡Dios!*
> *¡Está mejor sin nada!*
> *Prenda a prenda la desnudo...*
> *¡Ah, un pecho blanco y la noche se hace día!*
> *¡Ah, más abajo! ¡Más abajo!*
> *¡Aquí el sol resplandece!*

El dedo velludo de Enrique daba golpecitos al ritmo de la canción. De repente, todos los músicos iniciaron una melodía tosca y ensordecedora. La joven Alais corrió hacia Godofredo y Constancia. La había elegido por su gracia y belleza, y para contentar a Ricardo, que estaba sonriendo en la tercera fila.

—Este hombre —entonó Mamile— encontró a otra dama que se convirtió en su amante. Le declaró que la amaba con todo el corazón y la convenció para que le ofreciese el consuelo de Venus. El matrimonio había sido una estrategia, declaró, pero esa doncella era su verdadero amor, la rosa del mundo.

Enrique dejó de mover el dedo.

El baile se tornó más complejo ya que Alais imitaba los pasos y movimientos de la pareja. Separó los labios de placer, se ruborizó y consiguió que la pobre y cetrina Constancia pareciese un hierbajo junto a una rosa.

La danza adoptó una textura más gráfica. Alais se arrodilló; curvó la espalda mientras Godofredo se arrodillaba por encima de ella. No se tocaron, no hacía falta; el significado era obvio.

—Gracias a sus artimañas consiguió los favores de la segunda dama —cantó innecesariamente Mamile con voz suave.

Marcabrú hizo sonar los platillos y cantó:

> *Sopla el viento llorón*
> *y se lleva a la mujerzuela al huerto.*
> *Coloca el clavo hasta el fondo*
> *de su repugnante comezón.*

Godofredo se incorporó lentamente, hizo un gesto vulgar y luego miró a Constancia.

Mamile intervino de nuevo.

—Una vez que el hombre casado ha logrado su objetivo, desea regresar con su esposa.

Constancia se puso en pie y bailó hacia atrás ante las imprecaciones de Godofredo.

Marcabrú cantó con voz clara:

> *Hombre casado, el ganso hacéis;*
> *vuestro cojinete en punta ponéis*
> *y la muy puta guiña el ojo y monta a bordo.*
> *¡Ah, viejo verde libidinoso y gordo!*
> *Cometéis vuestra locura hasta que más no podéis,*
> *hasta que vuestra varita mágica os pide reposo*
> *y además aburrido estáis.*
> *¿Qué moraleja en esta historia encontráis?*
> *Oc, cuando a gimotear comienza el libidinoso:*
> *«¡Mis hijos no me respetaban!*
> *¿Qué habéis hecho, querida esposa,*
> *para causar tal conmoción?*

¿De qué se trata en esta ocasión?»
Ella replica, hermosa:
«Miraos en el espejo, estornino.
Mal habéis empleado vuestra lanza.
Vamos, pajarito, salid de caza,
danzad,
danzad,
que no hay palabra para el semental
que ha perdido su caudal.»

Los bailarines abandonaron el tablado.

—Invito a la reina del Amor a juzgar nuestro caso —dijo Mamile.

Mientras aplaudían, pasé junto a Enrique y me uní a Mamile. Mamile me tomó de la mano.

—La pregunta la formula la esposa, querida: ¿qué puede hacer para castigar a su esposo?

Agité la mano hacia los jóvenes.

—No debe permitir que regrese a su lecho porque le gobierna la lujuria, que es enemiga del amor. Jamás, jamás os convirtáis en el objeto de la lujuria... incluso si estáis casadas.

—¿Debería avergonzarse de haberse casado con él? —preguntó Mamile.

—Si la obligaron a casarse, el asunto es discutible. Aunque le haya amado, no debe avergonzarse. Cuando amamos, se nos engaña con facilidad.

—¿Cómo debería sentirse en comparación con su rival?

—Debería compadecerse de cualquier mujer que se convierta en víctima de su esposo. Tales hombres, entrenados por Ovidio, son inigualables en el arte de la seducción y la traición. Se despiertan por la mañana y exclaman: «¡Violación!», es la misma pesadilla para todas.

Mamile informó a los presentes que podían formularnos preguntas.

—¿Por qué un hombre se vuelve infiel? —inquirió una hermosa joven—. ¿Creéis que se debe a que no se siente unido a su esposa?

—No, aunque es posible que emplee esa excusa. A tales hombres les impulsa la lujuria, no el amor. ¡Deberían asistir a nuestro tribunal!

Se oyeron risas.

—Esperamos vuestra respuesta, milady: ¿qué castigo debe infligir la esposa traicionada? —preguntó María.

—El único poder que la mujer tiene sobre el hombre, sea o no su esposo, es el deseo que él siente por ella. Puede concederle sus favores a modo de recompensa o negárselos como castigo. Si el hombre no siente deseo, la mujer pierde el control. En este caso, no sabemos si el esposo siente remordimiento o deseo hacia su mujer.

—Habéis dicho que el matrimonio fue una estratagema... ¿y si ella le negara sus tierras? —preguntó Ricardo.

Enrique se puso tenso.

—Perdió esa potestad al casarse —repliqué—. Debería negarle sus favores en honor a su amor propio. Quizás al esposo no le importe.

Una joven de Niort alzó la mano.

—Vuestra respuesta parece burda, reina Leonor, como si las esposas vendieran sus cuerpos.

Respondí medio hablando, medio cantando:

¡El servicio y los regalos y la ropa elegante y las riquezas
alimentan el amor verdadero como el agua a los peces!

Más risas.

—Ésa es la ética cínica actual, y las mujeres, muy a su pesar, lo olvidan.

La dicha y la destreza y la buena conducta y la valía
conllevan recompensas que no tienen igual.

»Pero hasta que ese glorioso día llegue, admito que mi solución es burda. Sólo el amor cambiará esta situación; por eso estamos aquí, para aprender una nueva forma de amar. El error de esa esposa fue nacer en la época equivocada; de poco servirá negar un favor que quizá ya no se quiera por haberlo disfrutado demasiado. Os lo ruego, jóvenes vírgenes, poned a prueba a vuestros amantes antes de sucumbir a ellos. Exigid un noviazgo duradero; hacedles sufrir para que así os aprecien.

—Caminé lentamente por entre las mesas mientras Marcabrú cantaba:

La vileza golpea las murallas
y Gracia custodia el recinto que veis.
¡Guardaos del macho cabrío que quiere entrar!
Decidle: «¡No, señor, no pasaréis!»

Recoge el dinero
día y noche.

Es lujurioso
hasta que amanece,
o hasta que la polla le escuece.

¿Cómo explicar esta cultura?
¿Dominada por el buitre
que de coños se alimenta?

Había logrado mi propósito: Enrique estaba furioso.

—¿Queréis hacerme creer que este «caso» es de una demandante desconocida?

—Desconocida para los más jóvenes... queríamos ser discretos. Doña Beatriz de Montferrat fue quien presentó el caso.

—No lo bastante discretos, milady. ¡Lo que llamáis vuestro «caso» no es más que una demostración de vuestros celos! ¿No os advertí que no toleraría las burlas?

—¿Qué burlas? —repliqué—. ¡Estoy asombrada! ¿Es que el caso tiene que ver con vos?

—¡Basta de hipocresías!

—Vos primero —dije sin alterarme.

—Muy bien, Rosamunda de Clifford. Ella es quien os saca de quicio, ¿no? No creéis que el tosco y rapaz de Enrique sea capaz de amar con ternura.

—Como bien decís, ése no es el lado que me mostráis.

Acto seguido nos enzarzamos en una de nuestras discusiones más estúpidas sobre el hecho de si Enrique sabía amar o no, y resultaba especialmente estúpida porque yo sabía que él se había desentendido de Rosamunda. Escuché las campanas dando las horas, vi el avance del sol reflejado en el suelo. Los soldados de Enrique estarían en el burdel y, sin duda, mis nobles aliados estarían de camino.

—La primera vez que os vi después de Rosamunda —bramó— vuestros ojos se habían vuelto de un verde brillante, y todavía lo están, ¡maldita sea!

—Eso fue hace siete años, Enrique. Ni siquiera yo podría estar celosa durante tanto tiempo.

—No seáis modesta; tenéis la persistencia de una cobra.

—¿Por qué iba a tener celos? Convencisteis a Rosamunda de que la amabais y luego estuvisteis varios años fuera de Inglaterra. ¿Qué clase de amor es ése?

—¡Una cobra, santo Dios, que ha envenenado a nuestros hijos!

—¡Los niños no tienen nada que ver! —repliqué.

—¿Por qué cantó entonces el trovador sobre la ira de los hijos?

—No lo sé... ¡preguntádselo! —Maldito Marcabrú... ¿por qué había incluido ese verso?

—Una pena que no tengáis un amante.

Se me heló la sangre.

—¿Por qué?

—Entonces el amor no os obsesionaría tanto ni desfilaríais por ahí como una vieja bruja ataviada con corazones de plata, ni tampoco contrataríais a trovadores para que alabasen vuestros decadentes encantos. Por Dios, ahora comprendo a Luis.

—Vos le comprendéis, yo le añoro.

—¿Añoráis sus huevos fláccidos? Existe una palabra para las mujeres como vos.

—No me la digáis; estoy segura de que no consta en mi vocabulario.

—Seguís jugando a ver quién es más hipócrita, ¿no? Cuando recuerdo cómo me atacasteis la noche de bodas... ¡Dios mío! Una vez dijisteis que hemos pasado muchos años separados. Quizá porque no quería perder mi espolón de ataque.

Estaba cansada de aquella rondalla, pero no tanto como para dar el asunto por zanjado.

—Sin embargo, me obligasteis a casarme.

—Os casasteis con un gran rey, señora mía; os he hecho entrar en los anales de la fama.

—Me casé con el duque de Normandía, mi señor, no con un gran rey, y yo ya era famosa por aquel entonces. Sólo con el respaldo de Aquitania os atrevisteis a atacar Inglaterra, luego Tolosa, Gales e Irlanda. ¿Y os hacéis llamar rey? «Ladrón» sería más apropiado.

Me clavó una mirada vidriosa, como si pensara pegarme; cambió de idea y se marchó. La campana anunció las completas; le había entretenido el tiempo suficiente para que los nobles y los obispos huyeran sanos y salvos.

A pesar del enfado, Enrique tenía noticias de Maurienne y debía comunicarlas. Al día siguiente María ocupó mi puesto en el tribunal y Enrique se reunió conmigo y mis hijos en la sala principal.

—Para finalizar el contrato relativo al futuro de Juan, entregué a Maurienne en concepto de dote los castillos de Chinon, Loudun y Mirebeau —comenzó a explicar en un tono frío y seco.

—¡Esos castillos son míos! —gritó Enrique el Joven—. ¡Me fueron concedidos en Montmirail!

Enrique le miró impávido.

—Los heredaréis cuando muera.

—¿Cómo los heredaré si se los dais a Juan?

—Quizá Juan os incluya en su testamento.

—¡Me los estáis robando!

—¿Cómo osáis decir que os robo?

Los síntomas típicos de un arrebato empezaron a manifestarse.

—¡Preguntad a quien deseéis! ¡En Europa todos dicen que robáis!

Horrorizada, me interpuse entre los dos.

—Enrique el Joven, disculpaos. —¿Cómo era posible que fuera tan indiscreto? Sólo le faltaba desvelar nuestros planes.

Enrique me apartó.

—¿Quién es «todos»? —preguntó en tono grave.

Se produjo un silencio sepulcral mientras Enrique el Joven intentaba subsanar la indiscreción.

—No lo sé... Ricardo dice eso. —¡Vaya excusa!

Enrique miró a Ricardo con los ojos inyectados de sangre.

—¿Es cierto?

Aunque Ricardo estaba furioso por tener que hacer de chivo expiatorio, resolvió la situación con mucho tacto.

—No entendió bien lo que le dije. Me acusó de robarle en un juego y le contesté que acusa a todos de robarle, a todo el mundo. Siempre me ha tenido celos.

—Él está celoso y vos mentís por él. —Enrique se volvió de nuevo hacia Enrique el Joven—. ¿Quién es «todos»? ¡Decidme los nombres, maldito seáis!

Enrique el Joven había empalidecido.

—No me expresé bien, milord. Ricardo tiene razón; tiendo a atacar a los demás cuando estoy enfadado.

Enrique miró a un hijo y luego al otro, y acto seguido me tendió un pergamino.

—Firmadlo, os lo ruego. No hace falta que lo leáis... cede los castillos a Juan.

Se lo devolví.

—Carezco de autoridad para ceder castillos que nunca han sido míos.

—Como reina mía, compartís mi patrimonio.

—Soy vuestra reina consorte y no poseo nada salvo Aquitania.

—Os ordeno que firméis la cesión, Leonor.

—Sabéis perfectamente, milord, que no puedo.

Se volvió.

—Ricardo, firmad en el espacio reservado para vos.

—Los castillos están en Anjou —replicó Ricardo—. Como señor supremo de Anjou, no puedo traicionar a mi vasallo.

—No desveléis vuestra ignorancia, Ricardo. Soy conde de Anjou del mismo modo que seré duque de Aquitania durante el resto de mi vida, pero daréis fe de vuestra intención.

—Cuando muráis, mi hermano será conde de Anjou.

—¿Desde cuándo es conde Enrique el Joven?

—Desde Montmirail —replicó Ricardo.

—Montmirail. —Enrique se golpeó la frente—. Montmirail.

¿Sería verdad que acababa de darse cuenta de cuáles eran las consecuencias?

—¿Godofredo?

—Montmirail —respondió Godofredo—. Juré homenaje a Francia, no a Inglaterra o Anjou; no puedo firmar sin consultar a mi señor supremo.

Enrique miró a Enrique el Joven.

—Ya sé cuál es vuestra respuesta. Bien, he incubado un nido de juristas. —Me clavó la mirada—. ¿O debería decir águilas? Que me despedazan las entrañas. Sin embargo, no importa; sólo intentaba que os sintierais unidos. Que Dios me perdone por ser un idiota tan confiado. De hecho, los castillos me pertenecen y no necesito vuestras firmas. —Se incorporó y nos miró de manera significativa—. Os exijo lealtad.

Se dirigió hacia la puerta.

—Pensaba partir hacia Inglaterra, pero me intriga vuestro tribunal del amor, Leonor. Me quedaré varios días más.

Se marchó y nos miramos, consternados. Me llevé un dedo a los labios; hablaríamos más tarde.

La presencia de Enrique nunca había resultado tan mortificante. Todos estábamos obligados a actuar y, cuando menos, era agotador. Sólo las mujeres de la familia y Juan se salvaban de su implacable mirada. La peor parte se la llevó Enrique el Joven; su padre le zahería sin cesar para que perdiese el control. Mi hijo se comportó magníficamente tras aquel primer desliz... estaba orgullosa de él. Rancon se ocultaba entre bastidores y, en ocasiones, hablábamos por la noche, pero no se atrevía a mostrarse en público.

Entonces, con toda tranquilidad, Enrique anunció que se marchaba. Volvimos a disimular y fingimos que queríamos que se quedase.

Sonrió con amargura.

—Me halagáis. Si de verdad lo sentís, Enrique el Joven podría acompañarme. Cumpliré años dentro de una semana y necesitaré compañía. Mientras, cazaremos, ¿de acuerdo?

—Sería maravilloso. —Enrique el Joven estaba lívido.

—Sí, maravilloso. —Enrique sonrió abiertamente—. Quizá recordaréis los nombres de los hombres que dicen que les robo.

—No dije que fueran hombres... sólo Ricardo.

Enrique asintió.

—Además, despediré a vuestro séquito. ¿Por qué necesitáis guardias si cabalgáis conmigo?

—¡Esos hombres me han acompañado durante muchos años! —gritó Enrique el Joven—. ¡No podéis despedirlos!

—Ya lo hice... ayer —replicó Enrique con frialdad.

Miró lentamente a su alrededor, disfrutando con nuestras expresiones afligidas. Luego se dirigió con toda tranquilidad hacia el jardín para jugar con los niños.

—¡De caza! —exclamé cuando se hubo marchado—. ¿Sin vuestra guardia y con su ejército? Os quiere arrestar, Enrique el Joven. Ricardo, decidle a Rancon que debemos vernos esta noche junto al río.

—¡Es peligroso! —protestó Ricardo.

—¡E imperativo! ¡Decídselo!

Tomé a Enrique el Joven de la mano.

—¡Escuchadme! Cometisteis un error, pero Enrique no está seguro. Es una prueba... ¡quiere aislaros!

—Lo sé.

—Hagáis lo que hagáis, no admitáis ni digáis nada. Os presionará y recurrirá a las artimañas, pero no os puede obligar a hablar.

—Le conozco mejor que nadie —dijo con amargura—. Oh, mamá, lo siento mucho. —Apoyó la cabeza en mi hombro.

Le acaricié la espalda.

—Recordad a las miles de personas que dependen de vos. Todos confiamos en vos, querido.

—Quiero ser un buen rey.

En cuanto anocheció, nos dirigimos sigilosamente al río.

Rancon reiteró lo que yo ya había dicho.

—Tal vez lo sospeche, pero no lo sabe a ciencia cierta —insistió una y otra vez—. Mostraos tranquilo, dócil, cazad y bebed y hablad con toda normalidad. Y nada de política.

—No digáis nada de Luis, de Francia, de Inglaterra o de Becket —imploré.

—Esta farsa tendrá que durar al menos un año —le recordó Rancon.

Enrique el Joven escuchaba con la cabeza gacha; le temblaban las manos. Sí, haría cuanto le habíamos dicho; estaba más que asustado.

Rancon intuyó el miedo que le atenazaba.

—No os preocupéis; estaré cerca —dijo de repente.

Asustada, le pregunté dónde.

—Seguiré al ejército disfrazado de ermitaño. Si me necesitáis, hacedme una señal, Enrique el Joven.

—Gracias, Rancon —dijo Enrique el Joven con la voz quebrada.

La partida de caza, los mercenarios habituales del ejército de Enrique y el fiel contingente de caballeros se congregaron al alba en el patio. Enrique el Joven sostuvo a Margarita en sus brazos hasta que su padre le llamó con impaciencia. Los jóvenes se besaron como si creyeran que no volverían a verse.

Entonces mi hijo me abrazó. De repente recordé al bebé desnudo que se chupaba el pulgar después de que falleciera el bebé Guillermo.

—¡Cuidaos!

Volvió a besarme.

—¡Recordad a vuestra águila! —le grité cuando estaba sobre el caballo.

—¡Cazaremos con halcones! —replicó Enrique.

Pero Enrique el Joven asintió. Su águila, así me llamaba de niño.

Cuatro días después, Rancon llegó al patio al galope.

—¡Enrique el Joven ha escapado!

—¿Escapado? ¿Adónde? —grité—. ¿Por qué?

—Un espía me contó que Enrique puso a prueba la lealtad de uno tras otro y Enrique el Joven, presa del pánico, huyó.

—¿Adónde?

—¡A Francia! Por suerte, Luis celebraba su corte en Chartres, y Enrique el Joven no tuvo que ir muy lejos para estar a salvo.

—Oh, Dios —gemí.

Rancon me acompañó al interior.

—¡Escuchadme! Enrique no vio confirmadas sus sospechas.

—La huida de Enrique el Joven basta para confirmarlas.

—Sí —admitió. Cerró la puerta de la sala principal—. Gracia, no quiero alarmaros...

—¡Le ha ocurrido algo a Enrique el Joven y no me lo habéis dicho!

—Está sano y salvo; no os he mentido. Me preocupa Enrique. Sabe más de lo que creemos.

—Acabáis de decir que no ha confirmado sus sospechas.

—Quizás haya un espía entre nosotros.

—¡No! —exclamé—. Enrique sabe quiénes son los rebeldes porque sabe a quién ha engañado. Podría haberlos nombrado incluso antes de que a ellos se les ocurriese rebelarse.

—Marchaos a París hoy, Gracia.

—Si me marcho, sabrá que hay una conjura.

—Ya lo sabe. Me preocupa vuestra vida.

—¡Enrique nunca me tocaría!

—Asesinó a Becket.

Apoyé la cabeza en su hombro.

—No puedo abandonaros. Lucharemos juntos.

—Sólo si seguimos con vida.

29

Me quedé unos días más en Poitiers. Luis armó caballero a Enrique el Joven de inmediato y luego grabó un nuevo Gran Sello de Inglaterra como parte de los preparativos para la guerra. Mientras, Rancon trabajaba a diario con Ricardo y Godofredo, puliendo sus aptitudes para la caballería... y lo que el futuro les deparase.

Todos los días cabalgaba hasta el campo militar y me sentaba a un lado para observar. A veces me acompañaban las jóvenes princesas, aunque la princesa Alais no dejaba de llorar. Sabía cuán dura sería la inminente separación para los jóvenes amantes —quién mejor que yo—, pero a Ricardo le costaba asimilar el dolor de ella. En cambio la joven Juana era un aliciente para su hermano. Vitoreaba y agitaba las manos y nunca se cansaba de gritarle elogios.

Godofredo entrenaba bien, por supuesto, se mostraba ágil, diestro y escurridizo, y lo hacía de forma brillante. No obstante, todos teníamos los ojos puestos en Ricardo. Atractivo, fuerte y muy coordinado, parecía otro cuando estaba armado y a caballo. Los músculos de los brazos y muslos se le marcaban demasiado, resultaban casi grotescos, y el rostro, bajo el yelmo, perdía toda sensibilidad humana. Tenía una barbilla muy prominente, el ceño fruncido, mirada penetrante y el protector nasal le dividía la cara en dos. Permanecía tranquilamente sentado en el corcel mientras Rancon le hablaba, y luego elegía el arma.

Los recuerdos intensificaron lo que vi a continuación. Ricardo era Rancon, ahora más que nunca. Se colocó un estafermo en el extremo del campo para que Ricardo cargase contra el mismo. La primera arma fue la lanza, un largo trozo de hierro tan pesado que se necesitaron dos hombres para alzarlo y colocarlo en la mano de Ricardo. Rancon dio la señal y Ricardo salió disparado como si fuera una catapulta, cabalgó con brío por el campo, con la cabeza gacha y la lanza en alto como si fuera una ramita, y entonces la clavó con todas sus fuerzas. El estafermo cayó al suelo en mil pedazos.

Tres caballeros veteranos se enfrentaron a él, blandiendo sus largas espadas, el arma preferida de Ricardo. Cargó contra los tres, uno tras otro, volviéndose como el rayo, golpeando con ferocidad. Los superó gracias a la mágica combinación de fuerza asombrosa y un corazón más asombroso aún. Era la furia en persona, una máquina de matar sin parangón. Emocionante. Escalofriante.

Se colocó otro estafermo, esta vez con un cerdo muerto a sus pies. Ricardo empuñó la maza con púas, una de las armas más peligrosas. El objetivo era destrozar al enemigo, y eso fue precisamente lo que hizo, golpeándolo una y otra vez hasta reducirlo a un montón de harapos.

Los recuerdos eran agradables y nostálgicos, pero el ejercicio serviría de cara al futuro. Tenía que marcharme.

Comencé a realizar los preparativos para la partida. Insté a las princesas francesas, María y sobre todo a mi hija pequeña, Alix, a que se dirigieran a París mientras los caminos estuvieran transitables. María no me acompañaría; Alix se marchó porque esperaba a su primer hijo. La princesa Margarita, aunque ansiosa por estar con Enrique el Joven, no quería separarse de mí. Alais suponía un problema un tanto desconcertante. Le advertí que la harían prisionera si se quedaba más tiempo y que Ricardo partiría en breve, pero se limitaba a llorar. Se sumió en una profunda melancolía, lo que inquietó a Ricardo; iba a verla en cuanto abandonaba el campo de entrenamiento, le susurraba y apretaba las manos o la observaba ávidamente.

Leonor la Joven se había desposado en septiembre con el rey de Castilla, por lo que no corría peligro, al igual que Matilda, a buen recaudo en Sajonia, pero Juana y Juan todavía estaban conmigo. En cierto modo, Juana era mi hija más sorprendente. Aunque consciente de la situación, nos entretenía con bromas y juegos. Ella y Juan nos distraían con divertidas parodias de nuestro tribunal del amor; trajo un tejón a palacio que nos sacaba de quicio; hablaba sin cesar y obligaba a todos a responder. Para mí, su mayor contribución fue calmar a Juan, tarea nada fácil.

Juan era un muchachito voluble, brillante y extraño. No se le daban bien los deportes y los juegos y hacía tonterías cuando erraba. «¡Soy un idiota! —solía gritar mientras se golpeaba a la altura de las orejas—. ¡Vamos, pegadme en el trasero, todos! ¡Patead al niño tonto!» Nadie le tocaba, por supuesto, pero sólo Juana lograba sacarle de ese estado de ánimo. «No perdáis la dignidad —solía decirle—. Sois un gran príncipe, y además sois mi hermano.» Entonces le rodeaba con los brazos hasta que Juan volvía a ser el de siempre.

Constancia de Bretaña era la más vulnerable de todos, aunque creo que no le preocupaba lo más mínimo el peligro que corríamos. Nos guardaba rencor por el matrimonio con Godofredo, a quien era obvio que despreciaba. De hecho, era difícil que Godofredo gustase; aunque estaba bien dotado de cuerpo y alma, carecía de personalidad. Por otro lado, era mucho más comprensivo que Constancia en lo que al matrimonio se refería; era una niña fea y rencorosa sin ningún rasgo positivo, y Godofredo la trataba como todos los demás, con una indiferencia jovial.

Mamile y mis amigas se marcharon al acabar el tribunal del amor, pero Amaria se quedó, por supuesto.

La presencia de Enrique, aunque intangible, nos rodeaba como un paño mortuorio. Rancon tenía razón; era la primera vez que yo trataba a Enrique como a un enemigo y sabía que su maldad no tenía límites... todos lo sabíamos. ¿Dónde estaba? ¿Qué es lo que sabía? ¿Cuándo atacaría? Los días se tornaban más cortos, más intensos, cargados de nerviosismo.

Rancon y yo nos reencontramos en primavera y otoño: nos amamos con el ardor de la juventud y la ternura de la madurez. Apenas hablábamos.

En octubre, Amaria me tocó con la mano helada.

—¡Gracia, venid, rápido! La princesa Alais me preocupa.

—Sí, está abatida y me temo que...

—¡Está enferma!

Había algo en su tono... ¡el bebé Guillermo!

—¡Llevadme!

Corrimos hasta el nuevo dormitorio, donde se alojaban los invitados. Me descorazoné nada más ver a Alais. Le toqué el rostro enfebrecido.

—¿Me oís, querida?

Las lágrimas le surcaban las mejillas mientras le preguntaba por los síntomas.

Miré a Amaria.

—¿Fiebre terciana?

Sus ojos verdes no titubearon.

—Me temo que es cólera.

Tomé una decisión rápida.

—Que venga una litera. La llevaré a Fontevrault.

—¿Creéis que las monjas...? —preguntó con los ojos muy abiertos.

—Tía Mahaut se encargará de que la acepten. Acompañadla, Am; sabréis explicar lo que haga falta.

—¿Debo quedarme con ella?

—No. —Nuestros ojos volvieron a encontrarse: si Enrique atacase, quería que estuviese a mi lado—. Regresad esta noche.

En menos de una hora la jovencita enferma estaba en la litera, donde le cubrí los cabellos húmedos con un mantón.

—No temáis, Alais. Os iré a ver pronto.

Volvió el rostro. Afianzamos las varas y el carro salió traqueteando lentamente, seguido de Amaria.

Ahora tendría que ocuparme de Ricardo; partiría hacia París a la noche siguiente, donde Luis le armaría caballero.

—¿Dónde está Alais? —preguntó nada más volver del campo.

Le dije que sospechaba que padecía fiebre terciana; estaba aislada en la abadía de Fontevrault por su seguridad y la nuestra. La enfermedad era muy contagiosa.

—¡No tengo miedo! ¡Quiero verla!

—Calmaos, Ricardo. Primero debéis ir a París... ¡no podéis arriesgaros!

—¡No me iré sin verla!

—La veréis en París.

Si es que lograban alcanzar París. Ese mismo día llegaron mensajeros y anunciaron que Enrique había partido de Normadía y se dirigía hacia el sur.

—El camino principal para París está cortado —informó Rancon—. Los chicos tendrán que seguir el camino secundario que pasa por Berry.

Esa misma tarde, cuando volvieron del campo, comunicó a Ricardo y Godofredo el cambio de ruta. Partirían a la noche siguiente acompañados de un mercenario sureño llamado Mercadier. Las armas irían en un carro de granjero, debajo de las ollas y las verduras secas; se disfrazarían de vendedores de comida. Ricardo empalideció.

A la mañana siguiente había desaparecido.

Corrí en busca de Rancon.

—¡Ha ido a Fontevrault!

Se quedó lívido; respiró rápidamente.

—Volverá a tiempo... no os preocupéis.

Cuando a media tarde llegó Mercadier, un hombre de aspecto brutal con cicatrices en la cara, Ricardo todavía no había regresado. Le oí entrar en las caballerizas poco antes del anochecer.

Ya de noche, comenzó a llover de forma constante. Nos apiñamos en el vestíbulo para despedirnos. Ricardo y Godofredo llevaban las vestiduras marrones propias de los vendedores de comida, y los sombreros con ala bien calados. A Ricardo sólo le veía la boca y la mandíbula; los labios parecían azules a la luz de las antorchas.

—Ya ha salido un carro con vuestras armas —les dijo Rancon resueltamente—. Vuestros caballos están embarrados y llevan bridas comunes, pero vuestras monturas reales están en el carro. Todo ello se encuentra detrás de un espino en el primer cruce tras la primera colina, custodiado por vuestros escuderos. El escudero de Mercadier saldrá a vuestro encuentro cuando os vea venir. Cabalgaréis a oscuras, sin antorchas. Manteneos fuera del camino siempre que sea posible... Mercadier lo conoce bien.

—Sí, señor —dijo Godofredo, agitado.

Ricardo se mantuvo en silencio.

—Dudo que os topéis con nadie en ese camino a esta hora y con este tiempo, pero si veis a alguien, hablad lo menos posible.

—Éstos son los puñales que debéis llevar en el cinturón —interrumpió Mercadier—. Si os molestan, no perdáis el tiempo hablando... clavadlos bajo las costillas en el costado izquierdo. Los he afilado bien.

Juana comenzó a llorar; Godofredo sonrió; los labios azules de Ricardo permanecieron inertes.

—Vendréis a mi finca de Troyes —cantó María con voz suave al tiempo que le acariciaba la mejilla a Ricardo.

Abracé a Godofredo.

—Siento tanto que haya ocurrido todo esto, querido.

—¡Yo no, mamá! —Los ojos le brillaban bajo el sombrero—. Lucharé valientemente por vos, ya lo veréis.

Sus palabras me conmovieron. Era un hijo al que nunca llegaría a conocer.

Luego a Ricardo, húmedo y frío al tacto.

—¿La visteis? —le pregunté al oído.

Asintió.

Rancon lo apartó de mí.

—Cuidad de Godofredo, Ricardo... es un tanto temerario. —Ro-

— 473 —

deó con los brazos a su hijo y la voz se le quebró—. Pero sobre todo cuidad de vos. Tenéis mucho talento, lo sabéis, pero sois joven. Queda mucho tiempo por delante.

Al abrazarse, el sombrero de Ricardo cayó al suelo. Por primera vez, le vi los ojos, vidriosos.

—Tendré cuidado, Rancon. Y me tomaré mi tiempo.

Aquel comentario inofensivo sería premonitorio.

Rancon le besó en los labios.

Nos apiñamos en la puerta y clavamos la mirada en la oscuridad. Oímos varios ruidos, y luego se hizo el silencio. Todos se retiraron, salvo Rancon y yo.

Me daba lástima.

—Será un gran caballero, querido.

—Si sobrevive será el mejor. ¡Oh, Gracia, ojalá pudiera evitarle todo esto!

—¡Ojalá!

A la mañana siguiente nos despertó un grito procedente del patio.

—Leonor, ¿estáis ahí?

Tío Rafael, de Châtellerault, descendió del caballo salpicado de barro.

—¡Enrique llegó a Chinon anoche! ¡Viene hacia aquí ahora mismo! ¡Pisándome los talones! ¡Debéis marcharos de inmediato!

—¡Reunid a las mujeres! —Rancon corrió hacia las caballerizas.

Desperté a todos. Nos vestimos y bajamos al patio. Rancon ya había ensillado a los caballos.

—Vos no, Gracia. —Rancon me retuvo.

—¿Estáis loco? ¡Me marcho con ellas!

—Demasiado tarde... no podrán ir directas a París... son demasiadas.

—Pero María, Margarita...

—Cabalgarán rumbo a Niort. Le he pedido a la princesa Alais que se reúna con ellas allí... y que luego cabalguen hacia el sur.

—¡Entonces iré con ellas! Me dijisteis...

—Que debíais ir a París. No discutáis... estamos perdiendo el tiempo.

—¡Santo Dios, Gracia, haced lo que os dice! —gritó mi tío.

Mis hijos ya estaban montados; me despedí mientras se alejaban al trote. Luego seguí a Rancon hasta las dependencias de los caballeros, donde me arrojó bombasí y piezas de armadura.

—Ponéoslo... aprisa. Os llevaré hasta la frontera. ¡Mis caballeros os acompañarán desde allí!

—¿Sin vos? Pero...

—Soy vuestro senescal, ¿lo recordáis? Tengo que proteger Aquitania.

Rancon me ajustó el peto y me puso un yelmo encima de las trenzas.

—¡Seguidme! —me gritó tío Rafael por encima del hombro. Giró bruscamente a la derecha, hacia un sendero que bordeaba el río Clain. Inclinados detrás de los arbustos, galopamos por el sendero embarrado. La maleza nos golpeaba en la cara.

Llegamos al río Vienne, tomamos un sendero más ancho en dirección a Châtellerault, la misma ruta que mi abuelo había seguido cuando había raptado a mi abuela muchos años ha. Cabalgamos sin detenernos ni hablar. Poco después del mediodía entramos en el patio del castillo. Los mozos de cuadra se llevaron a los caballos agotados. Todavía sin mediar palabra, seguimos a mi tía escaleras arriba hasta las dependencias de las mujeres, donde Rancon, sus dos caballeros con sus dos escuderos y yo nos desplomamos sobre las esterillas.

—Os traeremos comida y vino —dijo mi tía.

Cuando se hubo retirado, Rancon me buscó la mano a tientas.

—¿Queréis descansar?

Me recosté en silencio al tiempo que recordaba el rostro de Rancon... ¡como si fuera necesario! Se tumbó de costado y me observó. Abajo se oyeron voces, luego caballos y a otros hombres con acento normando.

Mi tía entró en la estancia cuando se hubieron marchado.

—Venían a por vos... os buscan.

Rancon ya estaba blandiendo la espada.

Bajamos las escaleras a oscuras. En el patio había varios corceles frescos, ensillados. Los caballeros de Rancon, sir Guillermo y sir Saurostre, quienes me acompañarían hasta París, iban a la cabeza.

Habíamos quitado las campanillas de las bridas y cabalgamos en silencio. Al llegar al puente que cruzaba el pueblo de Chinon los perros comenzaron a ladrar furiosamente. Varios hombres gritaron y los perros dejaron de ladrar. Nos internamos en el bosque.

Poco antes del alba nos detuvimos en un pequeño claro. El suelo estaba cubierto de escarcha, pero no nos atrevimos a encender un fuego. Rancon y yo nos tumbamos sobre la tierra fría, con las cabezas apoyadas en las monturas y los cuerpos entrelazados para darnos calor.

Volvió a anochecer. Comimos carne seca de venado regada con vino, y luego montamos los corceles.

Avanzamos lentamente por el bosque, evitando los caminos y los ríos donde pudieran vernos. La espesura era cada vez menor ya que había más robles que arces y menos sotobosque que ocultara nuestra presencia. Íbamos a buen ritmo. El amanecer llegó cálido y dorado.

—Mirad. —Rancon señaló un sendero que serpenteaba colina abajo—. Francia está después de la siguiente curva.

—¿No podemos descansar hasta la tarde? —supliqué.

Apoyó la cabeza en mi hombro durante unos instantes fugaces.

—No hay tiempo que perder.

Oc, con Rancon siempre había sido así. Nuestras miradas se encontraron; nos habíamos dicho todo y nada. No lo soportaba.

Los caballeros descendieron para inspeccionar el terreno. Se separaron siguiendo direcciones opuestas y luego regresaron juntos.

—Todo tranquilo —informó sir Guillermo.

Rancon se volvió hacia sir Saurostre, con el ceño fruncido.

—Nada.

El caballo de Rancon piafó.

—No me gusta... tengo un presentimiento.

De repente, descendió rápidamente por la pendiente provocando una lluvia de guijarros. Vimos su yelmo por entre los matorrales a nuestra derecha, luego a nuestra izquierda y regresó como una exhalación.

—Un pastor viene de Francia. Pero, por lo demás, es cierto, no hay nadie.

Sir Guillermo cogió mi brida.

—¡Aguardad! —Rancon me detuvo—. Si sucediese algo, negad y negad y negad. Digan lo que digan los espías, no tienen pruebas. ¡Prometedlo!

—Sí. —Los ojos se me llenaron de lágrimas.

—No me escribáis... leerán las cartas. Enviad a un correo con un mensaje verbal.

—Sí.

—Y bajad el protector nasal.

Moví hacia abajo la pieza metálica del yelmo. Lentamente, descendí por el inclinado terraplén. Aunque no podía apartar la mirada del suelo, logré desviarla dos veces: allí estaba, sobre su espléndido corcel negro. Llegamos al camino y volví a mirar. Rancon había desaparecido, se había convertido en un recuerdo.

Troté rápidamente hacia la curva del camino, con un caballero delante y otro detrás. De repente, cuatro caballeros surgieron de entre los árboles.

—¡Alto en nombre del rey! —gritó sir Joscelin, caballero de Enrique.

—¿Qué rey? —preguntó sir Guillermo.

—¡El rey Enrique de Inglaterra!

—Ah, bien, vamos por buen camino porque pensamos unirnos a su ejército.

—¡Cabalgáis hacia Francia!

—Creía que salíamos de Francia.

—¡No habéis llegado, traidores!

¡Nos habían traicionado!

—Vuestros nombres, si os place —pidió sir Joscelin.

Sir Guillermo se colocó entre mí y los hombres de Enrique.

—¿Por qué debemos deciros nuestros nombres? ¡No hemos hecho nada malo!

Los ingleses desenvainaron. Sir Guillermo llevó la mano a su empuñadura y entonces una docena de hombres surgió de los arbustos.

—Tenemos derecho a entrar en Francia —insistió mi caballero.

—El rey será vuestro juez. Una vez más, vuestros nombres.

Mis caballeros y sus escuderos les dieron nombres falsos.

Sir Joscelin miró por encima de sus hombros.

—Vuestro nombre, señor.

Me llevé la mano a la boca y tosí.

—Es sir Raimbault de Berry —se apresuró a decir sir Saurostre—. Le duele la garganta.

Sir Joscelin se acercó a mí.

—¡Es la reina! ¡Dios mío, es la reina Leonor!

—*Asusée!* —gritó Rancon, descendiendo por entre el polvo y las rocas.

—¡Huid! —exclamé—. ¡Salvaos!

Me sujetaron de los brazos y forcejeé como una tigresa. Un pequeño ejército inglés cargó colina arriba. Entonces el protector nasal se desplazó y me dificultó la visión.

—¡Retroceded! —chillé.

Volví a ver fugazmente a Rancon, con la espada en alto, y luego le perdí de vista.

Oí golpes y encontronazos. Los caballeros atacaron furiosamente con sus armas y los caballos se encabritaron. Chillé con todas mis fuerzas.

Alguien me ató las manos, me arrancó el protector nasal y me vendaron los ojos con un harapo. En ese fugaz momento durante el que mis ojos estuvieron libres, vi un caballo y un hombre enmarañados al pie de la colina... Rancon.

Comenzamos a trotar.

Cuando me quitaron la venda, acabábamos de cruzar el foso del castillo de Chinon. Me hicieron bajar bruscamente del corcel, me empujaron por el patio militar, el patio doméstico, hasta las mazmorras situadas en el otro extremo. Con un empujón violento me metieron en la celda y la puerta se cerró detrás de mí.

Amaria me sostuvo.

—¡Oh, Dios, os han capturado! ¡Hemos perdido la esperanza!

Mientras mis ojos se acomodaban a la luz de la celda, conté a todos los míos, incluso el joven Juan y las princesas francesas. Di un grito ahogado al ver a la pobre Alais, blanca como un fantasma.

—¿Quién nos ha traicionado? —grité.

—Creo que el conde de Tolosa —replicó María—. Ha sido el espía de Enrique desde la invasión frustrada.

Nos retuvieron en Chinon menos de quince días. Nadie vino, nadie nos explicó nada de nada. Nuestro estado era lamentable... nos trataban como a los peores criminales.

Entonces, una mañana glacial, nos sacaron a rastras de nuestros camastros. Había una hilera de caballos ensillados frente a nosotros. Sin ceremonia alguna, los guardas nos ayudaron a montar.

Sacaron una larga cadena de una caja y nos encadenaron por los tobillos.

A continuación fijaron unas pesadas bolas de hierro a la cadena.

Juan rompió a llorar.

—¿Es que no os da vergüenza encadenarnos como si fuéramos vulgares criminales? —chilló Juana—. ¡Os prometo que algún día os arrepentiréis!

Reconocí el camino que conducía a Barfleur y, al anochecer, llegamos a la fortificación familiar, otra vez deshabitada. La bahía estaba repleta de toda clase de barcos, como si Enrique planeara otra invasión. El viento arremolinaba la arena; las olas se alzaban y rompían.

Un guarda nos ordenó que desmontáramos. Caímos a la arena, todavía encadenados a las bolas de hierro. Al menos, Juan y Juana estaban libres y corrieron a mi encuentro.

Al poco estaba con mis damas a bordo de una barca de pesca con velas áuricas. Nuestro destino era Inglaterra.

La Torre Blanca de Londres era idónea para la encarcelación. Al fin y al cabo, ¿no la había diseñado yo misma? No obstante, tras cuatro terribles meses de prisión forzosa me sentí aliviada cuando Ranulfo de Glanvill, el justicia mayor real, apareció una mañana poco después de Navidad y me dijo que preparase un único carro; me marcharía por la mañana.

—¿Un carro para cada una? —pregunté mientras señalaba a mis damas.

Vaciló, con los labios apretados como si fueran gusanos blancos.

—Una doncella con su propio carro, eso es todo.

—Iré yo, Gracia —dijo Amaria.

A pesar de que estaban las princesas francesas y una de mis hijas, no había duda al respecto: Amaria me acompañaría. Después de todo, había sido mi criada desde que teníamos quince años; podía decirse que éramos una sola persona. Las otras no tardarían en seguir nuestros pasos.

30

La primera mañana en Old Sarum, después de sobrevivir al temporal invernal, contemplamos nuestra mota azotada por el viento. La serpenteante parra negra que sostenía la torre se adhería y se separaba, como si respirase y, tarde o temprano, acabaría desmoronándose igual que el cadáver putrefacto que contenía. No había duda alguna sobre nuestra suerte, sólo cabía preguntarse qué nos vencería primero: la congelación, la enfermedad o la inanición. Ni las gachas galesas ni las pieles de cordero podrían salvarnos.

Cuando otro galés nos trajo la *lagana* matutina, le costó abrir la puerta debido a la nieve acumulada. Preguntamos por nuestros carromatos, en los que llevábamos más pieles, pero no nos entendió. Exploramos el lugar lo mejor que pudimos. ¿Dos noches más? ¿Una semana? ¿Cuánto tiempo podríamos soportar los elementos?

Ciarron apareció cuando la tarde ya había caído. Aunque hablaba en un galés brusco, entendimos que debíamos seguirle. En el exterior, el viento formaba nubes con la nieve que nos soplaba a la cara como si fueran aguijones. Agarrándonos de los brazos en la oscuridad, Ciarron casi hizo que nos deslizáramos mota abajo, junto al foso traicionero, cubierto ahora de hielo sólido, y cruzando el complejo glacial, a lo largo del muro de cerramiento donde se apoyaban unas pocas construcciones de madera y hasta una cabaña diminuta de adobe y cañas.

La cabaña se componía de una única estancia con el techo bajo y el suelo sucio cubierto de paja. Una llama resplandecía en una hoguera del centro, donde borboteaba una olla de hierro con más estofado para nosotras. Ambrosía, pensé yo, y aquellas paredes gruesas me parecieron tan hermosas a su manera como las vidrieras de Suger.

Un sirviente descalzo nos miró asombrado; yo me quedé igual de sorprendida al ver que no iba calzado. Lord Ciarron gruñó en francés con un acento muy marcado que aquel patán se llamaba Davvyd, tras lo cual le mandó traer vino caliente. Nos indicó que nos sentáramos junto al fuego, sugerencia muy oportuna puesto que ya no nos teníamos en pie.

—Lord Ciarron, si alguna vez puedo recompensaros...

Hizo un gesto con la mano para acallarme.

—Lo haré —concluí.

—No. No es nada.

¿Quería decir que no hacía aquello por una recompensa? No importaba, si sobrevivía... Cuánta distancia había recorrido mi mente desde el día anterior. Aun así, si lográbamos sobrevivir al invierno, quizá nos rescatasen. ¿Aquel adusto capitán nos ofrecería su hospitalidad tanto tiempo?

Incluso con el fuego y los sólidos muros, el frío resultaba penetrante. Me preocupaban las condiciones de nuestra rebelión en Europa, donde el clima era todavía más severo. ¿Estarían esperando a la siguiente temporada de guerra, el próximo verano? ¿Acaso atacarían fuera de temporada? Cuánto odiaba estar tan lejos. No obstante, me hallaba en Inglaterra, no tan lejos... Y había sobrevivido a la primera noche... Confiaba en que fuera la peor.

—Dormiréis en mi cama —informó Ciarron.

¿Cama? Un montón de haces de leña cubiertos con una fina capa de helechos, pero mejor que las pieles de cordero.

Me tumbé en el extremo más alejado, con Amaria a mi lado. Supuse que Davvyd y Ciarron se acurrucarían junto al fuego, pero no, se tumbaron en la cama a nuestro lado, tan cerca como los tablones de una cubierta. Le estrujé la mano a Amaria; ella me devolvió el apretón. Me sentía de nuevo embarcada en una cruzada, todas las sutilezas subsumidas en un esfuerzo por sobrevivir hasta la hora siguiente. Las sombras que dibujaba el fuego se reflejaban en las vigas del techo, las ascuas crepitaban en la hoguera. Siempre había oído decir que los moribundos a veces se ríen de lo absurdo de la situación. Bien, morimos continuamente, por lo que todos deberíamos reírnos, ¿no? Salvo que, por el momento, era felizmente consciente de que estaba viva... de que quizás hubiera esperanza.

Nos acomodamos en la cabaña de Ciarron como huéspedes permanentes. El riesgo que él corría era enorme.

—Deberíais dejarnos con uno de vuestros hombres —sugerí—. Si el rey o uno de sus oficiales regresa, podré hacer poco por vos, lord Ciarron.

Apretó sus labios finos.

—No vendrá nadie.

Era la primera confirmación que tenía de nuestro aislamiento permanente.

Las mejillas se le sonrojaron ligeramente.

—Estaríais a salvo con mis hombres, sois una reina, pero debo proteger a doña Amaria.

—En tal caso os doy las gracias en nombre de ambas.

Más tarde le pregunté a Amaria si le molestaban sus atenciones, que por el momento nos estaban salvando la vida. Sin embargo, le advertí que en el futuro quizás exigiera una recompensa. ¿Estaba dispuesta?

Ella también se sonrojó.

—Está solo.

Le tomé la mano.

—Miradme.

Me obedeció.

—Escuchad, preferiría arriesgarme a sufrir por los elementos que pensar que estáis haciendo un sacrificio.

Sus ojos verde claro no vacilaron ni un solo instante.

—No me estoy sacrificando.

La miré fijamente. Pensé que nunca lo sabría.

Todavía no podíamos llegar a los carromatos, así que mi libro tendría que esperar. Observé a Ciarron con fijeza porque parecía un hombre satisfecho en aquellas circunstancias tan adversas, si bien su ropa y conducta indicaban que era un hombre de mundo. En dos ocasiones tomó del rincón un rudimentario instrumento de cuerda llamado «cwyth» y lo rasgueó con frenesí. ¿También era músico? Entonces, una noche acercó la cabeza a la luz de la hoguera y garabateó unas cuantas letras en un pedazo de piel de cordero.

—Mi señor Ciarron, ¿qué escribís?

Alzó la mirada con expresión defensiva.

—Versos.

—¿De verdad? ¿Versos de trovador?

—Todos los galeses son poetas, Gracia —se apresuró a decir Amaria.

Yo lo dudaba.

—Bueno, entonces debéis de tener mucho en común.

—¿Doña Amaria es galesa? —preguntó Ciarron.

—No, me refiero a que es poetisa. ¿No os lo había dicho? Escribe trovas, romances cortos en verso, y muy hermosos, por cierto.

—Me está adulando —protestó Amaria.

Bien, había puesto mi grano de arena para que profundizaran su amistad. Comencé a caminar con impaciencia.

—Lord Ciarron —empecé a decir de nuevo—, ¿creéis que podríais conseguirme recado de escribir? ¿Algo un poco más fino que la piel de cordero?

—No podéis escribir cartas, ya lo sabéis.

—Me atrevería a decir que sí puedo escribirlas, milord, lo que no puedo hacer es mandarlas. No, tengo otra idea en mente.

Volvió a su piel de cordero.

El tiempo llega, gira y se marcha
a través de años y días, sol y escarcha,
mientras enmudezco
de deseo, siempre renovado.
Entumecidos mis sentidos.
¡Cuánto os quiero!

Gemí y me desperté sollozando. Rápidamente me sequé las mejillas y aparté los recuerdos de mi mente: otra mañana, otro mes, otro año. Sin embargo, era incapaz de contener otro gemido. Miércoles, 12 de agosto de 1184. Estaba a punto de celebrar el décimo año de mi encarcelamiento.

¿Qué debía celebrar? Cuando salí de Poitiers tenía cuatro hijos, ahora tenía dos, Ricardo y Juan. En el momento de mi partida habíamos desafiado a Enrique con una rebelión de envergadura, que ahora no era más que una escaramuza que apenas se recordaba, perdida antes del comienzo. El duque de Boulogne fue asesinado la primera semana, y todos se habían descorazonado. Mis hijos se habían arrodillado ante Enrique y le habían suplicado el perdón, incluso el iracundo Ricardo. Enrique había retomado el poder con su habitual talante generoso. Las asignaciones de mis hijos habían quedado reducidas a la mitad, y a Ricardo, como duque en funciones, se le había ordenado que sofocara la rebelión en Aquitania.

Desastroso para Ricardo, peor para Enrique el Joven.

Apoyé la mejilla en los helechos para que absorbieran mis lágrimas. No pienses, le ordené severamente a mi corazón. Pero era temprano y

— 484 —

no podía evitarlo. Enrique el Joven de Inglaterra había sido despojado de todas las prerrogativas. Al igual que su mentor, Guillermo Marshal, le habían obligado a dejar su impronta en las justas. Luego, celoso de Ricardo, quien por lo menos tenía una misión legítima, aunque horrenda, Enrique el Joven había reunido a unos cuantos renegados de las justas y había atacado a Ricardo, arguyendo que el duque de Aquitania era él. En esa situación tan caótica, Enrique había entrado en la refriega a favor de Ricardo, por mucho que ambos se odiaran.

Enrique había abordado a Enrique el Joven en Limoges en son de paz. Este último tuvo la gentileza de invitar a su padre a entrar en la ciudad para parlamentar. Mientras Enrique cruzaba el puente del foso, el mismo puente que habíamos cruzado cuando Ricardo se convirtió en el futuro señor de Aquitania, una flecha le alcanzó en el cuello y no murió gracias a que un caballo se encabritó y desvió el asta. Enrique el Joven negó toda culpabilidad, por lo que Enrique lo había intentado en dos ocasiones más, y dos veces más fue atacado.

Mi apuesto Enrique el Joven saqueó las iglesias y luego se marchó a escondidas de la ciudad por la noche en compañía de su variopinto ejército, aunque Enrique lo persiguió sin tregua. Los ejércitos se internaron en el sur, y de repente el joven rey enfermó de muerte. Le había suplicado a Enrique que acudiera a su tienda para concederle la absolución. Al principio, su padre se había negado, pues temía que se tratara de una trampa, pero cuando resultó evidente que el muchacho se estaba muriendo sumido en un profundo dolor, había transigido.

La última voluntad de Enrique el Joven fue que su padre me pusiera en libertad. Obviamente, Enrique hizo caso omiso de su petición.

Mi hija Matilda había conseguido hacerme llegar una carta en la que me contaba esta historia tan morbosa, pero yo ya la sabía. El día de la muerte de mi hermoso hijo, en Old Sarum había llovido sangre.

María me había informado del triste final de Godofredo. El rey Luis se había reunido con su amado Dios sintiéndose feliz, puesto que su hijo Felipe, también coronado, había ascendido con facilidad al trono de Francia. Recordaba a la perfección que María lo describía como un sabueso con un único objetivo: conquistar Aquitania e Inglaterra y destruir a su gobernante; aquello resumía su carácter. Salvo que había amado a Godofredo. Él y Godofredo se adoraban, habían sido inseparables. Resultaba curioso pensar que mi pequeño hijo moreno había encontrado finalmente el amor en una fuente tan insólita. Cuando un caballo coceó a Godofredo en París, la causa de su muerte, Felipe intentó lanzarse a la tumba con él. María describió la escena con su vívida prosa: el pesar clamoroso, el desvanecimiento y la pérdida de conciencia de Felipe durante cuatro días.

Entonces el rey francés, que odiaba a Enrique y a todos sus hijos, proclamó su amor hacia Ricardo. ¿Podía deberse a que compartían el mismo odio hacia Enrique? Me atrevería a decir que el verdadero vínculo era su consternación mutua ante el hecho de que Enrique se hubiera negado a permitir que Ricardo se casara con la princesa Alais, lo cual habría llevado la paz a ambos países. Sin embargo, Ricardo tenía motivos personales para sentirse indignado: Enrique no nombraría heredero al trono a Ricardo, que entonces era su hijo mayor. De hecho, en una negociación con Ricardo y el rey Felipe en el famoso roble de Gisors, Enrique había declarado que tenía intención de nombrar heredero a Juan, no a Ricardo.

Ricardo, que no era tonto, se arrodilló y rindió homenaje a Felipe, lo cual recordaba mucho a Montmirail.

Así pues, el rey de Francia y Ricardo lucharon juntos contra Enrique. Aunque Felipe tenía la perseverancia de un sabueso siguiendo un rastro, en gran medida dependía de Ricardo, el guerrero más formidable del que se tenía constancia. María, Alix, Matilda y Juana escribían lo mismo: la sola mención del nombre de Ricardo infunde terror en el corazón de todos. Se está convirtiendo en una leyenda. Ricardo no escribe o, lo que es más probable, es incapaz de hacer llegar las cartas. Ciarron sería indulgente, pero Enrique siempre estaba en la puerta.

Un día no muy lejano, todo eso debía terminar.

Mientras tanto, holgazaneo, físicamente cómoda en mi recién construido palacio-prisión, pero mentalmente inquieta. Ciarron y Amaria llevan años de feliz matrimonio; nuestro complejo es un pueblecito bullicioso con comercio propio, capilla y campos de árboles frutales.

Mis hijas me consuelan diciendo que tengo la fortuna de no correr el peligro de perecer debido a la peste negra que asoló Inglaterra el invierno pasado, a consecuencia de la cual murieron miles de personas que no podían ser enterradas en la tierra helada. Pero también me perdí el nacimiento de los nietos que me dieron Matilda y Leonor. Juana fue coronada reina de Sicilia, y yo no estaba presente.

Finalmente conseguí librarme del peso de los recuerdos. El sol lucía en el exterior, unas pocas nubes blancas surcaban el cielo azul profundo. Crucé el complejo con paso decidido hacia la cabaña de Amaria, pero me detuve antes de llegar. ¿El balido de un cordero? ¿Una abeja? ¡No, la fanfarria real! Los galeses, que ya la habían visto llegar, estaban inmóviles como el ganado en el campo, todos mirando en la misma dirección. Se abrieron las puertas y apareció un destello de colorido; portaestandartes, banderines con los tres leones, cuernos de latón elevados, caballeros resplandecientes.

Incluso a pesar de toda la panoplia no estaba preparada para ver a Enrique en persona. Iba montado sobre un magnífico caballo blanco belga, con la brida cubierta de piedras preciosas, vestido con los ropajes propios de su título, a diferencia de lo descuidado que solía ir. El cabello le colgaba hasta los hombros bajo una estrecha corona de oro y llevaba una túnica de seda amarilla ribeteada de escarlata, que le caía en pliegues completos hasta la parte superior de las botas tachonadas.

A su derecha se encontraba Ranulfo de Glanvill, con un aspecto tan siniestro como siempre. Al otro lado —di un grito ahogado— Guillermo Marshal, también más elegante que cuando me había rescatado. Ese hombre, el mentor de Enrique el Joven y compañero en las justas, estaba ahora al servicio de su peor enemigo. Acostumbrada como estaba al cinismo, me quedé escandalizada. ¿Eran todos los caballeros unos oportunistas?

Enrique estaba tranquilamente sentado en la montura mientras captaba todos los detalles bucólicos de nuestra existencia: los cerdos en el corral, las gallinas en sus perchas, las ovejas pastando a sus anchas. Clavó la mirada en mis espaciosas caballerizas con los mejores caballos de caza, las aves de cetrería, los sabuesos que ladraban, y luego mi capilla, erigida hacía cinco años de acuerdo con mis instrucciones, que distaba de ser otro Saint-Denis pero estaba pintada alegremente según el estilo sarraceno. Al final se detuvo en Old Sarum, que apenas resultaba reconocible. La parra había desaparecido, las grietas se habían rellenado con cañas, el foso se había vaciado y a ambos lados se extendían largos anexos de madera, mi gran sala a un lado y mis aposentos al otro. La torre se dedicaba al almacenamiento.

Sir Joscelin bajó al suelo de un salto y, para mi sorpresa, ayudó a Enrique a desmontar. Ahora que el rey estaba a mi nivel, vi a un hombre distinto. No era de extrañar que se hubiera puesto las mejores galas, pues era un intento de disimular los estragos de una vida dura. Aunque sólo tenía cincuenta y dos años aparentaba cien, pero la edad no podía haber causado un cambio tan drástico. El exceso de años dedicados a la batalla le habían dejado una profunda hendidura en la frente en el lugar donde reposaba el yelmo, otra bajo el mentón donde se ceñía la correa, otra a lo largo de la nariz a causa de la protección nasal; tenía dos dedos de la mano izquierda torcidos de manera antinatural, sus piernas eran un caos de venas rotas, músculos nudosos y huesos mellados. Aparte de la batalla, la enfermedad le había pasado factura. La primera impresión que tuve fue que había duplicado su peso, pero caí en la cuenta de que se debía a la retención de líquidos. Tenía la piel pecosa y tostada hinchada formando pliegues, los ojos ictéricos e inflamados hasta formar estrechas ranuras como las de un lagarto, el vientre le colgaba como si acabara de dar a luz.

Al final se volvió hacia mí. Examinó en silencio mi griñón azul, la túnica de lino clara, el rostro.

—Ya veo que estáis bien —dijo con voz normal—. No es de extrañar, en este pequeño paraíso. ¿Cómo lo habéis conseguido? ¿Seduciendo a mis guardas? ¿Instaurando otro tribunal del amor?

—En cierto modo sí —respondí sin alterarme—. Mi doncella, Amaria, se casó con el capitán, Ciarron ap Dwyddyn. Como veis, sigo beneficiándome del amor.

—Ah —gruñó con indiferencia—. ¿Dónde podemos parlamentar?

Señalé el gran salón, y Marshal lo tomó del brazo.

—Os saludo, Guillermo —dije—. Habéis mejorado en la vida.

—Gracias a vuestra generosidad, señora mía —respondió cortésmente.

Caminé al lado de Glanvill.

—Decidme, lord Glanvill, ¿habéis vuelto para torturarme?

Me miró con cautela.

—Nunca hablé de torturas, señora mía.

—Quizás os malinterpreté.

Cuando llegamos a la gran sala, Enrique ordenó a sus hombres que lo dejaran. Entonces subió las escaleras él solo. En el interior, se sentó lentamente en un banco acolchado y extendió los brazos a lo largo del respaldo.

—Sí, presentáis mejor aspecto que la última vez que os vi —declaró—. Conservada como una momia.

—Las momias viven en tumbas. Preferiría envejecer en el mundo exterior, Enrique.

—Ah.

—¿Os apetece un poco de vino?

—Sólo agua.

Llamé a mi mozo con una palmada y le dirigí unas palabras en galés.

Enrique me observaba con ojos amarillentos.

—¿Qué ironía, eh? Vos estáis a salvo en este pequeño Edén y yo estoy expuesto al infierno.

—A salvo en mi persona, quizá, pero comparto vuestro infierno.

Escuchó mis palabras de angustia.

—¿Cuánto sabéis?

Me mostré cautelosa.

—¿Sobre qué?

—Sobre lo que queráis. Sobre el amor, la vida, la muerte.

—Sed más concreto. ¿Habéis venido aquí con un objetivo preciso?

—En busca de información. —Intentó cambiar de postura. En sus facciones se reflejó un dolor real.

—En tal caso debo alegar ignorancia. Carezco de información.

Llegó el agua. Enrique bebió mucha cantidad con avidez.

—Oh, sí, sí que tenéis, señora mía, secretos profundos y traicioneros. Conozco vuestra culpa, deseo saber los motivos. Mis eruditos me dicen que a lo largo de la historia nunca ha existido una reina que haya intentado derrocar a su legítimo señor. ¿Por qué lo hicisteis?

—Por desgracia no lo hice, pero me gustaría haber sido la primera.

—Presuponen que estabais celosa de otras mujeres, lo cual vos y yo sabemos que no puede ser. Ningún rey, ni siquiera Luis, adoró tanto a su esposa como yo. Así pues, ¿por qué?

—Insisto. No participé en la rebelión. Ni tampoco acepto vuestra declaración de amor leal. Amabais Aquitania, no a mi persona.

—No, señora mía, no es eso; no repetiré aquí las palabras de amor que os he dedicado tan a menudo, pero las recordáis. —De nuevo se produjo un largo silencio—. Por lo que respecta a Aquitania, recuerdo haberos dicho cuando nos casamos que podía haberla tomado cuando hubiera querido.

Sin embargo, todavía la codiciaba y aún no la había tomado. A diferencia de Guillermo Marshal, Aquitania no adulaba a un rey poderoso. No obstante podía destruirla, la estaba destruyendo, a tenor de las últimas informaciones que había recibido.

—Independientemente de lo que hayáis oído, nunca tuvisteis motivos para estar celosa, el amor es distinto para un hombre que para una mujer. A pesar de vuestro tribunal del amor, nunca os disteis cuenta de algo tan sencillo. —Me estaba juzgando con los ojos, que ya no eran gélidos sino acuosos—. Quizás os parezca extraño, a vuestra edad y en este marco, que haga hincapié en el tema del amor, pero ahora sé, también lo sabía entonces, que la rebelión estaba relacionada con vuestro tribunal del amor.

Por primera vez el corazón me latió con fuerza.

—¿Por qué creéis tal cosa?

—Rebelión. —Sus ojos adoptaron una característica expresión de serpiente—. Enseñabais a las mujeres a rebelarse, volvíais a formar a la tropa.

Me eché a reír.

—Habláis como Luis en la cruzada; me acusó a mí y a mis damas de ser guerreras amazonas. ¿Lucháis contra mujeres en el campo de batalla?

—Me lo he preguntado. Vuestros hijos, por ejemplo, luchan por una mujer. Y asistieron a vuestro tribunal del amor.

—Mi hijo, el único que todavía queda en el campo de batalla, lucha por sus derechos hereditarios. Puesto que ya tiene Aquitania, es difícil que tenga que luchar para mí o contra mí.

—Eso es discutible. Sin embargo, la rebelión está más extendida que nuestra familia. He observado que los nobles que me desafían son los esposos de las mujeres que participaban en vuestro tribunal del amor.

No respondí; eso lo sabía desde que se marchó a cazar con Enrique el Joven.

Cambió de postura y de ataque.

—Sin embargo, esto no es más que el preámbulo, como diríais en uno de vuestros romances. El quid de la cuestión es el siguiente —su voz ronca se convirtió en un susurro—: voy a matar a vuestro hijo predilecto.

No fui capaz de contener un leve quejido.

—Sí, Ricardo, que iba a ser el duque de Aquitania, está ahora predestinado a una muerte prematura.

—¿Por qué? —pregunté jadeando—. Enrique, ¿cómo podéis siquiera plantearos un crimen tan horrendo? ¡Un crimen contra natura!

—No disfruto de tal acto, creedme, soy un hombre pacífico, un rey benévolo, motivo por el cual confío en vos. Decidle que desista, Leonor, decidle que retire su tropa de mi condado, que acepte la paz y no lo mataré.

—¡Santo cielo, Enrique! ¡No tengo contacto con Ricardo, ya lo sabéis! ¡Ni tampoco controlo lo que sucede en el campo de batalla!

Sois un hombre razonable y justo, espero. Os ruego que no me atormentéis.

—Olvidáis que también soy un hombre inteligente —bramó—. ¡Haced que vuestro hijo se retire, maldita sea! ¡Retirad vuestra tropa! ¿Acaso debo estar siempre en guerra?

Me sentía consumida, había olvidado lo que significaba demostrar mi entereza.

—¿Qué os hace pensar que tengo influencia, o que si la tuviera la pondría en práctica para complaceros? No se puede decir que hayáis conseguido mi lealtad encerrándome en una cárcel, señor mío, una cárcel donde se suponía que moriría de forma prematura.

—Un descuido de mi talento. Sois un fénix malvado: no hacéis más que resurgir de vuestras cenizas. Para empezar, fui muy poco estricto al manteneros con vida. Tenía que haber ordenado a los caballeros que acabaran el trabajo de camino a Francia, donde dimos muerte a los demás.

Su imagen dorada se tornó borrosa, su voz distante. Me desvanecí por segunda vez en mi vida.

Oía voces en la lejanía, probé sangre salada o quizá lágrimas, y supe dónde me encontraba. Amaria me aplicó paños húmedos; la voz de Enrique retumbaba. Recuperé la visión y abrí los ojos.

—¿Estáis despierta, querida? —Vi el rostro de Amaria por poco tiempo.

Cuando volví a abrir los ojos, Enrique, que se apoyaba en una silla para no perder el equilibrio, se inclinó sobre mí.

—Por todos los santos, ¿qué ha ocurrido? ¿Estáis enferma?

Sentía tal odio que era incapaz de articular palabra. De la mano de Amaria, me puse en pie con dificultad y conté las respiraciones hasta que se me volvió a poner la mente en blanco.

—Traedme un poco de vino, por favor.

—¡Traed el vino! ¡Rápido! —El mozo se fue corriendo.

Sorbí un buen Burdeos mientras aguardaba el momento oportuno. Tenía la cabeza despejada, pero no sabía si sería capaz de hablar. Otra respiración.

—Lo siento, quizás haya sido algo que he comido.

Enrique me miró fijamente.

—¿Ha sido un desvanecimiento verdadero, o intentabais eludirme? Me evitabais con la mirada, vuestros ojos iban de un lado a otro. Como la primera vez que vinisteis a Barfleur.

Su comentario me dio fuerzas.

—Entonces dijisteis esquiva y misteriosa, adjetivos más elogiosos.

—¡Evasiva, maldita sea! ¡Rebelde! ¡Desde un buen comienzo! ¡Y transmitisteis a vuestros hijos esos resentimientos mezquinos! ¡Santo cielo, dos ya no están y Ricardo será el próximo! Mataré a vuestro hijo predilecto, Leonor.

Dejé caer la copa de vino al suelo. Serenaos, me dije, este asunto es serio.

—Vos lo habéis dicho. ¡Decid a vuestros eruditos que busquen en los anales de la historia a un rey que haya matado a su heredero!

—¡Ricardo no es mi heredero! ¡He nombrado a Juan!

—¡No! ¡Ricardo es vuestro hijo mayor!

—Y retorcido irremediablemente por succionar vuestros pechos de águila. ¡Juan me quiere porque escapó de vuestras garras! ¡Lo crié yo solo!

—¡Dejad de pasar de Ricardo a mí! ¡O a Juan! Decidme la verdad de una vez.

—Porque si no, Ricardo me matará, como bien sabéis. ¡Enrique el Joven lo intentó, Godofredo lo planeó y Ricardo quiere terminar el trabajo! Decidle que se retire, Leonor, y os juro que vivirá. ¡Santo cielo! ¡Tenéis poder para ello! ¡Estáis detrás de todo lo que ocurre! ¡Sois la instigadora, la autora, la fuerza maligna... nada sucedería sin vos!

—Entonces matadme a mí en vez de a Ricardo.

—Oh, lo haré, señora mía, os lo prometo.

—Y os creo. Al fin y al cabo, matáis a vuestros hijos y a vuestro arzobispo... ¿Por qué no a vuestra reina? Sin duda seréis el primero de la historia en muchos ámbitos.

Esbozó una sonrisa fingida.

—Habéis perdido el contacto con la realidad. Estoy completamente exonerado de la muerte de Becket, y nadie menciona a Enrique el Joven ni a Godofredo. Moriréis por «causas naturales», como de vejez, por ejemplo, o tal vez de una caída fatal. Con respecto a Ricardo, la historia dirá que un hijo desagradecido se alzó contra su propio padre. —Su voz ronca se tornó más espesa.

Me senté en la silla que había frente a la suya.

—Como de costumbre, estáis en lo cierto, Enrique. Ricardo os matará.

Me miró de hito en hito, asombrado, antes de exhalar un suspiro.

—Pensé que lo amabais... ¿por qué asignarle una misión tan horrenda?

—No tengo nada que ver con eso.

Dejó caer su enorme cabeza.

—Cielo santo, por un momento esperé que...

—Ricardo tiene motivos personales.

Alzó la mirada.

—¿Cuáles son?

—¿No sois capaz de adivinarlos?

Me miró con expresión flemática.

—Me acabáis de acusar de instigar una rebelión contra vos.

—Lo sé de buena fuente... el conde de Tolosa.

—Vuestro informador preferido, aunque siempre se equivoca. El levantamiento ya estaba planeado mucho antes de que yo regresara a Poitiers.

—No me lo dijisteis, lo cual sabéis que es un acto de traición.

—Teníais la misma información que yo.

—Seguid hablando de Ricardo.

—Muy bien, el origen de vuestros problemas empezó en Montmirail. De todos vuestros hijos, Ricardo salió especialmente bien parado, puesto que consiguió como futura esposa a la princesa Alais, que ahora es vuestra rehén.

—Quiere casarse con ella ahora; contadme algo que no sepa —me interrumpió Enrique con petulancia—. He escuchado esa petición tanto en boca de Ricardo como de su hermanastro Felipe, pero sabéis lo suficiente de política como para ver que es imposible. Ella es la única espada que sostengo sobre la cabeza de Francia. El rey Felipe no es un gallina como su padre. Dice que el Vexin pertenece a Francia, ahora que Margarita ha regresado a París, pero yo digo que pertenece a la princesa Alais como dote. Él replica que si nombro heredero a Ricardo, lo cual convertiría a Alais en reina de Inglaterra, y permito que se casen, devolverá el Vexin. Por otro lado, ¿qué baza tengo para negociar con él aparte de Alais? Haría lo indecible por emparejarla con Ricardo, quizás incluso cesar esta guerra insensata. Ésa es mi esperanza.

Cuando se dejó de recriminaciones, continué yo. Describí el amor entre los dos niños al filo de la edad adulta, el cambio que la relación había operado en Ricardo. Acto seguido, describí nuestros temores cuando Enrique el Joven escapó de la caza con Enrique; todos los que estaban en el palacio supieron que se aproximaba una catástrofe.

—La joven Alais era quien más aterrorizada estaba —le dije—. Ricardo intentó tranquilizarla, pero quedó sumida en un abismo de desesperación.

—Ricardo, habladme de Ricardo. No me interesan los problemas de una joven.

Sin embargo, continué hablando sin cesar del día de aquel lejano octubre cuando Amaria me llamó para ir a ver a Alais en su lecho. La princesa había estado transpirando profusamente, tenía fiebre, y en la alcoba se respiraba un fuerte olor dulzón.

Amaria me condujo en silencio a un orinal. Allí vi una masa sanguinolenta y retorcida.

—¿Un coágulo? —preguntó Enrique sorprendido.

—Un feto.

Se enderezó en el asiento.

—¿Queréis decir que Ricardo...?

—Eso fue exactamente lo primero que pensé. Me reproché interiormente el no haber interpretado su afecto como lo que era, una relación física.

—¡Ese maldito tribunal del amor! —gritó—. ¡Probablemente esa historia se haya repetido por toda Europa!

—Lo dudo —repuse con sequedad.

Me había inclinado sobre la aterrorizada muchacha, que me susurró la verdad.

—Erais el padre, Enrique. La violasteis una y otra vez durante aquella breve visita, y aquello fue el resultado.

Se puso en pie de un salto.

—¡Lo niego! ¡Nunca le hice un hijo! —Parecía sincero.

—¿Negáis que la violarais?

—¡Nunca he violado a nadie!

Me estremecí.

—¿Negáis haberla conocido carnalmente?

—¡Dios mío, qué expresión! Puede ser... no lo recuerdo. Cuando se es rey... sí, quizá tuviéramos un par de...

—Intenté evitar que Ricardo supiera la verdad. Envié a Alais rápidamente a Fontevrault, pero él fue a verla sin decirme nada. Ella le habló de vos. Aquello fue el final, Enrique, de toda esperanza entre Ricardo y vos.

—Siento haber preguntado. Por supuesto que la fantasía romántica, los celos, eran fáciles de imaginar...

—¿Y qué me decís del rey Felipe? Afirma que seguís cohabitando con su hermana después de todos estos años, ahora ella tiene veinticinco años. ¿Está celoso? ¿Es un romántico? Ha escrito al Papa, quien tomará medidas. ¿También lo tacháis a él de romántico? ¿Cómo os defenderéis?

—¡Instaurasteis un tribunal del amor! ¡Pensé que creíais en el amor!

—Oh, claro que sí, Enrique. El amor, como en Eros, como experiencia trascendente, el cielo en la tierra. Mi tribunal no tenía nada que ver con el libertinaje vulgar.

Tomó asiento de nuevo con las manos en el rostro.

—Eso es, Eros, es la palabra precisa. Bueno, dejemos las cosas claras. Sí, encontré a Alais en Fontevrault y la retuve a mi lado. Sí, la amé aquel verano, pero nunca oí decir que hubiera sufrido un aborto... si es que ocurrió. ¿La violé? ¿Acaso la mantengo ahora en contra de su voluntad? No, os aseguro que Alais me deseaba tanto como yo a ella. Soy el amor de su vida, y ella de la mía.

Las mismas palabras que había oído en boca de la pobre Rosamunda.

—¿Desde cuándo os habéis convertido en un seductor de niñas, Enrique?

—Me casé con vos, y no puede decirse que fuerais una niña.

—Matasteis al conde de Pohoet en Bretaña, ¿no? ¡Intentaba proteger a su hija de diez años de vuestras garras! Después de que él muriera, ¡la violasteis repetidas veces!

—¿Dónde habéis oído tales mentiras? ¡Pohoet murió cuando intentaba apoderarse de mis tierras! Además, no tenía diez años sino once, y me amaba.

—¿Os amaba? —Reí brevemente—. ¿Llamáis amor a forzar a una niña inocente? Sois un hombre fuerte y brutal, aparte de ser rey y señor feudal. ¿Llamáis amor a la sumisión abyecta?

—Yo estaba allí, señora mía.

—Y yo, sin embargo, en Poitiers cuando Alais me confió sus cuitas.

—Alais se estaba cubriendo las espaldas.

—¿Ah, sí? No sabéis lo que dijo.

—Sí que lo sé. Os dijo que la había encontrado en las entrañas de la bodega y que la amenacé con ponerla al descubierto si gritaba.

Me quedé sorprendida.

—Sí.

—Estábamos en la bodega, claro, un buen nidito con olor a viejo para un poco de coqueteo desnudos. Además, silencioso como una telaraña con los hilos blancos colgando de los toneles, un lugar apropiado para intercambios de palabras interesantes.

Fruncí el ceño.

—¿Intercambios de palabras?

—Oh, sí, mi joven Venus me susurró una historia de lo más interesante: cómo os había seguido a vos, a Enrique el Joven y a Ricardo noche tras noche a lo largo del río cuando os reuníais en la capilla de Santa Radegunda. Debo reconocer una cosa, Leonor, estabais en lo cierto al pensar que el conde de Tolosa era mi informador, y yo estaba en lo cierto al sospechar del tribunal del amor. La princesa Alais de Francia era traidora a vuestra causa y a mi amor verdadero.

Proferí un grito.

Se levantó lentamente.

—Sin embargo, esta visita ha revelado muchas cosas. No sabía lo del aborto ni que Ricardo hubiera descubierto el romance.

—¡Así que ahora lo podéis matar con impunidad! —le espeté—. ¡Nunca ha existido un villano tan loco como vos en toda la historia, Enrique!

Me observó con ojos de víbora.

—Oh, creo que la historia dejará constancia de que traje las leyes de mi abuelo a Inglaterra, a pesar de las luchas con un arzobispo obnubilado por el poder, una esposa arpía y un hijo celoso. Sí, lo mataré sin remordimientos. Entonces reinaré en paz, ¡y Juan será mi heredero!

Se acercó cojeando a la puerta, y entonces se volvió.

—Ha llegado el momento del adiós, Leonor. Ya no necesito al águila ponzoñosa en su aguilera. Me ocuparé de vos cuando la misión esté cumplida. Disfrutad de vuestros lujos mientras podáis.

Marshal hizo ademán de ayudarle a montar en su gran corcel, pero él no se movió.

—Y tened cuidado con la comida. Nunca os había visto sufrir un desmayo. —Sonrió sardónicamente.

—Si entiendo bien vuestro adiós, lo que coma poco cuenta.

Me escudriñó inmóvil.

—Fuisteis la criatura más hermosa que jamás vi y seguís siendo una mujer hermosa. Pero no eran sólo los encantos físicos los que me fascinaban, era vuestra inteligencia, tan aguda como la de un hombre. ¿Qué salió mal?

Hablé con sinceridad.

—Tenía la vida planificada, mi señor, cuando cambiasteis mi destino. Una corona nunca suple la felicidad personal.

—¿Qué felicidad personal? ¿Un hombre?

Negué con la cabeza; su imagen había empezado a encharcarse.

—Otra vez esa dichosa sonrisa misteriosa. —Se humedeció los labios secos—. Maldita vergüenza. Tragedia. Vuestra belleza, talento y todo lo que pude daros...

Sonreí.

—Mi talento, si es que lo tengo, fue la capacidad para abrirme paso a través de las muchas curvas y caminos sin retorno. Aun así, ¿veis dónde he acabado?

—Adiós. —Giró el caballo hacia la puerta, volvieron a sonar los cuernos y el rojo se mezcló con la vegetación. Enrique cabalgaba hacia su destino, su destino y el mío, todavía unidos. Fuera cual fuera el resultado de la lucha inminente, el tiempo pasado en Old Sarum tocaba a su fin. Mandé traer recado de escribir.

«Ricardo, duque de Aquitania, os presento mis respetos: ha estado aquí. Vuestra vida o la suya. Actuad con prontitud.»

31

Oí voces desde las ventanas de la gran sala. Mientras cruzaba el umbral, pasé junto a una pila de espuelas y armas.

Las voces enmudecieron cuando entré. Los caballeros y nobles robustos se arrodillaron, alzaron los ojos llorosos con una mezcla de sobrecogimiento y curiosidad.

—Os saludo —dije—. ¿Nos ponemos a trabajar?

Me senté en el centro de una mesa larga que Ciarron había construido rápidamente para la ocasión e intenté identificar a los desconocidos que me rodeaban. Todos parecían muy jóvenes.

Sin embargo, no tuvimos la edad en consideración cuando nos dispusimos a crear un nuevo gobierno. Trabajamos con energía y rapidez, como si tuviéramos una única mente. Entonces mi secretario, Desmond, se inclinó sobre mi hombro: lord Ranulfo de Glanvill pedía una audiencia a solas con la reina.

Glanvill aguardaba inquieto en el umbral de la puerta. En cuanto le miré, se dirigió hacia mí.

No se arrodilló.

—Reina Leonor, he venido lo más rápido que me ha sido posible, pero veo que las noticias viajan más rápido.

—¿Que Enrique está muerto? Sí, el nuevo rey, Ricardo, me informó primero.

Durante un momento de descuido, sus ojos negros se clavaron en los míos.

—Hasta que sea coronado —proseguí— soy su regente.

—¡No! —Se repuso—. Inglaterra tiene suerte.

—Si os referís al rey Ricardo, estoy de acuerdo.

Carraspeó.

—Estoy encantado de que estéis libre.

—Una reina nunca está libre.

—No, supongo que no.

—Venid, no estoy al corriente de los detalles del desafortunado fallecimiento del rey Enrique. Contádmelo mientras paseamos por el patio.

Hizo una reverencia y me siguió un paso por detrás.

Empecé a hablar sin ton ni son.

—Por supuesto ya he dispuesto que sus restos sean trasladados a Fontevrault, donde podrá entrar en los registros necrológicos como corresponde a un rey. A Enrique siempre le gustó Fontevrault, simpatizaba con las esposas repudiadas.

Caminábamos por el sendero que conducía a la puerta. Los jinetes se nos adelantaron rápidamente al vernos y los hombres de a pie corrieron a mi lado, exigiendo mi atención. Llamé a Mercadier, el mercenario que había acompañado a mis hijos a París, para que protegiera mi intimidad. Tras cruzar la puerta, la algarabía que nos había seguido se desvaneció; nos adentramos un poco en el bosque y nos encontramos a solas.

—Bueno, quiero la verdad, lord Glanvill, por brutal que sea. Ocultad un error e imaginaré lo peor.

—Bien, Enrique se retiró de la contienda, que era encarnizada, en Le Mans, su lugar de nacimiento.

—Ya sé dónde nació.

—Una noche salió a caballo a inspeccionar la muralla, y desde arriba vio su propio hogar-fortaleza pasto de las llamas. Le horrorizó que Ricardo mostrara tan poca consideración por su ciudad natal.

—Os ruego que os refiráis a él como rey Ricardo.

—El rey Ricardo cargó contra su padre desde el humo mismo. Con gran dolor, Enrique consiguió huir a un lugar seguro.

—¿Dolor? —le interrumpí.

—Una vieja herida se le había vuelto a abrir, tenía una fístula muy dolorosa.

—¿Y adónde huyó?

—A Chinon.

—Pero ¿por qué? —Aquélla era la parte del relato que nunca comprendería—. Estaba muy cerca de Normandía, un lugar seguro.

Glanvill me miró con evidente desagrado.

—Para morir, mi señora. ¿Para qué si no?

—¿Y murió allí?

No de forma inmediata. Socorrido por uno de sus hijos bastardos que siempre le había sido leal, Enrique se tumbó en su lecho y bebió caldo para recuperar las fuerzas. Durante las dos semanas siguientes, mientras se recobraba, Ricardo y Felipe de Francia causaron estragos en Turena y Maine, arrasándolo todo a su paso. Cuando cayó la ciudad de Tours, declararon la victoria total sobre el rey inglés y exigieron que se reuniera con ellos para rendirse.

Contrariamente a lo que le aconsejaron, puesto que estaba demasiado enfermo para cabalgar, Enrique pidió su caballo.

—Para cuando se reunió con los vencedores en un camposanto de Ballon, se tambaleaba sobre la montura, a punto de sufrir un colapso. El rey de Francia le suplicó que se tumbara sobre una manta; Ricardo, el rey Ricardo, se burló diciendo que Enrique era un maestro del engaño.

Glanvill se atragantó, tardó unos instantes en recobrar la compostura.

—Enrique rechazó la gentileza de Felipe y permaneció sobre el caballo. Escuchó sus condiciones: todos los territorios en litigio debían ser devueltos a Francia o Aquitania; Ricardo fue nombrado su heredero para Normandía, Anjou y el trono de Inglaterra; la princesa Alais sería liberada de inmediato para que se casara con Ricardo.

—Para casarse con él después de que el rey Ricardo vuelva de la cruzada —corregí.

—¿Cruzada?

—Sí, proseguid, la muerte de Enrique.

Enfermo de muerte, Enrique consiguió regresar a Chinon. Aunque lo había perdido todo, seguía siendo el rey de Inglaterra, y estaba resuelto a vengarse de quienes le habían traicionado. Tenía una lista con los rebeldes, que su hijo bastardo le leyó en voz alta. Llegó al nombre de Juan.

Enrique intentó incorporarse.

—¿Mi hijo Juan? —Extendió la mano para tomar la lista—. No hace falta que sigáis leyendo. —Se había tumbado de nuevo—. Este mundo ha dejado de importarme. —Y murió.

Glanvill se puso a sollozar desconsoladamente.

—Los sirvientes se lo robaron todo, la ropa, las armas; tuvimos que pedir prestados unos harapos a fin de cubrirlo para el funeral.

Se secó la cara con la manga y me miró. Tenía los ojos enrojecidos por la ira.

—Entonces Ricardo, el rey Ricardo, vino a ver a su difunto padre. No se arrodilló ni rezó, se quedó de pie mirándole. Acto seguido se produjo un milagro, todos lo presenciamos: al rey Enrique le brotó sangre por la nariz. La señal de que se encontraba en presencia de su asesino.

Lo observé sin compasión.

—Por lo que habéis dicho, pensé que Juan era el culpable. Controlaos, lord Glanvill, sed razonable. Enrique escogió su propia muerte.

—¡Una estrella brillante ha caído de los cielos!

«La estrella roja de maldad», según Suger.

Tragó saliva.

—Perdonadme, ya estoy más sereno.

—Vuestro pesar os honra.

—Gracias.

—La lealtad es la virtud más importante cuando se sirve a un rey. —Esperé a que se secara la cara—. Y recordad, Héctor tiene un nuevo heredero. Aunque el rey Ricardo y yo tenemos pocos motivos para estaros agradecidos a nivel personal, puesto que para ser un hombre que tanto defiende la ley, la incumplisteis en nuestro caso, seguimos creyendo que hicisteis bien al ser leal al rey Enrique.

—La ley debe quedar muda en medio de las armas.

—Muy bien expresado. Ahora que el viejo rey ha muerto, ¿creéis poder ser igual de leal al rey Ricardo?

Por primera vez perdió el aplomo. A pesar de lo obvio de mi autoridad, todavía no pensaba en mí como en la reina de Inglaterra, una mujer que conocía bien la ética política, si es que aquello no era un oxímoron. Glanvill era la mente legal más cultivada y mejor informada del reino. Lo necesitábamos.

—¿Yo... al rey Ricardo?

—Sí, el educado conde de Poitou, que pronto será coronado rey de Inglaterra. Queremos empezar nuestro reinado con vos como nuestro justicia mayor del reino.

Se puso totalmente derecho.

—Sería... sería un honor para mí.

Yo también lo había llamado lealtad cuando había apelado a Guillermo Marshal; «oportunismo» seguía siendo la mejor palabra.

—Estoy inmensamente agradecida y aliviada. Quizás os parezca un arreglo servir al Grande —me reí con ligereza—, me refiero al rey Ricardo, que representa a la flor y nata de la caballería; su palabra brota del corazón. Por consiguiente, realizaremos varios cambios.

—Por supuesto.

—Está previsto que Ricardo llegue a Inglaterra a finales de agosto para ser coronado a comienzos de septiembre. Mientras tanto, vos y yo haremos una visita oficial a todo el país. Prepararemos al pueblo para su nuevo rey y cambiaremos algunas leyes desagradables.

—¿Qué leyes? —inquirió con cautela.

—En primer lugar tengo intención de abrir todas las prisiones. Todo hombre, mujer o niño que esté encarcelado en Inglaterra queda libre en este mismo instante. —Para impedir su consternación, seguí hablando con severidad—. Además, hoy mismo regresaréis a Londres. En cuanto hayáis llegado, sacaréis a la princesa Alais del palacio de Westminster y la llevaréis a la Torre Blanca.

—Pero no como prisionera. —Hacía un intento por comprender.

—Como prisionera, sin lugar a dudas, la única de toda Inglaterra.

—Pero...

—No por mucho tiempo... —le tranquilicé—. La llevaremos a la torre de Ruán antes de que llegue el rey Ricardo. Partirá hacia la cruzada, como ya sabéis, poco después de la coronación. Ella permanecerá bajo llave hasta que él regrese de Tierra Santa.

Se quedó desconcertado; le di una palmadita en el brazo.

—Sólo para que esté a salvo, ¿comprendéis?

Tenía pocas pertenencias que llevar conmigo cuando salí de Old Sarum. Había llegado con un carromato; partía con un carromato, sin embargo mis sentimientos habían cambiado. Nunca olvidaría el horror que sentí al verlo por vez primera, y en ese momento lo palpaba todo por la pena que me producía marcharme. Mis guardas galeses lloraban abiertamente, al igual que Amaria. Ella y Ciarron me acompañarían a Londres, pero insistí en que se quedara con él a partir de entonces. Mi hermana me haría de confidente.

De repente los galeses empezaron a cantar. Sujeté a mi caballo para escuchar. Acto seguido, después de la guardia real, cabalgué con lentitud a lo largo del río que serpenteaba por el bosque frondoso, de vuelta por el Camino Real de Winchester, donde me habían hecho desviar aquel fatídico día hacía ya tantos años.

El corcel bajó las orejas y noté que temblaba nervioso bajo mi cuerpo.

—Calmaos. —Le acaricié el cuello.

Entonces vi lo que le había perturbado. Había cientos de personas en el puente, aguardando mi aparición; en cuanto me vieron, se oyó una ovación increíble y yo también me sentí presa del pánico. El bosque que tenía detrás parecía derretirse; había dejado la naturaleza por el mundo del poder y las intrigas. Recuperé las viejas costumbres, alcé la mano y sonreí.

Mientras avanzábamos por el ancho camino, la multitud era cada vez más numerosa, los gritos más frenéticos; me tendían la mano, lloraban y muchos se arrodillaron, como si vieran pasar a una santa.

—¡Miradme! ¡A mí! ¡Os quiero, Leonor!

—¡Tocadme el brazo atrofiado!

—¡El ojo ciego!

—¡Os quiero, Nell!

No me lo podía creer, ni explicar. Habían transcurrido quince años desde el día en que me habían apresado en Francia, y durante ese tiempo había estado totalmente apartada de mis súbditos; aquellas personas eran demasiado jóvenes como para recordarme. Estaba emocionada, agradecida y perpleja. ¿Era posible que alguien hubiera escrito una historia sobre mí? ¿Me había convertido en una leyenda? Entonces oí que entonaban una canción y agucé el oído.

> *Gaudiat Pictavia*
> *iam rege discate,*
> *tunescat Normannia*
> *auro coronate.*

Tenía el latín muy olvidado pero traduje aquel mensaje tan sencillo:

> *Que se regocije Aquitania,*
> *su duque es ahora nuestro rey.*
> *Que Normandía añada la voz de ella*
> *y cante sus alabanzas.*

Yo no era el santo, era Ricardo. ¡Mas escuchad!

—¡Aclamemos a la reina! ¡La reina de reinas! ¡Leonor ha liberado a todos los presos! ¡Leonor!

Los cánticos continuaron y de nuevo agucé el oído.

> *Scelus datir funderi,*
> *scandala fugantur;*
> *rapinia interitum.*
> *Clero iuris aditum,*
> *locun veritatis.*

Fácil:

El rey malvado ha muerto,
han huido sus secuaces,
sus ladrones aterrados.
Puesto que la batalla legal ganada está,
que se imponga la verdad.

Me estaban haciendo los honores por no ser Enrique, al igual que le sucedía a Ricardo. Recordé que cuando Enrique sustituyó al rey Esteban, el pueblo le acogió de forma similar, pero luego había traicionado sus esperanzas. Ricardo debía hacerlo mejor.

Salí del palacio de Westminster casi de inmediato para recorrer toda Inglaterra, recibiendo a la corte, aprobando leyes nuevas, suprimiendo las antiguas, todo ello en nombre de Ricardo, que pronto ascendería al trono: anulé todas las leyes forestales de Enrique, abrí los puertos, confisqué todos los bienes del erario público y no regresé a Londres hasta que no se hubo establecido a grandes rasgos la línea del nuevo régimen. Entonces me dediqué a prepararle el terreno a Ricardo. Había oído una y otra vez cuánto se despreciaba a Enrique en Inglaterra, pero era consciente de que todavía no conocían a Ricardo; también sabía que Ricardo desconocía Inglaterra. Nunca había leído las Constituciones de Clarendon, no sabía nada de la nobleza ni de los oficiales de la corte, no hablaba ni una sola palabra de inglés. Toda la formación que había recibido estaba destinada a que gobernara Aquitania. Por consiguiente, empecé a seleccionar cuidadosamente a hombres experimentados para que le ayudaran en la transición; repartí dotes matrimoniales entre los jóvenes nobles ingleses para garantizar su lealtad, incluido a Guillermo Marshal, a quien le concedí la duquesa de Pembroke, todo ello en nombre de Ricardo. Satisfice al clero anulando una ley odiosa según la cual debían alojar a los caballos del rey en sus abadías, y traje al arzobispo de Canterbury a Londres para hacerlo partícipe de mi generosidad.

Mientras yo trabajaba en Inglaterra, Ricardo hacía la ronda de los castillos de Normandía y Anjou para consolidar su poder entre los súbditos de Enrique. Entonces nos comunicábamos a diario a través de una veintena de mensajeros y yo le mantenía al corriente de mis planes para su entrada en Londres. A diferencia de Enrique, su hijo aparecería enfundado en panoplia y ritual en cuanto llegara a Winchester. Cabalgaría al son de la música de trovadores por caminos llenos de flores, y de las ventanas colgarían tapices; crearíamos un nuevo estilo de coronación, aportando toda nuestra experiencia de Aquitania. Inglaterra era una isla fría y neblinosa, razón de más para encender una llama en todos los corazones ingleses.

Mi familia empezó a congregarse. Las lágrimas brotaban sin cesar mientras nos abrazábamos, hablábamos, congratulábamos: Matilda, su esposo, el duque de Sajonia, sus dos hijos, Enrique y Otto; María y Alix de Champaña y Blois, los nietos que me había dado María, Enrique y Escolástica; Petronila y sus hijas, Isabela y Leonor; Mamile y Florine; de la generación anterior sólo sobrevivía tía Mahaut, anciana venerable que se había retirado a su residencia de Fontevrault; vinieron todos los que pudieron. Sólo faltaban Juana, que era reina de Sicilia; mi hija Leonor de Castilla; y Juan, que vendría con Ricardo. Margarita la viuda de Enrique el Joven, había vuelto a casarse en Francia; Constancia de Bretaña, viuda de Godofredo, había llevado a París a sus hijos, Arturo y Leonor. Por supuesto, también faltaba la princesa Alais de Francia.

Todos habíamos cambiado físicamente, pero nos adaptamos con rapidez al cambio pues nos reencontramos en el alma, que era eterna. Dejamos de lado la ira y los arrepentimientos... ¡habíamos vencido!

Entonces los mensajeros informaron que Ricardo había llegado a Inglaterra, cerca de Winchester, y el palacio enmudeció. Viajaría por el mismo camino que yo había recorrido hacía muchos años cuando fui a Old Sarum. Seguimos sus progresos hora tras hora: las multitudes estaban enfervorizadas, la misma canción latina se pregonaba a los cuatro vientos. Me senté tranquilamente en mi cámara a leer sus misivas, entregadas por los mensajeros, intentando concentrarme en los problemas que se avecinaban. Había creado un ritual nuevo para su coronación en la abadía, formal y elegante, había ordenado la preparación de más de cinco mil platos para el banquete posterior, pero estaba abrumada por el recuerdo: veía su rostro, blanco bajo el sombrero arrugado, noté su beso antes de que desapareciera entre la lluvia oscura. Los años que habían transcurrido desde aquel momento escapaban a la imaginación.

Un enorme rugido inhumano llenó el ambiente. Había entrado en Londres; el fragor aumentaba a medida que se acercaba.

La época dorada está de vuelta,
la reforma del mundo está cerca;
el hombre rico ahora humillado,
a las alturas el pobre elevado.

Aquéllas eran las esperanzas del hombre de a pie, entonces y siempre. ¿Ricardo lo tenía previsto? Lo dudaba, pero traía cambios, por el momento bastaba. Amaria vino a buscarme: había llegado el momento de bajar. Daría la bienvenida a mi hijo ante miles de ojos.

Glanvill y el arzobispo de Canterbury me tomaron del brazo. Juntos observamos cómo se abrían las grandes puertas de Westminster. La multitud irrumpió en el patio, gritando, llorando, lanzando flores. Los guardas uniformados de rojo intentaban contenerla, mas en vano. Por el medio apareció una hilera de jinetes. ¡Allí estaba Ricardo!

Inconfundible sobre el hermoso alazán andaluz, tanto el hombre como el animal cubiertos de piedras preciosas. La capa dorada que Ricardo llevaba ceñida sobre los hombros ondeaba a su espalda. Saludó, giró a un lado y a otro, intentó abarcar a todo Londres en su abrazo benévolo. A continuación bajó los brazos y se colocó frente al palacio. Aquella señal era para mí: lentamente recorrí la larga alfombra carmesí que conducía al estrado. La muchedumbre contuvo el aliento. Cuando llegué a los escalones, Ricardo corrió a tenderme la mano. Nuestros dedos se aferraron los unos a los otros y tiró de mí cuidadosamente hacia arriba. Cuando estuvimos frente a frente me rodeó con los brazos. La multitud enloqueció.

Apenas oía lo que me susurraba al oído.

—Mamá, oh, mamá.

Sonreímos y saludamos al unísono. Le miré: un apuesto hombre de treinta y dos años, ojos azul grisáceo, labios carnosos, dientes uniformes, sí, muy apuesto y desconocido para mí. No encontraba a mi niño en aquel hombre, salvo por las palabras que me había susurrado: «mamá».

Nuestra aparición conjunta exaltó los ánimos del gentío; gritaba palabras que oía a medias, éramos la venerada madre y el hijo, santificados en nuestra mutua victoria, nuestro sufrimiento, nuestra dedicación al bien. Las voces subían y se desvanecían como los latidos del corazón.

Alcé la mirada. Por encima de los seres queridos, las nubes grisáceas surcaban el cielo en diagonal, como si el mundo estuviera inclinado. *Oc*, había llegado el momento de que saliera de este mundo y me uniera a los seres queridos incluso más importantes que me habían precedido, mi familia, mis hijos, mis esposos, y la persona que más me había importado en el mundo. Los colores bajo el resplandor del mediodía formaban un fondo común y yo tenía la vista perdida en los campos de anémonas mientras navegábamos hacia Antioquía. Luego observaba otro mar en el que veía un barco plateado mientras zozobraba cerca de la costa lluviosa de Antalya.

—¿Estáis enferma? —preguntó Ricardo, angustiado.

Y allí estaba, la voz de Rancon.

—No, es el sol...

—Estáis pálida. Tomadme del brazo. Os llevaré a vuestros aposentos.

Salí de mi tumba de momia.

Cada vez tenía más vértigo. Cuando me tumbé en la cama, tuve que agarrarme a los lados para no caerme.

—Dejadme, por favor —le susurré a Ricardo-Rancon—. Amaria se ocupará de mí. Debéis... ¡vuestros súbditos os esperan!

—Amaria no está aquí, llamaré a tía Petra.

Mientras me agarraba a la inestable cama, oí murmullos y crujidos junto a mí. La voz de Petra y luego la de Ricardo.

—¡He dicho que os marcharais! ¡Es una orden! —Hablé con voz débil, ¿me habría oído? Quedé sumida en mi universo inclinado. De nuevo, mi padre cabalgaba a través de la maraña de estrellas en su corcel blanco. «Hice bien en escogeros, lo habéis hecho bien.»

—¡Esperadme! —imploré. Pero al igual que en otros tiempos, desapareció entre Cástor y Pólux.

Así pues, debía sobrevivir sola en una vida que ya no deseaba. Podría soportar la incomodidad física si fuera necesario, pero no la pesada negritud de mi alma. Oh, por favor, libradme de esta carga. Llevadme, llevadme. Y seguí respirando. Si no muero ahora, si recupero mis fuerzas, permitidme regresar a Aquitania. Mi hogar verdadero. Gemí en voz alta.

Quizá me adormecí o entré en coma. Abrí los ojos en la oscuridad. Había candelas encendidas a mi lado como si me encontrara en un ataúd, y el mareo había cedido. El humo se alzaba en volutas hacia el techo bajo. Ya no se oían las voces que había distinguido a mi alrededor.

Qué extraño, echaba de menos el libro. Una vida falsa, de ficción, puesto que Enrique había tenido parte de razón al decir que debería haber muerto en el camino francés porque, de hecho, había muerto allí. Cuando mataron a Rancon, mi vida también terminó. Sencillamente, mi libro había sido un esfuerzo por recrearlo, más que un recuerdo, un renacimiento. Qué curioso, tenemos una palabra que indica que se vuelve a nacer pero ninguna para el hecho de morir dos veces. ¿Re-moriría pronto? No, no se puede morir dos veces, yo había muerto quince años atrás.

Desde entonces había perdido dos hijos y había depositado mis esperanzas en los hijos que todavía vivían, pero nadie había sustituido a Rancon. Tampoco es que necesitara un sustituto cuando estuve enjaulada entre altos muros, pues contaba con mis palabras escritas. Sobre la página, él galopaba para siempre a lo largo del Vienne en su alazán andaluz, me envolvía con sus brazos robustos por la noche mientras entonaba una nueva canción. *Oc*, él vivía en mi imaginación. Cuánto anhelaba aquella ilusión.

Pero debía enfrentarme a la realidad. ¿Por qué Rancon no me había escrito jamás? ¿Por qué no se había esforzado por rescatarme? ¿Por qué yo nunca le había escrito después de que Ciarron me permitiera tal posibilidad? Sólo al no pensar, al creer contra todo pronóstico que Rancon vivía, había sido yo capaz de sobrevivir, de cumplir con mi cometido. Aunque estuviera muerto, él me había apoyado porque, aislada como estaba, podía fingir que estaba vivo.

Había llegado el momento de poner fin a mi libro. Rancon había muerto en Francia cuando su caballo había rodado colina abajo; ahora debía morir en mis páginas. No podía entonar la misma canción una y otra vez. ¿Cuántas veces regresaría a mi tienda del monte Cadmos? ¿Cuántas veces evocaría a Tristán?

Observé las volutas neblinosas que despedían las candelas, busqué a mi abuelo en el caballo blanco, añoré a mi bebé Guillermo gateando. En algún lugar del vacío me aguardaban. Oh, por favor, ¡acudid rápido!

Unas manos femeninas me tocaron el rostro y las muñecas, luego oí el ruido sordo de las voces masculinas. Ricardo otra vez.

—¿Estáis despierta, Gracia? —La falsa animación de la voz de Petra. Luego su susurro—: ¡Ahora!

—No os preocupéis, es fruto del agotamiento —dijo Ricardo con voz queda—. Si supierais cómo visitó todas las cortes de la isla, cómo trabajó para mi coronación. Imaginaos, pidió más de cinco mil platos para mi banquete.

Oc, Ricardo me apreciaba, aunque se perdería esos cinco mil platos si no se apresuraba. Me escocían los ojos, odiaba dejarle tras una separación tan larga, pero se las arreglaría bien.

Acercó el rostro.

—Mamá, ¿me oís? Tengo que marcharme, pero regresaré pronto. Ahora descansad, estáis en buenas manos.

«La oscuridad se avecina, la oscuridad se avecina.» La oscuridad del cielo invernal en Aquitania con su cobertura de estrellas nítidas. El cielo era un mar nocturno, las estrellas fragmentos de relucientes cebos para peces.

Levanté los brazos.

—¡Tomo vuestro cebo, mi señor!

Una mano me agarró la muñeca.

—¡Gracia!

—¡Abuelo!

—Soy Rancon, Gracia. ¿Me oís?

¿Rancon estaba allí? Por supuesto, había estado allí todos aquellos dolorosos años. En el cielo, aguardándome. ¿Por qué me había retrasado tanto? ¡Cuán hermoso era mi señor de piel tostada por el sol! El corazón me palpitaba con entusiasmo. Oh, por favor, que no sea un sueño. Nos habíamos separado en Aquitania; ahora nos reuníamos en Aquitania. Iba vestido de marrón, su león dorado resplandecía como las semillas de la mostaza.

—¡Sí, os oigo! —respondí—. ¡Tomadme!

—¿Estáis despierta? —preguntó—. ¿Me conocéis?

Me sentía asfixiada.

—¡Sois la alondra!

—¡Sí, y vos el sol! —Se acercó más a mí y cantó:

> No amo sino a Gracia,
> si os fallo, señora, en la distancia.
> Noble divina, belleza sin igual,
> venid conmigo, lejos o cerca.

—Oh, sí, sí, iré, pero no os perdono, Rancon —le reproché—. Incumplisteis vuestra palabra, me dejasteis sola todos estos años. Éramos Tristán e Isolda, ¿lo recordáis? Prometimos morir juntos, envueltos por nuestro espino florido.

—Todavía no estamos preparados para morir, Bel Vezer.

Una de las candelas le creaba una aureola plateada alrededor de la cabeza.

—Tenéis el cabello blanco.

—Quizás el vuestro también lo esté, si os quitáis el griñón. —Sonrió.

—Pero teníais sólo un mechón cuando... ¡Dadme la mano!

Le froté el índice. *Oc*, la callosidad.

—¿De veras sois Rancon?

—Espero que no estéis horrorizada.

Cerré los ojos, respiré profundamente. La fragancia, sí, aunque leve, era la de Rancon.

Le volví a mirar.

—¿En el cielo se envejece?

Tenía las mejillas húmedas.

—Si envejecemos, no lo notaré. ¿Os ofendo?

Se volvió de forma que pude ver un brazo atrofiado colgando a un lado.

Puse los pies en el suelo.

—Rancon, ¿estáis vivo? ¿Es posible? ¿Sobrevivisteis a...? —Prorrumpí en lloros *mesclatz*—. Lo siento, no creo... no puedo... —Le toqué la mejilla, los labios, el pecho—. ¡Oh, cielos, creo que voy a desvanecerme!

Mientras yacía tendida en la cama con la frente cubierta con paños húmedos, me explicó que el caballo le había aplastado el costado, que lo habían llevado a Poitiers para iniciar su lenta recuperación, que había sabido lo de mi encarcelamiento, todo, todo, cuán impotente y enfurecido se había sentido porque no podía rescatarme. Había hecho llamar a un barón tras otro, pero todos estaban demasiado ocupados intentando salvar sus propias vidas. Y mis hijos eran demasiado jóvenes.

—Quería morir, Gracia, porque sabía que no había esperanza —me susurró—. Vivía sólo de recuerdos.

Me reí en voz alta. ¡Cuán parecidas nuestras mentes!

—¡Revivisteis vuestra apasionada vida!

—Salvo que la vida sigue y soy un hombre deshecho. Tal vez debería quedarme con los recuerdos.

Y yo que en una ocasión había pensado en él como en mi alma gemela... ¿Acaso no había acertado?

—¡No en todos los aspectos, eh! —Le pasé los dedos por el pelo—. ¡Os curaré!

Apoyó su frente en la mía.

—¿El solaz del amor?

Me eché a llorar de modo incontrolable.

—¡Rancon, estáis vivo!

—Pero he envejecido, Gracia —me advirtió—. Sólo vos conserváis la eterna juventud.

—Os parecía hermosa incluso cuando estaba embarazada.

—Sobre todo entonces. Pero miradme. Podríais... Podréis...

—¡Nunca tuve intención de echar a volar en solitario!

—¡Un par de caballos blancos alados!

Nos reímos como niños.

Me besó con los labios bañados por el sol.

—Estaba a punto de no venir, pero Ricardo me insistió.

—Nuestro hijo, Rancon... ¿lo sabe?

—Sí.

—¿Habéis visto alguna vez a un ser tan hermoso?

—Se parece a su madre.

—Besadme otra vez.

Me besó.

Toqué el león dorado que llevaba en la túnica.

—Ricardo tiene vuestro corazón de león.

—Lo necesita.

—¡Escuchad, Rancon! ¡Se va a la cruzada!

—Debe ir por mar... ¡Maurienne estaba en lo cierto!

—¡Mientras esté fuera debemos gobernar por él en Aquitania!

Nos echamos a reír, descontroladamente.

—¿Sabéis, Rancon? Mi vida parece estar dividida en grupos de quince años. Quince en Aquitania, quince en Francia, quince en Inglaterra, quince en Old Sarum y ahora... —Me callé. ¿Por qué ponerle límites al futuro?

Me abrazó y se puso a cantar:

> *El tiempo viene y va,*
> *recorre días, meses e incluso años:*
> *e incólume sigue ardiendo mi deseo,*
> *el mismo, inmutable; mi corazón ansía*
> *la Gracia, para secar mis lágrimas.*
> *Su prisionero del amor.*

No, pensé, por una vez los gemelos no están de acuerdo, puesto que no sois mi prisionero del amor, ni yo la vuestra; le acaricié la mejilla. En una ocasión me había enroscado uno de mis cabellos alrededor del cuello y me había declarado su prisionera y, sí, lo era, en el sentido de que nunca me liberaría del amor. Sin embargo había aprendido muchas veces que el amor no era sino mi libertad; estar sin amor, mi única prisión. Al escribir el libro me había dado cuenta de con cuánta frecuencia habíamos intentado definir el amor a lo largo de los años: amor en el fulgor de la pasión, en la añoranza estando separados, en sus canciones, en la maternidad, en mi tribunal del amor, como alternativa a los matrimonios concertados. El amor era todo lo que habíamos dicho y cantado, mas hasta aquel momento no había captado todo su significado. No una cárcel, seguro. ¿Acaso Rancon no había estado encadenado a su cuerpo malherido? ¿No había yo sufrido durante años tras una verja de elevadas empalizadas? ¿No habíamos sobrevivido los dos gracias a los recuerdos? No, una cárcel no. Tampoco era la muerte, tal como había declarado el poeta Tristán.

El amor, sencillamente, era la vida.

Testa me ipso.

Epílogo

Leonor vivió quince años más tras su puesta en libertad de la prisión, durante los cuales gobernó como reina de Ricardo y, posteriormente, de Juan. Sobrevivió a su hermana, a Rancon y a todos sus hijos con excepción de Leonor y Juan. Nunca llegó a enfermar y se retiró para pasar sus últimos días a Fontevrault, donde está enterrada con Enrique y Ricardo. Por expresa petición suya, su efigie representa a una reina que reposa con serenidad con un libro entre las manos.

1204: en este año la noble reina Leonor, mujer de admirable belleza e inteligencia, murió en Fontevrault.

MATEO DE PARÍS
In hoc anno obiit Alianor

Glosario

asusée: «al ataque», «adelante», en lengua de oc
chevauchée: visita oficial a las provincias, a caballo
Dex aie: «Que Dios me ayude», en lengua de oc
jobelin: criminal forjado en la clase marginada profesional
lerewita: «multa», en sajón
mesclatz: «confuso, desorientado», en lengua de oc
mi señor/a: tratamiento trovadoresco de triple significado: para un se-
    ñor, una dama amada y Dios
orofois: bordados de oro, habitualmente en una cinta
pantière: persona encargada de la despensa
Pax Angevina: paz angevina, referida al imperio Angevino
testudo: protección para un oficial en el campo militar
Waes hael: «Salve», en anglosajón
wyrd: suerte, destino

Lista de personajes

Aquitania

Leonor: condesa de Poitou, duquesa de Aquitania, reina de Francia, reina de Inglaterra.

Ricardo de Rancon:* barón de Taillebourg, capitán del ejército de Aquitania.

Doña Petronila: hermana de Leonor, condesa de Châtellerault.

Abadesa Mahaut de Fontevrault: tía paterna de Leonor.

Abadesa Agnes de Maillezais: tía paterna de Leonor.

Doña Beatriz: tía paterna de Leonor.

Doña Isabela: tía paterna de Leonor.

Arzobispo Godofredo de Burdeos: custodio y senescal político de Leonor.

Aimar de Limoges, Hugo y Guido de Lusignan: barones aquitanos.

Amigas de Leonor: doña Mamile, doña Florine, doña Toquerie y doña Faydide.

Amaria:** dama de compañía de Leonor.

---

* Ricardo de Rancon fue en realidad Godofredo de Rancon, barón de Taillebourg, miembro de la poderosa familia de Angulema. Le cambié el nombre para evitar confusiones con otros Godofredos que aparecen en el libro. Se formó con el padre de Leonor, le sirvió como capitán, lideró su ejército en la cruzada, fue enviado de vuelta a casa por Luis, estuvo al servicio de Leonor cuando era reina de Inglaterra y en la rebelión subsiguiente. La historia personal es ficticia. Sin embargo, sí existió un trovador llamado Bernardo de Ventadorn que permaneció varios meses con Leonor en Angers, e intimó lo suficiente con la reina como para levantar las sospechas de Enrique.

** Amaria de Gascuña fue una dama de compañía, pero las trovas que le atribuyo fueron escritas por María de Francia, seudónimo de una persona desconocida. Las trovas son adaptaciones libres de los originales.

Doña Dangereuse:[*] condesa de Châtellerault, abuela materna de Leonor.

Conde Rafael de Châtellerault: tío materno y senescal político de Leonor.

Marcabrú: trovador.

Sir Lucain: caballero del duque Guillermo X.

Aquitania
personajes rememorados o apariciones fantasmagóricas

Duque Guillermo IX: abuelo de Leonor, trovador famoso.

Duque Guillermo X: padre de Leonor.

Doña Anor de Châtellerault: madre de Leonor.

Condesa Felipa de Tolosa: esposa de Guillermo IX, abuela paterna de Leonor.

Francia

Rey Luis VI de Francia: Luis el Gordo.

Rey Luis VII de Francia: primer esposo de Leonor.

Abad Suger de Saint-Denis: senescal religioso de Francia.

Conde Raúl de Vermandois: senescal político de Francia.

Teobaldo: duque de Champaña.

Enrique de Champaña: hijo de Teobaldo, se casa con María, hija de Leonor.

Abad Bernardo de Claraval: abad cisterciense.

Conde Thierry de Galeran: templario, consejero de Luis.

María de Champaña: hija de Leonor y Luis.

Alix de Blois: hija de Leonor y Luis.

Princesa Margarita de Francia: hija de Luis.

Princesa Alais de Francia: hija de Luis.

Doña Constancia de Bretaña

Felipe de Francia: hijo de Luis, que sucedió a Luis como rey (Felipe Augusto).

---

[*] Se desconoce el nombre verdadero de la abuela materna de Leonor, si bien ha pasado a la historia como condesa de Châtellerault. Distintos árboles genealógicos le atribuyen nombres diferentes; Dangereuse es un nombre de la época.

La cruzada

Manuel I: rey de Bizancio.
Irene de Sulzbach: reina de Bizancio.
Conde de Maurienne: tío de Luis.
Príncipe Raimundo de Antioquía: tío paterno de Leonor.
Doña Constancia: esposa de Raimundo.
Obispo Arnulfo de Lisieux: tutor de Enrique.
Conrado: rey de Alemania.
Papa Eugenio

Inglaterra

Enrique: conde de Anjou, duque de Normandía, rey Enrique II de Inglaterra, segundo esposo de Leonor.
Conde Godofredo de Anjou: padre de Enrique.
Sir Godofredo: hermano pequeño de Enrique.
Matilda: madre de Enrique, duquesa de Normandía, anterior emperatriz de Alemania.
Tomás à Becket: canciller de Enrique, posterior arzobispo de Canterbury.
Patricio: duque de Salisbury.
Guillermo Marshal: caballero, instructor de Enrique el Joven.
Doña Rosamunda de Clifford: amante de Enrique.
Guillermo: hijo de Leonor y Enrique.
Enrique el Joven: hijo de Leonor y Enrique.
Matilda de Sajonia: hija de Leonor y Enrique.
Ricardo: hijo de Leonor y Enrique (Ricardo Corazón de León).
Godofredo de Bretaña: hijo de Leonor y Enrique.
Leonor de Castilla: hija de Leonor y Enrique.
Juana de Sicilia (y, posteriormente, de Tolosa): hija de Leonor y Enrique.
Juan: hijo de Leonor y Enrique.

Old Sarum

Ranulfo de Glanvill: justicia mayor de Inglaterra, guardián de Leonor.
Ciarron ap Dwyddyn: carcelero galés de Leonor.

Índice

CATALINA, LA FUGITIVA DE SAN BENITO

Chufo Lloréns

Ésta es la historia de Catalina Rojo de Hinojosa, cuya existencia se sustenta en los hechos principales de otra vida, la de Catalina de Erauso, cuya trayectoria vital supera en mucho a la más deslumbrante de las invenciones literarias. De la mano de Catalina, el lector podrá acercarse a las gradas de San Felipe, introducirse en la vida cotidiana del Siglo de Oro, transitar por el mundo de los Austrias, con Lope, Calderón, Cervantes, Quevedo, Villamediana, Velázquez, y tantos otros —seres que darían para llenar de lustre, no uno, sino cinco siglos— y respirar el ambiente presidido por el omnipresente valido de Felipe IV, don Gaspar de Guzmán y Pimentel, conde duque de Olivares.

¿Cómo vivía el rey? ¿Qué diversiones tenía el pueblo? ¿Cómo eran las corridas de toros y los corrales de comedia? ¿Qué pasaba en los conventos? ¿Quiénes eran los galanes de las monjas? ¿Cómo funcionaba la Inquisición y de qué modo se desarrollaba un auto de fe? ¿Por qué motivos fútiles se batían en duelo los españoles? ¿Por qué con tan diversos nombres como «devota», «atacacandiles», «toisona», «quilotra», «maleta», «hurgamandera» designaban a las profesionales del oficio más antiguo del mundo? ¿Dónde se ubicaban y cómo eran las mancebías de Madrid? ¿En qué consistían las casas de conversación? ¿Qué se comía en los figones...? Todo ello relatado a través de la epopeya de un amor desgarrado capaz de superar cualquier barrera social, e incluso desafiar a la muerte en el patíbulo.

EL MOZÁRABE

Jesús Sánchez Adalid

Cuando en 929 el emir de Córdoba Abd al-Rahman III se erige como califa, la España musulmana comienza una etapa de esplendor inigualable cuyo estandarte será su capital, Córdoba.

En esta ciudad coinciden Asbag y Abuámir, dos seres separados por su origen, fe y vocación personal, a los que la historia unirá y separará a lo largo de sus vidas. Asbag, el mozárabe, es un erudito entregado al estudio de los libros que pronto se ganará la confianza del califa. Gracias a sus aptitudes académicas y sus dotes diplomáticas, este clérigo aventurero recorrerá tierras lejanas, donde sufrirá las consecuencias de la turbulenta época que le ha tocado vivir, pero donde también verá recompensados sus esfuerzos llegando a ser consejero de algunos de los personajes más emblemáticos del momento. El destino del musulmán Abuámir no será menos sorprendente. Carismático y atractivo, es un joven vividor, aunque con una ambición inusitada. Llegado a la capital para estudiar leyes en la madraza de la mezquita Mayor, Abuámir desarrollará una fulgurante carrera militar que le llevará, con el tiempo, a convertirse en el segundo hombre más importante del califato, el legendario y temido Almanzor.

Jesús Sánchez Adalid, autor de *La luz del Oriente*, toma como punto de partida el hasta ahora prácticamente desconocido mundo de los mozárabes para narrar el destino de dos seres excepcionales atrapados en un momento crucial de la historia.

MAI

5-10-04